Terreur over grenzen

Maarten Krijgsman

Terreur

over grenzen

UITGEVERIJ NOORDBOEK

ISBN 978 90 330 0293 9

NUR 332

Redactionele bewerking: Jannemieke van Ittersum

Vormgeving: Geertje Douma

Omslagontwerp: www.garage-bno.nl

WWW.NOORDBOEK.NL

PROLOOG

WASHINGTON, 1979

Het Witte Huis, de West Wing

'OKÉ, DAMES EN HEREN, dit was het weer voor vandaag.'
'God bless America.'
Jimmy Waters, de president van de Verenigde Staten, sloot de dagelijkse stafvergadering in de Roosevelt Room af en gebaarde dat zijn belangrijkste topadviseurs na moesten blijven.
Nadat de laatste afgevaardigden de vergaderruimte verlaten hadden, ging de president de overgebleven vijf stafleden voor naar zijn kantoor.
Toen de laatste topadviseur in het Oval Office was, sloot de president de deur en zei: 'Relax, dames en heren, neem een drankje uit de minibar en zoek een zitplaats.'
Howard Brown, de stafchef van het Witte Huis, keek de president vragend aan.
'Meneer de president, mag ik iets voor u inschenken?'
'Later, Howard, later, ik verwacht elk moment onze CIA-directeur.'
Zacht pratend vroegen sommigen zich zichtbaar af waarom de president hen hier bij elkaar bracht.
De klok wees precies 16.00 uur aan toen Esther Hill, de persoonlijke secretaresse van de president, het kantoor binnenkwam en de president toefluisterde dat Kenny McDonald was gearriveerd. De president knikte en zei: 'Laat hem maar binnenkomen, Esther.'
Een 1 meter 70 metende kaalhoofdige man van circa zestig jaar betrad glimlachend de ruimte en knikte naar de aanwezige regeringsleiders.
Voor het bureau van de president bleef hij staan, negeerde de uitgestoken hand, salueerde en zei: 'Meneer de president, at your service.'
Daarna schudde hij alsnog de hand van de president en zachtjes voegde hij eraan toe: 'Alles goed met je, Jimmy Boy?'
'Neem iets te drinken en schenk voor mij maar een Kentucky Bourbon on the rocks in.'
Glimlachend begaf de CIA-directeur zich naar de minibar.
Met de knokkels van zijn linkervuist klopte de president op het houten bureaublad en trok hiermee de aandacht van de aanwezigen.
'Wist u, geachte afgevaardigden, dat dit bureau gemaakt is van het hout van een Engels oorlogsschip, de HMS Resolute?'
Clive Devlin, een roodharige forse kerel van Ierse komaf en onder Jimmy Waters de vicepresident, knikte en zei: 'Het was een gift van de Britse koningin Victoria aan de toenmalige president van de Verenigde Staten, Rutherford Hayes. Dat was

in het jaar 1879, dus op de kop af honderd jaar geleden.'
'Aardig om te weten,' reageerde de nationale veiligheidsadviseur Mike Polanski lichtelijk geïrriteerd. Met een cynische ondertoon vervolgde hij: 'Gefeliciteerd met uw honderdjarige bureau, meneer de president, maar mag ik aannemen dat dit niet de reden is om ons hier vast te houden? Ik heb nog dringende zaken te doen.'
In het smalle gezicht van de president spanden de kaken zich. Niet lang daarna keek de president de nationale veiligheidsadviseur strak aan en zei: 'Je weet heel goed, meneer Polanski, dat ik jullie niet heb uitgenodigd voor een borrel. Een ernstige zaak noopte mij ertoe spoedberaad te houden.'
Na de opmerking van de president viel er een korte stilte en als op commando brachten de meeste aanwezigen, zich nu minder op hun gemak voelend, het glas naar hun lippen. De stilte werd verbroken door de harde, droge stem van Harriet Douglas, minister van Buitenlandse Zaken en de enige vrouw in het gezelschap.
'Hebt u, meneer de president, ons bijeen laten komen om te overleggen over en maatregelen te nemen tegen de felle sjiitische ayatollah Khomeyni, die heel Perzië aan het omvormen is?'
De president streek met beide handen over zijn gezicht en bleef een ogenblik zo zitten, de ellebogen steunend op het bureaublad, terwijl hij in stilte bad: 'O, God, geef me wijsheid en kracht, amen.'
Toen hij ze wegnam, was het of zijn gezicht een metamorfose had ondergaan. Rond zijn naar verhouding te grote mond lag een ontwapenende, brede en innemende glimlach en zijn ogen straalden gedrevenheid uit.
De lichtelijk gespannen sfeer, die ontstaan was na de kleine schermutseling tussen de president en Polanski, ontdooide en de president kreeg de volle aandacht van de uiterst nieuwsgierige aanwezigen.
'Dames en heren, ik heb jullie advies nodig voor de volgende twee kwesties.
Kwestie een: de Sovjets zijn Afghanistan binnengevallen om het land binnen hun invloedssfeer te houden. De nog jonge communistische regering van Afghanistan stond op het punt van omvallen. De oorzaak was dat zij een impopulair beleid voerde, waardoor de bewoners van het platteland onder leiding van diverse krijgsheren in opstand kwamen.
Deze agressieve daad is voor ons en de vrije wereld onacceptabel.'
De mededeling sloeg in als een bom en er ontstond een zacht gepraat. De president liet hen even mompelen, voordat hij weer met zijn knokkels op het bureaublad trommelde en aller ogen opnieuw op hem gericht waren.
'Kwestie twee,' vervolgde hij, 'betreft de ex-sjah van Perzië, Mohammad Reza Pahlavi. Deze verdreven, rondzwervende ex-sjah heeft dringend medische hulp nodig. Geen enkel land biedt hem asiel aan, bevreesd als men is voor de reacties van de ayatollahs tegen hun onderdanen die zich nog in Perzië bevinden. Ik vind dat we hem moeten toelaten in de Verenigde Staten. Hij was tenslotte pro-Amerika en we kunnen hem niet aan zijn lot overlaten.'
De korte stilte die volgde op deze tweede mededeling, werd als eerste onderbroken door opnieuw de stem van Douglas.

'Ingaand op de kwestie van de ex-sjah ben ik het niet met u eens, hem bij ons binnen te laten. Er verblijven nog te veel Amerikanen in Perzië die dan groot gevaar lopen gegijzeld te worden of misschien nog erger.'
'Dat valt me zwaar tegen van je, Harriet,' kwam Clive Devlin, de vicepresident, er tussendoor. 'Je was altijd zeer welkom bij de sjah en als ik het goed heb, hadden jullie zelfs koosnaampjes voor elkaar.'
Terwijl de wangen van Harriet Douglas een tintje roder kleurden dan ze normaal al waren, vervolgde Clive Devlin zijn betoog.
'Ik ben het met de president eens, we kunnen de sjah niet zomaar opofferen. Als er een in het Midden-Oosten pro-Amerikaans was, dan hij wel. Daar komt nog bij dat de ayatollahs niet helemaal op hun achterhoofd gevallen zijn en zich wel twee keer zullen bedenken voordat ze Amerikaanse burgers aanvallen.'
'Je vergist je, meneer de vicepresident,' antwoordde de minister van Buitenlandse Zaken snibbig. 'Ben je vergeten dat de ex-sjah maar nauwelijks kon ontsnappen aan de greep van een bende heethoofden, opgefokt door de ayatollahs?'
De charmante Patrick Weinstein, stafchef van Defensie, een Vietnamveteraan en luitenant-generaal, schudde geërgerd het hoofd. 'Mevrouw,' sprak hij geaffecteerd, 'ik ben het volkomen met de heer Devlin eens. In de ogen van de ayatollahs is de sjah een ongelovige, en een ongelovige kan geen islamitisch land leiden, dus moest de brave man vertrekken. Maar nu hij aan een dodelijke ziekte lijdt, is het mensonterend hem aan zijn lot over te laten.'
Harriet Douglas begon inwendig te trillen, ze kon die arrogante klootzak niet uitstaan. Maar voordat ze kon reageren, greep de president in door simpelweg het woord aan Howard Brown te geven door te vragen: 'Mag ik jouw mening, Howard?'
Deze schraapte zijn keel voor hij zijn betoog begon. 'Meneer de president, Harriet heeft een punt. Ook ik vertrouw de ayatollahs voor geen cent. De kans is groot dat ze de daar nog aanwezige ambassade aanvallen en het personeel in gijzeling nemen.
De ayatollahs zien ons als de grote satan, maar moeten wij als geciviliseerde mensen een medemens en in het verleden een speerpunt van de Amerikaanse buitenlandse politiek in het Midden-Oosten aan zijn lot overlaten? Nee, wat de gevolgen ook mogen zijn, die ex-sjah horen we binnen te laten om hem de medische zorg te geven die hij nodig heeft.'
'Mike,' zei de president, 'jouw advies zal doorslaggevend zijn.'
Aller ogen waren nu gericht op de nationale veiligheidsadviseur, die de adrenaline door zijn aders voelde vloeien. Dit is een van die momenten die het leven zin geven, dacht hij, voor hij zei: 'Sorry, Harriet, maar ditmaal ben ik het met de vorige spreker eens, de sjah verdient onze sympathie.'
'De barmhartigheden der goddelozen zijn wreed,' haalde de president aan. 'Spreuken 12 vers 10. Zijn wij goddelozen? Nee, dus Harriet: zorg ervoor dat de ex-sjah straks zijn medische verzorging krijgt.'
Jimmy Waters stond op vanachter zijn bureau en begaf zich naar de minibar, waar het reeds ingeschonken glas whisky klaarstond. Het was geen toeval dat hij nu

vlak naast Kenny McDonald stond, en zijn glas opheffend zei hij: 'Een toost op Reza Khan, de laatste sjah van Perzië.'
'Cheers,' klonk het van verschillende kanten, terwijl men het glas hief.
Enkelen hielden inmiddels al een leeg glas op.
'Mijn dierbare adviseurs, graag vraag ik jullie aandacht voor Kenny McDonald. Hij heeft een strategie bedacht die onze greep op het Midden-Oosten zal verstevigen en tegelijkertijd de macht van de Russen zal afzwakken.'
De CIA-directeur knikte naar de president voordat hij zijn fletsblauwe ogen op het hoge gezelschap richtte.
'De inval van de Sovjets in Afghanistan geeft ons een unieke kans om het leger van de Sovjet-Unie flink te verzwakken en hen hetzelfde te laten ondergaan als wat ons een paar jaar geleden in Vietnam is overkomen.
Maar dat doen we niet alleen, we sluiten verdragen met onze bondgenoten in het Midden-Oosten: Saoedi-Arabië en Pakistan. Via de CIA bewapenen wij de Afghaanse opstandelingen en de financiering doen we samen met Saoedi-Arabië. Dit land laten we daarnaast jonge moslims rekruteren voor de Afghaanse strijd. En Pakistan kan de opleiding en training van de rekruten voor zijn rekening nemen via hun inlichtingendienst, de Inter Service Intelligence, de ISI.'
De Vietnamveteraan en luitenant-generaal Patrick Weinstein applaudisseerde. 'Schitterend, McDonald, zeer geraffineerd, maar wat geeft ons de zekerheid dat de Saoedi's en de Pakistanen met ons mee willen doen?'
Kenny McDonald twijfelde heel even. Zou hij zelf reageren of kon hij het antwoord beter overlaten aan Harriet Douglas? Uiteindelijk was zij als minister van Buitenlandse Zaken de specialist in het Midden-Oosten.
'Mevrouw Douglas, wilt u zo vriendelijk zijn uw kennis over het Midden-Oosten met ons te delen? En aangeven waarom de Saoedi's en de Pakistanen graag met ons mee willen doen?'
Harriet Douglas knikte en dacht even na.
'Beide genoemde bondgenoten hebben strategische belangen bij dit conflict. Saoedi-Arabië kent als staatsgodsdienst het wahabisme, een streng-orthodoxe, militante stroming binnen de islam. Het land wil graag het wahabisme exporteren naar Afhanistan.'
'Waarom?'
'Omdat ayatollah Khomeyni een sjiitische islamitische revolutie in Iran is begonnen. Het sjiisme, naast het soennisme de grootste ideologische stroming binnen de islam, erkent alleen de nakomelingen van Mohammeds neef en schoonzoon Ali ibn Abi Talib als kaliefen van de profeet Mohammed. De sjiitische islam staat vijandig tegenover het wahabisme, zodat Saoedi-Arabië voor de strategie kiest om het wahabisme te verspreiden, opdat de sjiitische islamitische revolutie niet overwaait naar de buurlanden van Iran.
Wat Pakistan betreft: dit land staat sinds de onafhankelijkheid in 1947 op voet van oorlog met noorderbuur India. Pakistan heeft aan de westgrens een bondgenoot nodig en zal hoogstwaarschijnlijk besluiten mee te doen aan de guerrillastrijd in Afghanistan.'

৯

Na deze uitleg en nog wat gepraat over en weer kreeg Harriet Douglas de opdracht om de Saoedi's en de Pakistanen te benaderen en te bewegen mee te doen. Na dagenlang onderhandelen stemden beide landen toe.

Afghanistan 1980

De Saoedische emir Turki Al Feisal, hoofd van de Saoedische Inlichtingendienst, wordt belast met het rekruteren van jonge moslims.
Hij neemt contact op met zijn jonge vriend Osama Bin Laden, juist afgestudeerd als ingenieur civiele techniek, en vraagt hem jonge Arabieren te rekruteren voor de Afghaanse strijd.
Osama Bin Laden, een telg uit een steenrijke Saoedische familie, die kan beschikken over miljoenen dollars, pakt deze uitdaging met beide handen aan en begint rigoureus in moskeeën jonge moslims voor de Afghaanse zaak te rekruteren.
Osama valt op door zijn conservatisme. Hij leeft volgens de wahabitische leer, die de religie op een verouderde en, volgens gematigde moslims, op een foutieve manier interpreteert.
De Arabische moedjahedien voor de Afghaanse zaak kwamen vanzelfsprekend uit Saoedi-Arabië, maar ook uit omliggende Arabische landen, zelfs uit het Westen kwamen jonge moslims zich melden voor de strijd.
Zo ook Marc van Someren, een tot moslim bekeerde Belg.
Via Saoedi-Arabië werden de jonge moslims naar de trainingskampen aan de Pakistaans-Afghaanse grens gebracht.
Agenten van de ISI verzorgden de trainingen en adviseerden de Afghaanse leiders over sabotage, het leggen van hinderlagen enzovoort.
Zo leerden zij, de leiders en de jonge moslims, de fijne kneepjes van de guerrilla.
Marc van Someren werd omgedoopt tot Mustapha en al snel maakte hij onder de Arabische strijders vrienden.
Abu Al-Hassani, bijgenaamd, 'de Syriër', werd zijn boezemvriend.
Acht jaar trokken ze samen op en door hun heldhaftig gedrag klommen zij in de rangen van de moedjahedien omhoog.
Tijdens de laatste krachtmeting met de Sovjets, in 1989, de verovering van de Afghaanse stad Jalalabad, streden ze vooraan in het front en gaven leiding aan duizenden strijders.
Na deze grote militaire nederlaag gaven de Sovjets zich gewonnen en trokken zich zwaar aangeslagen uit Afghanistan terug.

De geboorte van Al-Qaida

OSAMA BIN LADEN WAS tijdens de oorlog uitgegroeid tot het idool van de jonge strijders.

Fanatiek als hij was in zijn conservatieve wahabitische leer, haatte hij iedereen die niet in zijn religie geloofde. In het bijzonder de Amerikanen en later ook alles wat met het Saoedische koningshuis te maken had. Uiteraard moest hij ook niets hebben van de heidenen uit het wereldse Europa. Hij verzamelt een keur van uitgelezen mannen om zich heen en de islamitische terreurbeweging Al-Qaida is geboren.

Abu wordt door Osama Bin Laden bevorderd tot krijgsheer Abu Al-Hassani en verzamelt een legertje strijdlustige moedjahedien om zich heen.

Mustapha krijgt opdracht terug te keren naar zijn geboorteland België, om daar als Marc van Someren een imperium op te bouwen, waarvan de uiteindelijke winsten terug zouden vloeien in de geldpot van Al-Qaida.

Met een half miljoen dollar op zak begint Marc van Someren in Antwerpen een bouwbedrijf.

DEEL 1

GAZASTROOK, DEIR AL-BALAH, APRIL 2007

DEIR AL-BALAH, EEN STADJE in het midden van de Gazastrook, lag te bakken in de namiddagzon.
Sjeik Mahmoud Al Sayyid-Hashem, prominent lid van de Hamaspartij, wentelde zich van zijn ligbank af en kwam kreunend overeind.
Over zijn dikke buik wrijvend begaf hij zich naar een klein bureau in de hoek van het halfduistere vertrek. Hij klapte een paar maal in zijn dikke handen, waarop een jonge Palestijnse het vertrek binnenkwam en de etensresten begon af te ruimen.
'Je hebt me weer verrast met je heerlijke kookkunst, mijn kleine Rachida,' en kloppend op zijn dikke buik vervolgde hij: 'Waar moet dat heen?'
Glimlachend keek Rachida even op, haar donkere ogen dankbaar gericht op de sjeik, die zich al half had afgewend om plaats te nemen achter het bureautje.
'De volgende tien minuten wil ik niet gestoord worden, mijn kleine Rachida. Je weet wat dat betekent: niemand, maar dan ook niemand mag ons huis betreden. Waarschuw Aziz en vertel hem dat hij buiten er vooral op moet letten dat er geen luistervinkjes rond het huis en in de buurt rondsluipen.'
'Ja, grootvader,' knikte Rachida. Ze liet de sjeik alleen.

Sjeik Mahmoud verheugde zich met trots over het feit dat hij een nazaat was van de overgrootvader van profeet Mohammed. Zijn gedachten gingen terug naar het verhaal over deze voorouder, Al Sayyid Hashem. Deze reislustige man was tijdens een verblijf in Gaza-stad overleden.
Hij werd begraven naast de Al Sayyid Hashem Moskee in Gaza-stad, die ter ere van hem in 1850 door de Ottomaanse sultan Abdul Majid Khan werd gebouwd. Terwijl het gezelschap waarmee Al Sayyid Hashem en zijn zoons reisden, na de begrafenis verder trok, bleef een van de zoons achter en vestigde zich in de Gazastrook. Toen de huidige sjeik geboren werd, vernoemde zijn vader hem naar zijn beroemde voorouder.
Met zijn linkerhand door zijn baard kammend overdacht sjeik Mahmoud dit alles nog eens. Toen viel zijn oog op de wand tegenover hem, waar een uitvergrote foto van de door het Israëlische leger op 22 maart 2003 geliquideerde Hamas-leider sjeik Ahmed Yassin hing. Resoluut pakte hij de hoorn van het telefoontoestel en draaide een buitenlands nummer.

Kabul, Afghanistan

In een bunker onder een huis in een buitenwijk van Kabul rinkelde de telefoon. Een zich schuilhoudende talibanleider, krijgsheer Abu Al-Hassani, ergerde zich aan het langdurige gerinkel van de telefoon en riep: 'Ramzi, neem die telefoon op.'
Vanuit een nevenvertrek kwam een stevige jonge kerel tevoorschijn. Hij nam de telefoon op, luisterde, en na enkele ogenblikken gaf hij de telefoon aan krijgsheer Al-Hassani.
'Sjeik Mahmoud voor u.'
'Mijn vriend uit de Gazastrook,' kirde de krijgsheer. 'Met nummer vijf, rapporteer.'
Sjeik Mahmoud reageerde in dezelfde telegramstijl. 'Team Abdullah gearriveerd.'
'Explosieven worden ingekocht.'
'Geplande datum en tijd, geen probleem.'
'Dat is mooi, Gazastrook, heel goed. Houd ons op de hoogte.'
'Allah is groot.'
Krijgsheer Abu Al-Hassani knikte goedkeurend.
'Ramzi,' sprak hij tot de jonge kerel, 'het is nu echt begonnen, over tweeënhalve week zullen wij de wereld schokkend nieuws bezorgen.'
Rondkijkend in de schitterend ingerichte ruimte die hij liefkozend zijn 'suite' noemde, vervolgde hij: 'Welke namen zullen we de vier teams geven?'
'Zullen we ze vernoemen naar de landen waar zij de aanslagen gaan plegen of zullen we ze vernoemen naar de plaats vanwaaruit de teams zijn samengesteld?'
'Wel, Ramzi, vertel me wat jij ervan vindt.'
'O, groot en mach...' begon Ramzi zijn betoog, maar stopte abrupt toen krijgsheer Al-Hassani zijn hand ophief en hem in de rede viel.
'Ach, jongeman, vergeet al die poespas, wij moeten hier samen heel wat tijd doorbrengen en soms heel snelle beslissingen nemen. Ik heb je niet voor niets uitgekozen om samen met mij deze grote operatie te leiden. Noem me gewoon Abu; dat scheelt in tijd, als ik je wat vraag.'
Ramzi, van jongs af aan opgegroeid met computers en videospelletjes, had zich ontwikkeld tot een computerexpert en was ronduit een genie.
Al-Hassani had hem weggekaapt van Binnenlandse Zaken, waar Ramzi de rechterhand van de minister was geweest.
'Dus, jonge vriend, welke namen geven we de teams?'
'Goed, o groot...'
De rest inslikkend en na een korte pauze begon Ramzi opnieuw.
'Abu, de teams naar de aanslaglanden vernoemen lijkt mij een te grote eer voor deze heidenen. De eer zal toekomen aan degenen die hem verdienen. Onze broeders zetten hun leven in voor de goede zaak en verdienen dan ook dat hun team vernoemd wordt naar de plaats van samenstelling.'
'Heel goed, Ramzi, heel goed. Dus als de eersten zich gemeld hebben, heeft team nummer een de codenaam "Gazastrook".'

Sjeik Mahmoud Al Sayyid-Hashem

Met een genoegzaam glimlachje legde sjeik Mahmoud de hoorn terug op de haak van het verouderde telefoontoestel.

Hij wilde weer in aanzien komen. Zijn ster was na de moord op zijn grote voorbeeld en leider, sjeik Ahmed Yassin, dalende. Hem, sjeik Mahmoud Al Sayyid-Hashem, die in zijn jonge jaren gevochten had tegen de Russen in Afghanistan, zij aan zij met Abu Al-Hassani onder indirect bevel van de grote leiders Osama Bin Laden en de Palestijnse islamitische leraar en professor Abdallah Azzem, die beiden aan de wieg van Al-Qaida hadden gestaan, was niet gevraagd deel te nemen aan een Hamasregering.

Na de verkiezingsoverwinning werd de hoge Hamasleider Ismail Haniyah, die evenals hijzelf een naaste medewerker was geweest van sjeik Yassin, belast met de vorming van een Hamasregering en werd zelf de Palestijnse premier.

Sjeik Mahmoud dacht met weemoed terug aan zijn vriend Abdelaziz Rantisi.

Ziedend waren ze na de liquidatie van hun leider sjeik Ahmed Yassin.

Abdelaziz Rantisi beloofde Israel dat 'de poorten van de hel' zouden opengaan en Ariel Sharon, de Israëlische premier, zijn leven niet langer zeker zou zijn.

Abdelaziz Rantisi was een van de vier oprichters van Hamas. De laatste die toen nog in leven was. Tijdens Israëls liquidatiecampagne moesten eerst Ibrahim Makadmeh en Salah Shehadeh eraan geloven, daarna sjeik Ahmed Yassin en nog geen maand later...

Wanhopig stak sjeik Mahmoud bij deze laatste herinnering zijn armen gespreid omhoog. Ook zijn goede vriend Abdelaziz Rantisi werd door een Israëlische Apache-helikopter gedood.

'Alles goed met u, grootvader?'

Rachida was in de deuropening verschenen en onderbrak hiermee zijn gedachtegang.

Sjeik Mahmoud liet zijn armen zakken en plaatste zijn handen plat op het bureau, drukte zich omhoog vanuit zijn bureaustoel en knikte Rachida toe.

'Ja, ja, mijn kleine prinses, met je grootvader is het goed.'

Hij wrong zich langs zijn bureau en nam weer plaats in de kussens op zijn ligbank.

'Verwen je oude grootvader met wat heerlijk gekoeld vers fruit.'

De sjeik liet zich onderuit in de kussens zakken en mijmerde verder.

Wat had de verkiezingsoverwinning Hamas gebracht, behoudens de premier en enkele Hamasministers?

Het buitenland zag de Hamas als een terroristische beweging en met lede ogen moest men aanzien dat de Hamas groter werd en meer steun had gekregen van de Palestijnse bevolking en in het bijzonder van de Gazastrook dan de Fatahpartij.

Het nadeel van deze overwinning was dat steeds meer buitenlandse geldkranen werden dichtgedraaid, waardoor er een groot financieel tekort ontstond.

Hierdoor voelden prominente leden van de Hamaspartij er steeds meer voor om Israël als staat te erkennen.

Hamasleider Youssef Abu Moubarki had in een interview met de Egyptische krant

Al-Ahram gezegd, dat de Hamas overwoog een eenjarig staakt-het-vuren te sluiten met Israël, met als enige voorwaarde dat ook Israël zich hieraan houden zou.
Dit als gevolg van de Israëlische vliegtuigen die de afgelopen weken Hamasdoelen in de Gazastrook bestookten en meer dan zestig Palestijnen hadden gedood, onder wie een aantal burgers.
Hamas zelf had meer dan 250 raketten afgeschoten op Zuid-Israël, met als beschamend resultaat dat hierbij maar twee Israëlische burgers waren omgekomen.
Daar kwam nog bij dat een of andere gestoorde Jood de Hamas een aanbod van één miljard dollar had gedaan als de Hamas Israël via een vredesovereenkomst tegen islamitisch terrorisme zou beschermen.
Genoemd werd ook nog dat hiermee ongeveer een miljoen banen voor Palestijnen gecreëerd zouden kunnen worden.
Pure omkoperij, de rillingen liepen over zijn rug, sjeik Mahmoud moest er niet aan denken.
Yasser Arafat had de Amerikanen, de Israëli en feitelijk de hele rest van de wereld aardig aan het lijntje gehouden. Praten en nog eens praten, toezeggingen doen en er weer op terugkomen. Zaken naar buiten brengen en zo verdraaien dat de Israëli naar het oordeel van de rest van de wereld de schuld in de schoenen kregen geschoven. Daardoor groeide de sympathie voor de Palestijnse zaak. En het belangrijkste was dat het geld binnen bleef stromen.
Een minpuntje was, dat Arafat als leider en president van de Palestijnse Bevrijdingsorganisatie PLO, samen met de leiders van de Fatahpartij, honderden miljoenen buitenlands geld had verduisterd. Ook hierdoor had de Hamas de verkiezingen gewonnen.
Sinds Arafat overleden was, ging het de verkeerde kant op.

Wat bleef er over van de idealen bij de oprichting van de Fatahpartij en later de Hamas?
Er was maar één goede Jood en dat was een in de Middellandse Zee verdronken Jood.
Het was al zo ver gekomen dat Fatah Israël erkende als staat. Dat was de tweede reden dat Hamas had gewonnen.

Toen sjeik Mahmoud door krijgsheer Abu Al-Hassani werd benaderd om een team vrijheidsstrijders samen te stellen voor een missie in Nederland, zag hij dat als een kans om zijn blazoen weer wat op te poetsen. Hij hoefde niet lang na te denken over de samenstelling van een team.
Abdullah kwam al direct als eerste gegadigde in zijn gedachten. Het was een dappere en onverschrokken kerel met ervaring en bovendien in Nederland geboren

en opgegroeid. Op dit moment trainde hij jonge Palestijnen in een geheim kamp nabij Gaza-stad.
Mahmoud had contact opgenomen met Mohammed Deif, commandant van de militaire vleugel van Hamas, de Izzedine al-Qassam Brigades, en hem uitgelegd dat hij Abdullah nodig had voor een belangrijke missie.
Abdullah kreeg de opdracht om een team te formeren voor een missie in Nederland en kwam met een goed voorstel.
'Abdullah,' had Mahmoud gezegd, 'het is een sterk team, een goede mix van jonge onervaren, maar goed getrainde en geharde kerels en wat oudere, zeer ervaren Hamasstrijders.'
'Dit team wordt gekoppeld aan een stel oude vrienden van mij, die deel uitmaken van een sluimerende Nederlandse cel in Den Haag, de stad waar de Nederlandse regering zetelt, en die gelinkt is aan een Duitse en een Belgische cel van Al-Qaida.'
Daarna had hij hem gevraagd hoe hij vanuit de Gazastrook naar Nederland dacht te komen.
Het antwoord van Abdullah gaf hem een heel goed gevoel.
'We vertrekken via Rafiah, door de geheime tunnels steken we de grens met Egypte over, rijden met een terreinwagen naar Cairo en vandaar gaan we met het vliegtuig naar Rabat.'
In de hoofdstad van Marokko had Abdullah zijn relaties. Daar zou men reispapieren voor hem en zijn team in orde maken. In Rabat hielden vast wel enkele oudere echtparen een vroege vakantie.
'Met hen,' had Abdullah gezegd, 'reizen we onopvallend mee terug, eerst de oversteek naar Spanje. Dat zal even spannend worden, omdat we daar Europa binnenkomen. Verder rijden we ongestoord door Spanje, Frankrijk en België naar Nederland. Door het EU-verdrag zullen er nauwelijks nog controles aan de grenzen zijn en rijden we in één ruk door.'
Goed denkwerk van Abdullah, vond sjeik Mahmoud.
In een geheim trainingskamp vormde Abdullah de vijf mannen tot hechte teamgenoten die blindelings op elkaar konden vertrouwen.
Onaangekondigd, en op onregelmatige tijden, bezocht sjeik Mahmoud het trainingskamp om persoonlijk te controleren, hoe Abdullah de mannen trainde.
Hij constateerde dat de mannen conditioneel en vooral geestelijk steeds meer naar elkaar toegroeiden. Hij hoorde dat Abdullah de mannen zelfs eenvoudige Nederlandse woordjes leerde.
Op 27 april vertrok het team naar de Egyptische grens en begon de reis naar Nederland.

Abbottabad, Pakistan

Opperrechter door president geschorst

VOLGENS AANHANGERS VAN OPPERRECHTER Iftikhar Mohammed Chaudhry demonstreerden meer dan honderdduizend mensen tegen de schorsing.
Officiële berichten geven aan dat er vijftig- tot zestigduizend mensen bijeengekomen waren om te demonstreren. Chaudhry en zijn aanhang eisen het vertrek van generaal president Pervez Musharraf, die opdracht had gegeven tot de schorsing.
'Ik heb de mensen nog nooit zo enthousiast gezien,' verklaarde de prominente advocaat Shahid Aslam. De demonstratie in Abbottabad was de grootste oppositierally tot nu toe.
President Musharraf zegt Chaudhry geschorst te hebben omdat hij zich zou hebben misdragen, maar in politieke kringen beweert men dat de populariteit van de generaal aan het afnemen is en hij op deze wijze wil voorkomen dat zijn voornemen om langer aan de macht te blijven door de rechtsprekende macht wordt gedwarsboomd.
Met succes pleegde generaal Pervez Musharraf in 1999 een coup.

Terwijl advocaat Shahid Aslam het krantenbericht glimlachend doorlas, betrad zijn dochter Farah de huiskamer.
Met een gesluierde stem zei ze: 'Papa, uw privételefoon op uw studeerkamer rinkelde drie keer.'
Terwijl hij nog steeds glimlachte, hoewel er een harde uitdrukking in zijn ogen verscheen, keek de advocaat op naar zijn bevallige dochter.
'Dank je, mijn oudste. Wil je voor mij een glas koud water halen en op het bureau in mijn studeerkamer zetten, dan kom ik er zo aan.'

Na de geluiddichte deur van zijn studeerkamer zorgvuldig gesloten te hebben, nam de advocaat de hoorn van zijn beveiligde telefoon en draaide een buitenlands nummer. Na zes keer overgaan werd de telefoon eindelijk opgenomen.
Aan de andere kant van de lijn bleef het stil, maar Shahid hoorde een lichte ademhaling.
'Hallo, met Pakistan,' zei hij.
Op de achtergrond hoorde hij iemand zeggen. 'Pakistan voor u.'
'Kabul, met nummer vijf,' klonk de stem van Abu Al-Hassani, met de nadruk op vijf.
'We worden nerveus van jou, Pakistan. Wat zijn de vorderingen, rapporteer!'
Shahid Aslam trok de wenkbrauwen omhoog, hield de hoorn een ogenblik zo ver zijn arm reikte van zich af, haalde diep adem, liet de lucht zacht fluitend weer ontsnappen en reageerde met hautaine stem.

'Sorry! Je spreekt met Pakistans nummer twee en wanneer we iets te melden hebben, bel ik jou, begrepen Kabul! Je weet dat de Britse veiligheidsdienst bijzonder actief is.'
'Ben je zomer 2006 vergeten? Een paar van onze beste mensen zijn toen opgepakt.'
Iets milder van toon – hij begreep best dat Al-Hassani, die verantwoordelijk was voor de totale operatie, zo vlak voor het uur U bij het uitblijven van berichten nerveus begon te worden – vervolgde hij: 'Alles is tot nu toe volgens plan verlopen. Ik verwacht elk moment bericht uit Southend; het team is geformeerd, het moet alleen nog in stelling gebracht worden. Over en uit.'
Shahid Aslam gooide geïrriteerd de hoorn terug op de haak.
Hij wist helemaal niet wie deze krijgsheer uit dat nederige Afghanistan was. Maar wilde je de steun en medewerking krijgen van Aymen Al-Zawahiri, een Egyptische chirurg en tweede man bij Al-Qaida, bijgenaamd de Egyptenaar, dan moest je wel een meesterplan geïntroduceerd hebben.

Hoe had het kunnen gebeuren dat Shahid Aslam, cum laude afgestudeerd aan de universiteit van Islamabad, een prominent advocaat zoals het dagblad hem omschreef, opgeklommen was tot nummer twee in de Pakistaanse radicale terreurbeweging, gelieerd aan Al-Qaida?
Hij stond bekend als een oprechte islamitische gelovige en uiteraard steunde hij in het openbaar opperrechter Iftikhar Mohammed Chaudhry. Aan het Pakistaanse hooggerechtshof in Islamabad was hij een zeer geziene advocaat en een excellent strafpleiter. Een machtige dekmantel, dat wilde hij graag zo houden.
Shahid zuchtte. Hoelang was het alweer niet geleden dat zijn jongere broer Ali als terreurverdachte door de Amerikanen werd opgepakt en opgesloten in het gevreesde Amerikaanse kamp op Cuba, Guantanamo Bay?
Volgens hem was Ali absoluut onschuldig, dat kon niet anders.
Een jaar lang had hij alles geprobeerd om door te dringen tot het Amerikaanse kamp, al was het om maar één moment met zijn broer te kunnen communiceren. Hij had internationale relaties aangeboord, Amerikaanse advocaten benaderd, geld noch moeite gespaard, maar er was geen doorkomen aan. Het ging om een oorlogssituatie en de gevangenen waren op voorhand veroordeeld als terroristen. Een zaak voor de Amerikaanse militaire rechtbank dus.
Na een jaar van wanhoop kwam het bericht van een bevriende Amerikaanse advocaat dat Ali levenloos in zijn cel gevonden was; hij had zelfmoord gepleegd. Tegelijkertijd ontving hij van deze man per fax een krantenberichtje uit de *Washington Post*. Hoewel Ali's naam niet werd genoemd, bevestigde de Amerikaan dat het om Shahids broer ging.
Toen vlak hierop ook nog zijn moeder overleed van verdriet, sprongen bij hem alle stoppen door en was hij zichzelf niet meer.
Zijn opvoeding, zijn studie, de diploma's die hij met hoge cijfers binnenhaalde,

een schitterende en succesvolle carrière als advocaat... alles draaide en tolde door zijn hoofd, hij wist het niet meer, de koele strafpleiter ging door het lint.
Na een week zwerven hervond hij zichzelf, liggend in een smerige steeg, geplunderd en berooid tussen de vuilcontainers.
Met een van pijn vertrokken gezicht had hij zich opgetrokken aan een vuilcontainer en met een dik opgezwollen linkeroog, zijn gezicht en lichaam bedekt met bulten en schrammen, was hij op weg gegaan naar huis. Er was een politiewagen naast hem gestopt, en een van de agenten vroeg hem schreeuwend of hij mr. Aslam, de advocaat, was. Vervolgens brachten ze hem thuis, waar hij werd opgevangen door zijn opgeluchte echtgenote en zijn beide dochters.
Zij hadden hem in het ligbad geholpen en gewassen, zijn bulten en schrammen behandeld met koele zalf, een kompres op zijn linkeroog gelegd en hem in bed gestopt. Hij had vierentwintig uur aan één stuk geslapen en toen hij eindelijk zijn rechteroog opsloeg – zijn linker zat nog onder het kompres – zat zijn oudste dochter knikkebollend aan zijn bed te waken.

Al-Qaida was intussen voor de Pakistaanse tak op zoek naar hoogopgeleide personen om leiding te geven aan de verschillende cellen in Pakistan. Nadat de Amerikanen en de Britten de taliban grotendeels verdreven hadden uit Afghanistan, was Pakistan voor Al-Qaida immers het meest voor de hand liggende land om onder te duiken. Het onherbergzame grensgebied tussen Pakistan en Afghanistan was ideaal om je er in te verbergen en geheime kampen op te zetten, zodat nieuwe rekruten opgeleid konden worden tot ervaren moedjahedien.
Toen Al-Qaida Shahid kort daarna benaderde met de vraag of hij zijn onschuldige broer wilde wreken door leiding te geven aan groepen strijders die zich ophielden in de hoofdstad Islamabad en omgeving, hoefde hij niet lang na te denken.
Zijn haat tegen de Amerikanen overweldigde hem en iedere keer wanneer hij aan zijn onschuldige broer dacht, moest hij zichzelf geweld aandoen om het van zich af te zetten en om normaal te kunnen blijven functioneren.
Vol overgave had hij zich in het geheim ingezet voor de radicale Pakistaanse terreurbeweging, gelieerd aan Al-Qaida van Osama Bin Laden.
Hij had een maand vrij genomen. Officieel was hij op reis door Europa om daar enkele studievrienden uit zijn studietijd in Oxford te bezoeken. In werkelijkheid onderwierp hij zich aan een trainingssessie in een van de opleidingskampen van Al-Qaida.
Na het organiseren van diverse succesvolle aanslagen werd zijn territorium uitgebreid met de vijftig kilometer ten noorden van Islamabad gelegen stad Abbottabad en omgeving. Hierna werd hij al snel in de top opgenomen, met als gevolg dat hij nu, na nog geen jaar, de tweede man in de Pakistaanse terreurbeweging was.

Ondertussen was hij er via een Pakistaanse Al-Qaida-strijder achter gekomen dat zijn broer Ali leiding had gegeven aan een grote groep Al-Qaida-strijders die hun werkgebied in het noordoosten van Afghanistan hadden. Ali was vanuit zijn schuilplaats met een kleine groep op verkenning, toen hij door Amerikaanse en Britse militairen werd overvallen.
Hij was met zijn verkenningsgroep met open ogen in een fuik gelopen, waardoor ze volledig waren omsingeld. Ze hadden dapper gevochten, verscheidene strijders stierven ter plekke de martelaarsdood; anderen raakten gewond, onder wie ook Ali. De gewonde strijders werden gevangengenomen en op transport gezet naar Guantanamo Bay.
Op een dag, wist Shahid Aslam, zou alles uitkomen, dan zou ook zijn dekmantel hem niet meer kunnen helpen.
Hij zou ontmaskerd en gearresteerd worden. Na een kort proces zou hij waarschijnlijk ter dood veroordeeld worden, maar hij kon niet meer terug, hij zat er te diep in.
Wanneer hij zich nu of straks na het afronden van de huidige missie zou terugtrekken, werd dat in de top van Al-Qaida niet geaccepteerd.
Hij wist te veel, kende verscheidene topfiguren en men zou het te bedreigend vinden om hem te laten gaan. Zonder pardon zou hij geliquideerd worden.
Shahid schudde met zijn hoofd. Kom op, sprak hij zichzelf toe. Niet zwak worden nu.

Na de oproep van de Egyptenaar was hij naar Engeland gevlogen.
Officieel bezocht hij een oude studievriend, die in Cambridge woonde en werkte. In het geheim had hij contact gelegd met de leider van een radicale Zuid-Engelse cel van Al-Qaida, Zahid Waheed. De thuisbasis van deze Al-Qaida-cel bevond zich in Southend-on-Sea, een stadje op de noordoever in de monding van de rivier de Theems. Shahid had Zahid opdracht gegeven een klein slagvaardig topteam samen te stellen.
Hij had hem geïnformeerd over de plaats, datum en de precieze tijd, waar en wanneer de aanslag gepleegd moest worden.
Hij had vooral duidelijk gemaakt welk doel Al-Qaida met deze speciale missie voor ogen had.
Met een vurig betoog had hij Zahid enthousiast gemaakt, wat hem natuurlijk wel was toevertrouwd; als advocaat was het een van zijn sterke punten.
Daarnaast had hij een paar heerlijke dagen met zijn oude studievriend en diens familie en was het hem opgevallen dat hij dat dubbelleven heel soepeltjes aankon. Toen hij op weg was van Cambridge naar Southend-on-Sea, voelde hij de adrenaline door zijn aderen stromen en dat gaf een bijzonder goed gevoel.
Hij maakte zichzelf wijs dat hij hiervoor maar een saai leven had gehad als plichtsgetrouwe huisvader en gewaardeerde advocaat. Elke dag dezelfde gang naar het kantoor en vandaaruit naar het gerechtsgebouw met als enige variatie de verschil-

lende tijden waarop een proces gevoerd werd. 's Avonds weer thuis, krantje lezen, eten, televisiekijken en daarna slapen. Een of twee keer in de week een bezoek aan de moskee.
Nee, dan gaf dit leven spanning en inhoud, een doel waar je naartoe werkte.
Een aardige bijkomstigheid was dat hij met zijn Al-Qaida-activiteiten tien maal zoveel verdiende als met zijn advocatenpraktijk.

Een kloppen op de deur haalde Shahid terug in het heden.
Hij stond op en opende de zware geluiddichte deur.
Opnieuw zijn oudste dochter: 'Papa, mama vraagt of u komt, over een halfuur gaan we eten.'
'Geef me vijf minuten, ik kom er zo aan.'
'Papa, u piekert toch niet te veel, hè?' vroeg Farah bezorgd.
Glimlachend antwoordde Shahid: 'Nee hoor, mijn oudste, ik ben me aan het voorbereiden op een ingewikkelde zaak die morgenochtend aan de orde is.'
'O, papa,' reageerde Farah opgelucht, 'dan zien we u zo, Yasmina is ook al thuis.'
Yasmina was zijn jongste dochter. Zij volgde in de voetsporen van haar vader: ze studeerde rechten aan de universiteit in Islamabad.
Shahid sloot opnieuw de deur en nam weer plaats achter zijn bureau.
Hij nam de hoorn van zijn beveiligde telefoon en toetste het nummer in van Zahid Waheed in Southend-on-Sea. Na vier maal overgaan verbrak hij de verbinding.
Straks nog maar eens proberen.
Voor het geval dat Farah zijn studeerkamer zou betreden, legde hij het dossier van een zaak die hij de volgende dag op de agenda had staan op zijn bureau.

Den Haag, Nederland

Mohammed Boukhari, alias Abdullah, bezocht na twee jaar zijn ouders in de Haagse Schilderswijk en het weerzien was zeer emotioneel. Zelfs de Palestijnse medestrijders raakten ontroerd.
Na de lunch gaf Abdullah zijn makkers opdracht een paar uur te gaan rusten, want de verwachting was dat het 's avonds laat zou worden.
Hijzelf moest een aantal zaken regelen, maar eerst wilde hij een paar oude vrienden opzoeken.
Yannou, die na het vertrek van Abdullah de leiding van de groep op zich had genomen, begroette Abdullah met een omhelzing die zeker vijf minuten duurde.
Er werd geen woord gesproken, maar de adrenaline stroomde door beider aderen.
Abdullah greep Yannou bij de schouders, en hem met gestrekte armen van zich afhoudend bekeek hij glimlachend zijn boezemvriend.
'Eindelijk,' zuchtte Yannou, 'Allah zij geprezen, eindelijk ben je weer terug.'

Abdullah knikte en wendde zich tot de tweede man in het vertrek. 'Youssef, kom hier, mijn vriend.'
En ook nu volgde een omhelzing.
De kleine binnenkamer van vier bij vier meter was gemeubileerd met een bankstel dat betere tijden had gekend, een fauteuil, een dressoir en een eenvoudig, vierkant Marokkaans salontafeltje.
Yannou en Youssef namen plaats op de bank en Abdullah liet zich met een zucht in de fauteuil vallen.
Na het halfuur waarin zij elkaar beknopt hun wederwaardigheden verteld hadden, vroeg Abdullah: 'Kan ik hier vrijuit praten?'
'Ogenblikje,' reageerde Yannou. Hij stond op en liep de kamer uit.
Na een halve minuut keerde hij terug met een glazen kan, gevuld met door ijsblokjes gekoeld water, en enkele glazen. Terwijl hij ongevraagd de glazen inschonk, zei hij: 'Er is niemand thuis, dus vertel op.'
Abdullah nam een paar slokken water en begon zijn verhaal.
'Wij zijn hier om een opzienbarende aanslag te plegen in Den Haag. De aanslag zal gekoppeld worden aan een bericht dat Al-Qaida en de Afghaanse taliban de ether insturen. Doel is om daarmee te bereiken dat Nederland zijn troepen terugtrekt uit Afghanistan.
Mijn team bestaat uit vijf afgetrainde kerels, die elk hun eigen specialiteit hebben. Zij zijn onbekend in Nederland en met onbekend bedoel ik, dat zij Nederland niet kennen en Nederland hen niet.'
Zijn vroegere makkers aankijkend vervolgde hij: 'Ik wil graag dat de "Binnenhofgroep", jullie dus, uit zijn sluimerende staat wakker wordt en actief met ons mee gaat doen.'
Yannou sprong opgewonden op van de tweezitsbank, zijn ogen glinsterden vervaarlijk. Hij liep op Abdullah toe en greep hem vast. Tegelijk siste hij: 'Ik zal de groep direct bij elkaar roepen.'
Rustig maakte Abdullah zich los uit de greep van Yannou en gebood hem weer te gaan zitten.
'Nog steeds opvliegend, hè?' zei hij en vervolgde glimlachend: 'Yannou, dat je warmloopt voor onze zaak waardeer ik oprecht, maar beheers je. In het grootste geheim moeten we deze aanslag voorbereiden en hoe minder lui hiervan op de hoogte zijn, des te beter.'
'Sorry, je hebt gelijk,' reageerde Yannou en terwijl hij Youssef aankeek: 'Ga je ermee akkoord als ik de leiding van de "Binnenhofgroep" weer overdraag aan Mohammed?'
Ook Youssef was opgewonden, maar hij kon zich beter beheersen dan Yannou en met een knikje gaf hij te kennen akkoord te gaan.
Abdullah stond op en zei: 'Oké, net zoals vroeger: mijn bevelen worden blindelings opgevolgd. Mijn strijdersnaam is Abdullah en zo wens ik ook aangesproken te worden. Is mijn vriend Jozef Stalman nog steeds in business?'
Toen Yannou bevestigend knikte, vervolgde Abdullah: 'Vanavond verwacht ik jullie om acht uur in de villa... wat was die rare naam ook alweer?'

'"Op goed geluk",' antwoordde Youssef.
Glimlachend ging Abdullah verder.
'Kunnen jullie mij snel drie mobiele telefoons bezorgen en het telefoonnummer van Stalman? Ik wil zo snel mogelijk weg hier. Niemand hoeft te weten dat ik terug ben en ook vallen mijn Palestijnse vrienden te veel op. Toen ik vanmorgen bij mijn ouders uit het raam keek, zag ik de afvallige Mustafa lopen, is hij weer terug?'
'Nee, af en toe bezoekt hij zijn ouders,' antwoordde Yannou, die wist hoe gevoelig deze zaak lag bij Abdullah.
Mustafa was een verklikker, gebeurtenissen in de buurt briefde hij door aan de politie.
In het verleden was Abdullah een keer aangehouden door de rechercheur met wie Mustafa contact onderhield. Daarna had de 'Binnenhofgroep' het leven van Mustafa zo zuur gemaakt, dat hij met zijn vrouw en zoontje moest verhuizen.
'Mm,' bromde Abdullah, 'zeker door hem willen we niet gezien worden. Heb je iemand in de groep die deze verrader ongemerkt kan schaduwen?'
Yannou keek Youssef aan en deze knikte opnieuw.
'De jonge Nadir Mahdoufi,' zei hij.
'Goed, haal hem hiernaartoe, ik wil hem zelf zien en de opdracht toelichten,' reageerde Abdullah. Hij vervolgde: 'Naast de mobieltjes heb ik een personenbusje nodig; huur er een dat zo onopvallend mogelijk is, liefst met een of andere firmanaam erop, geld is geen probleem.'
Yannou was inmiddels opgestaan en pakte uit een lade van het dressoir twee Nokia's die hij aan Abdullah gaf.
Hij pakte zijn eigen mobiel en draaide het nummer van Nadir thuis.
Hassan, de oudere broer van Nadir, nam op.
Yannou vroeg naar Nadir en enkele ogenblikken later had hij hem aan de lijn.
'Je moet direct komen, het is belangrijk,' sprak hij kort en verbrak de verbinding.
Youssef zocht inmiddels in het telefoonboek naar het nummer van Stalman.
Verder haalde Yannou uit zijn broekzak autosleutels tevoorschijn en vertelde Abdullah dat dit de sleutels waren van de zwarte Seat die geparkeerd stond aan de overkant van de straat.
'Zo heb je direct vervoer,' zei hij en hij vervolgde: 'De bus zullen we regelen.'
'Perfect,' reageerde Abdullah en knikte tevreden.
Youssef schreef het telefoonnummer van Stalman op een papiertje en overhandigde het aan Abdullah.
Youssef was een man van weinig woorden en zijn forse gestalte en donkere uiterlijk deden vermoeden dat hij rechtstreeks afstamde van de Berbers. Abdullah nam een van de mobieltjes en toetste het nummer van Jozef Stalman in.
Onwillekeurig dacht hij terug aan de tijd dat hij voor Stalman, handelaar in vastgoed, mensen elimineerde die gevaarlijk voor hem werden of hem gewoon in de weg stonden. Jozef Stalman ging letterlijk en figuurlijk over lijken.
Samen waren ze lid geweest van de Haagse motorclub 'Black Eagles' en beiden bezaten ze toen een Harley-Davidson. Jozef was twintig jaar ouder dan hij, maar

ondanks dat en het feit dat Jozef een jood was, konden ze goed met elkaar overweg.
Jozef had een heel goede babbel in huis. Zo goed zelfs dat hij een reeds gevestigde vastgoedhandelaar, die in de binnenstad heel wat panden zijn eigendom mocht noemen, zo wist te bepraten dat hij hem als zijn partner in de zaak nam.
Deze Cornelis Pieterse had geen familie, maar woonde wel samen met Goedele Durant, een knappe jonge Belgische brunette.
Toen alle papieren getekend waren en Jozef mede-eigenaar was geworden, kreeg Abdullah na een paar weken opdracht om de Haagse vastgoedmagnaat te liquideren.
Pieterse woonde boven de kantoren van de vastgoedfirma en Abdullah had de sleutels. Ze hadden afgesproken dat, wanneer Goedele een avondje ging stappen, Jozef zijn compagnon zou uitnodigen voor een borrel. Versuft en bedwelmd door de drank was de man op die bewuste avond zijn bed in geduikeld en in een diepe slaap gevallen.
Abdullah was via het kantoor binnengekomen, en had de man een kussen op het gezicht gedrukt waardoor hij gestikt was.
Een sinistere arts werd omgekocht en de officiële overlijdensakte vermeldde dat de vastgoedhandelaar in zijn slaap aan een hartstilstand was overleden. Met veel bombarie werd de vastgoedhandelaar begraven en omdat er geen erfgenamen waren was Jozef Stalman op slag schatrijk.
Hij erfde niet alleen het geld, maar ook Goedele Durant, secretaresse en levenspartner van de zo triest aan zijn einde gekomen handelaar.
Goedele zag Jozef wel zitten, gewoon omdat Jozef tien jaar jonger was dan haar vorige baas en het al een tijd lang niet meer boterde tussen Cornelis en haar.
'Stalman BV,' klonk een zwoele stem. 'Goedemiddag, met Goedele, waarmee kan ik u van dienst zijn?'
'Goedele, alles goed met jou?'
Even bleef het stil. Abdullah hoorde zacht de ademhaling van Goedele door de telefoon, en hij was benieuwd of ze zijn stem herkende.
'Ach, natuurlijk, Mohammed Boukhari,' klonk het beheerst. 'Terug in Nederland, Hammetje?'
Abdullah grinnikte; zij en Jozef noemden hem altijd plagend 'Hammetje' of 'Hammed'.
Heel dubbelzinnig, want ham, vlees van het varken, was zowel voor een moslim als voor een jood een onrein dier, dus voor hen verboden om te eten.
'Heel goed, Goedele, ik hoop je straks te ontmoeten. Is Jozef in de buurt?'
'Moment, Hammetje, hij is aan het bellen, ik zet je erachter, leuke verrassing voor hem. En ik denk,' vervolgde ze, 'dat hij heel blij zal zijn jou nu hier te hebben.' Fluisterend voegde ze eraan toe: 'Hij heeft een paar probleempjes.' En toen weer hardop: 'Ik verbind je door, hij heeft zojuist opgehangen.'
'Met Jozef Stalman.'
'Jozef, met Moham...'
'Hammed,' viel de verraste Stalman hem schreeuwend in de rede. 'Jongen toch,

waar heb al die jaren gezeten?' Wat rustiger vervolgde hij: 'Waar ben je en hoe gaat het met je?'
'In de buurt,' reageerde Abdullah. 'En ik ben met een halfuurtje bij je.'

Nadir Mahdoufi arriveerde en Abdullah bekeek de jonge Marokkaan nauwkeurig. Schijnbaar tevreden met wat hij zag zei hij: 'Oké, Nadir, weet jij wie Mustafa Abdaoui is?'
Toen Nadir knikte, vervolgde Abdullah: 'Jij gaat hem schaduwen, in de gaten houden dus. Ik wil weten wie hij ontmoet en met wie hij contacten onderhoudt; de mensen die hij ontmoet moet je zo goed mogelijk beschrijven.'
En zich wendend tot zijn vriend: 'Yannou, geef hem een mobiele telefoon en zet mijn nummer erin, ik wil dat Nadir rechtstreeks aan mij rapporteert.'
Toen weer tegen Nadir: 'Kent Mustafa jou?'
'Vaag, hij is een vriend van mijn broer Hassan, maar ik heb hem al maanden niet meer gezien.'
'Goed, hier heb je vijftig euro, ga naar het feestwinkeltje om de hoek en koop een paar brilletjes en verschillende kleuren petjes, zodat je jezelf een klein beetje kunt vermommen.
Ga daarna op zoek naar Abdaoui; een uurtje geleden heb ik hem gezien, dus misschien is hij nog in de buurt, waarschijnlijk bij zijn ouders.'
Nadir knikte en vertrok.
Abdullah riep hem nog na: 'En mondje dicht, hè.'

Een oude bekende

Mustafa Abdaoui nam juist een hap couscous toen zijn vader hem vertelde dat hij Mohammed Boukhari zijn ouderlijk huis had zien binnengaan.
Zich verslikkend stond Mustafa op en rende naar de keuken, om boven de gootsteen hoestend en proestend weer lucht in zijn longen te krijgen.
Zijn vader was hem gevolgd en sloeg hem stevig op de rug.
Ondertussen doorvertellend dat daarna onbekenden het huis van de Boukhari's binnengingen.
'Het waren er wel vijf,' zei hij.
Mustafa richtte zich op en veegde met de rug van zijn hand de tranen uit zijn ogen en keek zijn vader aan. Nog nahoestend vroeg hij: 'Weet je dat zeker, vader?'
'Ik mankeer nog niets aan mijn ogen, zoon.'
Mustafa schudde vertwijfeld met zijn hoofd.
Mohammed met vijf vreemdelingen, na jaren terug in de buurt... dat ging problemen geven.
'Hoe laat was dat?'
'Een halfuurtje voor jij kwam.'

Mustafa keerde nadenkend terug naar de woonkamer en zette zich weer achter de couscous.
Zijn vader was hem gevolgd en ging weer op zijn geijkte plek bij het raam achter de gordijnen zitten. Zo had hij mooi overzicht op het straatbeeld en met een kwart draai van zijn hoofd ook op de woonkamer.
Al etende bedacht Mustafa dat, wanneer hij meer te weten wilde komen, hij contact moest opnemen met Hassan Mahdoufi. Zijn jongere broer, Nadir, had zich aangesloten bij de groep jongeren in de buurt die voorheen onder leiding stond van Mohammed Boukhari.
De groep zorgde toen voor veel overlast en na het plotselinge vertrek van Boukhari, hadden zijn directe adjudanten en vrienden, Yannou en Youssef, de leiding op zich genomen.
Van Hassan had hij vernomen dat zij zich de 'Binnenhofgroep' noemden en gelieerd wilden zijn aan een Al-Qaida-cel in België die onder toezicht stond van de felle salafistische imam Youssef Nassir.
Via Nadir moest het mogelijk zijn meer te weten te komen over de geheimzinnige terugkeer van Boukhari en de vijf vreemdelingen.
Een hoofdbeweging van zijn vader bij het raam trok zijn aandacht. Naar buiten kijkend wenkte zijn vader hem met de hand om bij het raam te komen.
Met een paar stappen stond Mustafa naast zijn vader en keek met hem mee de straat op.
Hij zag een brede kerel schuin de straat oversteken, schuw om zich heen kijkend, zijn gezicht half verborgen onder de klep van een baseballpetje.
Hij leek groter dan een paar jaar geleden, maar het was onmiskenbaar Mohammed Boukhari.

Wassenaar

Verscholen achter grote, volle struiken magnolia's, seringen, hortensia's en rododendrons en verder omringd door haagconiferen lag de moderne villa met de spitsvondige naam 'Op goed geluk'. Deze luxe villa van vastgoedhandelaar Jozef Stalman stond in het nabij Den Haag gelegen Wassenaar.
Via een achteraflaantje en een verhard pad, dat slingerend tussen het struikgewas en de bomen door liep, bereikte Abdullah de achterkant van de villa.
Het laantje was bedoeld als een ontsnappingsroute voor onvoorziene omstandigheden.
Hij parkeerde de zwarte Seat van Yannou tegen de achterkant van de garage, stapte uit en begaf zich in de richting van het dichte struikgewas dat rechts tot tegen de achterkant van de villa groeide. Zich bukkend en met enige moeite enkele takken opzij trekkend verdween hij in het struikgewas.
Een keldertrap, die leidde naar een geheime ruimte onder de villa, werd zichtbaar. Hij daalde de trap af en doorbrak een laserstraal.
Binnen in de kelderruimte verbrak een licht gezoem de stilte die er heerste en

waarschuwde de aanwezige dat iemand de kelderdeur naderde.
Tegelijkertijd lichtte rechts van het deurpaneel zwak een klein displaytje op.
Abdullah knikte goedkeurend. Het werkt nog steeds, dacht hij en hij toetste zijn eigen code in, zich afvragend of de code na twee jaar nog geldig was.
Toen de zwaar gepantserde deur zich geluidloos opende, stapte hij zacht grinnikend het kleine voorportaaltje binnen. Terwijl de deur zich achter hem weer geluidloos sloot, floepte het plafondlampje aan.
Zijn gezicht opheffend keek hij in de lens van een kleine camera.
Binnen in de kelderruimte had Jozef Stalman op een display gezien dat achter de ingevoerde code de naam van Mohammed verschenen was en nu staarde hij via het scherm, naar het vertrouwde gezicht van zijn oude vriend.
'Just in time,' knikte hij. Zijn rechterhand verdween onder het bureau waar hij een knop indrukte, waardoor de tussendeur van het portaaltje zich opende.
Halverwege de ruimte vielen de twee vrienden elkaar in de armen.
'Hammetje, knul, wat ben ik blij je nu te zien, een geschenk uit de hemel,' stamelde Jozef en tranen welden op in de ogen van de keiharde vastgoedhandelaar.
Na de begroeting namen beiden plaats in een paar gemakkelijke fauteuils.
Stilzwijgend bekeken ze elkaar enkele seconden lang en beiden begonnen tegelijkertijd te praten. Lachend stak Jozef afwerend de handen omhoog en zei: 'Oké, Hammetje, jij eerst.'
Glimlachend begon Abdullah zijn betoog.
'Ik heb een schuilplaats nodig die ook als uitvalsbasis moet dienen voor mijn team.
Ik ben hier om een geheime opdracht uit te voeren.
Uiteraard dacht ik gelijk aan jou en je onopvallende villa, verborgen tussen het groen, in het rustige Wassenaar. We zijn met z'n zessen en ik wilde vanavond, als het donker is, hier ongezien onze intrek nemen. Ik neem ook twee oude vrienden mee van vroeger, je weet wel.
Hier in jouw huis kunnen we ongestoord onze plannen ontvouwen en een doel voor onze missie zien te vinden, gebruikmakend van jouw antieke verzameling boeken, encyclopedieën en geschriften. That's it.'
De vastgoedmagnaat trok zijn wenkbrauwen op en schudde meewarig het hoofd.
'That's it? Nee, Hammed, zo kom je er niet vanaf. Wat betreft je verzoek om hier bij mij je intrek te nemen: dat is oké, maar wat heb jij de laatste twee jaar uitgespookt? Plotseling was onze vriend vertrokken, in rook opgegaan, nog geen berichtje achtergelaten en na twee jaar komt meneer doodgemoedereerd binnenvallen. Hallo, Jozef, hier ben ik weer, mag ik met m'n maats bij jou logeren? Kom op, Hammetje, vertel.'
'Ik denk dat het beter is dat je het niet weet, Jozef. Maar om je nieuwsgierigheid een beetje te bevredigen: ik heb wat rondgezworven in het Midden-Oosten, een paar sjeiks ontmoet, wat plezier gemaakt met een paar oosterse schonen en een beetje voor mezelf getraind.'
Jozef Stalman wilde reageren, maar een zoemend geluid deed hem opkijken naar een deur in de rechterzijwand.

'We krijgen bezoek, dat moet Goedele zijn.'
Het zoemen hield op en de deur, die een schuifdeurtje bleek te zijn, opende zich naar rechts. Vanuit een kleine liftkooi stapte een bevallige brunette de ruimte binnen. Haar glanzend bruine haar, dat golvend over haar schouders viel, omlijstte een prachtig door de zon gebruind gezicht.
Haar donkerbruine ogen keken vlammend naar Mohammed, terwijl haar tong verleidelijk over haar volle lippen gleed.
Ze liep als een model op een modeshow, met schokkende schouders en wiegende heupen. Ze was gekleed in een beeldschone zwarte jurk met een gewaagd decolleté. De jurk reikte tot even boven haar knieën en haar stevige onderdanen staken in korte zwarte naaldhaklaarsjes.
Bij het binnenkomen van de mooie Goedele was Mohammed opgestaan en bekeek glimlachend de naderende schone.
Hij verwachtte een stevige knuffel, maar toen ze voor hem stond trok ze met haar handen zijn hoofd omlaag en zoende hem ongebreideld vol op de mond. Secondenlang hield ze hem in deze houding vast, haar lippen op zijn mond geperst. Mohammed spreidde wanhopig zijn armen wijduit, niet wetend wat te doen. Toen ze ook nog met haar tong Mohammeds mond wilde binnendringen, pakte hij haar bij de heupen en duwde haar voorzichtig van zich af.
Trillend stond ze voor hem, omhoogkijkend naar zijn gezicht.
'Prutzak, onnozelaar, een pak slaag verdiende gij, in plaats van een zoen, om ons zomaar in de steek te laten.'
Direct daarop vervolgde ze met een lief stemmetje: 'Wat fijn om je weer bij ons te hebben, Hammeke. Heeft Jozef je nog niks te drinken aangeboden? Kerels! Pff.'
Ze begaf zich naar de achterwand en drukte op een paneeltje, dat verborgen zat achter een schitterend Perzisch wandtapijt. Geluidloos schoof een volledig ingerichte bar, draaiend op scharnieren, de kelderruimte binnen, compleet met een combi koel- en vrieskast, die tevens was voorzien van een 'auto ice maker'.
De lachende Jozef Stalman aankijkend, liet Mohammed zich weer in zijn fauteuil zakken. Hij proefde een lichte kersensmaak en met de rug van zijn hand veegde hij onbewust zijn mond af.
Vanaf de bar klonk de stem van Goedele.
'Een grapefruitsapje voor Hammeke, met ijs.' En zich omdraaiend naar Mohammed: 'Ja toch? En een Courvoisier VSOP voor mijn geliefde Jozef in een voorverwarmd cognacglas. Ikzelf neem een heerlijke Cointreau on the rock.'
Ze zette de drankjes op de salontafel, nam zelf plaats in de derde fauteuil, hield haar glas in de hoogte en sprak uitdagend het magische woord: 'Santé.'
Ook de vastgoedhandelaar en Mohammed hieven het glas.
'Gezondheid.'
'Proost.'
Ze nestelde zich behaaglijk wat dieper in haar fauteuil, sloeg haar benen over elkaar en vroeg aan Jozef Stalman: 'Heb ik wat gemist, mijn zoeteke?'
De vastgoedman keek een moment Mohammed aan, keerde zijn gezicht naar Goedele en zei: 'Nee, wijfie, je hebt niets gemist. Onze vriend hier vindt het niet

nodig, voor onze eigen veiligheid, om ons te vertellen wat hij de afgelopen twee jaar heeft uitgespookt. Hij is in het Midden-Oosten geweest, heeft sjeiks ontmoet, plezier gemaakt met oosterse meiden en dat is het dan. Schandalig, vind je niet?'
'Ach, zoeteke, als Hammeke het veiliger voor ons vindt om verder niets te vertellen, zal hij daar zijn redenen voor hebben en dat zullen wij dan moeten respecteren. Ja toch?'
'All right,' legde Stalman zich erbij neer. 'Maar even iets anders, wijfie, wie neemt boven de telefoon op?'
'De telefoon, Jozef, heb ik doorgeschakeld naar het tweede toestel op jouw bureau. Een van die bulldozers die jij ingehuurd hebt om ons te beschermen tegen dat tuig van Geertsema, en die zijn smerige handen en ogen niet van mijn lijf kan houden, let boven op de handel.'
De vastgoedhandelaar zuchtte, staarde een moment in zijn glas, waarbij hij de Courvoisier langs het verwarmde glas rond liet walsen door met zijn hand een draaiende beweging te maken. Hij nam een flinke slok om daarna een ogenblik te genieten van de zachte en volle smaak van de cognac, voordat hij zich tot Mohammed richtte.
'Je komt als geroepen, m'n vriend. Ik word sinds een halfjaar bedreigd en Haagse topcriminelen proberen me af te persen. Toen jij in de buurt was...! Jongen, ze hadden ontzag voor je en bedachten zich wel tweemaal om mij lastig te vallen. Schele Dirk noemen ze hem. De Schele... niet in z'n gezicht uiteraard, want Dirk Geertsema is meedogenloos.'
Met een vermoeide uitdrukking op zijn gezicht streek de vastgoedmagnaat met de linkerhand door zijn dunner wordende haardos en vervolgde: 'Een paar maanden na jouw stille aftocht was hij er plotseling. Uit het niets is de Schele aan het Haagse criminele firmament verschenen en hoe! Zijn eerste daad bestond uit het overnemen van de Scalagokpaleizen. Bedrijfsleider en eigenaar Kobus van Uden, alias de Rat, was het daar uiteraard niet mee eens. Twee dagen later werd de Rat met twee van zijn bodyguards in zijn dure Mercedes S350 uit de Laakhaven opgetakeld. Gerechtelijke sectie op de drie lijken door patholoog-anatoom dokter In het Veld bracht aan het licht dat alle drie de mannen zwaar onder invloed van drugs en drank verkeerden. Conclusie van het politieapparaat was een voor de hand liggende verklaring. Goedele?'
Haar hand uitstrekkend gaf Goedele hem een krantenknipsel uit het *Haagse Nieuwsblad*. 'Lees zelf maar,' zei hij en overhandigde Mohammed een uitgeknipt krantenberichtje.

***Den Haag** [ANP]*
Eigenaar van de Scalagokhallen, Kobus van U. en twee van zijn werknemers, Pieter de H. en Gerard S., zijn in hun Mercedes de Laakhaven in gereden en verdronken. Gerechtelijke sectie heeft uitgewezen, dat zij alle drie te veel drugs en alcohol geconsumeerd hadden.
De teraardebestelling zal morgenochtend om tien uur op de Gemeentelijke Begraafplaats Den Haag, aan de Kerkhoflaan, plaatsvinden.

Een korte kerkdienst vooraf zal gehouden worden in de aula van de begraafplaats, geleid door de R.K. pastoor J. Uitdebogaard.

'Onmogelijk,' reageerde Mohammed, terwijl hij het krantenknipsel teruggaf aan Stalman. 'Pieter gebruikte niet en dronk geen druppel alcohol, nog niet een pilsje. Daar komt nog bij dat hij meestal de chauffeur was.'
'Juist, dat bedoel ik nou, het stinkt. Kobus en zijn maten werden tijdens hun laatste tocht begeleid door de Black Eagles.
Marnix van Amstel, alias de Kromme, president van de motorclub, was een vriend van de Rat en stond erop dat de leden Kobus van Uden zouden begeleiden op zijn uitvaart. Dat is dan ook met veel tamtam gebeurd. Toen de Black Eagles na de begrafenis terugkeerden naar hun clubhuis, was dit afgesloten en bleek het slot te zijn vervangen. Het clubhuis, dat tegen een gokhal is aangebouwd, was een geschenk van de Rat aan de motorclub.
Ook de gokhallen waren gesloten. Officieel uit eerbetoon aan Kobus en zijn adjudanten. De Kromme vertelde me verder dat de Black Eagles hun ongenoegen lieten blijken door als mieren heen en weer en door elkaar te rijden voor het Scalakantoor, flink gas gevend, wat een oorverdovend lawaai veroorzaakte.
Na een poosje werd de deur van het Scalakantoor geopend en kwam Geertsema, geflankeerd door drie forse kerels en Wilfred Winands, alias WW de Schone vanwege zijn verraderlijk knappe gezicht, vicepresident van de motorclub, naar buiten en na enkele minuten werd het stil; alleen het zachte geronk van de goed geoliede motoren was nog te horen. Nogmaals: de Kromme wilde zijn verhaal en frustratie kwijt en is het mij later allemaal komen vertellen. We zijn zelf jaren geleden lid geweest van de club en toen was Marnix nog vicepresident; we kennen hem als een enigszins ruige kerel, maar recht door zee.'
Een kleine pauze inlassend en in de richting van Goedele kijkend, vroeg hij: 'Schenk ons nog eens in, wijfie.'
En tot Mohammed: 'Neem wat sterkers, jongen, wanneer je de volgende wapenfeiten van onze vriend de Schele hoort zul je het nodig hebben.'
Nog voordat Mohammed kon reageren, klonk het uit de mond van Goedele: 'Chivas on the rocks, Hammetje?'
'Je weet het allemaal nog heel goed, Goedele.'
Ze lachte stralend.
'Tuurlijk. Wie jou vergeet, lijdt aan de ziekte van Alzheimer.'
Nadat de glazen waren ingeschonken en Goedele weer in haar fauteuil had plaatsgenomen, vervolgde Stalman zijn relaas.
'De Schele had WW de Schone benaderd en hem verteld dat hij de gokpaleizen had overgenomen van de Rat voordat het rampzalige ongeluk had plaatsgevonden. Hij liet getekende documenten zien waarmee hij ook eigenaar van het clubhuis geworden was. Hij stelde voor dat WW de Schone de nieuwe president zou worden, omdat de Kromme hem tegenwerkte en niet akkoord ging met bepalingen door de Schele gesteld. De Black Eagles werden voor het blok gezet en konden kiezen uit twee mogelijkheden. De motorclub met de Kromme als president

maar zonder clubhuis, of WW de Schone als president maar met een clubhuis. Met een kleine meerderheid van stemmen kozen de leden voor de laatste optie. Marnix van Amstel werd afgezet als president, maar tegelijk ook geroyeerd als lid.'
Abdullah staarde de vastgoedhandelaar ongelovig aan en schudde zachtjes met zijn hoofd.
Een flauwe glimlach verscheen op het gezicht van Jozef Stalman en hij knikte.
'De Kromme vertelde me verder dat de Schone met nog twee leden van de motorclub in wapens handelen. Zij hebben contacten met corrupte militairen in Nederland, maar ook in België en Duitsland. Het gaat om grote hoeveelheden geweren, pistolen, revolvers, automatische wapens, munitie en explosieven. Zij verkopen deze door aan terroristische groeperingen en verdienen er honderdduizenden euro's mee. Het gerucht gaat dat ze zelfs wapens hebben verkocht aan de Hezbollah in Zuid-Libanon.'
Mohammed knikte onmerkbaar, hij had zelf voor de Hezbollah met de Schone onderhandeld over wapens, maar dat hoefde Jozef niet te weten.
'Dat is een van de redenen waarom de Schele de motorclub onder zijn hoede wilde hebben. De andere is dat hij ze, waar dan ook, chaos laat stichten, bijvoorbeeld in de binnenstad, waardoor hij zijn bende snelheidskraken kan laten plegen op klaarlichte dag met een minimum aan pakkans. Het is gebeurd dat vijftig tot zestig Black Eagles op hun Harley's, Suzuki's, Yamaha's, BMW's, motoren met zijspan, wat al niet meer, de Spuistraat inreden, waardoor er een complete chaos ontstond en de bende van de Schele binnen een kwartier vijf winkeliers een stuk lichter maakte.'
Opnieuw laste Jozef Stalman een pauze in. Hij nam een slok van zijn cognac en vervolgde: 'Een paar maanden bleef het vrij rustig rond de heer Geertsema. Hij pleegde wat kleine investeringen door een paar coffeeshops op te kopen, vroeg een vergunning aan voor het opzetten van een growshop en kreeg die ook van de gemeente Den Haag.'
'Wat is een growshop?' vroeg Mohammed.
'Growshops zijn legale winkels die alle benodigdheden voor hennepkwekerijen in- en verkopen. Vorig jaar in februari deed de Schele opnieuw van zich spreken. Hij benaderde Said Marcouch, de tweede man in de Haagse prostitutiebranche, en probeerde hem over te halen om voor hem te komen werken. Het antwoord is voor de Schele waarschijnlijk negatief geweest, want Said verdween van de aardbodem. Een week later spoelde op het strand bij Kijkduin een lichaam aan van een allochtoon. Na gerechtelijke sectie bleek het Said te zijn.'
Mohammed keek Jozef vragend aan en Stalman knikte.
'Ja, jongen, dé Said, je vroegere maatje. Ik heb begrepen dat hij je vriend was, al vanaf de lagere schoolbanken.'
Woede begon zich meester te maken van Mohammed, hij stond op en zijn ogen bliksemden heen en weer tussen Jozef en Goedele.
'Blijf rustig, m'n jongen, ga weer zitten, neem een slok van je whisky en kalmeer. Dit is nog maar het begin. Dirk Geertsema, alias de Schele, kocht een paar te koop staande prostitutiepanden op en daarnaast begon hij zich ook met de horeca

te bemoeien. Hij bood de uitbaters bescherming aan tegen een, tussen haakjes, kleine vergoeding.
Hij wordt de Haagse Al Capone genoemd. Net als Al Capone is hij meedogenloos en wil hij de hele Haagse prostitutie onder zijn invloed brengen en regeren over diverse afpersingsbendes. Alwin Groen en Frans Janssen, beiden gevaarlijke Haagse topcriminelen die grote delen van de Haagse horeca beheren, begonnen zich te roeren. Zij zochten contact met Eddy de Vreugde, die meer dan de helft van de prostitutiepanden beheert en met z'n drieën riepen ze de Schele ter verantwoording. De Schele nodigde de drie topcriminelen uit voor een meeting, waarbij hij beweerde dat ze er allemaal een stuk wijzer van zouden worden. Vervolgens sloten de vier maffiosi een deal.
Al snel bleek wat de deal inhield. Een collega van mij, Jonathan Kunst, die veel geld voor de onderwereld witwast, werd benaderd door het viertal met de doodleuke en eenvoudige vraag om even honderdduizend euro over te boeken op een bankrekening van een bewakings-bv, speciaal voor dit doel opgericht, waarvan het viertal elk 25 procent aandelen bezit. Kunst kreeg een week de tijd om te storten, anders...!
Toen Jonathan mij belde, voelde ik al nattigheid. Ik had genoeg van de Kromme gehoord en uit het geruchtencircuit begreep ik dat de heren snel voor mijn deur zouden staan. Jonathan vertelde me nog dat het geld werd afgedekt door een factuur van DAFE Bewakings-bv voor verleende beveiliging- en bewakingsdiensten. Spitsvondig zijn ze wel, de naam DAFE is samengesteld uit de eerste letters van hun voornamen, de D van Dirk, de A van Alwin, de F van Frans en de E van Eddy.'
Jozef Stalman nam nog een slok van zijn cognac en reikte zijn lege glas aan Goedele aan. 'Meiske, van al dat praten krijgt een mens dorst.'
Mohammed aankijkend vervolgde hij: 'Ik nam contact op met Adriaan Blijlevens, je weet wie hij is: rechercheur bij de CIE, de Criminele Inlichtingen Eenheid. Hij stond nog bij me in het krijt en ik vroeg hem of hij even langs kon komen. Van de Kromme had ik de namen gehoord van de lui die bij de Schele in dienst zijn, ik had begrepen dat ze voor het merendeel allemaal uit het buitenland komen. Peter de Bruin spreekt met een Amerikaans accent. Luc Somers is een Belg. Dan is er nog een, die ze de Iraniër noemen.Ik had met Blijlevens op de boulevard, bij het Noorderhoofd, afgesproken. Toen hij bij me in de auto schoof en ik hem vroeg informatie in te winnen over de heer Dirk Geertsema en zijn trawanten, reageerde hij lachend en gaf aan dat zij ook geïnteresseerd waren in deze man en al ver gevorderd waren met hun onderzoek. Goedele, geef jij de uitdraai die ik van Blijlevens heb gekregen aan Hammetje? Dan kan hij het zelf doornemen.'
Half opstaand nam Mohammed de computeruitdraai van Goedele aan en begon te lezen.

Diederick Geertsema, geboren in Delfzijl Friesland, op 10 oktober 1952, zoon van Sytze Geertsema en Nina Schröder uit Emden, Duitsland. Ouders dreven een winkel in rijwielen en bromfietsen.

Zoon Dirk bleek een goed stel hersens te hebben; na de lagere school en de HBS te hebben doorlopen, studeerde hij Rechten in Leiden.

New York

Drie jaar later vertrok hij naar New York om aan de Columbia University zijn studie Rechten + Politici te vervolgen, aangevuld met Business, Chemical Engineering.
Om zijn conditie op peil te houden beoefende hij vechtsporten en bezocht hij regelmatig de trimzaal van de universiteit.
Tijdens zijn studie heeft hij tot tweemaal toe een paar nachten in een politiecel door moeten brengen vanwege hoog opgelopen ruzies in bars.In beide gevallen had hij zijn tegenstander zo toegetakeld, dat zij opgenomen moesten worden in een hospitaal.
Hij haalde zijn doctoraat in de Rechten en certificaten op de gebieden Politici, Business en Chemical Engineering, waarna hij ongeveer twintig jaar door Amerika zwierf, hier en daar lesgevend aan een of andere hogeschool.
Over deze periode is er weinig of niets over Geertsema te melden. Schijnbaar had hij zich aangepast aan de Amerikaanse levensstijl en hield hij zich aan de wet.
In het laatste jaar keerde hij terug naar New York.
In een bar maakte hij kennis met Pete Brown, een werkeloze Amerikaanse ex-commando.

Aantekeningen politie New York

Dick Geertsema en Pete Brown verdacht van:
1. Afpersingspraktijken.
2. Overvallen op benzinestations.
3. In de onderwereld bekend als gewelddadig.
Probleem: geen bewijs, niemand doet aangifte.
Niet bekend wanneer zij uit New York zijn vertrokken.

Antwerpen

Samen met Pete Brown duikt Geertsema op in Antwerpen.
Pete Brown verandert zijn naam in Peter de Bruin en volgt een cursus Nederlands.
Geertsema en De Bruin openen bij verschillende banken rekeningen, waarop per rekening enkele tienduizenden dollars worden gestort die zij om laten zetten in euro's.
Totaal een bedrag van rond de honderdduizend euro.

Aantekeningen Antwerpse politie

Geertsema en De Bruin ontmoeten Luc Somers, een Bruggenaar, die zich ophoudt in de binnenstad van Antwerpen en zijn geld als uitsmijter verdient.
Hij is een vechtsporter die internationaal wedstrijden heeft gevochten. Heeft een strafblad, bestaande uit voornamelijk geweldplegingen in bars en horecagelegenheden.
Hij onderhoudt een gevluchte Iraniër, die hij kent uit het verleden toen hij nog actief met zijn sport bezig was.
Gevieren sluiten zij vriendschap en worden een geduchte concurrent van de Antwerpse onderwereld.

Het aantal overvallen op benzinestations en op kleine banken in de omliggende dorpen neemt schrikbarend toe. Al snel staan ze bekend als de Bende van vier.
Topcriminelen uit de Antwerpse onderwereld sluiten een pact tegen Geertsema en de Bende van vier wijkt uit naar Brussel.

Brussel
In Brussel veranderen de vier van strategie en gaan zich bezighouden met prostitutie. Zij sloten een deal met in Nederland opererende loverboys, kochten een prostitutiepand op in de binnenstad en bevolkten het met onder anderen uit Nederland geronselde meiden. Een oudere Brusselse prostituee werd voor veel geld tot hoerenmadame gebombardeerd, kreeg twee pooiers als bodyguards naast haar om de meiden in het gareel te houden en het geld begon binnen te stromen.
Blijkbaar wilde Geertsema meer en begon een strategie te ontwikkelen om een van de grotere Nederlandse steden over te nemen van de bestaande penozewereld.
Hij nam twee beruchte huurmoordenaars op in zijn bende.
Het waren de uitgeweken Parijzenaar Jean Petit, alias de Kid en de uit Luik afkomstige Belg Patrick la Fontaine, alias het Scheermes.

Opkijkend van de computeruitdraai merkte Mohammed Boukhari op: 'Dit zijn geen kleine jongens, Jozef.'
'Meedogenloos, Mohammed, meedogenloos zijn die gasten.' Grimmig vervolgde de vastgoedmagnaat: 'Maar dat zijn wij ook. Blijlevens vertelde mij dat, toen Geertsema zijn eerste stunt met Kobus van Uden had uitgehaald en daarna een paar opmerkelijke zakelijke transacties had afgerond, waarbij enkele kleine criminelen het loodje legden, het de aandacht trok van het Haagse politieapparaat.'
'De dienst CIE werd op de zaak gezet en tijdens het onderzoek naar de Bende van vier blijkt alleen de Iraniër een vraagteken. De Belgische immigratiedienst heeft alleen zijn naam en de vermoedelijke reden van zijn vlucht uit Iran kunnen achterhalen. Zijn naam is Thaksin Taebi en de reden van zijn vlucht heeft met religie te maken. Een onderzoek naar de twee huurmoordenaars maakte iets meer duidelijk over deze twee. Jean Petit is een klein onopvallend kereltje met zwart sluik haar en een haviksneus. Hij is gespecialiseerd in handvuurwapens en door zijn snelheid en trefzekerheid wordt hij vergeleken met Billy the Kid, de beruchte Amerikaanse revolverheld uit het oude Wilde Westen, vandaar zijn bijnaam de Kid.
Patrick la Fontaine is een knappe blonde knaap van een meter vijfennegentig lang, fors in de schouders, en straalt een bepaalde misleidende sympathie uit die menig slachtoffer noodlottig werd. Zijn levensverhaal kun je verder in de computeruitdraai lezen. Daarbij valt op dat de rechercheur die dit verslag heeft opgeschreven, geheel in de huid van Patrick is gekropen.'

Vader en moeder La Fontaine bezaten een dames- en herenkapsalon in Luik en Patrick was voorbestemd om zijn pa op te volgen. Hij volgde de kappersopleiding, met daarnaast cursussen in management en business, met de bedoeling dat hij de zaken zou

uitbreiden en hiermee zijn ouders kon laten genieten van een onbezorgde oude dag. Bijzonder handig was Patrick in het hanteren van een open scheermes.
De meeste klanten gaven er de voorkeur aan door hem geschoren te worden en dan kon pa zich verder bezighouden met het knippen.
Maar Patrick had vreemde ideeën, steeds meer kreeg hij de neiging om de onbeschermde kelen van zijn klanten te voorzien van een klein sneetje met zijn scheermes. Als hij daaraan dacht, gutste de adrenaline door zijn aders.
Wanneer Patrick uitging, had hij altijd zijn scheermes op zak.
Zo kon het gebeuren dat hij op een late avond in een nachtclub werd uitgedaagd door een paar onderwereldfiguren. Er ontstond een vechtpartij en Patrick, toch ook geen kleine jongen, werd door twee jongens de bar uit geslagen.
Lachend vervolgden de twee jongens hun feestje met hun kameraden en evenzoveel meiden.
Patrick was woedend en bleef, verdekt opgesteld, staan wachten tot het gezelschap na enkele uren naar buiten kwam. De feestgangers namen afscheid van elkaar en Patrick volgde de twee lichtelijk aangeschoten jongens die samen dezelfde kant op liepen.
De volgende dag was het voorpaginanieuws van alle grote dagbladen van België.

Daniel G. (24), een bekende in het criminele circuit van Luik, is vanmorgen vroeg voor zijn huisdeur gevonden met doorgesneden strottenhoofd.
Een uurtje later werd in een park het lichaam van een tweede jongeman met doorgesneden strottenhoofd gevonden. Het bleek te gaan om Olivier R.(26), een vriend van Daniel G.
De politie gaat ervan uit, dat het een afrekening betrof binnen het criminele circuit.

De stilte die ontstaan was terwijl Mohammed de computeruitdraai door zat te nemen, werd ruw onderbroken door het schelle gerinkel van de telefoon.
Goedele sprong op om de telefoon op te nemen, maar Jozef Stalman was haar voor. Luisterend keek hij Goedele aan, knikte met zijn hoofd en zei: 'Oké, ze komt eraan.'
'De postbode met een pakketje voor jou waar je persoonlijk voor moet tekenen.'
Gestoord door het gerinkel van de telefoon staarde Mohammed afwezig naar een schitterende replica, die achter het kolossale bureau van Stalman aan de muur hing. Het was een replica van een schilderij van Isaac Israëls 'Ezeltje rijden langs het strand'.
Glimlachend bedacht hij dat Jozef wel smaak had. Vanuit zijn ooghoek zag hij Goedele de lift in stappen.
'Waar gaat ze heen?' vroeg hij aan Jozef.
De liftdeur sloot zich en direct daarna begaf de lift zich met een zoemend geluid omhoog naar de begane grond.
'O, er is een pakketje voor haar, waar ze persoonlijk voor moet tekenen.'
'Een pakketje? Ontvangen jullie wel meer pakketjes?'
Stalman haalde zijn schouders op en terwijl hij weer plaatsnam in zijn fauteuil zei hij: 'Ik zou het echt niet weten, Hammetje.'

Mohammed fronste zijn voorhoofd, sprong op en schreeuwde: 'Jozef, haal die lift omlaag, snel!'
Verbouwereerd kwam Jozef weer overeind uit zijn fauteuil en spoedde zich naar de lift, waar Mohammed inmiddels al wild op het knopje met het pijltje naar beneden stond te drukken.
'Rustig, jongen, daar kan die knop niet tegen, één keer drukken is voldoende. Maar vanwaar dat geschreeuw en die opwinding?'
'Snap je dat dan niet?' schreeuwde Mohammed opnieuw. 'Dat pakketje kan explosieven bevatten en om jou nog meer angst aan te jagen, pakken ze het meest dierbare uit je omgeving. Dat is Goedele, toch?'
De vastgoedhandelaar staarde Mohammed met grote ogen aan, zijn gezicht trok krijtwit weg, tegelijk kreunde hij. 'O, Almachtige, nee, dat niet.'
Het zoemen van de lift was weer begonnen en het leek beide mannen eeuwen te duren voordat de lift weer beneden was. De liftdeur schoof open en beide mannen wrongen zich naar binnen. Stalman drukte op de knop omhoog en tergend langzaam sloot de liftdeur zich weer. Schokkend, vanwege het overgewicht, begon de lift zich omhoog te werken.

Schilderswijk Den Haag

Mustafa Abdaoui haastte zich de brede Vaillantlaan over te steken, om vrijwel direct daarna te verdwijnen in het smalle gedeelte van de Teniersstraat. Even later sloeg hij linksaf de Gerard Doustraat in.
Hij had van tevoren Hassan Mahdoufi gebeld en gezegd dat hij hem dringend wilde spreken.
Hassan woonde met zijn moeder, zijn broertje Nadir en zusje Naima op de tweede verdieping van een pand in de Gerard Doustraat.
'Dat komt goed uit,' had Hassan geantwoord. 'Ik ben alleen thuis.'
Hassan moest al naar beneden gekomen zijn, want de deur werd na aanbellen direct geopend en hij wenkte Mustafa om snel binnen te komen.
Mustafa betrad de kleine hal, terwijl Hassan langs hem heen naar buiten liep en nerveus de straat links en rechts inkeek om te zien of iemand Mustafa bij hem naar binnen had zien gaan.
'Niemand te zien,' fluisterde hij.
Mustafa voorgaand liep Hassan de trap op, opende de deur recht tegenover het trapgat en nodigde met een handgebaar Mustafa uit zijn kamer binnen te gaan.

Mustafa's gedachten gingen even terug naar het verleden, toen hij als sociaal werker betrokken was bij Hassan. Toen Hassan twaalf jaar was, kreeg zijn vader een dodelijk ongeluk, wat Hassan moeilijk kon verwerken.
In plaats van dat hij als oudste zoon zich als de man in het gezin opwierp, begon

hij drugs te gebruiken en zijn zelfmedelijden kreeg steeds meer de overhand. Toen hij op zijn vijftiende verslaafd was aan drugs en alcohol, liep het steeds meer uit de hand. Om drugs en drank te kunnen kopen begon hij te stelen, met als gevolg dat hij meerdere malen met de politie in aanraking kwam en menig nachtje in een cel op het politiebureau doorbracht.
Mustafa Abdaoui bemoeide zich als sociaal werker al met het gezinnetje Mahdoufi en begon op Hassan in te praten. Hij bezorgde hem een baantje bij de buurtsuper als vakkenvuller en kreeg hem zover dat hij zich liet opnemen in een afkickcentrum. Na een gevecht van enkele jaren tegen de drugs en de drank, werd Hassan op zijn twintigste verjaardag clean verklaard. Op aanraden van Mustafa volgde hij een opleiding sociaal werker met als gevolg dat hij twee jaar geleden, toen Mustafa uit veiligheidsoverwegingen de Schilderswijk moest verlaten, het werk van hem overnam.

'Ik weet waar je voor komt,' opende Hassan het gesprek. 'Nadir kwam een halfuurtje geleden opgewonden binnenstormen en schreeuwde: "Hij is terug, Mohammed Boukhari is terug".'
Mustafa knikte. 'En hij is niet alleen teruggekomen, hij heeft vijf vreemde kerels bij zich. Ik vraag me ernstig af waarom hij hier zo plotseling na twee jaar weer opduikt. En wie zijn die vijf mannen, waar komen ze vandaan?'
'Vragen en nog eens vragen,' reageerde Hassan. 'Ik zal proberen via Nadir aan de weet te komen wat zij hier komen uitspoken.'
Opnieuw knikte Mustafa. 'Dat wilde ik je ook vragen.'
'Vergeef me mijn ongastvrijheid, wil je iets drinken?'
Hassan was opgestaan en met de linkerhand op de deurkruk keek hij Mustafa afwachtend aan.
'Nee,' schudde Mustafa met zijn hoofd. Terwijl hij opstond vervolgde hij: 'Dank je wel, maar nu ik weet dat Boukhari terug is voel ik me geen moment meer veilig, zeker niet in deze wijk. Ik ga er zo snel mogelijk vandoor. Hou me op de hoogte zodra je iets te weten komt. Het is voor onze eigen veiligheid, maar ook die van de buurt.'
'Volgens Nadir,' antwoordde Hassan, 'is Boukhari op bezoek geweest bij Yannou en Youssef. Voor jij belde had ik Yannou aan de telefoon. Hij vroeg naar Nadir, die daarna snel het huis verliet. Nadir houdt op zijn pc een soort dagboek bij. Voor hij 's avonds naar bed gaat, noteert hij zo'n beetje alles wat hij die dag heeft meegemaakt, dus ook zijn belevenissen bij de Binnenhofgroep. Morgenochtend zal ik proberen in te breken op zijn computer, ik weet bijna zeker wat zijn wachtwoord is.'
Het dichtslaan van de voordeur en gestommel in het trappenhuis deden de twee vrienden elkaar verschrikt aankijken.
Hassan drukte zijn wijsvinger tegen zijn getuite lippen. Hij verwees Mustafa naar de uiterst rechtse hoek van de kamer en opende zelf de deur.
'Mama, u bent vroeg thuis.'

Hassan liep snel de trap af, zijn moeder tegemoet en nam van haar de zware tas met boodschappen over.
'Waar is Naima?' vroeg hij, terwijl hij voor zijn moeder uit de trap opklom.
Zijn moeder grinnikte even voor ze antwoord gaf.
'We zagen Nadir op de hoek staan met een gek brilletje op zijn neus en een vreemd petje op zijn hoofd. Nieuwsgierig als Naima is, moest zij natuurlijk verhaal halen. Ze zal er zo wel aankomen.'
Hassan bracht de tas met boodschappen naar de keuken en zei: 'Ik ben nog even op mijn kamer, moeder, ik heb Mustafa op bezoek.'
'O, hoe gaat het met hem en zijn vrouw, we hebben hem een tijd niet gezien, doe hem de groeten. Ik ruim eerst even de boodschappen op en ga dan voor het avondeten zorgen. Voor hij weggaat, wil ik nog even zijn gezicht zien.'
Hassan keerde terug naar zijn kamer en sloot de deur achter zich.
Hij keek Mustafa aan en vroeg: 'Heb je gehoord wat mijn moeder vertelde?'
Mustafa knikte zorgelijk. 'Boukhari moet me gezien hebben en nu laat hij me in de gaten houden door Nadir. Maar Allah zij geprezen, ik ben nu gewaarschuwd. Ik zal je moeder groeten en daarna snel uit de Schilderswijk verdwijnen, we houden contact.'

Wassenaar

STALMAN SISTE: 'BLIJF IN vredesnaam doodstil staan, de lift kan maar honderdvijftig kilo hebben en met ons tweeën is dat zeker honderdtachtig.'
Langzaam kroop de lift omhoog, beiden hielden de adem in.
Eindelijk bereikte de lift de begane grond, schokte nog even na en haalde maar net het niveau waar de deur zich automatisch zou openen.
Als door een katapult afgeschoten tuimelde Stalman zijn kantoor op de begane grond binnen. Mohammed beende met grote stappen naar de deur, over Stalman heen stappend, tegelijk schreeuwend: 'Goedele, niet openmaken, dat pakketje niet aanraken!'
De kantoordeur naar zich toe trekkend rende hij de hal in waar Goedele, nog voor de open buitendeur met het pakketje in haar handen, hem verbaasd aankeek. Mohammed rukte het pakketje uit haar handen, stormde verder langs Goedele naar buiten en wierp het pakketje met al zijn kracht zo ver hij kon de tuin in, draaide zich in dezelfde beweging om en rende weer naar binnen, met een smak de buitendeur achter zich dichtgooiend. Hij pakte de verschrikte Goedele bij haar schouders en drukte haar en zichzelf plat op de grond, Goedele beschermend onder zich houdend. Tegen Jozef, die nu pas de hal in kwam, schreeuwde hij: 'Liggen, plat op de grond, bescherm je hoofd met je armen!'
Terwijl Jozef zich plat op de grond liet vallen, klonk er buiten een enorme explosie. Als een stormwind knalde de luchtdruk tegen de voorkant van de villa, waardoor de ruiten sneuvelden en het glas naar binnen vloog.
De buitendeur werd uit zijn hengsels gerukt en vloog half de hal in.

Buiten was het vallen van afgerukte takken te horen.
Daarna heerste er een volkomen stilte.
Het was of iedereen – mens, dier, de hele natuur – de adem inhield.
Toen hoorde Mohammed het geluid van een zich snel verwijderende auto.
Goedele begon zacht te snikken en een kille woede maakte zich van hem meester.
Rustig stond hij op en schudde kleine glasscherfjes van zijn kleren.
Hij hielp Goedele voorzichtig overeind en hield haar een moment beschermend in zijn armen.
Achter in het huis begon een kind *mama* te roepen.
Verrast keek Mohammed Goedele in de ogen. 'Hebben jullie een kind?'
'Ja, en bedankt, Hammetje, je hebt mijn leven gered, dat zal ik nooit vergeten. Als mijn zoon groot is, zal ik hem vertellen wat een prachtkerel je bent.'
'Een jongen dus,' zei Mohammed.
Goedele knikte.
'Over veertien dagen wordt Danny een jaar en Jozef is de trotse vader.'
Ook Jozef was opgestaan en met trillende benen kwam hij op Goedele af en sloot haar in zijn armen. 'O, wijfie, dat was op het nippertje.'
Opnieuw hoorde men het kind mama roepen.
Goedele maakte zich los van Jozef en spoedde zich naar het achterhuis.
Mohammed keerde zich tot Jozef en zei: 'Ik zou maar snel een timmerman en een glazenier bellen om de boel te laten repareren.'
Mohammed liep naar buiten en overzag daar de situatie.
Op zo'n vijfentwintig meter schuin voor het huis bevond zich een groot gat van ongeveer twee meter doorsnee bij een halve meter diep. Daaromheen een spoor van uitgerukte en platgeslagen magnolia's en hortensia's. Enkele bomen waren geknapt als luciferhoutjes.
Tot aan het huis toe lagen overal takken en plantresten.
Zich omdraaiend naar de deuropening riep hij: 'Je hebt ook een hovenier nodig, Jozef en laat hem een man of vijf meenemen.'
Mohammed liep verder om het huis heen, en vroeg zich af waar de twee ingehuurde bewakers waren.
Plotseling werd de stilte verbroken door het getjilp van een mus, de natuur herstelde zich weer en andere vogels vielen in en zongen weer het hoogste lied.
Opgelucht keerde Mohammed terug naar de voorkant van het huis en via de deuropening betrad hij de hal. Vanuit het kantoor hoorde hij Jozef zeggen: 'Nee nee, nu direct komen, het maakt niet uit wat het kost.'
Even stilte en daarna weer de stem van Jozef.
'Fijn, dank je wel, tot zo dan.'
Terwijl Stalman de hoorn teruglegde op het telefoontoestel, kwam Mohammed het kantoor binnen.
'Het ziet ernaar uit, dat de twee ingehuurde bulldozers, zoals Goedele ze noemde, mede in het complot zaten, want ze zijn met de noorderzon vertrokken. En wat ik ook vreemd vind, is dat niemand van je buren zich laat zien. De klap moet toch in de wijde omtrek gehoord zijn?'

'Je vergeet, Mohammed' – Jozef zei op dit moment geen Hammetje – 'dat de meeste bewoners van Wassenaar hardwerkende mensen zijn en mijn buren hier om mij heen werken allemaal buiten de deur. Dat scheelt weer, want we zitten niet te wachten op nieuwsgierige mensen, toch?'
'Nee, zeker niet! Maar we laten het er niet bij zitten, ik heb de adressen van die schoften nodig en zal ze een paar dagen laten observeren door mijn team, aangevuld met jongens uit de Binnenhofgroep, daarna reken ik persoonlijk met ze af. Het zal een goede training zijn voor mijn team. Ik had er alleen op gerekend dat ik wapens en explosieven zou kunnen afnemen van de Black Eagles, maar nu de wapenhandelaars onder toezicht van de Schele staan, wordt dat lastig.'
Nog tijdens het spreken rinkelde de telefoon.
'Die laten er ook geen gras over groeien,' zei Jozef.
'Probeer de zaak een paar dagen te rekken,' reageerde Mohammed.
De vastgoedmagnaat knikte opnieuw, nam de telefoon van de haak en luisterde zonder iets te zeggen.
Hij keek Mohammed aan en na enkele seconden zei hij: 'En met wie heb ik het genoegen?'
Tegelijkertijd schakelde hij de luidspreker in en een schorre, verdraaide stem klonk door de kantoorruimte.
'... geen moer aan, hufter, betaal jij nu maar netjes die 100.000 euro en geen gezeik.'
'Ja maar, ho eens even, ik mag toch wel weten wie mijn zuurverdiende centjes gaat beheren?'
'Wil je soms dat we je prachtige villa van deze aardbodem laten verdwijnen? Het is voor ons een kleine moeite, zoals je gemerkt hebt; deze keer is je lieve Goedele er nog goed van afgekomen.'
Stalman liet een zacht gekreun horen en knipoogde naar Mohammed, terwijl de schorre stem vervolgde: 'Nogmaals, wij eisen dat het bedrag morgen op het je bekende rekeningnummer is gestort, anders...!'
Met een angstige ondertoon in zijn stem antwoordde Stalman: 'Dat lukt me niet, omdat het bij de banken twee dagen duurt voordat ik geld over kan boeken van een spaarrekening naar een betaalrekening en daarna duurt het nog eens twee dagen voordat jullie het op je rekening te zien krijgen. Tenzij ik het telefonisch regel, maar dan heb ik een naam nodig die gekoppeld is aan het rekeningnummer.'
'Je krijgt drie dagen, hufter, maar dat is het uiterste.'
De verbinding werd acuut verbroken.
'Je had acteur moeten worden, Jozef,' grijnsde Mohammed. 'We hebben drie dagen en dat moet voldoende zijn. Maar nu even terug naar het onderwerp. De Schone valt dus af, maar jij kent vast nog wel iemand die wapens en explosieven kan leveren.'
Buiten klonk het geluid van een naderende auto.
'Koffie, heren?' Goedele kwam het kantoor binnen met drie koppen koffie.
Buiten stopte de auto voor het huis en iemand riep: 'Hallo, meneer Stalman, het

lijkt wel of er een bom in je tuin is ingeslagen. Wat een puinzooi.'
Stalman stond op en liep naar buiten.
De hoveniers waren gearriveerd en stonden verbaasd om zich heen te kijken.
'Je zegt het,' reageerde hij op de uitroep van de hovenier. 'Ruim de zooi voor me op en maak er weer een mooie tuin van.'
Terug in zijn kantoor hoorden ze, door het rumoer heen dat de hoveniers veroorzaakten bij het opruimen, het geluid van een tweede naderende auto.
Opnieuw liep Stalman naar buiten.
'Als je nog meer koffie wilt,' zei Goedele, 'in de keuken staat een volle pot, ik ga me nu met Danny bezighouden.'
Terwijl Goedele het kantoor verliet om haar zoontje verder te gaan verzorgen, kwam Jozef weer van buiten naar binnen.
'De timmerman is begonnen met reparatiewerkzaamheden. Hij zegt dat het meevalt, een paar uurtjes werk en hij is klaar. De glazenier komt over een halfuur, dus het sluit allemaal mooi op elkaar aan. Het enige is dat ik de werkster nog moet bellen, om de boel binnen op te ruimen.'
'Terwijl jij belt, haal ik koffie, papa,' mompelde Mohammed en hij nam ook de kop koud geworden koffie van Jozef mee. Maar voor hij het kantoor kon verlaten, reageerde Stalman. 'Papa? Ah, Goedele heeft je verteld dat we een zoon hebben. Ja jongen, daar ben ik best blij mee en trots op. Het geeft je leven zin.'
Glimlachend begaf Mohammed zich naar de keuken.

Schilderswijk Den Haag

MUSTAFA ABDAOUI STAPTE STEVIG door. Het was maar tien minuten lopen naar zijn huis op de Parallelweg. Opnieuw de Vaillantlaan overstekend en schuin achteromkijkend zag hij Nadir op tweehonderd meter afstand volgen.
Ondanks een lichte angst die zich van hem meester maakte, moest hij toch wel glimlachen over de amateuristische manier van schaduwen van Nadir. Deze had nu een bril met een grof montuur opgezet en in plaats van een grijs een wit petje op zijn hoofd.
Hij liep zich af te vragen hoe hij, terwijl ze hem in het oog hielden, rechercheur Goedkoop moest inlichten over de terugkeer van Mohammed Boukhari met zijn vijf vreemde gasten. Hij beschikte niet over een mobiele telefoon en hij wilde zijn vrouw niet ongerust maken door thuis de rechercheur op te bellen. Dus moest hij Nadir kwijt zien te raken.
Hij stak de Hoefkade over en vervolgde zijn weg via de Wouwermanstraat naar de Parallelweg. Thuisgekomen begroette hij zijn vrouw en zoontje, maar zei gelijk: 'Ik moet nog even weg, maar met een kwartiertje ben ik weer terug.'
Hij pakte snel zijn fiets, die aan de zijkant van de trap aan een haak hing, misschien kon hij zo van Nadir afkomen.
Met zijn fiets naar buiten komend, zag hij Nadir langs de huizenkant staan telefoneren met zijn mobieltje.

Snel stapte Mustafa op zijn fiets en met een flinke vaart reed hij in de richting van station Hollands Spoor.
In een bocht achteromkijkend zag hij dat Nadir hem vertwijfeld na stond te staren.
Opgelucht fietste hij even later een zijstraat in, om voor een sigarenwinkeltje waarvan hij de eigenaar goed kende, te stoppen.
Hij zette zijn fiets voorzichtig tegen de winkelruit en liep de sigarenzaak binnen.
'Hallo, Sjaak, zou ik even privé mogen bellen?'
'Hai, Moes, hoe is-tie? Tijd nie gezien. Belletje plege? You know de way, loop maar door naar agtere.'
'En, Guusje, wat kan ik voor jou betekenen?' vervolgde hij tot een jonge vrouw, die achter Mustafa de winkel was binnengekomen.
Mustafa stommelde het kleine achterkamertje binnen, daarbij over een paar sloffen Camel heen stappend. Hij moest een doos La Paz sigaren en een stapel tijdschriften opzijschuiven, voor hij bij de ouderwetse telefoon kon komen.
De hoorn van de haak nemend draaide Mustafa het nummer van rechercheur Goedkoop.
Na vijf keer te zijn overgegaan kreeg hij het antwoordapparaat en klonk de vertrouwde stem van Goedkoop.
'Dit is het antwoordapparaat van Benjamin Goedkoop. Op dit moment kan ik u niet te woord staan. Wanneer u na de pieptoon een boodschap en uw telefoonnummer wilt inspreken, bel ik u zo spoedig mogelijk terug. Excuses voor het ongemak.'
Mustafa moest even glimlachen, de laatste opmerking was tegenwoordig erg in. Ook bij herstelwerkzaamheden van wegen, omleidingen enzovoorts maakte men regelmatig gebruik van borden met excuses.
'Piiiiep.'
'Meneer Goedkoop, hier Mustafa aan de lijn. Ik wil u melden dat Mohammed Boukhari, met vijf voor mij totaal onbekende kerels, terug is in de wijk. U hoort nog van mij.'
De hoorn terug op de haak leggend staarde hij een moment peinzend naar een spiksplinternieuw grootbeeld televisietoestel, dat in de hoek van het kamertje was opgehangen.
Sjaak bedankend verliet hij het winkeltje en fietste in gedachten terug naar huis, zich afvragend of Nadir daar nog zou rondhangen.

Wassenaar

Met een kop hete koffie in zijn hand stelde Jozef voor om naar beneden te gaan. Even later stonden beide vrienden voor een glazen vitrine en genietend van de koffie bekeek Mohammed de tentoongestelde revolvers en pistolen.
'Jozef,' vroeg hij, 'geef me advies. Mijn voorkeur gaat op het eerste gezicht uit naar die Beretta daar.'

'Dat is inderdaad een Beretta, model 92, weegt nog geen kilo, heeft een 13-schots patroonmagazijn. In de jaren tachtig koos het Amerikaanse leger voor dit vuistvuurwapen, in 1976 ontworpen en afkomstig uit Italië.
De Smith & Wesson Airweight is ook niet verkeerd,' adviseerde Stalman verder. 'Weegt nog geen vierhonderd gram, heeft een interne haan om te voorkomen dat hij in je kleding blijft haken bij het trekken. Nadelig ten opzichte van de Beretta is, dat hij een cilinder heeft voor maar vijf patronen. Het is een handvuurwapen dat al in 1952 in de VS is ontworpen.'
'Voor je verdergaat,' onderbrak Mohammed Jozefs betoog, 'kun je die vitrine voor me openen, zodat ik de wapens in mijn hand kan nemen en voel hoe ze liggen?'
'Ja natuurlijk, een moment.'
Stalman begaf zich naar zijn bureau en uit een bureaulade pakte hij een minuscuul apparaatje. Zich omdraaiend drukte hij een knopje in en het glas aan de voorkant van de vitrine schoof een halve meter omhoog.
'Handig en veilig, of niet soms?' blufte hij.
Mohammed haalde zijn schouders op, nam de Beretta met de rechtervuist uit de vitrine, zakte half door de knieën, strekte zijn armen en beide handen sloten zich rond de gekromde trekkerbeugel. Hij staarde via het keepvizier langs de korrel naar een ogenschijnlijk doelwit en draaide langzaam rond om de as van zijn lichaam.
Een diep gegrom uit zijn keel gaf aan dat hij hier een kick van kreeg.
'Oké, Jozef, ga verder, wat heb je nog meer te bieden?'
'Charter Arms heeft ook een paar aardige vuurwapens op de markt gebracht,' vervolgde Stalman zijn betoog. 'De Undercover is een kleine revolver van nog geen vijfhonderd gram met een looplengte van 50 mm en een cilinder voor vijf patronen. Ook een product uit de VS, 1964.De zogenaamde Police Bulldog is een revolver die iets zwaarder is dan de Undercover, heeft ook een cilinder voor vijf patronen en is verkrijgbaar met twee verschillende looplengtes, 65 mm en 102 mm, ontworpen en op de markt gebracht in 1971.Daar achterin liggen ze. De Police Bulldog is ook nog voorzien van een greep van voorgevormd rubber, dat helpt om de terugslag te verminderen.
Daar rechts achterin ligt een wat groter pistool, het is een fabrikaat van Heckler & Koch uit Duitsland, model VP70M, een volautomatisch handvuurwapen. Dit exemplaar kan alleen drieschotsvuurstoten afvuren en heeft een 18-schotspatroonmagazijn.
Links in de vitrine ligt een Desert Eagle, een groot pistool dat geschikt is voor de zwaarste munitie. Kaliber .44 Magnum, ontworpen in Israël, 1983. Deze heeft een 9-schots uitneembaar patroonmagazijn, dat snel is te verwisselen. Net als de Beretta heeft hij een hoekige trekkerbeugel voor tweehandig vuren.Daar rechts vooraan ligt nog een handig handvuurwapen, een Ruger GP-100. Een revolver met een cilinder voor zes patronen en…'
'Genoeg, genoeg,' viel Mohammed hem in de rede. 'Ik heb mijn keuzes al gemaakt. De Beretta en de Desert Eagle, omdat ik eenvoudigweg gewend ben tweehandig te vuren. De Beretta voor de korte afstand en de Desert Eagle voor het

zwaardere werk. Ik wil mijn team uitrusten met voor elke man een Beretta en een Desert Eagle, inclusief mijzelf, dus van beide zes stuks plus voldoende ammunitie. Kun jij dat voor me regelen?'
De vastgoedmagnaat nam zwijgend plaats achter zijn bureau. Zijn bureaustoel kon niet verplaatst worden, omdat hij aan de vloer vastgeschroefd zat. Zijn linkerhand verdween onder de zitting van zijn bureaustoel, waar hij een klein handeltje negentig graden naar rechts draaide. Door deze beweging kwam een mechanisme in werking die een stuk vloer, waarop het bureau en de stoel stonden, tien centimeter omhoog tilde en daarna een kwartslag de kamer in draaide. Hierdoor kwam een gat van een vierkante meter vrij, dat toegang gaf tot een ruimte waar vastgoedhandelaar Jozef Stalman zijn meest geheime en waardevolle papieren had opgeslagen. Zo ook een voorraad wapens in een diversiteit, waar menig politiekorps jaloers op zou zijn.
Met een handgebaar nodigde hij de totaal overdonderde Mohammed uit hem te volgen.

Prinsegracht

DIRK GEERTSEMA, ALIAS SCHELE Dirk, observeerde Alwin Groen, die net zijn mobieltje dichtklapte. De ogen stijf dichtgeknepen siste Alwin, zich afreagerend: 'Shit, de bastard, de asshole.'
Hij opende zijn ogen en keek zijn compagnons een voor een aan.
'Weet je,' spuwde hij eruit, 'wat die skinhead als smoes naar voren bracht? Twee dagen voor het overmaken van spaar- naar betaalrekening en nog eens twee dagen voordat wij het op onze rekening zien.'
'Tja,' becommentarieerde Frans Janssen, 'zo zijn banken tegenwoordig, maar ik vraag me wel af of wij dit goed aanpakken. Achter dat speciale rekeningnummer staat een firmanaam die rechtstreeks naar ons als eigenaren wijst.'
Het linkeroog van Schele Dirk draaide een millimeter meer naar binnen, wat erop duidde dat hij zich behoorlijk zat op te winden. Stelletje amateurs, dacht hij en hardop vervolgde hij: 'Op je Engels is niets aan te merken, waarde heer Groen, maar waarom laat je je zo inpakken?'
Vertwijfeld schudde de Schele zijn hoofd, tegelijk drukte hij op een toets onder aan de leuning van zijn relaxfauteuil.
'Inpakken?' reageerde Alwin Groen. 'Hoe bedoel je?'
'Ja,' viel Frans Janssen zijn maatje bij, 'verklaar je nader?'
Dat waren hun laatste woorden in hun misdadige en turbulente levens.
De deur vloog open en Jean Petit, alias de Kid, opende het vuur, eerst op de gevaarlijkste van de twee topcriminelen, Frans Janssen, die de kogel precies tussen de verbaasd kijkende ogen kreeg. De kogel doorploegde de hersens en kwam via het achterhoofd weer naar buiten, een bloedige massa meenemend die tegen de rugleuning uiteenspatte.
De rechterhand van Alwin Groen flitste naar het achter zijn rug en tussen zijn

riem geklemde pistool. Terwijl hij tegelijk opsprong, snel de veiligheidspal ontgrendelde en richtte, trof de kogel uit de Colt Python revolver van de Kid hem reeds in de borst en doorboorde zijn hart. Door de slagkracht van de kogel op zijn borst viel Alwin Groen terug in zijn fauteuil en zijn nog afgeschoten kogel verdween schuin omhoog in het plafond.

Frans Janssen was op slag dood. Bij Alwin Groen borrelde bloederig schuim op vanuit zijn borststreek in de mond en kuchend probeerde hij zich nog op te richten; terwijl de bloederige massa uit zijn mond, over zijn kin, en op zijn borst stroomde, hief hij in een laatste poging zijn pistool op, maar de wijsvinger had geen kracht meer om de trekker over te halen.

Met wegdraaiende ogen zakte hij dood achterover, terug in de fauteuil.

Het linkeroog van de Schele nam zijn normale half schele stand weer in en terwijl hij zijn rechterduim omhoogstak, sprak hij ontroerd: 'Petit, kerel, vakwerk. Ik moet eerlijk bekennen,' vervolgde hij, 'dat toen ik voor het eerst jouw naam hoorde noemen, ik aan zo'n ouderwetse, opgefokte namaakrevolverzwaaier uit het Wilde Westen dacht.'

Op dat moment kwamen Luc Somers en Thaksin Taebi de kamer binnen en overzagen de situatie.

'Niet gek voor zo'n kleine jongen,' merkte Luc op, tegelijk de Schele met een vragende blik aankijkend. Waarop de Schele knikte en Luc zijn maat Thaksin een wenk gaf. Samen tilden zij eerst Frans Janssen op en droegen hem de kamer uit.

Ondertussen verving Petit de lege patronen voor nieuwe en borg zijn schietijzer op in een holster dat links voor aan zijn riem hing en verborgen bleef door een slip van zijn pantalon.

Met een scheve grijns op zijn magere gezicht, en met zijn rechterwijsvinger over zijn haviksneus, keek hij de Schele een moment aan, zijn linkerhand opstekend als groet, draaide zich om en wilde de kamer verlaten.

'Hé, Kid,' riep de Schele hem na, 'wil je niet weten waar we deze jongens laten?'

Petit draaide zich op de drempel om en antwoordde met zijn krassende stem: 'Het zal me een zorg wezen, dat is jouw afdeling, meneer Geertsema, bonjour.'

Luc Somers opende de deur naar de kelder en staarde in het donkere gat langs de steile betonnen trap. Ze sleepten het lichaam door de deuropening en gaven het een forse duw, zodat de dode Frans Janssen naar beneden duikelde en met een doffe klap op de betonnen keldervloer terechtkwam. Een akelig gekraak gaf aan dat de nek- of rugwervel gebroken moest zijn.

Met de rechterhand zocht Luc naar de schakelaar, die naast de deur aan de binnenkant moest zitten en knipte het licht in de kelder aan.

Het lichaam lag in een onnatuurlijke houding onder aan de trap en onder het hoofd vormde zich een langzaam groeiende plas bloed.

'Kom op, Thaksin, we halen eerst die andere op, voor we de kelder in gaan.'

Kopenhagen

EEN GULFSTREAM V, DE privéjet van de Koeweitse sjeik Faisel, was voor de derde maal op weg van Kuwait International Airport naar de luchthaven van Kopenhagen, Kastrup.
De piloot had al aangegeven, dat de landing binnen een halfuur ingezet zou worden.
De Gulfstream V was het eerste zakenvliegtuig ter wereld voor lange afstanden.
De Amerikaanse vliegtuigbouwer Gulfstream Aerospace Corporation had in 1997 het vliegtuig in productie genomen.
Toen eind 2002 de laatste van de 193 gebouwde toestellen de fabriek verlieten, kocht sjeik Faisel een van de laatst gebouwde vliegtuigen.
De verkeersleider op Kastrup moest zich in de ogen wrijven, toen de privéjet aan het landen was.
Hij meende achter het vliegtuig een langgerekt lint bestaande uit dollars te zien.
Niet zo verbazingwekkend, omdat dit reeds de derde keer in een paar maanden tijd was, dat de schatrijke oliebaron Kopenhagen vereerde met een bezoek waarbij hij doorgaans een spoor van dollars achter zich liet.

Niels Jacobson, chef van de Anti Terreur Eenheid Kopenhagen, keek met een bezorgde blik in zijn ogen naar de zojuist gelande privéjet, die naar Terminal 3 taxiede. Links en rechts van hem stonden Sven Larsen en Nick Polsen, twee teamleden van de A.T.E. 'Wat denk je, chef?' vroeg Polsen. 'Zullen Sven en ik toezicht houden bij het controleren van de bagage?'
Jacobson schudde nijdig met zijn hoofd en Polsen aankijkend zei hij: 'Van hogerhand mogen wij ons hier niet mee bemoeien.' En terwijl hij zijn stem een paar octaven hoger liet klinken, vervolgde hij: 'Ze willen de sjeik niet ontrieven.'
Zwijgend volgden ze nog een ogenblik de Gulfstream V op zijn weg naar de terminal, toen Jacobson zich met een ruk afwendde van het sierlijke vliegtuig en zei: 'Kom, mannen, we hebben werk te doen. We zullen het gezelschap in het geheim stuk voor stuk fotograferen. We doen net of we verslaggevers zijn en foto's maken voor de *Jylland Posten*.'

In de ontvangsthal liepen enkele hoogwaardigheidsbekleders, onder wie de burgervader van Kopenhagen, zenuwachtig heen en weer. Zij wilden de oliebaron ontvangen met een waardig welkom, hem een geweldig verblijf in Kopenhagen toewensen, en hem uitnodigen voor een luxe zakendiner.
In de Gulfstream V maakte men zich gereed om het vliegtuig te verlaten. De sjeik werd omringd door zijn eigen lijfwacht, acht jonge afgetrainde bodyguards.
Daarnaast liet hij zich vergezellen door enkele neven met hun vriendinnen.

Zijn gevolg complementeerde zich met vijf mannelijke en drie vrouwelijke bedienden, van wie Fátima zijn maîtresse was.
Vier mannelijke dienaren moesten zich over de bagage ontfermen en bleven aan boord tot de vrachtwagen gearriveerd was, waarin de bagage vanuit het vliegtuig overgeladen kon worden.
Op de luchthaven van Koeweit was de bagage van sjeik Faisel ongecontroleerd aan boord gebracht. Met wat smeergeld deden de douaniers daar graag een oogje dicht, en zij kenden de oliebaron als een zeer hoogstaande en vrijgevige man.
De douane op Kastrup controleerde de bagage steekproefsgewijs, dat wil zeggen dat hun aandacht vooral gericht was op de wel heel grote hutkoffers, nieuwsgierig als ze waren naar de inhoud. Terwijl ze de schitterende Arabische gewaden bewonderden, gingen de Koeweitse bedienden gewoon door met overladen. Daarbij viel op, dat enkele kleine kisten door twee mannen nauwelijks te tillen waren vanwege hun gewicht.
Bij het eerste bezoek van sjeik Faisel had men lichtelijk verbaasd de wenkbrauwen gefronst en zelfs gedacht aan de voorbereiding van een aanslag. Zeker gezien de abnormale hoeveelheid bagage die de sjeik met zich meesleepte.
En het was nog niet zo lang geleden, begin 2006 immers, dat Denemarken de woede van de gehele islamitische wereld over zich heen had gekregen in verband met het verschijnen van spotprenten van de profeet Mohammed in de *Jylland Posten*. Er verscheen zelfs een oproep van de Deense premier in de krant.

Kopenhagen

> *De Deense premier Arne Eriksen heeft opgeroepen tot kalmte in de bijna wereldwijde crisis over de geplaatste spotprenten van de islamitische profeet Mohammed in de* Jylland Posten. *Eriksen verzekerde de moslims in de wereld dat de regering en de Deense burgers hen niet wilden beledigen.*
> *Volgens hem kunnen de Denen niet verantwoordelijk worden gehouden voor publicaties in 'een ongebonden en onafhankelijke krant'.*
> *Bovendien heeft de krant zijn verontschuldigingen aangeboden.*

Sjeik Faisel was een streng islamitisch gelovige en geen onbekende in de Arabische wereld. Hij vertegenwoordigde Koeweit in de Olie Producerende Landen (O.P.L.).
Dit had het stadsbestuur laten uitzoeken toen bekend werd dat een sjeik uit Koeweit hun stad Kopenhagen met een bezoek wilde vereren.
De controle van zijn bagage bij zijn eerste bezoek had iets meer dan vier uur geduurd. Alle koffers en kisten werden volledig uit- en weer ingepakt. De enige wapens die men vond, kwamen uit de bagage van de lijfwachten. Een aantal vlijmscherpe Arabische dolken die men, onder protest van de sjeik persoonlijk, in beslag had genomen.
De sjeik had zich tijdens zijn verblijf vriendelijk, innemend en zeer vrijgevig

gedragen en zich in de binnenstad een liefhebber getoond van historische gebouwen.
Hij maakte zich geliefd bij portiers en gidsen door het uitdelen van forse fooien. Toen hij na een verblijf van een week weer vertrok, haalde het stadsbestuur opgelucht adem, maar degenen die met de sjeik, op wat voor manier dan ook, in contact waren geweest, zagen hem met lede ogen vertrekken. In het bijzonder ook de horeca. Want wanneer de sjeik met zijn gevolg buiten het hotel ging dineren, reserveerde hij niet een paar tafeltjes, maar huurde hij voor die avond het hele restaurant af en daar betaalde hij grof voor. De omzet van zo'n avond besloeg een week volop draaien, met iedere avond de tafels minstens tweemaal bezet.
Zijn tweede bezoek volgde al snel na zijn eerste verblijf en verliep al een stuk soepeler. De controle op zijn bagage was nog wel streng, maar verliep een stuk sneller dan de eerste keer. De lijfwachten mochten zelfs hun dolken houden, want wat heb je aan een ongewapende lijfwacht?
Tijdens het tweede bezoek was Abu Hamza hoofd van de groep bodyguards. Hij had in het geheim contact gezocht met Farid, de leider van een radicale islamitische groep jongeren, en hem beperkt op de hoogte gebracht van hun missie in Kopenhagen.
'Wij komen met een team van zes moedjahedien,' had hij gezegd, 'met de privéjet van de sjeik, om een aanslag te plegen. Het team zal tijdens het derde bezoek van de sjeik hier arriveren. Jij moet voor vervanging zorgen en zes stevige jonge kerels een spoedcursus laten volgen in het begeleiden van vips, in dit geval dus de sjeik. Zorg voor mobiele telefoons, handvuurwapens en een paar snelle onopvallende auto's. Twee van jouw mensen moeten goede chauffeurs zijn en hun weg in de binnenstad blind kunnen vinden. Op de dag dat de sjeik met zijn gevolg voor de derde keer een bezoek aan Kopenhagen brengt, zorg jij dat je om tien uur 's avonds met je mensen en de auto's gereedstaat om het team vanuit het hotel op te vangen en ze te laten onderduiken in de stad op een adres, vanwaaruit zij minstens twee weken veilig kunnen opereren. De zes opgeleide kerels moeten die nacht een voor een, zo onopvallend mogelijk, via de dienstingang het hotel binnengaan, waar zij worden opgevangen door de twee vaste bodyguards van de sjeik. Geld is geen probleem, hier heb je een rolletje bankbiljetten, totaal twintigduizend euro, als voorschot op eventueel te maken onkosten en voor het huren van de auto's. Voor de explosieven zorgen we zelf.'
Farid had wat afwezig naar het rolletje bankbiljetten staan staren en kon zijn oren niet geloven.
'Hé, jij bent toch wel Farid, de koele kikker? Word wakker, man, eindelijk actie voor jullie.'
'Ja ja, natuurlijk,' had Farid gereageerd. 'Ik heb het begrepen en zal zorg dragen voor alles wat je me hebt gevraagd.'

Bij zijn derde bezoek werd sjeik Faisel verwelkomd als een zeer geziene gast. De ontmoeting tussen een delegatie van het stadsbestuur, onder persoonlijke leiding van burgemeester Bjerne Olafson, en de sjeik kon bijzonder hartelijk genoemd worden. Het gezicht van de sjeik straalde en zijn hoofd hield niet op met knikken terwijl hij dacht: stomme honden, wacht maar af.
Na de uitnodiging voor het diner aangenomen te hebben, vervolgde het Koeweitse gezelschap zijn weg naar hotel New Orléans, alwaar de sjeik en zijn gevolg weer hun intrek namen op de bovenste verdieping. De sjeik zelf betrok de bruidssuite. De kamer ernaast was voor zijn maîtresse Fátima.
Zijn neven met hun vriendinnen betrokken elk een kamer. Tegenover de lift en het trappenhuis betrokken zijn lijfwachten hun kamers.
De kamers aan de beide einden van de brede gang, die eigenlijk meer weghad van een langwerpige hal, werden betrokken door de bedienden.
Zodra de beide piloten hun zaakjes op het vliegveld geregeld hadden, namen ook zij hun intrek in het hotel.
Nadat eenieder zijn bagage in zijn kamer had ontvangen, werden de vier kleine maar zware kisten in een van de kamers van de lijfwachten gebracht.
Raffi, afkomstig van Rafaello, een in Santander geboren Bask, was bezig de eerste kist te openen. Zijn maten keken met meer dan gewone belangstelling toe.
Een klop op de deur bracht de zes terroristen direct in positie, bij elk van de zijmuren namen twee terroristen hun plaats in, de vijfde nam plaats achter de deur en Raffi, de leider van de groep, maakte aanstalten om de deur te openen. Met de deurkruk in zijn hand vroeg hij eerst: 'Wie is daar?'
'Ik ben het, Faisel.'
Raffi opende de deur en liet de sjeik binnen.
'Is alles in orde, mannen?' was het eerste wat de sjeik vroeg. 'Dan kan ik Kabul melden dat jullie veilig gearriveerd zijn.'
'We weten wat zich in die kisten bevindt,' reageerde Raffi. 'Dus meld Kabul dat we klaar zijn voor actie en dat we de boel op de afgesproken dag en tijd in de lucht laten vliegen.'
'Geweldig, mannen, wat geld niet met vooral deze westerse heidenen kan doen... een vrijkaart voor een aanslag die zijn weerga niet kent. Maak er een succes van, jongens, dat Allah jullie moge begeleiden. Ik zal me verder deze week bezighouden met de notabelen van deze stad, maar eerst laat ik contact opnemen met Farid, zodat hij de zes plaatsvervangende bodyguards vanavond naar het hotel laat komen.'

Twee maanden eerder, voor zijn bezoeken aan Kopenhagen, lag sjeik Faisel voorover op een ligbed naast zijn luxe zwembad.
Twee jonge Saoedische schonen aan zijn zijde deden hun uiterste best met het kneden en masseren van zijn pijnlijke rug en benen. Ontspanning na een drukke werkdag die uit een bezoek bestond aan een van zijn uitgestrekte olievelden.

Op een bijzettafeltje rinkelde de telefoon.
Kreunend kwam de sjeik overeind.
'Fátima, neem op en vraag wie het lef heeft om sjeik Faisel na een drukke werkdag te storen in zijn ontspanningsuurtje.'
'Hallo, met Fátima, de secretaresse van sjeik Faisel,' kirde zij door de telefoon.
'Met Kabul,' klonk het onvriendelijk in de hoorn. 'Verdwijnen jullie, en laat me alleen met de sjeik praten.'
Met een pruillip gaf Fátima de hoorn aan de sjeik en zei: 'Kabul voor u.'
De dames lieten de sjeik alleen.
'Met Koeweit,' opende de sjeik. 'Waarmee kunnen we jullie van dienst zijn? Opnieuw geldgebrek?'
'Met Abu,' reageerde krijgsheer Al-Hassani. 'Deze keer bellen wij je voor een zeer belangrijke opdracht.'
De oliebaron was voor Al-Qaida een van de belangrijkste bankiers die geld naar de organisatie doorsluisden. Zijn naam was bekend bij enkele ingewijden. Abu Al-Hassani was zijn contactpersoon.
'Faisel,' vervolgde de krijgsheer, 'uit naam van de top van Al-Qaida moet je een team samenstellen van de beste moedjahedien die tot jouw beschikking staan. Neem contact op met Farid, onze man in Kopenhagen, en bereid samen met hem een aanslag voor die heel Denemarken op zijn grondvesten zal doen schudden. Datum en tijd worden later bekendgemaakt.'

Thorpe Bay

DOKTER WILLIAM SMITH SLAAKTE een zucht van verlichting toen de deur dichtviel achter zijn laatste patiënte van vandaag. Hij had zojuist voor lady Ann Douglash een recept tegen hoofdpijn uitgeschreven. Ze had de laatste tijd last van vreselijke hoofdpijnaanvallen, gecombineerd met braakneigingen, vooral 's morgens bij het wakker worden en dat, vertelde ze in bekakt Oxford-Engels, na een heerlijke ontspannen avond uit met haar nieuwe vriend.
Glimlachend had hij haar paracetamol voorgeschreven, twee tabletten in een glas met een klein laagje water laten oplossen, daarna innemen en wegspoelen met een glas water. Was de hoofdpijn na twee uur nog steeds niet verdwenen, dan opnieuw twee tabletten in een glas. Lady Ann had het receptje dankbaar in ontvangst genomen.
De dokter kende haar wel, ze woonde enkele villa's verderop aan de Burges Road in een kasteel van een huis. Haar overleden echtgenoot, lord Anthony Douglash, was zes jaar geleden in zijn Jaguar frontaal tegen de zijkant van een vrachtwagen aan geknald, die onverhoeds uit een zijstraatje de weg op kwam gereden.
Hij liet lady Ann en hun negenjarige zoontje achter in een groot huis, met een vermogen van een slordige tien miljoen Engelse ponden.
Na zes jaar weduwe te zijn geweest, had ze op de Thorpe Hall Golf Club een nieuwe man ontmoet. Een vroeg gepensioneerde Londense zakenman van 54

jaar, een verwoed golfspeler met één gebrek: hij sloeg nooit de 'laatste' hole over en bleef steevast tot sluitingstijd aan de bar hangen.
De Londenaar was verhuisd naar Thorpe Bay, de luxe villawijk van Southend-on-Sea en had daar een villa gekocht waarvan de grond grensde aan die van lady Ann. De 42-jarige lady Ann was voor zijn charmes gevallen en ging nu ook regelmatig met hem mee golfen, om dus ook de 'laatste' hole niet te missen.
Dokter Smith had na een partij golf de Londenaar een paar keer in het clubhuis aan de bar ontmoet en gezien dat lady Ann zonder blikken of blozen de eerste paar glazen lemon gin opdronk in een tijdsbestek van nog geen halfuur. De dokter wist dat ze voor haar nieuwe relatie over de hele avond genomen hooguit een paar glazen droge sherry dronk.
Een klop op de deur onderbrak zijn gemijmer. Een donkerharige jonge vrouw in een wit uniform betrad de spreekkamer. Met een warme glimlach rond haar mond liep ze om het bureau heen, nestelde zich op de schoot van de dokter en bood hem haar volle lippen aan.
Na een minutenlang durende kus maakte ze zich los uit de omarming van de dokter. Maryam Khan was een vroegere studiegenoot en nu zijn assistente en levenspartner.
'We moeten straks naar Birmingham,' merkte de half Pakistaanse Maryam op.
Zij was de dochter van een Pakistaanse ingenieur en een Engelse hoogleraar, die elkaar in hun studietijd hadden ontmoet op de universiteit van Cambridge. De twee werden verliefd op elkaar en na een kortstondig, maar heftig samenzijn raakte haar moeder in verwachting.
Na de bevalling werd Maryam ondergebracht bij de ouders van haar moeder, zodat deze haar studie af kon maken.
Ondanks de vele smeekbeden van haar grootouders trouwden haar ouders niet. Toen haar vader klaar was met zijn studie, vertrok hij met de beroemde noorderzon.
Maryam was toen tweeënhalf jaar oud en zag haar vader nooit meer.
Eerst droeg ze haar moeders naam, maar ze voelde zich te veel Pakistaanse, zodat ze voor ze ging studeren haar naam liet veranderen in Khan, haar vaders naam.
Dr. William Smith schakelde zijn computer uit en kwam achter zijn bureau vandaan.
'Ik sluit de praktijk even af,' zei hij. 'Voor we vertrekken nog even wat opfrissen en een sandwich. We hebben tijd genoeg,' voegde hij hieraan toe.
De dokter en zijn partner woonden in een comfortabele villa, geheel ingesloten door een prachtig aangelegde tuin.
De praktijkruimte bestond uit een kantoortje vooraan bij de ingang, waar Maryam de patiënten opving, met daar vlak naast de wachtkamer.
Op de eerste verdieping bevonden zich hun ruime slaapkamer, met links een badkamer en rechts een geheime ruimte zonder ramen. De toegang tot deze ruimte werd afgeschermd door een kaptafel.
De geheime ruimte was ingericht met twee bureaus en even zoveel computers. Een Becker radio- en zendinstallatie maakte de inrichting compleet.

Thames House Londen

Majoor Mike Brown, directeur-generaal (DG) van de Military Intelligence section five (MI 5), een onderdeel van de Secret Intelligence Service (SIS), legde de zojuist gelezen rapportage van agent Alan Price terug op zijn bureau.
Alan Price gaf leiding aan een anti-terreureenheid, een onderafdeling van MI 5.
Het rapport bestond uit een A5'je en had weinig te melden.
Het enige wat opviel was dat de assistente van dr. William Smith, een gerenommeerde jonge arts in Southend-on-Sea, elke zondag van vijf tot zeven uur p.m. een radio-uitzending verzorgde, speciaal voor de in Engeland wonende Pakistani, waarbij Price het vermoeden had dat er tijdens de uitzending berichten in code de ether in gezonden werden.
De berichten zouden volgens Price verpakt zitten in reclameboodschappen die kant noch wal raakten. Hij noemde een paar voorbeelden.

Een liter voedzame volle melk voor poesje Younis, verkrijgbaar in Birmingham. Wanneer voor acht uur besteld, de volgende dag voor elf uur bezorgd.

Bonzo hondenbrokken verkrijgbaar nabij het Wembley Stadion, verkoper Rahman.

Op de tiende van de vijfde, dvd's verkrijgbaar bij Waheed voor twee shilling per stuk.

De majoor schudde bedenkelijk zijn hoofd. Hier moest de Cryptografische Dienst naar kijken, misschien leverde het wat op.
Politie en veiligheidsdiensten hielden momenteel zo'n vierduizend verdachte personen in de gaten, waardoor de kans groot was dat genoemde namen in de reclameboodschappen aan een paar daarvan gekoppeld konden worden.
Vermoeid streek de tegen zijn pensioen aan zittende DG door zijn schaars wordende haardos.
Jarenlang waren hij en zijn collega's gefocust op Noord-Ierse militanten van het Ierse Republikeinse Leger (IRA) en de dreiging van radicale islamieten werd decennialang genegeerd.
Hij dacht terug aan 7 juli 2005, toen het moslimterrorisme zich in de Britse hoofdstad op dramatische wijze presenteerde.
Achter elkaar kwamen in totaal vier meldingen binnen van zelfmoordaanslagen. Drie op metrotreinstellen en een op een bus. Met 56 doden en meer dan 700 gewonden als triest resultaat.
Het trillen van zijn Nokia mobieltje bracht hem terug naar het heden. 'Brown.'

Southend-on-Sea

Klokslag zes uur p.m. De garagedeur schoof automatisch naar boven open en een zwarte Aston Martin rolde de Burges Road op. Maryam Khan zat achter het

stuur en dr. William Smith zat naast haar. De Aston Martin sloeg linksaf, de Thorpe Hall Avenue op om vlak daarna rechtsaf de Thorpe Esplanade op te rijden.
Terwijl de Aston Martin linksaf sloeg, maakte zich enkele honderden meters terug een grijze Porsche los van de stoeprand, met achter het stuur een telefonerende chauffeur.
'De dokter is met zijn partner vertrokken, ze rijden in een zwarte Aston Martin DB7 Volante cabriolet. Staat het achtervolgingsteam gereed?'
Na enkele seconden klonk het antwoord.
'Ze staan gereed en ik zal ze waarschuwen dat het spel gaat beginnen. Heb je enig idee waar ze naartoe rijden?'
'Nog niet, maar ik hou u op de hoogte.'
De oude Porsche Cabrio, bouwjaar 1990, zag er voor zijn leeftijd nog perfect uit. De krachtige 3.6 motor was goed onderhouden en bij deze snelheid gromde hij ingehouden.
De Thorpe Esplanade ging over in de Eastern Esplanade en de Aston Martin vervolgde zijn weg via Queens Way.
Ter hoogte van het Southend Victoria Rail Station sloeg de Aston Martin rechtsaf de Victoria Avenue op, een autosnelweg, die boven Londen liep. De auto passeerde het dorp Rayleigh, stak het knooppunt met de A130 rechtdoor over, om even later het stadje Basildon links achter zich te laten.
Na het dorpje Little Warley draaide de Aston Martin de snelweg op richting Cheshunt.
Alan Price, de chauffeur van de Porsche, had flink afstand gehouden en zag nu dat de Aston Martin richting het noorden koerste.
In gedachten zag hij de kaart van Zuidoost-Engeland voor zich.
Vanaf Londen in noordnoordwestelijke richting lagen de belangrijkste steden, Luton, Northampton, Leicester, Derby, Nottingham en meer naar het oosten Coventry en Birmingham.
Terwijl ook hij de afslag Cheshunt in noordelijke richting nam, belde hij majoor Brown.
'Ja, Alan, zeg het maar.'
'We rijden op de M25, richting Cheshunt.'
'Al een idee waar ze naartoe rijden?'
'De M25 draait in een wijde boog als een cirkel om Londen heen, het kan nog alle kanten op. Wel moet ik denken aan die reclameboodschappen. Bij twee ervan worden locaties genoemd, waaronder Birmingham. En dat zou het kunnen worden, maar dat kunnen we zo zien wanneer de M25 de M1 kruist.'
Majoor Mike Brown knikte, voor Alan uiteraard niet te zien en zei: 'Ik denk dat je gelijk hebt, Alan.'
'Het wordt Birmingham.'
'Oké. We hebben wagens gereedstaan in een kring rondom Londen, waarbij er drie benoorden Londen gestationeerd zijn. Een witte Ford Focus, met Brian Stevens en Barry Shaker, de twee BS-jes in Oxford. Hen laat ik rechtstreeks naar Birmingham rijden. Momentje, Alan, ik loop even naar de wandkaart.'

Na twintig seconden vervolgde de majoor: 'Wanneer hun bestemming werkelijk Birmingham is, zullen zij via de M1 naar het noorden rijden en de afslag Coventry/Birmingham nemen, de M45. Daarna de A46 die onder Coventry door loopt. Ik zal de BS-jes vlak voor Coventry aan de A46 laten posten, zodat zij de achtervolging kunnen overnemen.
In Luton staat een blauwe Opel Vectra stand-by, met als bemanning Maureen Beckett en Jack Strawberry. Zij kunnen het in Luton van jou overnemen, terwijl jijzelf, indien mogelijk, de Aston Martin voorbij rijdt en een paar kilometer daarvoor blijft rijden, op de weg naar Birmingham.
Het team dat zich in de buurt van Chelmsford ophoudt, in een beige Ford Mondeo, zal ik naar Birmingham sturen om ze daar stand-by te houden. Het zijn Roger McCarthy en Pete Baltimore. Je kent hun mobiele nummers, hou me op de hoogte en, Alan, wees voorzichtig, het zijn vuurgevaarlijke professionals, succes.'
Alan Price staarde gespannen voor zich uit. Ze naderden het dorpje St. Stephen, waar vlak daarna de M25 de M1 kruiste.
Toen hij zelf St. Stephen passeerde, zag hij dat de Aston Martin zijn rechterknipperlicht aanhad. De auto draaide naar rechts, de M1 Highway op, richting Luton. Bij Luton minderde Maryam vaart en nam de afslag van een parkeerplaats om een rustpauze in te lassen. Ze parkeerde de Aston Martin en stapte uit, stak een sigaret op en over haar vlammetje heen kijkend zag ze een grijze Porsche Cabrio voorbijrijden.
'William,' riep ze. 'Die grijze Porsche, die ons al vanaf Queens Way volgde, is de parkeerplaats voorbijgereden.'
William Smith opende het dashboardkastje en controleerde of zijn lievelingshandvuurwapen, een Ruger revolver, nog op zijn plek lag. Een geruststellende glimlach krulde rond zijn mond.

William Smith

William Smith was een geboren Pakistani uit Engelse ouders. Tot zijn twaalfde jaar groeide hij op in de roerige Zuid-Pakistaanse havenstad Karachi, daarna verhuisden zijn ouders naar de in het noordwesten van Pakistan gelegen stad Peshawar, dicht tegen het ruige grensgebied van Pakistan en Afghanistan aan.
Zijn vader, kolonel Martin Smith, was een Engelse diplomaat, gespecialiseerd in betrekkingen tussen Engeland, Pakistan en India. In het grensgebied was een conflict ontstaan tussen de Afghaanse taliban en de machtige Pakistaanse Inlichtingendienst, de Inter Service Intelligence (I.S.I.). Kolonel Martin Smith werd gevraagd te bemiddelen en moest daarvoor afreizen naar de Afghaanse grensstad Jalalabad. De toen vijftienjarige William mocht zijn vader vergezellen op diens reis naar Jalalabad. Even over de grens, nabij het dorpje Hazar Now, kwamen zij klem te zitten in een vuurgevecht, met aan de ene zijde strijders van Al-Qaida en de taliban en aan de andere zijde Engelse en Afghaanse troepen.
Samen met hun Pakistaanse begeleider lagen zij achter hun dienstauto, plat op

hun buik in de sneeuw. Kolonel Martin Smith beval zijn zoon, ondanks de kou in dit ruige hooggebergte, zijn witte overhemd uit te trekken. Even later, het witte overhemd als een vlag zwaaiend omhooghoudend kwam de kolonel langzaam overeind.
Hij wenkte naar zijn zoon en hun begeleider om hetzelfde te doen en met zijn drieën begaven ze zich naar de dichterbij zijnde Al-Qaida strijders.
Deze hielden voor een moment op met schieten, om de drie de gelegenheid te geven, veilig uit de vuurlinie te komen.
In zijn kolonelsuniform maakte de diplomaat Martin Smith een fatale denkfout.
De Engelsen dachten dat hij een verklede talibanstrijder was, waardoor een Engelse luitenant aan twee scherpschutters de opdracht gaf hem neer te knallen.
Op tien meter afstand van de talibanstellingen werd kolonel Martin Smith vol in de rug getroffen door twee kogels. Hij sloeg voorover tegen de grond en stierf ter plekke.
Schreeuwend van ontzetting liet William zich naast zijn vader op de knieën vallen. Met zijn handen rukkend aan de uniformjas van zijn vader riep hij huilend: 'Daddy, sta op, we zijn bijna veilig.'
Hun begeleider was al vooruitgelopen, en het duurde even voor hij doorhad wat er gebeurd was. Zich omdraaiend riep hij: 'Rennen, jongen, ren voor je leven, je vader is doodgeschoten.'
Maar William probeerde zijn vader op te tillen en om te draaien, zodat deze op zijn rug kwam te liggen. Dode glansloze ogen staarden hem aan en vol ontzetting week William achteruit.
De begeleider keerde terug, greep William bij zijn arm en trok hem omhoog.
'Kom op, jongen, rennen.'
En onder het dekkingsvuur van Al-Qaida en de taliban bereikten beiden de stellingen en zij waren voorlopig veilig.
De leider van de strijders riep twee van zijn mannen bij zich en beval hun William en zijn begeleider naar hun geheime thuisbasis te brengen.
'Ook wij trekken ons binnen tien minuten terug uit de strijd.'

Mevrouw Kate Smith was wanhopig: haar man door de Engelsen doodgeschoten en haar zoon vermist, waarschijnlijk vastgehouden door Al-Qaida. Pakistaanse vrienden vingen haar op en begeleidden haar in haar verdriet.
Na de begrafenis van kolonel Martin Smith probeerden diezelfde Pakistaanse vrienden contact te zoeken met Al-Qaida en de taliban, maar in het wijde, onherbergzame grensgebied wist niemand (of wilde men het niet weten) iets over de verblijfplaats van William Smith.
Gebroken door verdriet verliet de ontredderde Kate Smith na drie maanden Pakistan en keerde terug naar haar geboorteplaats Birmingham in Engeland.
Daar werd zij opgevangen door haar nog in leven zijnde ouders.

Nadat ze een korte tijd bij haar ouders had ingewoond, vermande ze zich en ging op zoek naar werk en een eigen woning.

Intussen werd William gehersenspoeld en de haat tegen de Engelsen, die toch maar zijn vader in koelen bloede hadden doodgeschoten, werd aangewakkerd en dusdanig opgefokt dat de jongen er bijna in stikte.
Ondertussen kreeg de ongelovige William een gedegen islamitische opleiding en werd hem verteld dat de islam de enige ware godsdienst was. Een paar islamitische leuzen werden hem bijgebracht.
Insjallah – Het is Gods wil.
Allahu Akbar – God is groot.

Op zijn zestiende verjaardag verscheen William Smith uit het niets voor de woning van zijn grootouders in Birmingham.
Uitzinnig was hun vreugde William in levenden lijve te zien. William werd innig omhelsd en grootvader stootte zijn vrouw aan en zei: 'Moeder, bel jij Kate en bereid haar voor op de ontmoeting met haar zoon.'
'Je moeder woont in Smethwick, op een flatje aan de Coopers Lane,' vervolgde hij tegen zijn dood gewaande kleinzoon. 'Waar was je al die tijd, mijn jongen?'
Die vraag had William natuurlijk verwacht en hij antwoordde summier: 'Ik weet het niet, maar de mensen die mij opvingen waren heel vriendelijk en zij hebben er ook voor gezorgd dat ik een ticket kreeg naar Engeland.'
Die uitleg vond William voldoende en verder werd er ook niet meer naar gevraagd. Later kwam het nog weleens ter sprake, maar William gaf steevast geen antwoord; hij haalde dan zijn schouders op en verliet de kamer.
Op achttienjarige leeftijd meldde hij zich aan op de universiteit van Aston in Birmingham.
Tijdens zijn studie ontmoette hij Pakistaanse islamitische medestudenten, die dezelfde mening waren toegedaan als William: Engeland diende gestraft te worden voor al het leed dat zij tezamen met de Amerikanen hun islamitische geloofsbroeders aandeden.
Een kleine groep zwoer elkaar eeuwige trouw, onder wie ook Maryam Khan.
William Smith werd tot leider gekozen vanwege zijn scherpzinnigheid en felheid.
In zijn vierentwintigste jaar slaagde hij met hoge cijfers en begon een artsenpraktijk in het stadsdeel Bordesley in Birmingham. Twee jaar later namen hij en Maryam een huisartsenpraktijk in Thorpe Bay over en, kundig als zij waren, lieten ze zich door de goed gevulde beurzen in deze villawijk fors betalen.

Wembley stadion

IN EEN HUIS AAN de Vivian Avenue, in de Londense wijk Brent, bestudeerde Mukhtar Rahman, een ex-inlichtingenofficier van de Pakistaanse Inlichtingen dienst (I.S.I.) en explosievenexpert, de bouwtekeningen van het Wembley stadion. Hij had hier een kamer gehuurd, omdat de woonwijk pal ten zuiden van het stadion lag.
Mukhtar Rahman maakte deel uit van de uiterst gevaarlijke terroristische groepering die onder leiding stond van Zahid Waheed en rechtstreeks opdrachten ontving van een Pakistaanse Al-Qaidacel voor het plegen van aanslagen.

Een reusachtige boog ondersteunde volledig het gewicht van het dak aan de noordkant en zestig procent van de zuidkant. Hij had de fundamenten van de reusachtige boog bestudeerd en was tot de conclusie gekomen dat het met extreem zware explosieven mogelijk moest zijn om de boog aan zijn fundamenten op te blazen, waardoor het 6350 ton wegende dak naar beneden zou storten op de bovenste ring en, net als bij de aanslag op de Twin Towers in 2001 in New York, door zou zakken op de tweede ring en verder.

Op 19 mei werd de eerste FA Cupfinale in het nieuwe Wembley stadion gespeeld, tussen Manchester United en het Londense Chelsea. Dan zou het stadion gegarandeerd uitverkocht zijn en dus gevuld met 90.000 toeschouwers.
Terwijl hij hieraan dacht, gutste de adrenaline door zijn aders. Dit zou gaan om de op een na grootste gepleegde aanslag ooit. Als helden zouden hij en zijn medestrijders door hun grote voorbeeld en leider Osama Bin Laden en daarnaast ook Ayman Al-Zawahiri, de tweede na Bin Laden, ontvangen worden.

Highway M1

OP HET GEROEP VAN Maryam was William de Aston Martin uit gekomen.
'Wat denk je ervan?' vroeg hij.
Haar schouders ophalend en zich omdraaiend zei ze: 'We zien het wel, we zijn in ieder geval gewaarschuwd en we zullen onze ogen goed open moeten houden.'
'Laten we even de benen strekken.'
De atletisch gebouwde William liep om de auto heen en gaf Maryam een vluchtig kusje.
Ze moesten zich voordoen als een verliefd paartje en het kostte hun geen enkele moeite om dat spel te spelen. Hand in hand slenterden ze een eindje de parkeerplaats op.

Het was niet druk. Aan de vrachtrijderskant stond een trailer met ronkende motor warm te draaien. Even verderop stond een rolstoelpersonenbusje geparkeerd. Ze passeerden een oude rode Rover MG 1500 uit de jaren zestig, waarin een bejaard stel een sandwich aan het verorberen was.
William merkte grinnikend op dat de Rover een paar jaartjes ouder was dan zij. Verderop, aan het eind van de parkeerplaats, stond een blauwe Opel Vectra.
Een vrouw stond ontspannen tegen de motorkap geleund, terwijl haar metgezel, een sigaret rokend, op en neer liep.
Teruglopend zagen ze een zilverkleurige Toyota Corolla, met een oudere dame aan het stuur, het parkeerterrein oprijden.
'Kom, we gaan weer, zal ik rijden?'
'Geen sprake van, jij moet je voorbereiden op de bespreking straks, dan is het beter dat ik rijd. Bovendien moeten we ook de weg achter ons blijven observeren.'

Londen

Zich uitrekkend stond Mukhtar Rahman op van zijn stoel en wierp een blik op zijn Bell & Ross horloge. Het was zoals vele topmerken van Zwitserse makelij. Het opvallend grote en zware uurwerk had hem € 1260,00 gekost vanwege de functies, die rekening hielden met de eisen van mensen die beroepsmatig in extreme situaties terecht kunnen komen.
Hij moest opschieten wilde hij vanavond op tijd in Birmingham zijn.
Een hongerig gevoel dreef hem naar de kleine koelkast, maar hij trof alleen een paar plakjes kaas en een halfvol potje aardbeienjam aan.
Geërgerd gooide hij het deurtje dicht dat direct weer opensprong, alsof het protesteerde tegen een dergelijke behandeling.
Komt eigenlijk wel goed uit, dacht hij, ik stop onderweg wel ergens voor een portie fish-and-chips.
Hij opende een klein linnenkastje en haalde uit het hanggedeelte een koffertje tevoorschijn, dat hij op tafel legde.
Hij toetste een code in en het deksel sprong open. Even staarde hij naar de Glock 17 in de schouderholster.
Hij gespte de holster om zijn linkerschouder en nam het pistool even in de rechterhand. Het voelde goed.
De Glock terugduwend in de schouderholster pakte hij zijn jack van een stoelleuning en terwijl hij het aantrok keek hij door het raam naar buiten.
Donkere wolken trokken zich samen boven Londen. Hij wenste Londen uit te zijn voordat de regen zou losbarsten.
De weersvoorspelling was niet best, vanuit het westen werden zware regenbuien verwacht met een stormachtige wind, kracht zes op de schaal van Richter.
Uit het koffertje nam hij nog een reservemunitiehouder, sloot het koffertje weer af en plaatste het weer onder in de linnenkast.
Hij sloot zijn kamer af en ondanks zijn veertig jaren nam hij de trap naar beneden

in vier sprongen, bewust lawaai makend, omdat hij zijn hospita, mevrouw Barbara Graham, wilde laten weten dat hij vanavond niet thuiskwam.
Een stem vanuit de huiskamer riep: 'Rustig, Mukhtar, rustig.'
Terwijl de huiskamerdeur openging vervolgde ze: 'Wanneer zul jij volwassen worden...'
Opnieuw merkte hij de treffende gelijkenis op van Barbara Graham met Bette Davis, de Amerikaanse superster, en grinnikend zei hij dan ook plagend: 'Mevrouw Bette Davis, reken vanavond niet op mij, ik blijf overnachten bij vrienden.'
De achtenveertigjarige weduwe vond haar huurder best een knappe man. Met haar liefste stemmetje, vergezeld van een ontwapende glimlach, zei ze: 'Plaaggeest, wat jammer nou, ik heb een heerlijke appeltaart gebakken en had gehoopt dat je vanavond gezellig een kopje koffie bij mij zou komen drinken, met daarna een likeurtje voor het slapengaan.'
'I'm sorry, miss Barbara.'
Hij gaf haar een vluchtig kusje op haar voorhoofd, wat haar een gesmoord gilletje ontlokte en vervolgde: 'Graag een andere keer, maar nu moet ik gaan. Een plezierige avond en een goede nachtrust toegewenst, miss Barbara. En tot ziens.'
Ze hield de deur voor hem open en in het voorbijgaan gaf ze hem een handkusje.
Met de afstandsbediening ontsloot hij het slot van een gloednieuwe olijfgroene Ford Fiesta 1.6 Ghia. Lachend stapte hij in en terwijl hij zijn motor startte, zwaaide hij ten afscheid naar zijn hospita.
De Vivian Avenue afrijdend sloeg hij bij het kruispunt Neeld Crescent linksaf om vlak daarop weer linksaf de Harrow Road op te draaien.
De glimlach op zijn gezicht was verdwenen. De hoffelijkheid die hij tentoonspreidde jegens zijn hospita was om haar vertrouwen te winnen, zodat hij na de aanslag bij haar kon blijven zonder haar argwaan te wekken.
Hij was zelfs bereid met haar naar bed te gaan, daar stuurde ze al weken op aan.
Grimmig sloeg hij even later linksaf, de A406 op richting Neasden.
Even later draaide hij de M1 op.
De M1 zou hem tot dicht in de buurt van Birmingham brengen. Waar de groep voor het eerst bij elkaar zou komen.
Waheed en Maryam kende hij wel, ze hadden al eerder met elkaar samengewerkt.
Hij was benieuwd naar de specialiteit van de andere twee leden binnen de door Waheed samengestelde groep. Waheed werkte altijd met kleine groepjes van vijf, hooguit zes mensen.

Highway M1

Terwijl de Aston Martin zich weer tussen het verkeer op de M1 begaf, stapte ook het stel van de blauwe Opel Vectra snel in. De Opel Vectra voegde zich in het snelwegverkeer, vlak voor een olijfgroene Ford Fiesta.
Maureen Beckett bestuurde de Vectra, terwijl Jack Strawberry zijn mobiele telefoon pakte, om even later aan Alan Price te melden dat zij onderweg waren.

'Een vraagje, Alan, weet jij wie die dokter in werkelijkheid is?'
'Ja, hij is de leider van een van de circa dertig terroristische cellen die in Engeland aanslagen aan het voorbereiden zijn. Een van de gewieksten en gevaarlijksten, daarom zijn wij erop gezet. We weten bijna zeker dat hij direct contact heeft met Al-Qaida. Zijn Pakistaanse terroristennaam is Zahid Waheed.'

Antwerpen

De zakenreis naar Berlijn had tot dusver aanmeldingen in overvloed, want een zich een beetje respecterende Antwerpse ondernemer wilde graag gezien worden met de organisator van de reis, de miljardair Van Someren. Marc van Someren was een prominent lid van 'Het Antwerpse Gevoel', gerenommeerd bouwondernemer en vastgoedhandelaar, en woonde in een schitterende villa in de bosrijke omgeving nabij Westmalle.
Van Someren had onlangs contact op laten nemen met de Berlijnse magistraat van Handel, Christoph Schneider, en aangekondigd dat hij met twintig Antwerpse zakenlieden een week lang in Berlijn wilde vertoeven.
De magistraat had enthousiast gereageerd en de Vlamingen zouden *aufs herzlichste empfangen werden.*

Vijf weken geleden had Van Someren een e-mail ontvangen met de volgende boodschap: *Regel een zakenreis naar Berlijn, Abu.*
Minutenlang had hij naar dat ene zinnetje zitten staren.
Abu Al-Hassani had hem zojuist de opdracht gegeven een aanslag in Berlijn te organiseren.
Beelden uit het verleden flitsten voorbij en langzaam drong het tot hem door dat de 'slapende' Al-Qaidacel tot leven werd gebracht. Eindelijk, men was hem niet vergeten.
Hij raakte opgewonden en moest zichzelf geweld aandoen om weer te kalmeren. De adrenaline stuwde door zijn aders, hij snakte naar actie.
Wanneer had hij zijn vrienden voor het laatst gezien?
Dat was alweer twee jaar geleden, toen hij via Pakistan Afghanistan binnengesmokkeld was en daar zijn goede vriend Abu Al-Hassani ontmoette.
Zijn grote liefde, Farida, de zus van Abu, was gesneuveld in de strijd.
Dat was een bittere teleurstelling en nog steeds kon hij haar niet uit zijn gedachten zetten.
In België ging hij door voor een verstokte vrijgezel die af en toe een donker getinte dame mee naar zijn villa nam om daar met haar enkele dagen te vertoeven. Het leven van een gearriveerde zakenman was hij al jaren zat.
Al die lunches en zakendiners buiten de deur. De slijmbakken met witte boorden die om je heen fladderden, proberend een graantje van je rijkdom mee te

pikken. De verplichtingen die je had bij de 'A' van Het Antwerpse Gevoel. De bijeenkomsten die als doel hadden iemand die goed genoeg werd bevonden om lid te worden van Het Antwerpse Gevoel de letter 'A' op te spelden; ze begonnen serieus, maar liepen meestal uit op ongeremde orgiën.
Deze uitspattingen stonden hem als vroom en trouw aanhanger van de wahabitische leer zwaar tegen. Om zijn dekmantel te beschermen kon hij niet anders. Zijn moskeebezoeken gebeurden dan ook in het grootste geheim.
Het organiseren van de zakenreis naar Berlijn kwam dus goed uit. Daarnaast sloot het perfect aan bij de voorwaarde die je als goed lid van Het Antwerpse Gevoel gesteld werd: minimaal eenmaal per jaar iets positiefs voor de stad Antwerpen regelen. Rillingen van afkeer trokken door zijn lijf.

Marc van Someren was nooit echt een slapende cel geweest, omdat hij al heel snel zijn maatjes uit zijn Afghaanse periode naar zich toe haalde als zijn bodyguards. Zij stonden in direct contact met de actieve cel in België, onder leiding van de Egyptische imam Youssef Nassir, een salafistische prediker. Nassir praate vooral de jongeren het gevoel aan dat zij achtergesteld werden ten aanzien van de autochtone jongeren. Door zijn prediking radicaliseerden de migrantenjongeren vrij snel. De imam had dan ook geen enkele moeite om de vruchten van zijn prediking te oogsten en kon twee op de tien jongeren rekruteren voor Al-Qaida.
De beide bodyguards, de broers Masood en Ahmed Al-Makaoui hadden regelmatig contact met imam Youssef en regelden het transport van de gerekruteerde jongelingen naar Pakistan.
De imam had contacten met actieve cellen in Frankrijk, Duitsland, Spanje, Italië en Nederland. Hij werd gezien als de hoogste leider van Al-Qaida in Europa.

Marc van Someren, alias Mustapha, reed zijn Mercedes SLK de oprijlaan van zijn villa op, opende met zijn afstandsbediening de garagedeur, en parkeerde de Mercedes.
De twee broers, Masood en Ahmed, beschikten over een eigen oprit aan de zijkant van de villa en parkeerden hun supersnelle Mercedes-Benz S-500 onder de carport.
Het was drie uur 's middags en Van Someren had Masood en Ahmed gevraagd naar zijn werkkamer te komen.
Zonder te kloppen beenden zij naar binnen en namen plaats in de fauteuils tegenover het immens grote bureau van de bouwondernemer.
'Vanaf nu is mijn naam Mustapha,' begon Marc van Someren. 'Jullie weten wat dat betekent: we gaan weer actief deelnemen aan de strijd tegen de ongelovigen, ik ben weer jullie leider en mijn bevelen zullen blindelings opgevolgd worden. Twee maanden geleden ontving ik een e-mail van onze oude strijdmakker Abu,

om een aanslag voor te bereiden in Berlijn. Via imam Youssef Nassir heb ik contacten gelegd met Al-Qaida Berlijn. Twee weken geleden was ik vier dagen op reis, zoals jullie weten. Ik ben toen met de auto naar Utrecht gereden en vanaf Utrecht Centraal met de trein afgereisd naar Berlijn.'

Na een kleine pauze vervolgde hij: 'Ergens in Tiergarten, nabij de Potsdamer Platz, heb ik Said Boultami ontmoet. Hij leidt een kleine groep strijders, die banden hebben met de Unie van de Islamitische Jihad.'

Met een lichte emotionele trilling in zijn stem, sprak hij toen, opeens schor: 'Tijdens de zakenreis zal de grootste aanslag ooit voorbereid en uitgevoerd worden.'

Rechercheur Benjamin Goedkoop

NA EEN DRUKKE DAG op kantoor en een uurtje trainen in de sportschool begaf Benjamin Goedkoop – voor vrienden en bekenden Benny – zich naar huis. Toen hij aankwam in zijn appartement, ontdeed hij zich allereerst van zijn schoenen.

Na de snelle douche in de sportschool zou hij nu op zijn gemak nog eens een echte douche pakken. Benjamin Goedkoop, vijfendertig lentes oud, was een stevig gebouwde man van ruim een meter tachtig, brede schouders en smal in de heupen, een nog jongensachtig gezicht, markeerd door een sterke rechte neus en twee heldere blauwgrijze ogen. Daaronder een bijna altijd grijnzende mond met zinnelijke lippen en een vierkante kin. Zijn krullende donkerblonde haar was gemillimeterd.

Na een ontspannende douche begaf hij zich naar de woonkamer, vanwaar hij een gigantisch uitzicht had over een groot gedeelte van de stad. Vooral tegen de avond van een zonnige dag, wanneer de schemering begon te vallen en overal de lichten werden ontstoken, was het uitzicht adembenemend. Een van de voordelen aan het wonen op de 23ste etage.

Met een glas Famous Grouse whisky in de rechterhand, en tegelijk genietend van het uitzicht, luisterde hij zijn antwoordapparaat af.

'Benny, het wordt mooi weer in het weekend, daarom organiseren we zaterdag een barbecue. Als je kunt, ben je van harte welkom, Yvonne komt ook. Je broer Peter.'

Yvonne, dacht Benjamin glimlachend: zijn broer Peter en diens vrouw Katja probeerden hem te koppelen aan Katja's zus. Mooie meid, en ze had alles wat een jonge vrouw voor een man aantrekkelijk maakt, maar hij kende een andere jonge vrouw die zijn hart sneller deed kloppen.

Hij schudde de gedachte aan haar van zich af en concentreerde zich op het volgende bericht.

'Meneer Goedkoop, hier Mustafa aan de lijn, ik wil u melden dat Mohammed Boukhari, met vijf voor mij totaal onbekende kerels, terug is in de wijk. U hoort nog van mij.'

Met een ruk kwam de rechercheur van de Dienst Internationale Contacten overeind.

Door deze onverwachte beweging morste hij whisky op zijn badjas. Hij staarde verrast naar het antwoordapparaatje.
Hij draaide de boodschap nog een keer af.
Peinzend bewonderde hij voor de zoveelste keer het uitzicht. De 142 meter hoge Hoftoren viel als eerste op, maar hij had ook zicht op het gesloopte winkelcentrum Babylon, waar een New Babylon moest verrijzen, met vlak daarnaast de gebouwen van het ministerie van Buitenlandse Zaken en het Centraal Station. En langs de Hoftoren kon hij het Vredespaleis ontwaren.
Mustafa Abdaoui, zijn gewezen tipgever uit de Schilderswijk. Al bijna twee jaar had hij niets meer van hem gehoord, nadat hij door die relschoppertjes van de zich noemende de Binnenhofgroep bedreigd was en uit de Schilderswijk had moeten verhuizen.
Mustafa had zijn baan als sociaal werker in de wijk overgedragen aan zijn vriend Hassan Mahdoufi.
Opnieuw zijn antwoordapparaat terugspoelend om de mededeling nogmaals te horen, gingen zijn gedachten naar Mohammed Boukhari. Een gevaarlijke koelbloedige schoft, die de hele buurt terroriseerde.
Eén keer had Benny hem bijna te pakken, voor het afpersen van een groenteman. Maar nadat zijn winkelruit gesneuveld was, trok de groenteman zijn aanklacht in. De recherche wist bijna zeker, dat Boukhari ook connecties had met de Haagse onderwereld.
Zuchtend mompelde Benny voor zich uit: 'Maar wat moet ik met deze mededeling, Boukhari met vijf vreemdelingen, opgedoken in de Schilderswijk?'

Birmingham

Tijdens de rit, even voorbij Coventry, belde William Smith het Crowne Palace hotel.
'Crowne Palace, met Foster.'
'Hallo Daniel, met William Smith, hoe gaat het met je? Over ongeveer tien minuten arriveren we bij het hotel. Wil je zorgen dat de sleutel van onze gereserveerde kamer gereed ligt en een taxi bellen, we hebben uitzonderlijke haast. En o ja, regel een rolstoel, zet hem maar voor onze kamerdeur.'
Onwillekeurig tikte Daniel Foster met twee vingers tegen de klep van zijn uniformpet.
Dokter Smith was een graag geziene gast en niet misselijk in het geven van fooien.
'Het is me een genoegen, dokter, u weer te zien, wij zullen zorgen dat de sleutel klaarligt en ik regel een rolstoel. Toch niets ernstigs met u of met mevrouw Khan?'
'Nee, hoor,' reageerde de dokter lachend. 'We hebben een weddenschap afgesloten met vrienden en die willen we graag winnen.'
'O,' klonk het opgelucht. 'Tot straks, dokter.'

Tien minuten na het vertrek vanaf de parkeerplaats nabij Luton had Maryam opgemerkt dat zij waarschijnlijk gevolgd werden door minstens twee auto's.
'Ik probeer het nog een keer uit, William.'
En tegelijkertijd verminderde ze de snelheid van de Austin Martin van 120 km per uur naar 100 km.
Na een paar minuten zei ze: 'Die blauwe Opel Vectra, die tegelijk met ons op de parkeerplaats bij Luton stond, rijdt ongeveer anderhalve kilometer achter ons, met daar weer achter een olijfgroene Ford. Beide minderden ook snelheid en blijven op dezelfde afstand achter ons rijden.'
Na een moment stilte vervolgde ze: 'Dan is er ook nog die groene Rover, die ons al een paar keer voorbij is gereden en zich even later weer laat inhalen. Achter het stuur zit een jonge blonde reus, en het kan zijn dat hij belangstelling voor mij heeft, want elke keer wanneer we elkaar passeerden, keek hij me brutaal en breed lachend in het gezicht.'

'Ze hebben ons in de gaten, Maureen,' constateerde Jack Strawberry in de Opel Vectra, nadat de Austin Martin voor de derde keer vaart geminderd had. 'Ik zal Alan informeren en dan horen we wel wat hij ervan vindt.'
Vijf kilometer verderop nam Alan op. De stem van Jack Strawberry schalde door zijn cabine.
'Alan, voor negentig procent is het zeker dat zij vermoeden dat wij hen achtervolgen. Gaan we door of heb jij een beter idee?'
Commander Alan Price had het vermogen om onverwachte situaties bliksemsnel te kunnen analyseren, zo ook nu.
Hij was ervan overtuigd dat de terroristen onderweg waren naar Birmingham en ging er vooralsnog van uit dat ze de snelste route namen, dus via de snelwegen. Na de M1 zouden ze de afslag Coventry – Birmingham nemen en via de M45, onder Coventry door, naar Birmingham rijden.
Alan verwachtte dat hij de BS-jes in hun witte Ford Focus op het parkeerterrein ten zuidoosten van Coventry zou treffen en na een korte briefing moest de achtervolging opnieuw worden ingezet, maar nu door Brian Stevens en Barry Shaker.
'Jack, neem de eerstvolgende parkeerplaats en maak een stop van een minuut, om daarna de achtervolging weer in te zetten. Deze ene minuut geeft de Austin Martin de gelegenheid om twee kilometer uit te lopen en jullie kunnen onzichtbaar achter hen aan blijven rijden. De BS-jes nemen nabij Coventry de achtervolging van jullie over, oké?'
'Alan,' klonk de stem van Maureen op de achtergrond, 'misschien stelt het niets voor, maar bij het verlaten van de parkeerplaats voegden wij vlak voor een olijfgroene Ford Fiesta in en sindsdien is hij achter ons blijven rijden.'
'Reden temeer om de eerstvolgende parkeerplaats op te rijden, vangen we twee vliegen in een klap. Ten eerste zullen ze in de Austin Martin denken dat ze lijden aan achtervolgingswaan en ten tweede schud je de Fiesta van je af.'

Mukhtar Rahman, in zijn olijfgroene Ford Fiesta, minderde snelheid toen hij de Opel Vectra een parkeerplaats op zag draaien.
Hij had de zwarte Austin Martin van Waheed herkend, toen deze bij Luton de weg op kwam en moest even later zijn snelheid iets inhouden, toen er vlak voor hem een blauwe Opel Vectra brutaal invoegde. Zijn eerste opwelling was om de Opel voorbij te rijden en de chauffeur zijn opgestoken middelvinger te laten zien. Maar hij bedacht zich en vroeg zich af waarom die lui in de Opel, die gezien het brutale invoegen haast moesten hebben, zich nu aanpasten aan de snelheid van Waheeds auto. Hij liet zijn Ford afzakken tot op ongeveer een kilometer achter de Opel en was benieuwd wat er verder zou gebeuren.
Hij grinnikte zacht voor zich heen, toen hij zag dat de Austin Martin vaart minderde en de Opel op gelijke afstand bleef volgen. Zo ook hijzelf.
Na een minuut trok de Austin Martin weer op en ook de Opel trok na een seconde of tien weer op en hield de anderhalve kilometer afstand aan.
Daarna nog twee keer en Mukhtar dacht dat de inzittenden in de Austin Martin nu wel door zouden hebben dat ze werden gevolgd.
Toen de Opel Vectra de afslag van een parkeerplaats opreed, besloot Mukhtar gewoon door te rijden.
Even later gaf hij gas en haalde de Austin Martin in, bleef even naast hen rijden en draaide zijn gezicht naar Maryam, die achter het stuur zat.
Nadat ze blijk had gegeven van herkenning, liet hij zich weer terug vallen en bleef op twee kilometer afstand achter hen rijden.

Maureen Beckett trok de Opel Vectra na anderhalve minuut stilgestaan te hebben weer op en voegde opnieuw in, de M1 op.
'Ik zag die olijfgroene Fiesta even inhouden, Jack, toen wij afsloegen, de parkeerplaats op. Het was net of hij niet wist wat te doen, ons volgen of gewoon doorrijden.'
Na een zware regenbui, gepaard gaande met harde windstoten, klaarde de lucht naar het noorden toe weer op. Het was opgehouden met regenen, maar het wegdek droop nog van het water.
Van achter een vrachtwagen komend waarvan de wielen een watergordijn de lucht in joegen, passeerde Maureen de vrachtwagen met de ruitenwissers in de hoogste versnelling.
Uit het watergordijn komend hadden zij direct een veel beter zicht op het verkeer voor hen. Een snelheid van 120 kilometer per uur aanhoudend bleven zij rechts rijden, nog steeds veel last hebbend van opspattend water.
Na een minuut of tien reageerde Jack heftig: 'Naar links invoegen, Maureen, nu direct als je kunt.'

Doordat het niet meer regende, droogde het wegdek, mede door de harde wind, snel op en werd het zicht steeds beter.
Jack had een glimp waargenomen van de olijfgroene Ford.
'Laten we er maar achter blijven hangen en zorgen dat we niet gezien worden,' zei Jack, toen zij op de linkerhelft van de weg achter een klein bestelwagentje reden. 'Het kan toeval zijn, maar ik vermoed dat die twee iets met elkaar te maken hebben. Ik zal Alan bellen en waarschuwen dat die olijfgroene Ford iets te maken heeft met de Austin Martin en dat ze zich niet moeten laten verrassen, zoals hij ons verraste.'

Alan Price, de zogenaamde vroeg gepensioneerde Londense zakenman en vriend van lady Ann uit Thorpe Bay, zijn dekmantel, verhoogde de snelheid van zijn grijze Porsche tot 160 km per uur.
Na het telefoontje van Jack Strawberry nam hij contact op met Brian Stevens die, samen met Barry Shaker, zich ophield in een witte Ford Focus op een parkeerplaats nabij Coventry.
'Brian, hou je gereed. Wanneer de zwarte Austin Martin de parkeerplaats passeert, zetten jullie de achtervolging in. Achter de Austin Martin rijdt een olijfgroene Ford Fiesta, die volgens Jack Strawberry, gezien zijn rijgedrag, bij de Austin Martin hoort.
Die Fiesta neem ik voor mijn rekening. Roger McCarthy en Pete Baltimore in hun beige Ford Mondeo staan stand-by aan de rand van het parkeerterrein voor het Crowne Palace hotel. Wanneer jullie daar voorbijkomen, sluiten zij zich bij jullie aan en kunnen jullie, elkaar afwisselend, de Austin Martin blijven volgen.'
Brian Stevens reageerde met een kort: 'Begrepen, Alan,' en wendde zich tot zijn partner en chauffeur Barry Shaker. 'Hou je gereed, Barry, eindelijk actie.'

Turend naar de weg, zagen Roger McCarthy en zijn maat Pete Baltimore een kwartiertje later de zwarte Austin Martin de Coventry Road rotonde driekwart nemen en de S-way afslag nemen.
'Shit,' mopperde Pete Baltimore, die baalde van het afwachten en nietsdoen.
Met lede ogen konden zij alleen nog maar op afstand toekijken. De Austin Martin zocht een plekje op het parkeerterrein van het Crowne Palace hotel en de dokter verdween met zijn metgezellin in het hotel.
Roger McCarthy, die met een half oog de weg in de gaten hield, zag de olijfgroene Ford Fiesta de rotonde half nemen en zijn weg vervolgen, Birmingham in. Even later passeerde de grijze Porsche van Alan Price, die eveneens koerste naar de stad.
Rogers telefoon ging over, op het schermpje zag hij het nummer van Alan Price.
'Alan, met Roger, zeg het maar.'

'Jullie blijven samen met de BS-jes het hotel observeren. Ik wil dat jij de leiding op je neemt en een van jullie kan naar binnen gaan om informatie in te winnen. Wees voorzichtig, beide terroristen zijn vuurgevaarlijk.
Jack en Maureen gaan met mij de stad in, achter de Fiesta aan.'

Na een korte, maar hartelijke begroeting met receptionist Daniel Foster nam William Smith de kamersleutel in ontvangst. Samen met Maryam begaf hij zich naar hun gereserveerde kamer op de tweede verdieping.
De rolstoel stond netjes geparkeerd voor de deur van hun kamer.
Eenmaal binnen opende William Smith het meegebrachte koffertje, dat volgepropt zat met vermommingsartikelen.
Bovenop lag een blonde langharige pruik, reeds voorzien van een verpleegsterskapje.
Snel nam de zwartharige Maryam de blonde pruik uit het koffertje en voor de spiegel schikte zij de pruik op haar hoofd.
William versierde zijn bovenlip met een hangsnor en plaatste een bijbehorende bril met een donker montuur op zijn neus. Hij nam een pingpongballetje en stopte dat in zijn rechterwangholte, zodat het leek of hij een behoorlijke kaakontsteking had.
Daarna zette hij een groen jagershoedje op zijn hoofd en trok een wijde donkere regenjas aan, terwijl Maryam een wit verpleegstersuniform aandeed.
Even zoekend in de koffer nam ze er een bovenprothese met iets vooruitstaande tanden uit en schoof deze over haar bovengebit.
William nam plaats in de rolstoel en boog zich als een oude man iets voorover, zich aan de leuningen vastklemmend.
Onherkenbaar vermomd waren ze, en het hele gebeuren had nog geen twee minuten geduurd.
Als een ervaren verpleegster reed Maryam de rolstoel met de dokter de kamer uit, sloot de deur af en begaf zich via de lift naar de begane grond, waar Daniel hen stond op te wachten. William had met hem afgesproken dat hij hen zou begeleiden naar de taxi.
Terwijl ze zich naar buiten begaven, betrad MI 5 agent Brian Stevens de hotelhal.
William liet een licht gekreun horen, alsof hij veel pijn had.
Brian Stevens bekeek het tafereeltje met een medelijdend glimlachje en sprak Daniel Foster, de receptionist aan. Waarop Foster reageerde: 'Een ogenblik, meneer, ik ben zo tot uw dienst.'
Stevens schudde even licht met het hoofd en liep verder de hotellobby in.
De taxi stond reeds met draaiende motor te wachten en de chauffeur kwam snel aangelopen om de oude man uit de rolstoel de taxi in te helpen.
Eenmaal zittend op de achterbank van de auto wenkte de dokter Daniel en fluisterde in zijn oor, terwijl hij hem vijf Engelse ponden in de hand schoof: 'Die

meneer die daarnet het hotel binnenging, is een van onze vrienden; ik reken erop dat je ons niet verraadt.'
'Komt in orde, dokter Smith, de vermommingen zijn perfect, het is dat ik het wist, anders had ik u niet herkend. Bedankt en veel plezier vanavond met uw vrienden, ha ha.'

De veertigjarige Mukhtar Rahman grinnikte zacht voor zich uit. Hij had allang in de gaten dat hij gevolgd werd.
Zijn ervaring vertelde hem dat er tot nu toe drie auto's waren ingezet, hij vermoedde door de MI 5, te weten: de blauwe Opel Vectra, heel opvallend; een witte Ford Focus, die hij op het laatst in de gaten kreeg doordat hij achter de Austin Martin de afslag naar het Crowne Palace hotel nam; en nu een grijze Porsche die hardnekkig achter hem bleef hangen.
'Tijd om de aan mezelf beloofde fish-and-chips te nuttigen bij onze vrienden,' zei hij hardop.
Enkele minuten later parkeerde hij zijn Fiesta voor de Pisces Fish Bar.
Hij maakte zijn dashboardkastje leeg, sloot zijn auto af en ging naar binnen.
Knipogend naar het nog jonge meisje achter de toonbank nam hij plaats voor het raam.
Het was rustig, nog maar een van de vier tafeltjes was bezet.
Eigenlijk was de Pisces Fish Bar meer een afhaalzaak. Maar met een beetje geluk kon men ook binnen een portie fish-and-chips eten.
Het jonge meisje kwam vanachter de bar op hem af en begroette hem vriendelijk.
'Hetzelfde recept, oom Mukhtar?' vroeg ze hem met een hemels stemmetje.
Rahman knikte en zei: 'Doe dat maar, Sama.'
Haar naam betekende hemel.
'Wil je straks je papa erop attent maken dat ik er ben, ik moet hem dringend spreken.' Buigend en achteruitlopend trok ze zich weer terug tot achter de bar en bestelde via de intercom een flinke portie fish-and-chips.
Daarna verdween ze door een deur in de achterwand.
Uit het raam turend zag Mukhtar de grijze Porsche honderd meter terug geparkeerd staan.
Al snel kwam de vader van Sama het eetlokaal binnen.
Rahman ziende liep hij naar hem toe, begroette hem met een kus en ging tegenover hem aan het tafeltje zitten.
'Een tijd geleden, neef Mukhtar, hoe gaat het met je? Je gaat ons toch niet opnieuw in de problemen werken, hè?'
Direct met de deur in huis vallend reageerde Mukhtar Rahman: 'Met mij gaat het prima, Tariq, maar ik heb een probleempje. Ik moet af van een nieuwe olijfgroene Ford Fiesta, wat heb jij in ruil ervoor? Daar staat hij, geparkeerd voor jouw eethuis.'
De ogen van neef Tariq begonnen te glinsteren van begerigheid bij het zien van de gloednieuwe Ford Fiesta.

'Ik heb in ruil voor jou een vijf jaar oude Honda Civic.'
Een cynisch glimlachje sierde de mondhoeken van Mukhtar. Dit was geen slechte deal voor zijn neef. Maar voor hem, gezien de omstandigheden, perfect.
Hij stak zijn hand uit ter bezegeling van de deal.
'Ik wil jouw jack met bontkraag en je pet lenen en na het eten verlaat ik het eetlokaal via de achteruitgang, voorzichtigheid gaat voor alles.'
'Je wordt dus in de gaten gehouden,' merkte Tariq op. 'Er kleven toch geen problemen aan de Fiesta, hè?'
'Nee, maar...' antwoordde Mukhtar dubbelzinnig. 'Binnenkort zal ik Engeland moeten verlaten en zal ik geëerd worden door onze grote leiders in onze strijd tegen de satanskinderen die Afghanistan bezetten.'

Alan Price zag met lede ogen toe, hoe na enkele uren de lichten in het eetzaakje werden gedoofd en iemand de deur afsloot, terwijl de olijfgroene Ford Fiesta nog steeds voor het eetzaakje geparkeerd stond.
Hij tikte het nummer van Jack Strawberry in, die zich inmiddels ook in de buurt van de eetzaak bevond, en wachtte tot deze zich meldde.
'Jack, met Alan.' Een geeuw onderdrukkend vervolgde hij: 'Ziet er niet goed uit.'
'Twee mogelijkheden. Eén: we vergissen ons en de bestuurder van de Fiesta ligt op een oor en heeft niets te maken met Waheed, of twee: hij hoort er wel degelijk bij en heeft ontdekt dat ik hem met mijn Porsche volgde. Vanuit de eetzaak kan hij mijn Porsche zien staan en hij wacht geduldig tot ik de achtervolging opgeef en verdwijn.'
'Ik hou het op mogelijkheid twee, Alan. De Ford gedroeg zich te opvallend.'
'Oké, ik ben het geheel met jullie eens, maar dat betekent, dat we hier vannacht moeten blijven posten.'
'Zeer gewaardeerde collega's,' mengde Maureen Beckett zich in het gesprek, 'ik zie nog een derde mogelijkheid, gekoppeld aan mogelijkheid twee.'
'De terroristen waren duidelijk op weg naar Birmingham voor een voor deze avond geplande ontmoeting. Dus verzinnen ze iets om ons van zich af te schudden. Vanavond zijn er twee auto's die vlak bij het eetzaakje geparkeerd stonden vertrokken.Een ongeveer tien jaar oude Rover, met daarin een jonge man en zijn vriendin, zij kwamen rechtstreeks uit het eetzaakje. De tweede auto was een witte Honda Civic, waar een kerel in plaatsnam die van achter ons de straat af kwam lopen. Hij droeg een jas met een bontkraag, waarin hij zijn hoofd zover had weggetrokken dat zijn gezicht nauwelijks te zien was. Met een beetje fantasie: de man leent jas en pet plus de Honda, verlaat het eetzaakje via de achteruitgang, komt doodleuk de straat in wandelen en geeft ons het nakijken.'
'Van beide auto's heb ik trouwens het nummer opgenomen,' voegde ze eraan toe.
'Heel goed, Maureen, in die richting gaan ook mijn gedachten, ook ik heb de beide auto's zien wegrijden,' repliceerde Alan Price. 'Een halfuurtje geleden had ik Roger aan de lijn en de situatie daar lijkt opvallend veel op wat wij hier mee-

maken. De Austin Martin staat nog steeds voor het Crowne Palace Hotel geparkeerd. Ook had ik aan Roger gevraagd iemand naar het hotel te sturen voor onderzoek. Hij heeft Brian Stevens naar het hotel gestuurd en die kwam met het verhaal dat de receptionist hem niet serieus nam en lachend verklaarde dat de dokter en zijn gezellin zich op hun kamer bevonden...'
Na een korte denkpauze vervolgde Alan Price: 'Laten we het zekere voor het onzekere nemen en de Ford Fiesta en de Austin Martin blijven observeren. Jack, jij neemt de eerste wacht op je tot een uur vannacht. Ik neem Maureen mee naar een hotelletje hier vlakbij aan de Coventry Road, de Inn Keepers Lodge. Ik los jou om een uur af en Maureen pakt de laatste wacht van vier tot zeven morgenochtend.'
'Hetzelfde heb ik Roger opgedragen, zij overnachten in het Gables Hotel in Solihull.'

Den Haag, Wassenaar

In de gigantische bibliotheek, met een vloeroppervlakte van acht bij tien meter, bevonden zich de heer des huizes, vastgoedhandelaar Jozef Stalman, Abdullah en zijn team, twee allochtonen van Marokkaanse afkomst en iemand uit het oosten van het land, een tot moslim bekeerde jongeman uit de Achterhoek, die de Professor genoemd werd.
De wanden van de bibliotheek waren van vloer tot aan het plafond voorzien van veertig centimeter diepe boekenkasten. Glazen deuren dienden om de boeken zo veel mogelijk stofvrij te houden.
De collectie boeken varieerde van fictie, met auteurs als Robert Ludlum, Colin Forbes, Ken Follett, Danielle Steel en jawel, ook Appie Baantjer en zijn succesvolle Belgische collega Pieter Aspe ontbraken niet; tot non-fictie zoals reisboeken, geschiedenis- en natuurboeken, en de Winkler Prins encyclopedie.
Een prachtig, met de hand geknoopt, Indiaas tapijt overdekte bijna de gehele vloer.
Midden in de ruimte stond een grote langwerpige eikenhouten leestafel, met aan beide zijden vijf beukenhouten Windsor stoelen.
Omdat ramen ontbraken, voorzagen twee prachtige kroonluchters, die tot op een meter boven de tafel hingen, de lezer van het nodige licht. Het waren antieke exemplaren van Venetiaans glas, die rond 1900 op het nabij Venetië gelegen eiland Murano geblazen waren.
Abdullah had zojuist in twee talen verslag gedaan van wat er die middag in en rond huize Stalman was gebeurd. Nu keek hij de kring rond en bestudeerde een voor een de gezichten van de aanwezigen.
Stalman zag nog steeds een tikkeltje bleek. De gezichten van zijn teamgenoten stonden onverschillig. Een ontplofte bom was voor hen immers dagelijkse kost.
Alleen op de gezichten van Yannou en Youssef zag hij opwinding.
Op het strakke gezicht van de Professor, die hij als laatste in de ogen keek, was

totaal geen emotie te lezen. De slaperig lijkende lichtgrijze ogen keken Abdullah geamuseerd aan.
Is niet snel van zijn stuk te brengen, dacht Abdullah. Hij wendde zijn blik af en richtte zich in het Palestijns Arabisch tot zijn teamgenoten.
'Broeders, medestrijders in de jihad, wij zijn uitverkoren, Allahu Akbar, om in Nederland een aanslag te plegen die zo zwaar en grootschalig zal zijn, dat de ongelovige leiders van dit land zullen sidderen van angst.'
De drie jonge teamgenoten raakten opgewonden en schuifelden onrustig op hun stoelen, terwijl ze elkaar aankeken met een schittering in hun ogen. De twee ervaren terroristen knikten alleen maar instemmend.
Na een korte pauze vervolgde Abdullah, opnieuw eerst in het Palestijns Arabisch en daarna in het Nederlands: 'Voor we een geschikt doelwit gaan bepalen, wil ik het eerst hebben over de problemen die onze eerbiedwaardige gastheer zijn overkomen.'
Opnieuw keek hij de aanwezigen een voor een aan en zonder uitzondering knikte men opnieuw.
'Oké,' vervolgde Abdullah en ontvouwde zijn plan.
Tot besluit van zijn betoog merkte hij op: 'Tegelijk is het een goede training en oefening voor de samenwerking tussen mijn team en de jongens van de Binnenhofgroep.'

Britannia Hotel, Birmingham

ZAHID WAHEED EN MARYAM Khan werden in de lounge van het Britannia Hotel hartelijk begroet door de broers Hassan en Ehsan Rabbani uit Manchester.
Een halfuur later arriveerde ook Mukhtar Rahman.
Na de wederzijdse begroeting en een eerste kennismaking met de beide broers, verplaatste het gezelschap zich naar de door Maryam gereserveerde suite.
Hassan, de oudste van de twee Rabbanibroers, bestelde eerst nog een kan ijswater voor Rahman.
Waheed opende de bijeenkomst door glimlachend vast te stellen dat ze achtervolgd waren.
'Prima, dat je achter ons bleef rijden, Mukhtar! Is jou, buiten die blauwe Opel Vectra die ons achtervolgde, nog meer opgevallen?'
Ook Rahman kon een glimlach niet onderdrukken en grinnikend zei hij: 'We zijn drie personenauto's te slim af geweest: inderdaad de blauwe Opel, daarna een witte Ford Focus en als klap op de vuurpijl een grijze Porsche Cabrio.'
'Als ik het niet dacht,' bracht Maryam in het midden. 'Die grijze Porsche reed al achter ons toen we Thorpe Bay uitreden. Dan moet de politie weten, wie wij zijn.'
'Dit is niet de gewone politie,' reageerde Rahman bedachtzaam en vervolgde: 'Volgens mij hebben we te maken met een anti-terreureenheid van de MI 5.'
'Dat is niet best,' zei Hassan, Waheed aankijkend. 'Dan kennen zij ook jullie dekmantel.'

'Ja, waarschijnlijk al wat langer dan vandaag en wat zou dat? Ze zullen harde bewijzen moeten hebben, ergo ons op heterdaad moeten betrappen, willen ze ons kunnen arresteren. Het houdt ons scherp en alert. Bovendien kunnen we hun steeds een stap voor blijven.'
'Toch blijf ik liever onzichtbaar,' reageerde Rahman. 'En voor we verdergaan, zou ik graag een klein probleempje opgelost zien. Ik heb mijn nieuwe olijfgroene Ford Fiesta om moeten ruilen voor een vijf jaar oude Honda Civic om mijn achtervolgers af te schudden. Weten jullie of er in Birmingham een garagebedrijf is, dat vanavond nog de Honda aan een andere kleur kan helpen en eventueel ook aan een vals nummerbord met bijbehorende papieren?'
Ehsan, de jongste broer, knikte alleen maar, pakte zijn mobiele telefoon en trok zich terug in het slaapgedeelte van de suite om te bellen.
'Zeer goed, Mukhtar Rahman, je kunt niet voorzichtig genoeg zijn,' was de reactie van Hassan.
'Goed, kunnen we nu verdergaan en ons plan bespreken?' merkte Waheed op.
Zwijgend knikten Mukhtar en Hassan; ze hadden de scherpe ondertoon in Waheeds stem gehoord en wilden hem, met zijn staat van dienst, niet beledigen. Ze wisten wat hij waard was.
'Oké, mannen, in grote lijnen uitgezet: Mukhtar en ik plaatsen de explosieven. Hassan en Ehsan bewaken de omgeving, geven ons dekking bij ongeregeldheden en Maryam staat stand-by in de gestolen Ford Galaxy.'
Ehsan kwam terug en vroeg de sleutel van de Honda aan Mukhtar.
'Geef me twee minuten,' zei hij en verliet de suite.
Zwijgend vulde Maryam de glazen met koud water.
'Eigenlijk klinkt jouw plan zeer eenvoudig,' verbrak Hassan de ontstane stilte.
Waheed knikte en zei: 'Als Ehsan terug is, bespreken we de details.'
'Na de bespreking keren Maryam en ik met een taxi terug naar het Crowne Palace Hotel.'
'Heb jij hier kamers gereserveerd?' vroeg Hassan.
'Alleen deze ene suite,' reageerde Maryam. 'Het zou opvallend kunnen zijn, wanneer we deze suite alleen maar voor de avond gereserveerd hadden.'
Hassan knikte begrijpend en antwoordde: 'Na de bespreking keren ook wij direct terug naar Manchester.'
Een minuut later trad Ehsan binnen en glimlachend naar Mukhtar zei hij: 'Morgenvroeg staat er een donkergroene Honda op het parkeerterrein van het hotel. De sleutel en autopapieren liggen morgenochtend in het postvakje van deze suite bij de receptie.'
'Dat komt dan goed uit,' merkte Hassan op. 'Dan is de suite vannacht voor jou, Mukhtar.'
Hierna verdiepte het terroristengroepje zich in de details van de geplande aanslag.

DEEL 2

DEN HAAG-CENTRUM

ABDUL, EEN VAN DE jonge terroristen uit het Gazateam, trok zijn hoofd terug, diep tussen zijn schouders in de hoog opgetrokken kraag van zijn jack. Een beetje bescherming tegen de harde windvlagen die de fijne regendruppels als een natte sluier de cabine van het veegwagentje injoegen, was wel wenselijk.
Naast hem zat Ali, een werknemer van de gemeentelijke reinigingsdienst en een vriendje van Yannou.
Ali bestuurde het veegwagentje, dat voor de zoveelste keer vanuit de Grote Marktstraat de Prinsegracht op reed, langs het pand waar Schele Dirk zijn intrek had genomen.

'Ik wil weten hoe laat die Schele zijn huis verlaat.'
Zo begon de opdracht van Abdullah.
'Daarnaast alles wat verder maar van belang kan zijn: zijn kantoortijden, zijn favoriete café, zijn favoriete restaurant; hoeveel lui er om hem heen zwermen; of hij een vaste vriendin heeft; of hij buiten zijn bendeleden nog andere kennissen heeft.
Ik wil weten of zijn leefstijl een vast patroon heeft, dus volg hem als een schaduw. Maar pas op, blijf onzichtbaar. Neem verschillende kleuren baseballpetjes mee, verwissel die regelmatig, klep naar voren, klep naar achteren. Verwissel van bril, nepbrilletje, zonnebril, ander montuur. Trek geen opvallende kleren aan.
Denk erom: geen oogcontact, blijf zo veel mogelijk tussen het wandelende publiek.
Wanneer hij zich in een openbare ruimte begeeft, zorg je dat je zelf weer als eerste de ruimte verlaat.'

Ali parkeerde het veegwagentje zo'n honderd meter voorbij het pand.
'Koffiepauze,' mompelde hij voor zich uit, wetende dat Abdul hem toch niet verstond.
Hij opende het dashboardkastje, nam daar een thermosfles uit, schroefde de dop eraf en schonk de hete koffie in een mok.
Hij stootte Abdul aan, die via het zijspiegeltje het pand in de gaten hield en bood hem de koffie aan.
Met de binnenkant van zijn rechterhand streek Abdul de druppels van zijn ge-

zicht en nam de mok dankbaar aan. Tegelijk flitsten zijn ogen weer naar het spiegeltje om het pand geen moment uit het oog te verliezen.

Het was een goed idee geweest van Youssef om een onopvallend veegwagentje als dekmantel te gebruiken. Abdullah had goedkeurend naar hem geknikt en zijn duim omhooggehouden.
Nu stond Youssef samen met Yasser, een van de oudere en ervaren teamleden, op afstand de bewegingen van het veegwagentje en het pand in de gaten te houden. Beiden droegen een regenjack waarvan de capuchon over een baseballpet getrokken was. Om de ogen enige bescherming te bieden tegen de natte windvlagen was de klep diep over hun voorhoofd getrokken.
Abdullah had erop gestaan dat zijn Palestijnse teamleden werden bijgestaan door Nederlands sprekende Binnenhofgroepleden. Dit om taalproblemen en lastige vragen van buitenstaanders op te vangen en te voorkomen.
Yasser stootte de even niet oplettende Youssef aan en wees met zijn arm naar de voordeur van het pand.
Een grote, breedgeschouderde kerel met hoogblond haar verscheen. Hij blikte links en rechts de straat af, tuurde ook naar de overkant van de straat. Zich omdraaiend wenkte hij twee mannen die na hem het korte stoepje afkwamen.
Youssef draaide zich om. Met zijn rug naar de wind keek hij op zijn horloge en noteerde op een schrijfblokje: tien uur precies – drie mannen verlaten het pand.

Ook Abdul zag de drie mannen het pand verlaten.
Zijn rechterhand verdween in de zak van zijn jack, alwaar hij een knopje indrukte dat een cassetterecordertje in werking zette. Zacht sprak hij in het bijbehorende microfoontje dat op zijn borst hing.
Hij gaf zijn half leeggedronken koffiemok terug aan Ali en maakte aanstalten om het veegwagentje te verlaten. Zijn opdracht was de mannen als een schaduw te volgen.
Terwijl hij de straat opliep, meldde hij via zijn mobiel aan Yasser dat hij aan de achtervolging begon.
Youssef stootte Yasser aan en wenkte onopvallend met zijn hoofd naar de ramen op de eerste verdieping van het Geertsema-pand. Iemand stond achter de coulissen de straat oplettend te observeren.
Youssef en Yasser deden of zij elkaar hadden ontmoet en een praatje hielden in de luwte van het huizenblok. Yasser gaf Youssef een hand en een omhelzing, alsof ze afscheidnamen en terwijl Youssef achter Abdul aanging, die inmiddels het pand passeerde, verwijderde Yasser zich in tegenovergestelde richting.
Uit het zicht van de raampartijen van het pand stak Yasser de straat over en slenterde op zijn beurt achter Youssef aan.

Abdul was ondertussen linksaf de Grote Markt op gegaan en zag nog juist de drie mannen in een horecagelegenheid verdwijnen.
Abdul wilde de horecagelegenheid binnengaan, achter de drie mannen aan, maar werd tegengehouden door een stevige, gedrongen figuur met een platgeslagen boksersneus.
'Wat mot jij hier, schapenkeutel, maak dat je wegkomt, deze tent is voor de upperclass.'
Tegelijkertijd plaatste hij zijn enorme vuist tegen de borst van Abdul en drukte hem terug de straat op. Deze aanraking, die meer op een korte stoot leek, bracht Abdul totaal uit zijn evenwicht en achteruit struikelend viel hij op zijn zitvlak.
Een kille woede borrelde bij Abdul omhoog, een kleine belediging kon hij wel verwerken, maar dit was grof.
Met beheerste bewegingen kwam hij overeind en als uit het niets lag een robuust, vlijmscherp kampeermes in zijn rechterhand.
Zijn enorme handen in zijn zij plaatsend, maakte de uitsmijter zich breed en tussen zijn samengeknepen oogleden door hield hij Abdul scherp in de gaten. Toen hij het glimmende lemmet van het kampeermes in de gaten kreeg, wenkte hij naar Abdul met zijn linkerhand en riep.
'Kom maar op, schoffie, ik maak gehakt van je.' En over zijn schouder naar binnen roepend: 'Johnny, een messentrekkertje.'

Solihull, Birmingham

Alan Price had zijn anti-terreureenheid samen laten komen in het Gables Hotel en Restaurant in Solihull. Zij hadden zojuist van hun ontbijt genoten en zaten nu aan een grote ronde tafel in een hoek van de lounge. Er heerste een neerslachtige stemming, iedereen had hetzelfde gevoel: dat ze gefaald hadden.
'We zullen de zaken nog een keer op een rijtje zetten,' begon Alan. Hij had een schrift met potlood voor zich liggen. Alle namen van degenen die in opdracht van hem enkele zaken hadden onderzocht, waren hierin genoteerd.
'Maureen, als enige dame in ons team geef ik jou de eer om als eerste verslag te doen.'
Ondanks de mineurstemming zei ze glimlachend: 'Ja ja, toe maar.'
Maureen had haar notities voor zich liggen.
'Ik heb vanmorgen vroeg contact opgenomen met ons hoofdkwartier in Londen en de kentekens van de Rover, de Honda en de Ford Fiesta doorgegeven, met het verzoek deze met spoed na te trekken. Binnen een halfuur ontving ik de gevraagde gegevens. Alle drie de auto's staan geregistreerd.'
'De oude Rover staat op naam van ene David Ramsey, wonende aan de Bray's Road in de stadswijk Yarley, Birmingham. Van beroep metselaar, dus een bouwvakker. Ik heb het nagekeken en de Bray's Road ligt vlak bij de fish-and-chips afhaalzaak aan de Coventry Road. Naar mijn idee heeft de heer Ramsey niets met de terroristen te maken. Ik heb de indruk dat hij met zijn vriendin op een

verkeerd tijdstip op de verkeerde plaats was.
De vijf jaar oude Honda Civic staat op naam van Tariq Hussain, eigenaar van de Pisces Fish Bar aan de Coventry Road.
De olijfgroene Ford Fiesta staat op naam van ene Mohammed Ibrahim, Pakistaans paspoort zonder vaste woon- en verblijfplaats.
Om halfzeven werden in het woongedeelte boven de Pisces Fish Bar lichten ontstoken.
Ik gaf hun een kwartier de tijd om wakker te worden voor ik bij hen aanbelde.
'Zonder back-up!' merkte Alan Price verwijtend op. 'Maureen, doe dat alsjeblieft niet weer. Je weet dat het gevaarlijk kan zijn.'
'Sorry, Alan, maar ik zag hier geen gevaar in en ik wilde weten hoe het met die Fiesta zat. Ik heb de heer Tariq Hussain in het eetzaaltje aan een verhoor onderworpen en kort samengevat ging dat als volgt: "Kent u de eigenaar van de Ford Fiesta?"
Antwoord: "Ja, dat ben ik."
"Mag ik de eigendomspapieren zien en het kentekenbewijs?"
"Die staan nog op naam van de vorige eigenaar, ik heb de auto gisteravond pas gekocht."
"Kent u de vorige eigenaar ergens van?"
"Nee, ik had de man nog nooit eerder gezien." Het antwoord kwam te snel om geloofwaardig te zijn, ook de toon waarop hij het zei. Ik keek de man recht in de ogen die hij vervolgens neersloeg terwijl hij beweerde: "Ik ken de man niet, echt waar."
"Hebt u er bezwaar tegen dat een sporenonderzoeksteam van de politie de Ford Fiesta binnenstebuiten keert?"
De man wilde ontkennend reageren, maar toen ik hem zei dat ik de auto ook kon laten vorderen, had hij ineens geen bezwaar meer.
De volgende vraag verraste hem duidelijk.
"Waar is de Honda Civic gebleven, die op uw naam staat?"
Draaiend op zijn stoel voelde hij zich verre van op zijn gemak en ik moest aandringen op een antwoord. Schoorvoetend bekende hij dat hij de Ford Fiesta niet had gekocht, maar op verzoek van die vreemde kerel had geruild en hij voegde er overtuigend aan toe dat het voor hem geen slechte deal was geweest. Nadat ze de kentekens en de sleutels hadden geruild, was die gestoorde vent plotseling verdwenen.'

'Alan, ik heb de sleutels en het kentekenbewijs tijdelijk meegenomen, zodat je de politie van Birmingham kunt inschakelen voor een sporenonderzoek.'
Maureen Beckett laste een korte pauze in, nam tegelijkertijd haar aantekeningen door en vervolgde: 'Denk ook aan de dochter van de heer Hussain, een vijftienjarige knappe meid, heb ik gehoord.'

Den Haag-Centrum

Op het moment dat Abdul de uitsmijter wilde aanvallen, stond hij plotseling oog in oog met Youssef, die hem dwingend aankeek, met zijn linkerwijsvinger tegen zijn voorhoofd tikte en tegelijkertijd de arm van Abdul beetpakte en hem meetrok, weg uit de gevarenzone. Snel maakten zij zich uit de voeten.

Yasser had nog net gezien dat Youssef tussenbeide kwam en Abdul meetrok. Goedkeurend knikte hij haast onzichtbaar met het hoofd en volgde aan de overkant van de horecagelegenheid zijn beide maatjes, die rechtsaf de Vlamingstraat in renden.

Hier zal Abdullah niet blij mee zijn, dacht Yasser. Het zal Abdul een geweldige uitbrander opleveren en waarschijnlijk zal hij uit het team gezet worden. Het hele schaduwplan viel in duigen. Abdul en Youssef konden niet meer ingezet worden.

Yasser stond even stil en kon door een winkelruit die als een spiegel de ingang van de horecagelegenheid reflecteerde, zien dat er een stevige woordenwisseling ontstond tussen de uitsmijter en nog een bonk van een kerel.

Even flitste de gedachte door zijn hoofd beide kerels om te leggen. Hij liet zijn rechterhand op de kolf van zijn Beretta rusten, draaide zich half om en bekeek de afstand tot de ingang van de horecagelegenheid. Daarna overzag hij het straatbeeld en schrok gelijk terug, toen hij twee agenten op mountainbikes het plein op zag rijden.

Hij besloot achter Youssef en Abdul aan te gaan, maar voordat hij de Vlamingstraat insloeg zag hij nog net dat de uitsmijter de beide agenten aanriep.

Hij besefte dat ze nu snel moesten verdwijnen. Stel dat de geoefende agenten op hun mountainbikes de achtervolging zouden inzetten op Youssef en Abdul, die zouden geen schijn van kans hebben.

Maar waar waren ze gebleven?

Hij pakte zijn mobieltje en belde Abdul. 'Waar zijn jullie?' sprak hij zacht, toen Abdul opnam.

'We zitten in een soort koffieshop, een paar honderd meter dat straatje in.'

'Laat Youssef even naar buiten komen, ik kom eraan.'

Stevig doorstappend zag hij even later Youssef uit een koffieshop komen. Toen ze elkaar gesignaleerd hadden, ging Youssef weer naar binnen.

Voor hij de koffieshop binnenging, keek hij de straat af en zag de agenten de hoek om komen. Eenmaal binnen constateerde hij dat het druk was in de salon; het duurde even voordat hij Youssef en Abdul in de gaten kreeg.

Abdul had zijn natte jack uitgedaan en binnenstebuiten over de leuning van zijn stoel gehangen. Hij had een ander baseballpetje opgezet, dat achterstevoren op zijn hoofd stond.

Een modern brilletje maakte zijn persoonsverwisseling compleet.

Ook Youssef had zijn natte jas uitgedaan en zat breed lachend met Abdul te praten, die grinnikend met zijn hoofd knikte.

Kan niet beter, dacht Yasser, en terwijl ook hij zijn natte jas uittrok, liep hij lachend op de twee toe.

Youssef en Abdul stonden op van hun stoel en begroetten Yasser met een handdruk en kussen alsof ze de beste vrienden waren. Daarna namen ze alle drie weer plaats aan hun tafeltje.
Yasser zat met zijn gezicht naar het raam, zodat hij de straat in de gaten kon houden. Plotseling fluisterde hij zacht 'Police.'
Youssef knikte even met het hoofd en vervolgde breedgebarend zijn zelf verzonnen verhaal over de Schilderswijk, waarbij Yasser en Abdul belangstellend luisterden. Wanneer Youssef begon te lachen, lachten zij mee.
Het duurde een poosje voordat de agenten de koffieshop hadden bereikt.
De uitsmijter had hen aangesproken en hun verteld dat hij bijna was aangevallen door een allochtoon met een mes zo groot als een slagersvleesmes. Abdul droeg inderdaad een robuust kampeermes met een lemmet van 171 mm lang.
De surveillerende agenten hadden uiteraard een persoonsbeschrijving gevraagd en waren nu op zoek naar een allochtoon, gekleed in een donkergroen jack en een grijsblauw baseballpetje op het hoofd. Zij wilden hem aanhouden op verboden wapenbezit en bedreiging van een medemens.
Yasser hield de adem in, toen een van de agenten de koffieshop binnenstapte.
Lachend sloeg hij Youssef enkele malen op de schouder, terwijl hij vanuit zijn ooghoeken de agent in de gaten hield.
Deze deed twee stappen de salon in en rustig observeerde hij de aanwezigen.
Ook de drie plezier hebbende allochtonen ontglipten niet aan zijn aandacht.
Wat Yasser opviel was dat op de fietshelm van de agent een soort camera was aangebracht.
Na nog een tweede maal zijn ogen door het lokaal te hebben laten dwalen, keerde hij zich om en verliet de koffieshop.
De drie haalden opgelucht adem en Yasser viste zijn mobieltje uit zijn broekzak, met de bedoeling Abdullah te bellen. Maar de rinkelende deurbel hield hem tegen.
Nu betraden beide agenten het lokaal.
Tot schrik van de drie kwamen de agenten recht op hun tafeltje af.
Youssef keek de naderende agenten brutaal tegemoet, maar de beide anderen staarden nietszeggend naar het tafelblad.
Zowel Yasser als Abdul lieten hun hand rusten op de kolf van hun Beretta in hun rechterbroekzak, gereed voor actie, om zich eventueel schietend een weg naar buiten te banen. Mocht het nodig zijn…

De professor

In de bibliotheek van Jozef Stalman maakte Abdullah nader kennis met de Professor.
Ook aanwezig waren Yannou en Sharif, een van de twee oudere Gazateamleden en Khalid, de oudste van de drie jongere teamleden.
Abdullah had de vastgoedmagnaat duidelijk gemaakt dat het beter voor hem was om hierbij niet aanwezig te zijn.

Abdullah stelde Herman de Jong, bijgenaamd de Professor, een paar persoonlijke vragen, waardoor hij een beter beeld kreeg van de jongeman.
Herman was geboren in de Achterhoek, maar was op zijn negentiende verhuisd naar Den Haag om daar opgeleid te worden tot organisatiedeskundige. Tijdens de opleiding raakte hij bevriend met een medestudente van Marokkaanse afkomst. Zij trokken samen op en na verloop van tijd sloeg de vriendschap om in verliefdheid. Ze wilden graag samen verder en besloten te trouwen.
Het enige probleem was dat Aisha streng islamitisch opgevoed was en zelf ook overtuigd moslima was. Zij legde het probleem voor aan haar vader, die op zijn beurt de imam raadpleegde.
Het advies van de imam was simpel. 'Als de jongenman zich bekeert tot de islam, is het probleem opgelost.'
Herman bekeerde zich tot de islam en trouwde met zijn geliefde Aisha.
Yannou, de broer van Aisha, loodste zijn nieuwbakken zwager Herman al snel de Binnenhofgroep binnen.
Een autochtoon binnen zijn sluimerende terreurgroep zag Yannou als een groot voordeel. Toen Yannou erachter kwam dat Herman veel belangstelling toonde voor het nieuws, geabonneerd was op vier landelijke dagbladen en zich uit het hele land regionale kranten liet toesturen, noemde hij hem gekscherend de Professor.
Herman kocht ook elk weekend de zaterdagedities van twee Belgische landelijke dagbladen.
Hij verzamelde krantenknipsels van alles wat over de islam geschreven werd, maar ook over de criminaliteit in Nederland.
Zijn belangstelling ging ook uit naar het Midden-Oosten, de strijd in Irak en Afghanistan, de taliban, Al-Qaida, de Palestijnse intifada, Libanon en de Hezbollah.
Ook verzamelde Herman buitensporige krantenartikelen waarin projecten werden genoemd die in de toekomst mogelijke doelwitten zouden kunnen zijn voor een terroristische aanslag.
Abdullah nam in gedachten door wat hij zojuist had gehoord en knikte goedkeurend.
'Goed,' begon hij. 'Als eerste zullen we je een islamitische naam geven. Jouw nieuwe naam zal Ibrahim zijn, ter ere van de door het Israëlische leger vermoorde oprichter en leider van Hamas, Ibrahim Makadmeh.'
De oudere Palestijnse terrorist Sharif knikte goedkeurend.
'Ten tweede geef je ons nu een aantal projecten, waar we simpel, veilig en zonder veel risico's een aanslag op kunnen plegen. Het moeten doelwitten zijn in Den Haag die na de aanslag het wereldnieuws halen.'
Uit een diplomatenkoffertje nam de Professor een map en legde hem voor zich neer. Voor hij de map opende, keek hij de kring rond en zich tot Abdullah wendend sprak hij plechtig: 'Allahu akbar, God is groot, bedankt voor de eer die je mij toebedeelt, ik zal jullie niet teleurstellen.'
Hierna opende hij de map, nam er een getypt vel papier uit en overhandigde dat aan Abdullah. Deze begon te lezen. Het ging allereerst om een artikel dat gedateerd was in februari 2004:

Tijdens restauratie- en verbouwingswerkzaamheden in de kelder van een horecagelegenheid aan de Scheveningse boulevard, vlak achter het Kurhaus, ontdekte men een onderaards gangenstelsel. Tijdens het verwijderen van oud stucwerk ontdekte de stukadoor een dicht gemetselde doorgang. Hij meldde dit aan de eigenaar, die vervolgens opdracht gaf de doorgang open te breken. Het bleek een gedeelte van een ondergronds gangenstelsel uit de Tweede Wereldoorlog, toen aangelegd door de Duitsers en deel uitmakend van de Atlantikwall.
Het gedeelte voor de Haagse kust kreeg de naam 'Stutzpunktgruppe Scheveningen'. Een klein stukje van de gang was nog te zien, echter aan beide zijden was de gang dichtgeslibd met zand. 'Leuk,' was de nuchtere reactie van de horeca-uitbater, 'metsel maar weer dicht, want hier hebben we niet veel aan.'

'Na enig speurwerk in het Haags Gemeentearchief trof ik stukken aan en plattegronden van de "Stutzpunktgruppe Scheveningen".
Kort samengevat: het Duitse opperbevel besloot in 1941 langs de gehele bezette Europese westkust een verdedigingsstelsel te bouwen dat het de *Atlantikwall* noemde. De nadruk bij het opzetten van de Atlantikwall lag op strategisch belangrijke plaatsen, zoals havens en zeegaten. Scheveningen kreeg de op een na hoogste status, die van "Stutzpunktgruppe".
In de ogen van de Duitsers was Scheveningen een interessant doelwit voor een invasie of een verrassingsaanval van de geallieerden.
De bezetter bouwde verschillende groepen bunkertypes, zoals wapenopstellingen met geschutsbeddingen, munitiebergplaatsen, woonschuilplaatsen, hospitalen, verbindingsposten, batterijen voor luchtafweergeschut, radarposten en commandoposten.
Een groot aantal posten werd met elkaar verbonden door een onderaards gangenstelsel, zodat officieren en manschappen zich snel en veilig konden verplaatsen van de ene post naar een andere. Een aftakking van het gangenstelsel voerde naar het vroegere koninklijke badhuis, gelegen op een duintop.
Vanaf 2006 noemt men dit tempelachtige buitenhuis Paviljoen de Witte.
Zie de bijlage voor een korte historische beschrijving van het paviljoen.'
Abdullah keek de Professor vragend aan, die op zijn beurt de schouders lichtjes ophaalde, alsof hij wilde zeggen: het interesseert je of het interesseert je niet.
Een flauwe glimlach speelde rond de mondhoeken van Abdullah, toen hij de bijlage ter hand nam en verder las.

In 1826 werd in opdracht van koning Willem I het paviljoen op een duintop aan het Scheveningse strand gebouwd. Het buitenhuis met zijn majestueuze uitstraling werd een jaar later als verjaardagscadeau geschonken aan koningin Frederica Louise Wilhelmina, die voor haar gezondheid veel aan zee moest verblijven. Het buitenhuis deed dienst als badhuis voor de koninklijke familie.

Opnieuw keek Abdullah de Professor aan, maar nu met een blik van: wat een onzin man, wat heeft dit met onze geplande aanslagen te maken?

De Professor reageerde opnieuw door lichtjes zijn schouders op te halen.
Abdullah besloot verder te lezen en las dat kleindochter prinses Marie het paviljoen erfde. Nadat zij met de Duitse vorst Von Wied getrouwd was, noemde men het buitenhuis lange tijd het Paviljoen Von Wied.
Vanaf 1940 woonden enkele hoge Duitse officieren in het paviljoen tot begin 1941, toen de Duitsers met de bouw van de Atlantikwall begonnen.
Stichting Prospero, sinds 1997 een begrip in Den Haag en omstreken op het gebied van bijzondere jazzconcerten, zocht een tweede locatie en vond deze in het sfeervolle Paviljoen Von Wied.
De stichting veranderde de naam in Paviljoen de Witte en vanaf februari 2006 begon men met een maandelijkse serie live jazzconcerten.

Er begon iets te dagen bij Abdullah en toen hij opkeek, zag hij dat de Professor hem met een flikkering in zijn lichtgrijze ogen belangstellend observeerde.
Na enkele seconden stak Abdullah zijn hand uit, over de tafel, en de Professor recht in zijn ogen kijkend schudde hij hem de hand.
Terwijl Yannou en Sharif met verbaasde gezichten naar dit tafereel zaten te staren, sprak hij: 'Goud, Ibrahim, goud.'
Ibrahim overhandigde Abdullah een tweede vel papier en knikte lichtjes.
Boven aan het tweede A4'tje was een schets getekend van de Scheveningse boulevard. Een dubbele stippellijn was getekend vanaf de strandzijde van het Seinpostduin, langs Paviljoen de Witte, voorlangs de hoge flats aan de zeekant en het Kurhaus, tot aan het zeeaquarium.
Langs de stippellijnen stond geschreven: hoofdgang.
Vanaf de hoofdgang had men stippellijntjes getekend, landinwaarts, het eerste bij het Seinpostduin, het tweede bij Paviljoen de Witte en het derde bij het Kurhaus.
Aan het einde van deze korte landinwaarts getekende stippellijntjes had men bij het Seinpostduin een vierkant getekend, bij het paviljoen een soort liggende 'p' en bij het Kurhaus een doodlopend lijntje dat halverwege het gebouw ophield.
'Onderaardse aftakkingen van het gangenstelsel', stond erbij geschreven.
Abdullah keek opnieuw de Professor aan en vroeg: 'Weet je dat zeker, dat van die onderaardse aftakkingen?'
De Professor knikte en sprak: 'Samen met Slimme Malika, een jonge Marokkaanse vrouw die gespecialiseerd is in sloten, alarm- en beveiligingssystemen, heb ik ingebroken in Paviljoen de Witte. Rechts van de Grieks aandoende trappengalerij is een leveranciersingang. Via die ingang konden we gemakkelijk inbreken en doorstoten naar de kelders.'
Ze werden onderbroken doordat de mobiel van Abdullah overging.

Den Haag-Centrum

Al snel had Youssef door dat de agenten langs hun tafeltje heen keken en hun blik volgend zag hij in de hoek een allochtoon met een lichtgroen jasje zitten. Snel legde hij zijn handen op de armen van Yasser en Abdul, en kneep er zachtjes in.

Beiden sloegen hun ogen op en zagen Youssef, met een glimlach rond zijn mondhoeken, onmerkbaar nee schudden.

Toen de agenten hun tafeltje gepasseerd waren, stond Youssef op en wenkte de beide anderen om mee te komen. Ze gristen hun jacks van de stoelleuning en liepen zo rustig mogelijk naar de uitgang.

Buiten gekomen en uit het zicht van de koffieshop, rende Youssef met de beide anderen achter zich aan de Vlamingstraat uit, linksaf de Venestraat in, om halverwege de Venestraat over te gaan in wandeltempo.

De rode binnenkant van Abduls jack vormde nu de buitenkant.

Youssef gebaarde naar Yasser om te bellen terwijl hij zei: 'Abdullah.'

Na twee keer over te zijn gegaan nam Abdullah op.

'Het zit fout, ik geef je Youssef.'

'Pik ons zo snel mogelijk op aan de Lange Vijverberg,' siste Youssef. 'De politie is op zoek naar Abdul.'

'Oké, geef me tien minuten.'

Het was opgehouden met regenen en de straat droogde door de felle windvlagen snel op.

Toen ze de Gravenstraat bereikten, staken ze, rechts aanhoudend, over, om via het Buitenhof op de Lange Vijverberg te komen.

Youssef had een paar maal achterom gekeken, maar de mountainbike-agenten waren in geen velden of wegen te zien. Waarschijnlijk waren ze rechtdoor de Spuistraat in gefietst.

Ahmed, lid van de Binnenhofgroep, was samen met Hazrat, een van de drie jonge jihadstrijders uit het team van Abdullah, in de binnenstad stand-by aan het rijden. Het was goed bedacht van Abdullah om de zaken zo te regelen, op deze wijze ving hij drie vliegen in een klap.

Hazrat leerde de Haagse binnenstad kennen en moest vertrouwd raken met een westerse stad en de westerse wereld. Bovendien konden Hazrat en Ahmed het team in actie indien nodig te hulp schieten. Zoals nu het geval was, kon het actieteam snel uit de gevarenzone gehaald worden.

Ahmed had de drie opgepikt en reed nu voorzichtig het kronkelende verharde pad op naar de achterzijde van villa Op goed geluk.

Hij parkeerde zijn Ford Escort naast de zwarte Seat en alle vijf de mannen sprongen uit de auto en volgden Youssef om de villa heen naar de voordeur.

Yannou ving de mannen op in de hal en ging hun voor naar de bibliotheek.

Ook had hij Ali van het veegwagentje gebeld met de mededeling, dat ze hem vandaag niet meer nodig hadden.

Het werd druk in de bibliotheek, alle tien de Windsor stoelen waren nu bezet. Abdullah in het midden, met tegenover zich Ibrahim de Professor.
Nadat Youssef verslag had uitgebracht, viel er een doodse stilte.
Zwijgend keken ze allemaal naar Abdullah, die zijn opkomende woede probeerde te bedwingen en na een seconde of tien plotseling het hoofd ophief en Abdul met een vernietigende blik aankeek.
'Wat moet ik met jou?' sprak hij ruw in het Palestijns. 'Je brengt door je drift onze hele missie in gevaar.'
'Terug naar de Gazastrook sturen kan niet.'
'Ik zou je moeten afschieten als een hond.'
Abdullah spuwde de korte zinnen venijnig in de richting van Abdul, die zijn handen uit schaamte voor zijn gezicht geslagen had.
'Ik heb je opgenomen in mijn team omdat je doortastend bent; een expert in explosieven; de beste messenvechter in de Gazastrook; je kunt stil als een slang je prooi besluipen en afmaken.'
Hierna viel het opnieuw stil.
Youssef, normaal gesproken heel stil, hief zijn hand op.
Abdullah knikte naar hem, hij had vertrouwen in de grote Berber en Youssef begon zijn betoog.
'Neem het Abdul niet al te kwalijk, hij werd grof en heel vernederend behandeld door die uitsmijter, die nog niet van ons af is. Hou hem voorlopig in de luwte en bewaar zijn talenten voor het grote werk.'
Abdullah keek opnieuw naar Abdul en toen hij sprak waren de woede en het venijn uit zijn woorden verdwenen, maar zijn stem klonk nog wel scherp.
'Omdat je door je specialiteiten in mijn ogen een complete jihadstrijder bent en Youssef wijs heeft gesproken – waar je hem dankbaar voor mag zijn – blijf je voorlopig in de villa, tot ik het nodig vind jou in te zetten.'
De kring rondkijkend vervolgde hij: 'Youssef en Khalid houden vanmiddag het huis van Schele Dirk in de gaten en Ibrahim, die als autochtoon automatisch toegang heeft tot welke gelegenheid dan ook, gaat met jullie mee. Vanavond om zeven uur worden jullie afgelost door Ahmed en Hazrat, waar je je op dat moment ook bevindt. Hou contact via de mobiele telefoons.'
Zich tot Yannou wendend vroeg hij: 'Beschikken jullie over meer Hollanders die sympathiseren met onze beweging?'
Yannou dacht even na en Youssef aankijkend zei hij: 'Arnold Kempenaar.'
Youssef knikte instemmend en Yannou vervolgde: 'Dat is een vriend van ons, ook werkzaam bij de gemeentelijke reinigingsdienst, maar dan op kantoor. We noemen hem "Chique Ernie" omdat hij bijna altijd zeer luxe gekleed gaat.'
'Perfect, hij kan de plaats van Ibrahim innemen. Bel hem en vertel hem dat hij

vanavond voor jou op stap moet, samen met Ahmed en Hazrat. Spreek om halfzeven af en vertel hem dan waar het om gaat. Hier heb je vijfhonderd euro, die hij, als het moet, mag verteren.'
Abdullah telde nog eens tweehonderd euro uit en gaf deze glimlachend aan Ibrahim, terwijl hij opmerkte dat er overdag wel niet zoveel geld uitgegeven zou worden.
'Laat je map met aantekeningen hier, dan kan ik die vanmiddag doornemen.'
'Mannen,' vervolgde hij. 'Neem wat te eten en degenen die vanmiddag vrij zijn: gebruik die tijd om te rusten. Jullie kennen mijn lijfspreuk. Eet als je kunt en slaap als je kunt. Honger en vermoeidheid zorgen voor dodelijke blunders.'

Nadat Abdullah, samen met Jozef Stalman, Goedele en de kleine Danny van een uitgebreide lunch had genoten, trok hij zich terug in de bibliotheek en nam in alle rust het verslag van Ibrahim door.

In de kelders van Paviljoen de Witte moest ergens een deur of doorgang zijn die naar het onderaardse gangenstelsel leidde. Na even zoeken bleek de deur verborgen te zijn achter een legbordstelling die als opslag diende voor dozen met diverse soorten glazen, borden, koffie, theekopjes enzovoorts.
Een kwartier hadden we nodig om de stelling leeg te halen, voordat we voor de zwaar vergrendelde deur stonden.
Het kostte Slimme Malika zeker een halfuur voordat ze de sloten geopend had.
Een bedompte lucht kwam ons vanuit de gang tegemoet. Toch streelde een lichte luchtstroom ons gezicht.
We inspecteerden het gangenstelsel onder het paviljoen en constateerden dat het nog geheel intact was, inclusief luchtkokers die voor de nodige zuurstof zorgden. De elektriciteit was afgesloten, dus gebruikten we onze zaklantaarns voor het nodige licht.
Daarna volgden we de hoofdgang, richting Seinpostduin. Na drieënzeventig stappen, dus na ongeveer vijftig meter, liepen we tegen een met zand dichtgeslibde gang aan.
We keerden terug en telden onze stappen opnieuw. Nu kwamen we, tot de deur, op eenenzeventig stappen. Ik wilde zo nauwkeurig mogelijk de afstanden opmeten.
Toen we richting het Kurhaus liepen, bemerkten we na ongeveer honderdtwintig stappen dat het ademhalen moeilijker werd, waarschijnlijk door gebrek aan zuurstof.
Na nog een tiental stappen begonnen onze longen pijn te doen. Verdergaan zonder zuurstofflessen was onmogelijk, dus keerden we terug.
We brachten alles weer in de oude staat terug en verdwenen uit het paviljoen.
Na een korte wandeling over de boulevard, waarbij een frisse zeewind ervoor zorgde dat onze pijnlijke longen weer normaal gingen functioneren, besloten we de volgende nacht opnieuw op verkenning uit te gaan, maar dan uitgerust met zuurstofmaskers en -flessen.
De onderaardse gang lag tot aan het Kurhaus open en was, op enkele hoopjes na, vrij van zand.

Vanaf het paviljoen tot aan het Kurhaus telden we 1315 stappen, omgerekend ongeveer negenhonderd meter.
Vlak na de aftakking naar het Kurhaus is de gang dichtgeslibd met zand.
We liepen de aftakking onder het Kurhaus in, om aan het eind van de gang tegen een betonnen muur aan te lopen, waarin ijzeren treden waren gemetseld. In het plafond boven aan de treden zagen we een luik van ongeveer een vierkante meter, dat we met geen mogelijkheid in beweging konden krijgen.
Waarschijnlijk van bovenaf vergrendeld.
Ik deed mijn zuurstofmasker af, maar constateerde dat ademhalen moeilijk was. Zonder zuurstofmaskers konden we hier dus niet werken.
De dikte van de muren en het dak van het onderaardse gangenstelsel zijn, in tegenstelling tot bunkers en andere verdedigingswerken, niet dikker dan twintig centimeter.
Dit geeft de mogelijkheid om met zware explosieven het paviljoen en het Kurhaus in één klap te vernietigen, plus een bijna een kilometer lang traject langs de boulevard.

Terwijl Abdullah dit laatste las, joeg de adrenaline door zijn aderen, wat hem over zijn hele lijf koude rillingen bezorgde.
Jij bent uniek, Ibrahim, dacht hij.
Ze konden deze aanslag in alle rust en met een zee van tijd voorbereiden.
Het gevaarlijkste aan de operatie was om de explosieven de gangen in te smokkelen.
Zijn explosievenexperts, de oudere Yasser en de jonge driftkop Abdul, zouden de rest doen.
Als de tijd daar was kon hij, Abdullah, op afstand de zaak laten exploderen.
Hij zag het al helemaal voor zich.

Een ingestort Kurhaus, met honderden slachtoffers, muziekliefhebbers van een beroemde band of zanggroep. Een groep bij voorkeur uit de Verenigde Staten, maar uit Engeland of andere Europese landen was ook niet verkeerd.
Ingestorte en ontredderde kantoorflats en woningen aan de zeekant en de Scheveningseslag.
Een totaal vernietigd Paviljoen de Witte, vanwege het uitgebreide gangenstelsel onder het paviljoen, met ook hier een honderdtal slachtoffers, liefhebbers van intieme jazz, inclusief de buitenlandse jazzmusici.

Als het meezat met het weer, bijvoorbeeld een warme voorjaarsavond, gaf dat veel publiek op de boulevard zelf, wat het aantal slachtoffers alleen maar deed toenemen.
Maar de verrassing zat hem in de staart van deze aanslag. Abdullah rilde bij de gedachte, dat zijn speciaal opgeleide team na de aanslag opnieuw in actie zou komen. Wanneer de hulpverlening goed op gang was gekomen, en een groot aantal nieuwsgierige toeschouwers toegestroomd was, zou zijn team vanuit strategisch verdekt opgestelde plaatsen hun Desert Eagles laten spreken.

Deze brutale actie leverde nog eens een honderdtal doden en gewonden op en in de chaos en paniek, die zeker zouden ontstaan, konden hij en zijn teamgenoten, geholpen door de leden van de Binnenhofgroep, makkelijk ontsnappen.
'Nogmaals, Ibrahim, geen goud maar briljant,' mompelde hij.
Een tweede vel papier beschreef een aanslag op de vier terminals van vliegveld Schiphol. Op een plattegrond van de luchthaven had Ibrahim de geschiktste plekken aangegeven om de explosieven te plaatsen.
Later misschien, dacht Abdullah.
De wereldwijde, geruchtmakende aanslag moest in Den Haag gebeuren, dicht bij het parlement. Een kleine explosie, een plaagstootje in de Haagse Passage, vlak bij het Binnenhof, een halfuurtje voor de grote klap, leek hem een leuk voorgerechtje en een goede afleidingsmanoeuvre. Daar zou dan al veel politie en brandweer naartoe komen.

Birmingham

ALAN PRICE HAD ZIJN maatregelen genomen.
Hij had de politie van Birmingham verzocht de olijfgroene Ford Fiesta binnenstebuiten te keren.
Hij had een opsporingsbericht uit laten gaan voor het opsporen van de zwarte Honda Civic. Wat hij niet wist, was dat Mukhtar Rahman in zijn overgespoten groene Honda Civic via een andere route op de terugweg was naar Londen.
Hij had de MI 5 agenten Roger McCarthy en Pete Baltimore opdracht gegeven om de receptionist van het Crowne Palace Hotel een stevig verhoor te laten afnemen, zonder echter de dekmantel van Zahid Waheed prijs te geven.
Brian Stevens en zijn collega Barry Shaker trokken de taxibedrijven na, op zoek naar de chauffeurs die dokter William Smith en miss Khan hadden vervoerd.
Maureen Beckett en Jack Strawberry brachten een tweede bezoek aan de Pisces Fish Bar.
Hijzelf had majoor Mike Brown gebeld en hem op de hoogte gebracht van de situatie.

Wassenaar, Den Haag

ERGENS IN DE VILLA rinkelde de telefoon. Op het toestel in de bibliotheek begon een lichtje te flikkeren.
Abdullah was met twee stappen bij de telefoon.
Voorzichtig nam hij de hoorn van het toestel en luisterde mee.
Hij hoorde de stem van Goedele. '... onroerend goed, goedemiddag, waar kan ik u mee van dienst zijn?'
Aan de andere kant van de lijn bleef het stil, alleen een zware ademhaling gaf aan dat er iemand aan de lijn was.

'Hallo, met Stalman BV,' klonk opnieuw de stem van Goedele.
Een verdraaide hese stem reageerde, waarschijnlijk sprak de man met een doek voor de mond. 'Ben ik met het antwoordapparaat verbonden of spreek ik met een levende Goedele?'
Abdullah verstarde.
Jozef toch, had je Goedele niet uit de wind kunnen houden en zelf die telefoon op kunnen nemen, flitste het door zijn hoofd.
Maar de stem van Goedele klonk reeds, na een korte stilte, beheerst maar ijskoud.
'Smerig varken, laag bij de gronds stuk vuil, wat moet je?'
Een kort gegrinnik was het antwoord en daarna: 'Ik hou wel van pittige meiden. Als die oplichter van je om zeep geholpen is, kom ik je persoonlijk ophalen. En nu, dame, verbind me maar snel door.'
'Jozef is even de deur uit en nogmaals, vuil varken, wat moet je?'
'Vertel je lieve mannetje dat wij het geld morgen op onze rekening willen zien, oké? Gisteren hebben jullie gezien waartoe wij in staat zijn, dus doe je best.'
Nadat de kerel opgehangen had, hoorde Abdullah tot zijn grote verbazing Goedeles stem: 'Heb je alles gehoord, Mohammed? Jozef en ik komen naar de bibliotheek.'
Abdullah moest even slikken en legde de hoorn terug op het toestel.
Goedele moest op de telefooncentrale gezien hebben dat hij meeluisterde.
Hij nam weer plaats in zijn Windsor stoel en wachtte glimlachend op de komst van Jozef en Goedele. Een tik op de deur en beiden kwamen de bibliotheek binnen.
Nerveus liepen ze om de grote tafel heen en namen tegenover Abdullah plaats.
Goedele zag wat bleek rond haar neus en Jozef kon zijn trillende handen niet stilhouden.
Nog steeds glimlachend keek Abdullah beiden aan.
'Maak je geen zorgen, dierbare vrienden, morgen liquideren we de Schele, maar eerst wachten we de rapportages van mijn mensen af. Daarna bekijken we hoe we de klus zullen aanpakken.'
'Sorry, maar ik heb een borrel nodig.'
En terwijl hij dat zei, stond Jozef op en liep naar de kleine huisbar.
Hij schonk voor zichzelf een Courvoisier in en keek Abdullah vragend aan. Deze knikte en Jozef schonk een Chivas in een glas met ijsblokjes en hetzelfde voor Goedele, maar dan met Cointreau. Hij reikte beiden hun glas aan en het zijne omhooghoudend sprak hij plechtig: 'Op een voor ons goede afloop.'
Na een flinke slok genomen te hebben, ging hij weer zitten en keek Abdullah zuchtend aan. Het trillen van zijn handen was opgehouden, maar de ernst op zijn gezicht verbaasde Abdullah. Maar voordat hij kon reageren, vervolgde Jozef:
'We moeten praten, Mohammed. Met het liquideren van de Schele is het niet voorbij. Ik vertelde je al dat een collega van mij, Jonathan Kunst, geld witwaste voor de onderwereld. Ook ik heb me laten verleiden, net als Jonathan, door het vele geld dat we hieraan verdienden, om als "bank voor de onderwereld" te fungeren.

Het afgelopen jaar hebben we samen honderden miljoenen euro's uit het criminele circuit in onroerend goed gestoken en daarmee witgewassen.'
Na een korte pauze vervolgde de vastgoedmagnaat zijn betoog.
'Op een of andere manier is de Schele hierachter gekomen en hij probeert ons af te persen. Jonathan is door de knieën gegaan en heeft al eenmalig honderdduizend euro op de gewraakte rekening gestort. Maar de Schele is niet de enige, momenteel bevinden zich in het Haagse criminele circuit enkele knapen uit Nigeria, die zich behoorlijk aan het roeren zijn in onder andere de drugshandel. Het zijn sterke, meedogenloze jongens, die begonnen zijn in de Rotterdamse onderwereld en daar een machtsblok hebben neergezet, waar de grootste topcriminelen rekening mee houden. Via de havens smokkelen ze de drugs Nederland in en verspreiden die over het hele land; vooral uiteraard in de grote steden. En naar ik vernomen heb, willen zij via het Haagse doorstoten naar Amsterdam. Andersom zijn vanuit Amsterdam Joegoslavische criminelen in het Haagse milieu een rol gaan spelen; een liquidatie meer of minder maakt ze niets uit.
Dan hebben we nog te maken met de Chinese maffia, alhoewel dat een zeer gesloten circuit is, waar wij in ieder geval niet veel last van hebben. Verder zijn er enkele schietgrage Italianen uit Napels in Den Haag opgedoken, die zich heel vervelend gedragen en vooral de binnenstad onveilig maken.'
Abdullah streek zich door het haar, nipte van zijn whisky, schudde het hoofd en reageerde nuchter. 'Jozef, vriend, het is er niet gezelliger op geworden.'
'Mohammed,' mengde Goedele zich in het gesprek, 'we overwegen om spoorloos uit Den Haag te verdwijnen. We hebben alleen een probleem, het meeste geld zit vast in stenen, als je begrijpt wat ik bedoel. We hebben een dag of tien nodig om voldoende geld bij elkaar te schrapen, te verdwijnen en elders, met nieuwe namen, een nieuw leven te beginnen. Hoogstwaarschijnlijk zal dat niet onopgemerkt blijven, dus we hebben een poosje jouw bescherming nodig.'
Terwijl ze dit zei, keek ze Abdullah hoopvol aan.

Solihull, Birmingham

HET WAS AL ACHTER in de middag, toen Alan Price zijn team opnieuw bij elkaar had in het Gables Hotel en Restaurant in Solihull.
Om beurten brachten de teamleden verslag uit van hun bevindingen en naspeuringen.
Roger McCarthy was de eerste: 'De receptionist, die overigens Daniel Foster heet, heeft deze week nachtdienst, dus is overdag niet aanwezig. We moesten een beetje druk uitoefenen op de aanwezige receptionist, voordat we het telefoonnummer van de heer Foster los kregen. We belden Daniel Foster uit zijn slaap en sommeerden hem naar het hotel te komen. Tijdens het wachten hebben we de door dokter Smith gehuurde kamer doorzocht. Maar de schoonmaakster was ons voor geweest. Daniel Foster nam ons opnieuw niet serieus, maar toen we onze MI 5 pasjes hadden laten zien en hem vroegen wat die poppenkast van gisteravond te

betekenen had, schrok de man en vertelde zijn verhaal. Dokter William Smith en miss Khan logeren regelmatig in het Crowne Palace Hotel en men had de kamer gisterochtend gereserveerd. Zijn nachtdienst was nog maar net begonnen toen de dokter hem belde met het verzoek een rolstoel voor hun kamerdeur te plaatsen. Toen hij bezorgd vroeg waarom de dokter een rolstoel nodig had, zei hij dat het om een weddenschap met vrienden ging. Drie minuten nadat ze gearriveerd waren, stonden ze alweer beneden, althans: dokter Smith had zich vermomd als een oude man en zat in de rolstoel, terwijl miss Khan een verpleegster voorstelde. Haar gezicht was onherkenbaar omdat ze een valse bovenprothese in haar mond had geschoven. Dokter Smith heeft Foster gevraagd een taxi te bellen en hen naar buiten toe te begeleiden. Op onze vraag of hij gehoord had waar de rit naartoe ging, zei hij kort: "Nee."
Vannacht rond halftwee keerden de twee weer terug in het hotel.'
Alan Price maakte een paar aantekeningen in een notitieblok, dat voor hem op tafel lag en wenkte daarna met de hand naar Barry Stevens, om zijn bevindingen te horen.
'Al vrij snel hadden wij succes op onze vraag aan de taxicentrale, welke chauffeur er rond zeven uur nog een vrachtje had opgepikt van het Crowne Palace Hotel. Het bleek dat het zijn laatste rit was van die dag en dat hij vandaag gewoon overdag te bereiken was op zijn standplaats bij Birmingham Airport. De betreffende chauffeur kon zich de oude man met zijn verpleegster nog goed herinneren. Hij had hen afgezet voor het Britannia Hotel in de Newstreet. Bij navraag in het Britannia Hotel bleek dat ene Hassan Rabbani uit Manchester een suite voor een nacht had gehuurd en dat daar met vier man en een vrouw in verpleegstersuniform of witte jas, dat wist men niet meer precies, vergaderd was. De heer Rabbani en een andere man verlieten het hotel om twaalf uur, en een oudere man in een rolstoel met de verpleegster rond één uur.
De man die in de suite is blijven slapen, is vanmorgen vroeg ongezien weggegaan. Wel had hij zijn postvakje leeg gehaald. Daar heeft een gesloten envelop in gelegen die vanochtend vroeg rond vijf uur door iemand was bezorgd. Uit navraag bij onze collega's in Manchester is duidelijk geworden dat Hassan Rabbani en zijn broer Ehsan samen een huisartsenpraktijk beheren en op de verdachtenlijst staan.'
Alan Price knikte goedkeurend. Ze hadden dus te maken met een terroristenteam van vijf personen, onder leiding van Zahid Waheed. De man van de olijfgroene Ford Fiesta was tot nu toe nog de grote onbekende.
Na een tweede verhoor waren Maureen Beckett en Jack Strawberry ervan overtuigd dat Tariq Hussain, de eigenaar van de eetzaak, niets te maken had met de terroristen.
Het sporenonderzoeksteam van de politie van Birmingham had de Ford Fiesta onderzocht, met als resultaat: een twee weken oud toegangskaartje voor het Wembley stadion en een paar zwarte haren op de hoofdsteun van de chauffeursstoel. De chauffeur moest handschoenen hebben gedragen, want vingerafdrukken werden niet gevonden.
Na een korte stilte vervolgde Alan: 'Ik zal contact opnemen met majoor Brown

en hem vragen een opsporingsbericht uit te laten gaan, via BBC radio en tv, naar de eigenaar van de olijfgroene Fiesta, met hieraan toegevoegd dat de eigenaar een beruchte en vuurgevaarlijke terrorist kan zijn.'

Wassenaar, Den Haag

HET WAS ACHT UUR 's avonds.

Youssef en de Professor hadden zojuist iets gegeten en zaten nu in de bibliotheek van villa Op goed geluk tegenover Abdullah, om verslag uit te brengen van hun belevenissen die middag.

Khalid had zich na het eten teruggetrokken op zijn kamer en zich bij zijn teamgenoten gevoegd, omdat hij het Nederlands toch niet kon volgen.

Jozef Stalman had aan Abdullah gevraagd of hij hierbij mocht zijn, uiteindelijk ging het om hem en Goedele en de hele onroerendgoedonderneming.

Goedele wilde er uiteraard ook bij zijn. Terwijl in de keuken de koffie doorliep, legde zij de kleine Danny in zijn bedje en daarna kwam ze, net op tijd met koffie de bibliotheek binnen.

Ook Yannou was erbij.

'De Schele is de hele middag in het pand aan de Prinsegracht gebleven,' begon Youssef zijn verslag. 'Rond drie uur kwamen er twee kerels naar buiten, de ene was een klein ventje met zwart sluik haar en een haviksneus en de andere een lange, grote blonde kerel. Khalid is ze gevolgd en op de Grote Markt verdwenen ze in een café. Om zes uur verscheen de Schele met twee van zijn mannen, een blanke en een Arabier. Ibrahim volgde het gezelschap, zij staken de Grote Markt over en gingen dezelfde horecagelegenheid binnen waar Abdul vanochtend werd geweigerd.'

Youssef knikte naar Ibrahim, die de verslaglegging overnam.

'Zonder veel problemen kwam ik binnen. De portier knikte me vriendelijk toe en gaf me een paar tips. Het bleek een café annex restaurant te zijn, met boven enkele kamers voor verhuur. Aan de ene kant van de bar hingen enkele schaars geklede meiden rond, die tegen betaling wel een halfuurtje met je wilden robbedoezen, volgens de portier. Rondkijkend zag ik dat Schele Dirk met zijn maten achterin aan een ronde tafel had plaatsgenomen. Een vierde persoon had zich bij het gezelschap gevoegd. Door het gedrag van de toegeschoten ober kreeg ik de indruk, dat de Schele een graag geziene gast moest zijn. De tafel was half afgeschermd door een paar grote kamerplanten en de eigenaar van het pand heeft trouwens kosten nog moeite gespaard met de inrichting. De tafels in het restaurant waren ruim neergezet en bijna volledig afgeschermd door een schitterende collectie grote kamerplanten. Bij de tafel achterin herkende ik diverse drakenbloedbomen, zogenaamde dracaena's, een sierlijke plant, die al in de zeventiende eeuw werd geïmporteerd vanuit West-Afrika. Ik herkende een twee meter hoge "song of Jamaica", er stonden er zelfs twee, met daartussenin een één meter hoge "song of India".'

'Ik twijfel geen moment aan je algemene kennis, beste professor Ibrahim,' merkte Abdullah glimlachend op. 'Maar ik zou graag zien, dat je de "song of" verslaglegging uitzingt.'
Ibrahim glimlachte en vervolgde zijn verhaal.
'Ikzelf nam plaats tegenover de mooie meiden en bestelde een appelsapje. Het viel mij op dat verschillende meiden lonkend naar de Schele keken en, jawel hoor, de ober kwam op een drafje naar de vrouwen toe en na wat gefluister begaven zich vier van hen in de richting van de Schele, die met zijn mannen van stoelen wisselde om ruimte te maken voor de vier vrouwen. De ober was de vier vrouwen nagelopen en nam de bestelling op.
De gelegenheid was op dat moment al voor driekwart bezet. Verder gebeurde er voorlopig niets, behalve dat de ober binnen een halfuur drie keer een bestelling opnam en de sfeer aan de tafel van de Schele vrolijker werd en ietwat luidruchtiger. De entree in de gaten houdend zag ik dat de portier een opzichtig geklede jongeman op joviale wijze het restaurant binnenleidde. De klok boven de bar wees precies zeven uur aan en ik vergiste me niet, want na een minuut kletsen met de portier kwam de opzichtig geklede jongeman naar de bar, tegelijk de mensen observerend die aan de bar zaten. Waarschijnlijk voelde hij dat ik naar hem keek, want een moment later hadden we oogcontact en knikte hij onopvallend. Chique Ernie, mijn aflosser, was gearriveerd. Hij kwam naast me op een nog vrije barkruk zitten en begon geanimeerd met me te praten. Hij wenkte de barman, vroeg of ik iets van hem wilde drinken en bestelde nog een appelsapje en een gin-tonic voor zichzelf. Hij moest hier vaker komen, want de barman vroeg, terwijl hij de gin-tonic voor hem neerzette: "Hoe gaat het, Ernie, een poosje niet gezien."
"Goed, Johnny, goed, ik mag niet klagen," reageerde Ernie.
Tot mijn verbazing vervolgde hij: "Ik zie dat blonde Greet bezig is, daar, achterin met die Schele, maak ik vanavond nog een kans?"
De barman keek achterom en schudde lachend met zijn hoofd.
"Nee, jongen, het is stierenavond voor de heer Geertsema en zijn mannen. Na nog een paar borrels komt het eten aan de beurt en daarna verdwijnen ze met de meiden en een paar flessen champagne naar boven. Voor middernacht komen ze niet meer naar beneden. Als ze tenminste nog in staat zijn om te lopen, acht van de tien keer blijven ze boven overnachten en slapen hun roes uit."
"Johnny," riep een rossige kerel aan de andere kant van de bar, met een van de meiden om zijn nek hangend, "we zouden graag nog wat drinken voor we naar boven gaan."
"Sorry, Ernie, ik moet verder," zei de barman.
Zich iets naar me toe buigend sprak Chique Ernie zacht: "Meld dit aan Yannou. Als er iets moet gebeuren, moet het vanavond, dit is een uitgelezen gelegenheid. Zeg erbij dat er een achteringang is, zodat ze ongezien naar binnen en naar boven kunnen komen. De achteringang is meestal op slot, maar daar ben ik dan voor. Ik blijf hier rondhangen en zal jullie op de hoogte houden. Misschien is het belangrijk voor jullie om te weten, dat de vierde man aan tafel Eddy de Vreugde is, de beheerder van het etablissement."

Grinnikend vervolgde hij: "Hier heb je een briefje van tien, vanavond heb ik toch geld zat. Geef dat als fooi aan de portier, dan kan je niet meer stuk. Die paar appelsapjes reken ik wel af.'
Ibrahim eindigde zijn betoog met de opmerking dat Chique Ernie nog zou uitzoeken op welke verdieping en in welke kamers de kerels zich straks zouden ophouden.
Abdullah knikte goedkeurend.
'Uitstekend werk. En een prima knaap, die Chique Ernie,' merkte hij op. 'Ik zal mijn team bij elkaar roepen, en Jozef, zorg jij voor geluiddempers en munitie voor de Beretta's? Goedele, zijn de bestelde zwarte bivakmutsen aangekomen?'
Beide echtelieden knikten en Abdullah richtte zich opnieuw op Yannou.
'Zijn die twee mannen die het café binnengingen nog opnieuw gesignaleerd?'
Yannou belde Ahmed, die samen met Hazrat buiten aan het posten was.
'Die twee,' antwoordde Ahmed op de vraag van Yannou, 'steken zojuist het plein over vanuit het café, zo te zien naar het restaurant. Ze zijn behoorlijk aangeschoten. Momentje... Ja hoor, ze staan nu met de portier te praten en maken aanstalten om naar binnen te gaan. Nog een kleine bijzonderheid: rond halfacht kwamen uit het restaurant een kerel en een jonge vrouw. De man had een tableau in zijn handen en zij bezorgden dat bij het huis op de Prinsegracht. Het tableau werd aangepakt, zo te zien was het eten, en ook de vrouw verdween naar binnen. De kerel keerde terug naar het restaurant. Ondertussen zijn de twee uit het café het restaurant binnengegaan.'
Yannou bracht Abdullah op de hoogte en deze knikte tevreden.
'Volgens Jozef bestaat de bende, inclusief de Schele, uit zes man, dus op een na bevindt de gehele bende zich in het restaurant. Nu is het wachten op het telefoontje van Chique Ernie.'

Arnold Kempenaar, alias Chique Ernie, stond te onderhandelen over de prijs met de donkere Isabelle, een Française met Algerijns bloed.
'Ernie, jij weet wat kamer kost, wat pooier kost en ik wil geld maken.'
Zijn liefste glimlach tonend, zijn hoofd een beetje scheef houdend, keek hij haar afwachtend aan, maar zei verder niets.
Isabelle sloeg haar ogen neer, schudde even met haar hoofd, en zei toen zuchtend: 'Oké, ik jou mag, geen halfuur, maar heel uur voor deze prijs, oké?'
Lawaai bij de entree deed beiden het hoofd omwenden en Isabelle verschoot van kleur.
De kleine donkere Parijzenaar Jean Petit en de grote blonde Belg Patrick la Fontaine zeilden onvast op de benen het restaurant binnen.
'Ernie,' fluisterde ze, 'mee naar kamer, kost niks, snel.'
Arnold meetrekkend naar achteren en hem tussen haar en de ingang houdend, liepen ze langs de Schele en zijn gezelschap, die hun nagerecht aan het verorberen waren. Ze verdwenen door een deur, waarachter zich een hal bevond met

dames- en herentoiletten en een trap, die naar de kamers op de bovenliggende verdiepingen voerde.
Struikelend over haar eigen voeten haastte Isabelle zich de trap op, Arnold achter haar aan.
Ze kwamen op een ruime overloop waar negen deuren op uitkwamen.
Isabelle snelde naar een deur rechts van de nooduitgang, Arnold met zich meetrekkend.
De deur was niet op slot en zodra ze de kamer binnen waren, knipte Isabelle rechts van de deur het licht aan. De deur achter zich sluitend, schoof ze boven en onder aan de deur de grendels erop.
Ze nam plaats op het brede bed en langzaam kalmeerde ze.

Arnold zakte voor Isabelle door de knieën, pakte haar handen en keek haar in de ogen.
'Gaat het weer, meisje? Vanwaar die plotselinge angst? Je ging volledig uit je bol.'
Ze trok haar rechterhand los, streek Arnold door zijn haar en zei: 'Jij goed, jij lief.'
Ze bouwde een kleine pauze in en toen ze, in haar gebroken Nederlands, verder sprak, werden haar ogen vochtig; 'Jean Petit slecht, heel slecht, hij doet me pijn, hij slaat me, hij wil mij, ik Française, hij Fransman uit Parijs, hij drinken, hij dan heel gemeen.'
Arnold kwam overeind en gaf haar een kus op de wang en zei: 'Voorlopig ben je veilig. Ik blijf bij jou tot hij vertrokken is.'
Arnold keek om zich heen en begon de kamer te inspecteren. De kamer was zeer ruim, acht bij vijf meter, waarbij rechts van de deur in de hoek een ruimte was afgemetseld, met een schuifdeur ervoor. Tussen de deur en de afgemetselde ruimte had men een vaste leg- en hangkast gebouwd. De afgemetselde ruimte was ingericht als badkamer, met een ligbad van twee meter, een aparte douchecel, een wasbak met uiteraard een spiegel erboven en direct naast de douche een toilet.
Het bed stond met het hoofdeinde tegen de rechterzijmuur en hij schatte het zeker op twee bij twee meter twintig.
De deur naast het raam gaf toegang tot een balkon dat zich uitstrekte over de gehele breedte van het pand, met aan het eind een houten trap naar de begane grond.
Zich over de leuning buigend zag hij dat de trap uitkwam op een kleine donkere binnenplaats.
Terug in de kamer merkte hij op dat er een koelkast was ingebouwd tegen de zijmuur tussen het bureau en het zitje.
Boven de koelkast was een rek aan de muur bevestigd, met daarop diverse soorten glazen.
Aan de vrije stukken muur hingen replica's van Picasso en Karel Appel.
Boven het bed hing een gravure die een vrijend Chinees paartje voorstelde.

Glimlachend begaf Arnold zich naar de koelkast. Deze bleek goed gevuld.
'Isabelle?' vroeg hij. 'Jij wilt vast wel iets drinken.'

Ondertussen hadden Jean Petit en Patrick la Fontaine zich aan de bar genesteld. Luidruchtig gaven ze de barkeeper te kennen dat ze nog een grote pint wilden drinken.
'We hebben dorst,' riep de grote Belg.
'En een dubbele portie bitterballen met veel Franse mosterd,' schreeuwde de kleine Jean Petit.
De nog tafelende gasten in het restaurant keken verstoord in de richting van de bar. De meesten waren wel wat gewend, in een café annex restaurant kon je tenslotte zoiets verwachten, maar dit ging te ver.
Een oplettende Eddy de Vreugde merkte op: 'Dit gaat ons klandizie kosten, Dirk!'
De Schele knikte en met een hoofdbeweging stuurde hij Luc Somers naar de bar om de twee lawaaimakers tot rust te manen.
Bij de bar aangekomen opende Luc Somers: 'Jongens, de complimenten van de boss en of het wat rustiger kan.'
'Hoezo rustiger?' reageerde de kleine Jean vinnig. 'Patrick en ik drinken gewoon een pilske.'
Luc boog zich iets naar voren tussen de twee in en zei zacht: 'Wanneer het te rumoerig is, heeft de Schele een probleem met het hitsig worden voor later.'
Patrick en Jean keken Luc aan, toen elkaar. Patrick was de eerste die het doorhad en hij barstte uit in een brullende lachpartij, de kleine Jean viel hem hinnikend bij.
Toen de twee uitgelachen waren, vervolgde Luc: 'Als ik jullie was, zou ik een meid uitzoeken en naar boven gaan, want als jullie zo doorgaan, krijg je hem gegarandeerd niet meer overeind.'
Opnieuw kregen de twee een lachbui.
Nadat het dronken tweetal uitgelachen was, keek Jean om zich heen en zei: 'Luc, je hebt gelijk, maar waar is mijn Isabelle?'
'Die heb ik vanavond nog niet gezien,' loog Luc, want hij had de angstige Isabelle wel degelijk met iemand langs zien komen, op weg naar de eerste verdieping, vluchtend voor de schietgrage Jean Petit.
'Maar zo te zien is Donkere Patty nog beschikbaar,' opperde hij, wetende dat de kleine Jean van donkere vrouwen hield.
Luc aankijkend namen de twee tegelijk hun glas op en dronken deze in een teug leeg.
'Johnny, welke kamers heb je nog vrij?' vroeg Patrick, die voor zichzelf een grote stevige meid had uitgezocht, de Roemeense Elena.
'Op de eerste verdieping beide kamers naast het trapgat,' antwoordde de barkeeper.
Jean had de Donkere Patty bij de rechterarm gepakt en was reeds op weg naar

achteren. Over zijn schouder achteromkijkend riep hij naar Johnny: 'De koelkasten zijn goed gevuld, neem ik aan?'
Terwijl Johnny een pilsje tapte, knikte hij Jean glimlachend toe.

In de bibliotheek

ABDULLAH EN DE VASTGOEDMAGNAAT Jozef Stalman met zijn vrouw Goedele.
Yannou, Youssef en Ibrahim van de Binnenhofgroep.
Yasser en Sharif, de twee oudere Palestijnse terroristen.
Khalid en Abdul, de twee jongere Palestijnen.
Munitie en geluiddempers voor de Beretta's waren uitgedeeld.
Abdullah en de twee oudere Palestijnen hadden nog een paar handgranaten bij zich gestoken.
Aan de drie Binnenhofgroepleden had Jozef Stalman de Undercover, een eenvoudige kleine revolver gegeven.
'Yannou, bel Ahmed en zeg hem dat hij samen met Hazrat de achterkant van het pand moet verkennen, zodat hij ons straks de weg kan wijzen.'
Behalve Jozef Stalman en Goedele had iedereen zich in donkere kledij gestoken.

Isabelle had een cola genomen met een flinke scheut whisky erin en Arnold had voor zichzelf nog een gin-tonic ingeschonken. Zwijgend hadden beiden hun glas half leeggedronken.
Rumoer in de hal deed Isabelle verschrikt opkijken en starend naar de deur kreunde ze: 'Non, s'il vous plaît, non.'
Arnold stond op uit zijn fauteuil en glimlachte geruststellend naar Isabelle.
Hij liep naar de deur en boog luisterend zijn hoofd.
Hij hoorde onduidelijke mannenstemmen, waaruit hij opmaakte dat het er twee waren.
Het rumoer verstomde en vlak na elkaar werden twee deuren dichtgegooid.
'We moeten even praten, meisje,' zei Arnold en ging naast Isabelle op het bed zitten.
Hij sloeg zijn arm om haar schouder en zij liet haar hoofd zuchtend op zijn borst rusten.
'Herkende je de stemmen zojuist?'
Ze knikte. 'De hoge stem van Jean, de zware van Patrick, ik denken zij mij zoeken.'
'Ze gedragen zich nogal arrogant,' ging Arnold verder en hij vroeg: 'Wat weet je van hen, wat doen ze bijvoorbeeld voor de kost, waar werken ze?'
Isabelle keek Arnold verschrikt aan.
'Wat jij vragen, jij police?' stamelde ze.
Lachend streek hij met zijn hand over haar arm.
'Nee en nog eens nee, ik bij de politie? Ik moet er niet aan denken, daar heb ik

de aard niet naar en dan die ongeregelde diensten, meisje, zie ik er soms uit als een politieman?'
Ze schudde haar hoofd en langzaam verscheen er een glimlach op haar gezicht. Ze maakte zich los van zijn arm om haar schouder, draaide zich naar hem toe, nam zijn hoofd tussen haar handen en kuste hem vol op de mond.
Even later zei ze zacht: 'Non, jij geen police, jij goed, jij lief.'
Arnold was van het bed opgestaan en liep ijsberend heen en weer.
'Maar waarom zou je bang moeten zijn voor de politie? Isabelle, als ik jou wil beschermen, moet ik weten met wie ik te maken heb.'
'Oui, wij bang controles police, wij van seksbaas Eddy, hij contract met monsieur Geertsema, hotel van monsieur Geertsema, Eddy beheren en wij blij in hotel werken, prijs voor kamer, prijs voor pooier, rest voor mij.'
Een lichte angst keerde terug in haar mooie flonkerende donkere ogen, toen ze verderging: 'Jean en Patrick werken voor monsieur Geertsema, Jean gevaarlijk, Jean heeft pistole.'
Peinzend streek Arnold over zijn kin, toen hij zei: 'Zo te horen zijn ze de kamers aan weerszijden van het trapgat binnengegaan.'
Isabelle knikte. 'Alle kamers bezet.'
'Welke kamers zijn dan voor het gezelschap Geertsema?'
Isabelle dronk haar glas leeg en hield het omhoog. 'Jij wil weten?' Met haar wijsvinger wenkend vervolgde ze: 'Jij eerst vrijen in bed, dan ik jou vertellen.'

Toen Arnold zich stond aan te kleden en Isabelle nog onder de douche stond, klonk er een luidruchtig gestommel in de hal. Zware mannenstemmen en giechelende meiden passeerden de hal op weg naar een hogere verdieping. De Schele en zijn gezellen trokken zich terug op hun kamers.
Op het salontafeltje stond nog Arnolds glas, half gevuld met gin-tonic.
Hij liet zich zuchtend in een van de fauteuils zakken en zijn glas in de hand nemend mompelde hij zacht voor zich heen: 'Het leven is zo slecht nog niet...'
Een mooie meid tot zijn beschikking; zijn eigen lievelingsdrankje, zo veel als hij maar wilde; vanavond een aardig zakcentje en de nodige dosis spanning waardoor hij de adrenaline door zijn aderen voelde stromen. Wroeging? Waarom? Hij voelde geen enkele wroeging dat hij zich inliet met een organisatie die een terroristische groepering in wording was. Hij kende Yannou en Youssef al vanaf de eerste klas van de lagere school.
Omdat zijn moeder altijd heel aparte kleren voor hem kocht, werd hij vaak door de jongens uit de klas uitgescholden en gepest. Chique Ernie noemden ze hem en die bijnaam droeg hij nog, met als verschil dat het nu een erenaam was.
Youssef was toen al, voor zijn leeftijd, een grote stevige jongen, die hem samen met Yannou in bescherming nam. Tijdens de hele basisschool trokken ze met z'n drieën op. Ze noemden elkaar zelfs broeder.
Terwijl de Marokkaanse jongens na de basisschool kozen voor het vmbo, vertrok

Arnold naar de mavo. Hij was gefascineerd door computers en alles wat daarbij hoorde.
De schone verschijning van Isabelle, met alleen een handdoek om haar naakte lichaam geslagen, onderbrak zijn gedachtegang. Haar natte haren zaten gevangen in een tweede handdoek op haar hoofd.
Ze kroop terug het bed in, nam een zittende houding aan, sloeg haar armen om haar knieën en trok het dekbed op tot onder haar kin. Haar donkere flonkerende ogen keken Arnold vragend aan.
Toen Arnold zijn mond open wilde doen, zei ze: 'Ho, eerst drinken maken.'
'Nog een whisky-cola?' vroeg hij, terwijl hij haar glas ophaalde van het nachtkastje en haar nog snel een kusje op haar voorhoofd gaf.
Toen zij van het haar aangereikte drankje nipte, begon Arnold zijn vragen te stellen.
'Op welke verdieping verblijft de Schele met zijn gezelschap?'
'Op drie, de bovenste verdieping.'
'Weet je ook welke kamers ze gebruiken?'
Isabelle knikte.
'Op drie alleen de suites, vier stuks, heel luxe.'
Nu was het de beurt van Arnold om te knikken. 'Heel goed, meisje, merci.'

Ahmed en Hazrat liepen door de Grote Marktstraat, op zoek naar een doorgang. Even later sloegen ze linksaf, de Raamstraat in, opnieuw speurend naar een doorgang of poortdeurtje.
Het begon weer zacht te regenen. De stormachtige wind, die de hele dag gewoed had, was geluwd en hun capuchons opzettend liepen ze snel de smalle Raamstraat door.
Halverwege de Raamstraat stond een container met bouwafval voor een leeg pand. Ahmed gluurde door een raam naar binnen en concludeerde voor zichzelf dat het pand gerenoveerd werd en dat er op dit late uur niemand aanwezig was. Hij keek links en rechts de straat af, zag niemand en voelde snel aan de deurknop. De deur was afgesloten.
Aan een sleutelhanger had Ahmed een mini-zaklampje, dat een heel fijn lichtstraaltje gaf, net genoeg om te bekijken met wat voor soort slot de deur afgesloten was.
Hazrat, die schuilend achter de container de straat in de gaten hield, zag iemand vanaf de Grote Marktstraat de Raamstraat inkomen, hij floot zacht om Ahmed te waarschuwen. Deze richtte zich uit zijn gebogen houding op, wenkte Hazrat en samen vervolgden ze hun weg in de richting van de Vlamingstraat.
Achteromkijkend zag Ahmed dat de figuur de hele breedte van de Raamstraat nodig had en waarschijnlijk zo zat was als een kanon.
Ontmoedigd kwamen beide jonge mannen weer uit op de Grote Markt, geen doorgang of poortdeurtje was hun opgevallen.

Ahmed toetste het nummer van Yannou in zijn mobieltje en het duurde even voor deze opnam.
'We hebben een rondgang gemaakt,' bracht hij verslag uit. 'Maar we hebben geen doorgang of iets dergelijks kunnen ontdekken om aan de achterzijde van de panden te komen. Wel wordt halverwege de Raamstraat een leegstaand pand gerenoveerd. Daar zit een eenvoudig slot op de deur, maar toch zullen we een beroep moeten doen op Slimme Malika om naar binnen te kunnen.'

21.30 uur

Abdullah keek peinzend de kring rond. Voor hij sprak, bleef zijn blik hangen op Ibrahim.
'De situatie ter plekke is minder eenvoudig dan we dachten. Maar we hebben nog steeds twee opties: we gaan via de voordeur naar binnen of via de achterdeur.'
Een flauwe glimlach verscheen op het gezicht van Ibrahim, alias de Professor, en terwijl de twee elkaar nog steeds in de ogen keken, zei hij: 'In beide gevallen hebben we onze schone Malika nodig.'
Ook de mondhoeken van Abdullah plooiden zich tot een glimlach, waarna hij de andere aanwezigen uitleg gaf.
'Optie een: een bliksemactie via de voordeur. Om in voetbaltermen te spreken: we stellen Malika op in de spits. Zij betreedt als eerste het etablissement en verleidt de portier. Dan komen de middenvelders bliksemsnel achter haar aan en voordat de brave man ook maar iets in de gaten heeft, verblijft hij reeds in dromenland. De achterhoede, dus de rest van het team, komt ook naar binnen, sleept de portier mee en sluit de voordeur.
Twee van ons houden de aanwezigen in het restaurant en het café onder schot en de rest verdwijnt vliegensvlug naar achteren en naar boven, we liquideren de Schele met zijn bende en zorgen dat we wegkomen, nadat eerst opnieuw Malika de zaak verkend heeft op de Grote Markt. De hele actie hoeft niet meer dan tien minuten te duren. Ibrahim en Yannou staan met draaiende motoren stand-by op de Prinsegracht en we verdwijnen via de Jan Hendrikstraat.
Optie twee: via de achterdeur. Eerst opent Malika voor Ahmed en Hazrat de deur van het pand in de Raamstraat. Terwijl Malika in het pand achterblijft om de terugweg open te houden, verkennen Ahmed en Hazrat de achterzijde van de panden en zoeken de snelste route naar de achterdeur van het etablissement. Daarna keren ze terug naar het pand in de Raamstraat en blijven daar op ons wachten. Om elf uur arriveren wij. Ahmed wijst ons de weg naar de achterdeur, die door Chique Ernie is opengezet. Met een beetje geluk komen we ongezien binnen, klaren onze klus en verdwijnen via de achterdeur. Ook bij optie twee staan de auto's met draaiende motoren op de Prinsegracht stand-by.'

Via een dakkapel belandden Ahmed en Hazrat op een plat dak en keken tegen een muur aan van een hoger pand.
Verbaasd constateerden ze dat bijna de gehele ruimte tussen de panden in volgebouwd was met hogere en lagere panden met platte daken.
In het renovatiepand hadden ze twee schilderstrapjes aangetroffen die ze meegenomen hadden. Het eerste trapje plaatsten ze tegen de muur van het hogere pand. Ahmed klom als eerste omhoog en aangekomen op het hogere platte dak, keek hij verschrikt om zich heen.
'Dit is de zwakke plek in het plan van Abdullah om via de achterdeur naar binnen te gaan,' bedacht hij.
Hij zag diverse verlichte ramen; er hoefde maar één iemand naar buiten te kijken en ze zouden gezien worden, ondanks de donkere nacht.
Zich omdraaiend trok hij het tweede trapje omhoog dat door Hazrat werd aangereikt.
Snel en geluidloos liep hij het dak dwars over en liet het trapje voorzichtig zakken op een lager gelegen dak. Vanuit zijn hoge positie overzag hij de weg die ze nog te gaan hadden naar de achterdeur van het etablissement en hij haalde opgelucht adem.
Hij zag dat ze via twee lager gelegen platte daken uit zouden komen op een breed balkon met een trap, die naar de binnenplaats van het etablissement moest leiden.
Samen met Hazrat stak Ahmed de twee lager gelegen platte daken schuin over en door over een laag muurtje te klimmen stonden ze even later op het balkon.
Hij gebaarde naar Hazrat dat hij zich achter het muurtje moest verschuilen en hem rugdekking moest geven. Hijzelf sloop de trap af en betrad de donkere binnenplaats.
Ondertussen rommel ontwijkend begaf Ahmed zich naar de achtergevel.
Per ongeluk schopte hij tegen een leeg verfblik en dat gaf in de doodse stilte zo'n kabaal, dat de geschrokken Ahmed met een bonkend hart minutenlang doodstil bleef staan.
Aan de achterkant van een pand aan de Raamstraat werd een deur opengedaan en in de felle lichtstrook verscheen een vrouw met krulspelden in het haar. Turend in het donker riep ze zachtjes: 'Poesjelief, ben jij dat, Jopie?'
Vanuit het donker snelde een kat langs haar benen het huis in en terwijl ze de deur weer dichttrok, hoorde Ahmed haar nog mompelen dat Jopie vast wel trek zou hebben gekregen in een lekker bakje Whiskas.
Opgelucht ademend vervolgde Ahmed extra voorzichtig zijn weg naar de achterkant van het hotel.
Door de lichtval langs de gordijnen uit de kamers op de eerste verdieping zag Ahmed steeds minder van de rommel op de binnenplaats.
Hij haalde zijn sleutelhanger met het mini-zaklantaarntje voor de dag en bescheen de grond voor zijn voeten. Op enige afstand was het lichtstraaltje nauwelijks te zien.
De binnenplaats werd duidelijk gebruikt voor opslag van lege flessen. Kratten

met lege bierflesjes en limonadeflessen stonden tot twee meter hoog opgestapeld. Pas toen hij de achtergevel tot op een meter genaderd was, zag hij een zware ijzeren deur.Voorzichtig drukte hij de deurkruk omlaag, maar toen hij de deur wilde opentrekken, was er geen beweging in te krijgen.
Zich omdraaiend en de weg bekijkend die hij gekomen was, zag hij Hazrat vaag in gehurkte houding zitten.
Teruglopend maakte hij voorzichtig het rechte stuk van de ijzeren deur tot aan de trap leeg, zodat ze straks zonder lawaai te maken de binnenplaats konden oversteken om ongemerkt het pand binnen te komen.
Samen liepen ze snel de weg terug die ze gekomen waren.
Weer terug in het pand aan de Raamstraat, bracht hij telefonisch verslag uit aan Yannou. Met z'n drieën zaten ze aan een vierkant tafeltje in de keuken, die door de werklui duidelijk als kantine werd gebruikt. Zelfs de koelkast was in gebruik.
'Ik maak buiten nog snel een verkenningsronde,' zei Ahmed tot Malika.'Met een kwartiertje ben ik terug, zorg dat je tegen die tijd achter de deur staat, ik zal driemaal snel achter elkaar zacht op de deur kloppen, oké?'
Naar Hazrat gebaarde hij met zijn handen dat deze in het pand moest blijven.

22.00 uur

'Ik moet heel even weg. Ik ben binnen twintig minuten weer terug, oké?'
'Jij mij alleen laten?' vroeg ze, terwijl een lichte angst opnieuw in haar ogen sloop.
'Luister, Isabelle, ik ga ervoor zorgen dat die kleine onderkruiper jou nooit meer lastigvalt. Als ik weg ben, doe je de deur weer op de grendels en als ik over twintig minuten terugkom, klop ik tweemaal op je deur en na een kleine pauze nog eens driemaal, oké?'
Ze gooide het dekbed van zich af en stapte uit bed. In al haar glorieuze naakte schoonheid stond ze trots voor hem. 'Ik willen jij terugkomen, jij vannacht bij mij.'
Arnold was met één stap bij haar, nam haar in zijn armen en fluisterde in haar oor: 'Graag, liefje, alsjeblieft, vertrouw me en trek wat aan, zo warm is het niet.'
Uit de kast pakte ze een duster, sloeg die om en volgde Arnold naar de deur. De grendels werden eraf geschoven en voorzichtig opende hij de deur op een kier.
Op de gang was niets te zien.
Hij draaide zich om, gaf haar nog een kusje op de neus en fluisterde: 'Tot straks.'
Snel glipte hij de hal in en trok de deur zacht achter zich dicht.
Het verbaasde hem dat hij totaal geen geluid hoorde, dan alleen uit het trapgat, veroorzaakt door geroezemoes en de zachte achtergrondmuziek vanuit het restaurant.
Rustig liep hij de trap af en verdween op de begane grond in de herentoiletten.
Na controle bleek er niemand te zijn.
Uit het toilet komend begaf hij zich naar de deur achter in het gangetje.
Hij drukte de ijzeren balk omlaag en ontgrendelde de achteruitgang, die tevens diende als nooduitgang. De deur bleef op een klein kiertje openhangen, wat in

het halfduistere gangetje nauwelijks te zien was.
Om het risico te vermijden dat een oplettende ober de geopende deur zou ontdekken en argwanend zou worden, besloot Arnold de deur weer te sluiten en hem op het laatste moment, voor de actie, opnieuw te openen.
Hij moest telefoneren en dus naar buiten.
Via het restaurant spoedde hij zich naar de uitgang. Bij het passeren van de bar zei hij tegen Johnny, de barkeeper: 'Ben zo terug, even een frisse neus halen.' Hij vervolgde zachtjes: 'Isabelle en ik kunnen het goed met elkaar vinden, ik blijf vannacht bij haar op de kamer, wat gaat me dat kosten?'
Johnny boog zich over de bar naar Arnold toe en zei half binnensmonds: 'Wanneer je straks de drankjes afrekent, doe je er een briefje van honderd bij, vijftig voor Gerard, de portier, en vijftig voor mij. Om acht uur komen de schoonmaaksters. Zorg dat je voor halfnegen weg bent.'
Zijn duim omhoogstekend vervolgde Arnold zijn weg naar buiten.
'Ben zo terug,' zei hij tegen Gerard, die hem had zien smoezen met Johnny.
Buiten gekomen kuierde hij op zijn gemak naar de Vlamingstraat.
De natte straat spiegelde in de straatlantaarns, maar het was opgehouden met regenen.
Vanuit zijn ooghoek zag hij Ahmed aan de overkant met hem meelopen.
Rechtsaf de Vlamingstraat in lopend, uit het zicht van Gerard, belde hij Yannou.
Zacht pratend rapporteerde hij alles wat de groep moest weten.
Ahmed een knipoog gevend vervolgde Arnold: 'Ik zou zeggen: sla je slag om elf uur. Pleeg overleg en bel me terug, tot zo.'
Zijn telefoon dichtklappend zei hij tegen Ahmed: 'Rond elf uur moeten de meesten laveloos in slaap zijn gevallen. Drank, eten, champagne en daarna nog vrouwen, dat is pas echt vermoeiend.'
Ahmed knikte toen hij zei: 'Slimme Malika, Hazrat en ik houden ons schuil in een pand aan de Raamstraat. Dat wordt onze uitvalbasis, vandaaruit steken we schuin over naar de achterdeur van het hotel.'

Prinsegracht

Peter de Bruin, alias Pete Brown, vermaakte zich uitstekend, het was zijn beurt om op het huis aan de Prinsegracht te passen en waakzaam te blijven. Over een uurtje moest hij even gaan controleren of alles nog wel goed ging met de Schele en de anderen.
De barkeeper en de portier waren echte mannetjesputters, maar de Schele vond het veiliger wanneer een van zijn eigen mannen de boel in de gaten hield, wanneer zij hun gezamenlijke stapavond vierden.
Samen met zijn vaste bedpartner en vriendin Katrin Muller zou hij de avond en nacht prima doorkomen.

Katrin was door Eddy de Vreugde weggekaapt uit het Hamburgse uitgaanscentrum, de Reeperbahn, waar zij doorgaans haar klanten afwerkte. Katrin was door de drugs en heroïne op haar achttiende in de prostitutie terechtgekomen.
Zij was een bijzonder mooie jonge vrouw en het mocht dan ook een wonder genoemd worden, dat ze nog een zelfstandig heroïnehoertje was en niet door een pooier achter de ramen was gezet.
Toen Eddy de Vreugde voor zaken in Hamburg verbleef, bezocht hij als seksbaas natuurlijk de beroemde Reeperbahn. Samen met zijn Duitse bodyguard Hans was hij getuige van een smerige aanranding.
Op het moment dat ze een donker portaaltje passeerden, klonk het angstige hulpgeroep van een vrouw. Hans was het donkere portaaltje in gesprongen en nadat Eddy eerst een slungel van een vent uit het portaaltje de straat op had zien schuiven, bracht Hans een angstig, maar heel mooi meisje het portaaltje uit.
Het meisje was Katrin Muller. Ze was aan het eind van haar Latijn, de heroïne was uitgewerkt.Ze had dringend een shot nodig, bevend en trillend had ze voor Eddy gestaan en beloofde met hem de mooiste dingen te doen, als hij haar maar geld gaf om heroïne te kopen.
Eddy had haar heroïne bezorgd en meegenomen naar zijn hotel. Hij huurde voor haar een eigen hotelkamer, en liet een warme hap komen. Nadat Katrin gegeten had en in bad was geweest, viel ze als een blok in slaap.
De volgende ochtend genoot ze na jaren weer van een uitgebreid ontbijt.
Als Eddy de Vreugde iets wilde, kon hij heel charmant en toegeeflijk zijn, want na het ontbijt nam hij Katrin mee naar een dure dameskledingzaak. Hij liet haar uitzoeken wat ze zelf wilde en met gulle hand betaalde Eddy de door haar uitgezochte kleding en lingerie.
En al die tijd raakte Eddy haar met geen vinger aan.
Toen hij haar vroeg of ze nog familie in de buurt had, schudde Katrin alleen maar haar hoofd.
De waarheid was, dat ze uit Bremerhaven kwam, waar een loverboy haar verslaafd had laten worden aan de heroïne en haar daarna gedwongen had de prostitutie in te gaan. Na hoogoplopende ruzies thuis en een pak slaag van haar vader was ze weggelopen en ze had met haar laatste centen een treinkaartje naar Hamburg gekocht.
Om aan geld en heroïne te komen was ze de Reeperbahn op gewandeld en het had haar weinig moeite gekost om met haar mooie jonge lichaam klanten te strikken.
Eddy beloofde haar van haar verslaving af te helpen en het kostte hem geen enkele moeite om haar ervan te overtuigen dat een prostituee het in Den Haag veel beter en gezelliger had dan op de Reeperbahn.
Hij vroeg haar of ze nog iets mee wilde nemen, maar opnieuw had ze haar hoofd geschud.
In zijn BMW M6 Cabrio waren ze van Hamburg naar Den Haag gereden.
Hij had haar voorgesteld aan de andere meiden en verteld hoe hij werkte en wat zijn systeem was.

Nog diezelfde nacht werd voor Eddy een onvergetelijke.
Een paar dagen later ontmoette ze Peter de Bruin. Het klikte tussen hen en ze bleef 's nachts bij hem op de kamer.
De volgende dag excuseerde ze zich bij Eddy de Vreugde, maar die hield van veranderingen en was na een paar dagen alweer uitgekeken op de mooie Katrin.
Katrin werd Peters vaste bedpartner en vriendin.

Deze avond was ze met Dennis, de tweede kok, meegelopen naar het pand aan de Prinsegracht, om samen met Peter de avond en de nacht door te brengen.
Peter wreef zich na het eten behaaglijk over zijn buik en wenkte Katrin om bij hem op de bank te komen zitten.
Hij klikte de tv aan, koos voor kanaal RTL 4, waar een oude western werd vertoond. Het was de klassieker 'Gunfight at the O.K. coral' met Lancaster en Douglas.
De film was net begonnen en Peter liet zich ontspannen onderuit zakken met Katrin tegen hem aan.
Op zijn klokje kijkend besefte hij zuchtend dat hij het einde van de film zou missen.
De Schele stond erop dat hij regelmatig kwam controleren en over een uur was het al zover.

Wassenaar

NADAT YANNOU HET VERSLAG van Chique Ernie aan Abdullah had doorgegeven, knikte deze en zei: 'Bel hem terug en zeg hem dat het om elf uur zal gebeuren.'
'Jozef,' vervolgde hij, 'ik heb jouw Mercedes nodig.'
Zoals een goed leider betaamt, gaf Abdullah in snel tempo de verdeling van taken aan.
'Ibrahim, jij bent mijn chauffeur in de Mercedes. Youssef, Sharif en Khalid rijden met ons mee. In de Raamstraat sluit Hazrat zich bij ons aan. Wij pakken de kerels op de derde verdieping aan, Youssef geeft ons rugdekking boven in de hal, de anderen enteren elk een kamer en liquideren alleen de mannen.
Yannou is de chauffeur in zijn eigen Seat, Yasser en Abdul rijden met hem mee. Jullie pakken die twee op de eerste verdieping, Ahmed geeft rugdekking in de hal. Ibrahim en Yannou parkeren de auto's op de Prinsegracht, dus richting Buitenbaan en blijven startklaar wachten.
Volgens Ahmed hebben we vijf minuten nodig om in het hotel te komen, daar komen circa vijf minuten bij voor de liquidatie en vijf minuten voor de aftocht. Na een kwartier starten jullie dus de motoren, zodat we wanneer we terug zijn, snel uit de buurt kunnen verdwijnen.
Goedele, wil jij de bivakmutsen uitdelen?
Misschien overbodig om te zeggen, maar het busje, de Fiat Ducato en de Ford

Escort laten we hier staan, die gebruiken we straks voor het grote werk.
Jozef, wil jij Ibrahim de Mercedes laten zien? En zet de Mercedes aan de voorkant van de villa op de oprit, klaar om weg te rijden.
Yannou, heb jij Ahmed aan de lijn gehad?'
Toen Yannou knikte, vervolgde hij: 'Bel Ahmed nogmaals en laat Yasser Hazrat inlichten.'
Jozef nam Ibrahim mee naar de garage en toen hij het licht had aangedaan, bleef Ibrahim verrast staan.
'Wauw, een Mercedes Benz S-Klasse, een S 63 AMG, deze heb ik nog niet van zo dichtbij mogen bewonderen.' Likkebaardend liep Ibrahim om de Mercedes heen. 'Uw smaak is niet verkeerd, meneer Stalman.'
'Dit is een carneoolrode lak, ook mooi, maar ik vind dat de metallic lakken chromietzwart en iridiumzilver beter bij de Mercedes passen. Nog meer passend is andorietgrijs.'
En even later: 'De krachtige AMG V8-motor van 6.3 liter levert een vermogen van 525 pk en heeft een maximumkoppel van 630 Nm. Daarmee accelereert hij in nog geen vijf seconden van nul tot honderd km per uur.'
Jozef Stalman stond Ibrahim geamuseerd en bewonderend op te nemen.
'Abdullah had gelijk toen hij zei dat hij niet twijfelde aan je algemene kennis, maar toen ging ik er nog van uit dat je een grote kamerplantenliefhebber was.'
'Deze Mercedes heeft de sterkste V8 zuigermotor ter wereld,' vervolgde Ibrahim ongestoord zijn betoog.
'Het vermogen wordt in toom gehouden door een krachtig AMG-remsysteem met composiet remschijven. Het is voor mij een eer, om in zo'n topklasse auto te mogen rijden.'

22.45 uur

De Mercedes met Ibrahim aan het stuur reed het Spui op.
Youssef en Sharif stapten uit en liepen de Spuistraat in.
Zoemend trok de krachtige AMG V8-motor weer op, om ter hoogte van de Grote Marktstraat weer te stoppen.
Nu was het de beurt aan Abdullah en Khalid. Snel stapten ze uit en wandelden op hun gemak de Grote Marktstraat in.
'Succes,' had Ibrahim hun nog toegewenst.
Vijf minuten later verscheen de Seat van Yannou op het Spui. Hetzelfde ritueel: Yasser stapte uit ter hoogte van de Spuistraat en Abdul ter hoogte van de Grote Marktstraat.
Zo kwamen de teamleden onopgemerkt van twee kanten de Raamstraat in.
Ibrahim en Yannou hadden opdracht gekregen de auto's op de Laan te parkeren om via de Jan Hendrikstraat te verdwijnen, en niet op de Prinsegracht.
Achteraf bezien vond Abdullah de Prinsegracht niet z'n goed idee: te opvallend.

22.55 uur

ISABELLE LAG IN EEN diepe eerste slaap.
Arnold schoof voorzichtig de grendels van de deur en glipte de hal in, de deur zacht achter zich dichttrekkend. Even bleef hij luisterend voor de linkse deur staan.
Een tweetonig snurken was zacht te horen, een licht regelmatig snurken en een zwaarder geluid, gepaard gaande met lange uithalen.
Geluidloos daalde hij de trap af.
Halverwege, in de draai van de trap, bleef hij als versteend staan. De deur naar het restaurant zwaaide open en zacht golfde de achtergrondmuziek en het geroezemoes van de gasten de trap op.
Even daarna viel de deur weer dicht.
De adem inhoudend bleef Arnold vijftien seconden doodstil staan luisteren.
Toen vervolgde hij zijn weg naar beneden.
Het was vast iemand geweest die vanaf de toiletten terugkeerde naar het restaurant.

22.58 uur

PETER DE BRUIN KEEK zuchtend op zijn horloge. Het werd nu echt spannend, de ontknoping in de film stond voor de deur. Peter besloot Johnny, de barkeeper, te bellen.
'Hallo Johnny, met Peter, ik wilde even checken of alles nog rustig is bij jullie. Is Geertsema al naar boven?'
'Geen probleem, Peter, ze zijn al een poosje naar boven. Gerard en ik hebben, zoals elke avond, de zaak onder controle.'
'Mooi zo, ik wil nog even een film afkijken. Tot over een halfuurtje dan.'

Zware regenwolken bewogen zich langzaam langs de hemel en versperden het schaarse licht dat de maan op het noordelijk halfrond wilde laten schijnen.
Donkere schimmen bewogen zich bliksemsnel en lichtvoetig over de platte daken, vanaf het pand aan de Raamstraat schuin overstekend naar de achterzijde van het hotel. Bivakmutsen lieten alleen de ogen en de mond van de mannen zien.
Ahmed leidde de groep, met Abdullah vlak achter zich.
Malika was achtergebleven in het pand aan de Raamstraat om de vluchtweg veilig te stellen.
Het was precies één minuut voor elf en op dat moment opende Arnold de achterdeur van het etablissement.
De groep kwam via het balkon de trap af, die uitkwam op de binnenplaats.
Ahmed liet zijn mini-zaklantaarntje voor zich uit stralen, liep een meter of vier de

binnenplaats op en bleef even wachten, zoals van tevoren besproken.
Toen iedereen de binnenplaats had bereikt, vervolgde de groep zijn weg naar de achterdeur, als ganzen vlak achter elkaar lopend.
Bij de achterdeur aangekomen nam Abdullah de leiding van Ahmed over en opende de deur.
Een voor een glipten de mannen het halletje binnen.
Abdullah gaf juist zijn teamgenoten te kennen de trap op te gaan, toen de deur van het restaurant openging en een halfdronken man mompelend de hal in kwam waggelen.
Toen hij de mannen met hun donkere outfit en bivakmutsen in de hal zag lopen, bleef hij als door de bliksem getroffen staan.
Voordat de man echter zijn mond kon openen, flitste Abdul langs Abdullah heen en stak de onschuldige horecabezoeker meedogenloos neer.
'Snel, berg hem op in het toilet,' siste Abdullah.
Yasser en Abdul sleepten de man een herentoilet in, zetten hem recht op een wc-pot en sloten het deurtje. Abdullah beklom met zijn team reeds de trap naar de derde verdieping.
Ahmed wenkte de twee Palestijnen en zij gingen op hun beurt de trap op naar de eerste verdieping.

Prinsegracht/Grote Markt

PETER DE BRUIN REKTE zich uit en kwam van de bank overeind.
'Katrin, niet dat Dirk er iets van merkt, maar ik moet voor mezelf even checken of alles in orde is op de Grote Markt. Met een halfuurtje ben ik terug.'
Katrin knikte en keek geeuwend naar de antieke pendule op de schoorsteen, het was twintig over elf.
'Ik kijk nog even naar het late journaal en zal in bed op je wachten.'
'Oké, liefje, warm m'n plekje maar vast op.'
De hal inlopend en zijn warme duffel van de kapstok pakkend en aantrekkend verliet Peter het pand aan de Prinsegracht.
Op de hoek van de Grote Markt en de Grote Marktstraat stonden een politieauto en een BMW.
Peter sloeg dit automatisch op in zijn geheugen, maar nam er verder geen notitie van.
Een ambulance kwam met gillende sirene over de Prinsegracht aanstuiven. Hij minderde vaart en parkeerde strak langs de BMW. Twee mannen stapten snel uit, openden de achterdeur, trokken de brancard naar buiten en liepen snel, met de brancard tussen hen in, met een schommelende gang de Grote Markt op.
Tegelijk met de broeders van de ambulancedienst arriveerde Peter bij de entree van het etablissement.
Gerard hield de toegangsdeur wijd open en terwijl de ambulancebroeders langs hem heen naar binnen liepen, vroeg een geschrokken Peter: 'Wat is er aan de hand?'

'Een restaurantgast is onwel geworden op het toilet. Een tafelgenoot van hem vond het vreemd dat hij na tien minuten nog niet terug was van het toilet en is gaan kijken waar hij bleef. Hij vond hem geheel aangekleed, buiten bewustzijn en scheef weggezakt, op een wc-pot. Johnny heeft toen direct dokter Wong gebeld en deze constateerde dat de man was neergestoken door een scherp voorwerp en reeds was overleden. In overleg met ons heeft de dokter toen de politie gebeld en een ambulance. De politie was er heel snel bij, omdat juist op dat moment een patrouillewagen vanaf de Lutherse Burgwal de Prinsegracht op reed.'
Met een onrustig gevoel liep Peter het restaurant binnen.
Johnny stond als een veldheer achter zijn bar de situatie te overzien. De ambulancebroeders waren al bezig het slachtoffer vast te binden op de brancard.
De twee politiemannen hielden de nog aanwezige klanten op voldoende afstand. Het gezellige geroezemoes van tevreden gasten tijdens het dineren was veranderd in een opgewonden en luidruchtige stemming, waarbij enkele gasten lijkwitte gezichten vertoonden en anderen zelfverzekerd en zogenaamd onverstoorbaar hun commentaar leverden; een enkeling stond zenuwachtig te giechelen. De meeste gasten wisten niet eens wat er precies aan de hand was.
Peter de Bruin begaf zich op weg naar achteren en bij het passeren van de bar vroeg hij aan Johnny: 'Boven alles rustig?'
Johnny haalde zijn schouders op en reageerde: 'Waarom zou het niet rustig zijn? Je weet hoe de heer Geertsema kan reageren wanneer hij gestoord wordt.'
En met een spottende ondertoon vervolgde hij: 'Tijdens zijn romantische vrijpartijen.'
'Ik weet ervan,' zuchtte Peter. 'Maar toch zal ik naar boven moeten om te controleren of alles nog in orde is.'
Peter vervolgde zijn weg naar achteren en toen hij halverwege was, werd de deur opengegooid en een verwilderde, half geklede Blonde Greet kwam het restaurant binnen gestruikeld. Bloed kleefde aan haar lingerie, ter hoogte van haar linkerheup.
Met een paar snelle stappen was Peter bij haar en ving haar op, tegelijk vragend: 'Wat is er gebeurd?'
Greet keek hem angstig aan en zei: 'Ik weet het niet, ik werd door iets gewekt, maar door wat...'
Peter geleidde haar naar een tafel, dezelfde waaraan het gezelschap die avond gedineerd had, en streek haar zachtjes over het hoofd. Iets rustiger nu vervolgde ze haar verslag.
'Ik ging overeind zitten en staarde naar Dirk, die lag zo stil en hij keek me zo raar aan. Versuft bleef ik een poosje voor me uit zitten staren. Het was zo gezellig geweest, we hadden nog een paar glazen champagne gedronken voor we het bed in stapten en Dirk was zo aardig en lief tegen mij.
Na een poosje voelde ik nat onder het dekbed. Eerst dacht ik nog dat Dirk in bed had liggen plassen, maar toen ik het dekbed opensloeg!'
Ze bracht haar handen voor haar gezicht en barstte in snikken uit. Met horten en stoten kwam er nog uit: '... zag ik bloed, dat uit zijn borst en buik vloeide.'

Peter verbleekte, hij wenkte Johnny en wees op Greet, terwijl hij zelf zijn pistool van achter zijn broekriem trok en door de deur naar achteren snelde.
Twee treden tegelijk nemend rende hij de trap op.
Aangekomen op de derde verdieping stond hij een moment hijgend stil.
Mijn conditie is niet meer wat die geweest is, dacht hij in een flits, dus een keer meer in de week naar de sportschool kon geen kwaad. Om zich heen kijkend zag hij dat de deur van de kamer aan de voorkant openstond.
Voorzichtig naderde hij de openstaande deur met zijn pistool in de aanslag.
Er heerste letterlijk en figuurlijk een doodse stilte op de derde verdieping.
Het zachte licht van een schemerlamp gaf hem zicht op een gedeelte van de kamer.
Het bed stond rechts van de deur tegen de binnenmuur en was vanuit zijn positie niet te zien.
Langzaam liet hij zich voorover op de grond zakken, zodat hij op zijn buik kwam te liggen. Met zijn ellebogen werkte hij zich, geluidloos als een slang, vooruit door de deuropening de kamer in. Zijn pistool in beide vuisten geklemd en schietgereed.

Peter was de deur half gepasseerd en richtte voorzichtig zijn hoofd op.
Over de rand van het bed kijkend zag hij onder het gedeeltelijk opengeslagen dekbed het naakte lichaam van Geertsema.
Hij liet zich weer zakken op zijn buik en keek onder het bed door.
Ervan overtuigd dat zich verder niemand in de kamer ophield, kwam hij langzaam overeind.
Even later staarde hij in de lege ogen van de overleden Geertsema.
Een brok schoot hem in de keel, Dirk was enkele jaren zijn maat geweest.
Snel draaide hij zich om toen een gerucht in de hal zijn oor bereikte.
Langs de pistoolloop turend zag hij dat een van de agenten de kamer binnenkwam.
'Laat dat wapen zakken,' beval de agent en liep naar het bed.
'Wat een smeerboel,' zei hij. 'Ik zal de recherche en de lijkschouwer oproepen.'
Peter knikte, borg zijn pistool op tussen zijn broekriem en rug en verliet de kamer.
'Blijf in de buurt tot de recherche is gearriveerd, zij zullen wel wat te vragen hebben.'
Opnieuw knikte Peter en begaf zich naar de kamer tegenover het trapgat.

Prinsegracht

Katrin zat met opgetrokken benen behaaglijk op de bank. Ze had een Tia Maria ingeschonken en keek naar het late RTL Sportnieuws.

Sport interesseerde haar eigenlijk niet en verveeld schakelde ze over naar Duitsland 2 voor het heute-journal.
Ze nipte juist van haar Tia Maria toen er aangebeld werd. Haar blik ging naar de antieke pendule op de schoorsteen, die halftwaalf aanwees. Dat kan Peter nog niet zijn, dacht ze en trouwens, Peter had een sleutel.
Ze liep de hal in naar de voordeur en vroeg achter de gesloten deur wie had aangebeld. 'Mevrouw,' zei een jonge mannenstem, 'ik heb een boodschap van de heer Geertsema voor u.'
'O, ein momentje.' En nog wat suf van het tv-kijken opende ze de deur.
Te laat begreep ze dat ze een fout had gemaakt door de deur te openen.
Twee jonge mannen met bivakmutsen op sprongen de hal in en grepen haar beet. Nog voor ze om hulp kon gillen bedekte een van hen met zijn hand haar mond. Een van de mannen trapte de voordeur dicht. De tegenstribbelende Katrin tussen zich innemend en haar eenvoudig optillend liepen ze de hal door, naar de openstaande deur van de salon.
Een lap stof werd als een prop in haar mond geduwd, en een tweede lap werd over haar mond getrokken en achter haar hoofd vastgeknoopt om te voorkomen dat ze de prop uit haar mond kon spuwen.
Men bond haar handen op haar rug en duwde haar op de bank, terwijl een van hen dreigend zei: 'Hou je rustig, dan zal jou niets overkomen.'

Een halfuur geleden lagen zowel de mannen als de vrouwen in een diepe eerste slaap.
Het was een makkie. Geluidloos waren ze de niet afgesloten kamers binnengegaan en met een door de geluiddempers zacht 'poef, poef' hield de bende van Schele Dirk op te bestaan.
De aftocht verliep zoals gepland.
Arnold had de achterdeur weer op slot gedaan en was teruggekeerd naar zijn Isabelle.
Het pand aan de Raamstraat was weer in dezelfde staat gebracht als men het aangetroffen had.
De twee schilderstrapjes waren weer op hun plaats gezet en Malika had als laatste de voordeur afgesloten. Niets wees op actief gebruik van de alternatieve route om in het pand te komen.
Abdullah had Ahmed en Abdul opdracht gegeven om het pand aan de Prinsegracht te blijven observeren, om ook het laatste bendelid te liquideren. Zij hadden Peter de Bruin het pand zien verlaten en met hun ogen volgden ze hem toen hij de Grote Markt op liep. Abdul wilde achter hem aan gaan, maar Ahmed hield hem tegen.
Nee, schudde hij, en wees naar het pand aan de overkant.
Met zijn handen maakte hij een op en neer gaande beweging, alsof hij wilde zeggen: even rustig aan.

De meiden werden gewekt, in een badjas gehesen, de kamers uit geloodst en beneden aan de bar bij elkaar gebracht.
Ze waren nog steeds wat versuft en hadden geen benul van wat er was gebeurd. Blonde Greet, inmiddels ook in een badjas geholpen, had een kalmerend drankje gekregen. De aanwezige gasten, nog een tiental, moesten afrekenen en werden daarna door een politieman gesommeerd om plaats te nemen rechts in het etablissement, in afwachting van de komst van de recherche.
Peter was naast Blonde Greet aan de bar gaan zitten, zich afvragend hoe dit nou verder moest.
Hij had samen met de politieman de andere kamers gecontroleerd en de gruwelijke werkelijkheid drong langzaam tot hem door.
Een sinistere vergelijking kwam in hem op. Net als in de western, waar de jongste Clanton de laatst levende was van de Clantonbende, zo was hij nu de laatst levende van de bende van Schele Dirk.
Het besef drong tot hem door dat hij de volgende zou kunnen zijn, hij moest op zijn qui-vive blijven. Alleen had hij geen idee met wie hij te maken had.
Drie rechercheurs kwamen het etablissement binnen en op aanwijzing van een van de agenten spoedden zij zich naar boven om daar de situatie in zich op te nemen.
Een gearriveerde politiefotograaf liep op aanwijzing van een van de rechercheurs plaatjes te schieten. Waarna ook de politiedokter aan de slag kon, terwijl de broeders van de geneeskundige dienst rustig stonden af te wachten tot ook zij in actie mochten komen.
Ook de andere hoertjes met hun klanten werden van hun bed gelicht, zo Arnold Kempenaar en Isabelle.
Het duurde even voordat de lichamen werden vrijgegeven en de rechercheurs weer terug waren in het restaurant. Ze hadden de lichamen geïdentificeerd aan de hand van de gevonden paspoorten in de kleding van de slachtoffers.
Een van de rechercheurs was Adriaan Blijlevens. De verbijstering was nog te lezen in zijn ogen. Geen van de drie politiemannen had iets dergelijks ooit meegemaakt.
'Een zeer professionele afrekening, moet ik zeggen,' merkte Blijlevens op.
De beide anderen knikten bevestigend.
Zuchtend vervolgde Blijlevens, die blijkbaar de leiding had: 'Pieter, wij verhoren de mannen en Karel: neem een van de agenten mee aan jouw tafel voor het verhoren van de aanwezige dames. Laat je collega om versterking bellen, ik wil de voor- en achterdeur bezet houden. Laten we beginnen met de nog aanwezige klanten, noteer de namen en adressen, hun telefoonnummer, paspoortnummer en beroep. Vraag of hun iets bijzonders is opgevallen. Zo niet? Laat ze dan maar vertrekken.'
Karel Stienstra wenkte een van de agenten en zocht een tafel achter in het restaurant uit.
'We beginnen met het verhoren van die blonde mevrouw daar,' zei hij en terwijl

hij een kladblok en pen uit zijn binnenzak voor de dag haalde, vervolgde hij: 'Haal jij haar even op?'
Blijlevens zocht een tafel uit voor in het restaurant, vlak bij de entree.
Nadat de klanten aan een kort verhoor onderworpen waren, merkte Blijlevens op: 'En nu het personeel. De portier nemen we als eerste, Pieter. Als het goed is, ziet hij iedereen binnenkomen en ook weer weggaan.'
Pieter de Groot begaf zich naar de bar, waar Gerard een opgewonden discussie voerde met Johnny.
Toen ze de rechercheur op zich af zagen komen, hielden ze abrupt hun mond.
Onwillekeurig moest Pieter glimlachen en aan de portier vroeg hij: 'Wat is uw naam?'
'Gerard, Gerard Jongeneel.'
'Oké, meneer Jongeneel, wilt u zo vriendelijk zijn mij te volgen?'
Toen de rechercheur en de portier plaatsnamen aan de tafel van Blijlevens, vroeg deze: 'Willen jullie iets drinken?'
'Doe mij maar een kopstootje,' reageerde de portier als eerste. 'Door al dat gedoe heb ik een kalmerend middel nodig.'
'Krekel,' riep hij naar een van de twee obers, die samen met het keukenpersoneel aan een achteraftafeltje hadden plaatsgenomen. 'Neem hier even een bestelling op, dat zal je wat afleiding geven.'
Een klein, mager mannetje stond op en kwam snel naar de tafel van Blijlevens gelopen. Met zijn linkerhand streek hij nerveus over de revers van zijn spierwitte jasje en met een schorre stem vroeg hij: 'Wat zal het zijn, heren?'
'Koffie, veel koffie, het liefst een kan vol, plus een Calvados voor mij.'
'Pieter?'
'Koffie is voldoende,' reageerde Pieter de Groot en de portier herhaalde dat hij aan een opkikkertje toe was en bestelde zijn door hem zo geprezen 'kopstootje'.
Terwijl de ober zich verwijderde, keek Blijlevens Gerard Jongeneel aan, die tegenover hem had plaatsgenomen.
Jongeneel verstijfde en een rilling trok door zijn lichaam, terwijl hij de ogen neersloeg en naar het tafelblad staarde.
'Schuldgevoelens, Japie de portier?' grapte Blijlevens flauw, en spottend vervolgde hij: 'Het is niet niks, hè, dat je als bewaker in jouw tent moet meemaken dat er zes gangsters op een professionele manier worden geliquideerd en jullie niets in de gaten hadden. Zo recht onder je neus, niet te geloven toch?'
De Groot een knipoog gevend ging hij verder, maar nu met meer scherpte in zijn stem: 'Als ik met je praat, meneer de portier, wil ik dat je me aankijkt en dat je niet als een schuldige schooljongen naar het tafelblad zit te staren.'
De wangen van Jongeneel begonnen lichtrood te kleuren, een teken dat hij zich zat op te winden.
Blijlevens zag dat en gooide er nog een schepje op.
'Je naam zal wel door het slijk gehaald worden in het Haagse portierswereldje of moet ik eigenlijk zeggen: in het Haagse criminelencircuit?'
'Nu de eigenaar en de beheerder beiden in het hiernamaals vertoeven, zal het

moeilijk voor je worden om weer aan de bak te komen, ja toch, meneer Jongeneel?'
De wangen van Gerard waren van lichtrood nu rood gekleurd en de ogen opslaand reageerde hij fel.
'Is dat jouw vermaak, meneer de rechercheur? Heb je dan helemaal geen gevoel in je lijf, en ga je na wat er vanavond is gebeurd gewoon andere mensen de grond in trappen?'
'Goed,' Blijlevens hief zijn hand op. 'Al goed, Jongeneel, ik heb je zitten stangen om je kwaad te krijgen en daardoor ben je nu klaarwakker. Ik wil dat je na elke vraag die wij jou stellen, goed nadenkt voor je antwoord geeft en dat je, hoe onbeduidend misschien dan ook, elk voorvalletje van vandaag en uit het nabije verleden opdist. Ha, eindelijk koffie.'
De ober serveerde een kop koffie en een Calvados voor Blijlevens, een kop koffie voor De Groot en een jonge Olifant met een flesje Heineken voor Jongeneel, zijn 'kopstootje'.
Dit was het sein voor de andere aanwezigen om ook een bestelling te plaatsen, want allemaal waren ze wel toe aan koffie of iets sterkers. De beide obers kregen het nog druk, zo laat op de avond.

Prinsegracht

NADAT AHMED HET PAND aan de Prinsegracht had verkend, kwam hij terug in de salon en vroeg aan Katrin: 'Welke slaapkamer is van jou?'
'Hhhhmmm...'
'Ja, dat is waar ook, zo kun je geen antwoord geven. Kom op, staan en loop voor me uit naar jouw slaapkamer.'
Hij volgde haar de trap op, naar de eerste verdieping, waarna ze naar de slaapkamer aan de voorkant liep.
Ahmed opende de deur en deed het licht aan.
De kamer was groot, hij besloeg de gehele breedte van het pand.
Tussen de twee ramen aan de voorkant stond een pompeus hemelbed. Aan weerszijden van het hemelbed stonden nachtkastjes met daarop schemerlampjes.
Links tegen de zijmuur stond een antiek bureau en tegen de rechterzijmuur had men een enorme linnenkast geplaatst.
Ahmed riep Katrin terug, die de kamer verder was ingelopen en plaats wilde nemen op het bed.
'Mee jij, slettenbak. Dit is jouw slaapkamer niet. Door hier het licht te laten branden, waarschuw jij je zo meteen terugkerende vriendje. We sluiten je op in een slaapkamer aan de achterkant van het pand.'
Hij deed het grote licht uit en nam Katrin mee naar een slaapkamer aan de achterkant van het pand.
Het waren twee kamers naast elkaar, in een daarvan was een sleutel in het slot gestoken.

Haar vooruitduwend de kamer in, waarvan de sleutel in het slot stak, dwong hij haar op bed te gaan liggen.
Een gordijnkoord pakkend, dat in ruime mate aanwezig was, bond hij ook haar voeten samen, haalde het koord onder het bed door en knoopte het opnieuw vast aan haar benen. Snuivend en aan de koorden trekkend probeerde ze met uitpuilende ogen zijn aandacht te trekken.
'Goed, goed,' lispelde Ahmed. 'Je zult het moeilijk hebben met ademhalen.'
Hij maakte de doek los van haar achterhoofd en haalde de prop uit haar mond. Proestend en zwaar ademhalend kwam Katrin een moment tot rust.
'Alsjeblieft,' smeekte ze huilerig. 'Doe die prop niet meer in mijn mond. Ik stik erin. Ik zal me doodstil houden.'
Klets! Met de vlakke hand gaf hij haar een harde klap in het gezicht.
'Als ik jou was,' siste Ahmed, 'zou ik daar niet eens aan denken. Als we ook maar iets horen...'
En terwijl hij dat zei, trok hij een groot jachtmes tevoorschijn en maakte met het mes een snijbeweging over haar keel.
Snikkend van pijn en angst draaide Katrin haar hoofd opzij, haar rechterwang begon rood op te gloeien van de klap.
Ahmed verliet de kamer en sloot deze af. De sleutel in zijn zak stekend begaf hij zich weer naar de grote slaapkamer.
Dit moest de slaapkamer van Geertsema zijn. In een bureaulade zag hij een paar door Geertsema getekende contracten liggen.
Op het bureau lagen de normale attributen: een pennenbakje, een bureaulamp, een schrijfblok en uiteraard een telefoon. Het bureau de rug toekerend opende hij de linnenkast.
Rechts en links legplanken en in het midden het hanggedeelte. Aan de linkerkant van de kast lagen netjes opgevouwen overhemden en vrije-tijdsshirts in allerlei kleuren, maar onder de onderste legplank ontwaarde hij een kluis.
Iets voor Slimme Malika, dacht hij. Een blik op zijn horloge vertelde hem dat het tien voor twaalf was. 'Moet nog kunnen.'
Hij toetste op zijn mobiel het nummer van Yannou in, waarvan hij wist dat deze op hen stond te wachten in de Laan, voor de aftocht.
'Hallo.'
'Yannou, we zijn binnen in het huis van de Schele. Ik heb een kluis gevonden.'
'Moet voor Malika een koud kunstje zijn om hem te kraken.'
'Haal haar op en wanneer ze hier aanbelt, moet ze drie keer, kort achter elkaar, op de bel drukken. Ik zal achter de deur staan na jouw telefoontje dat ze eraan komt, oké?'
'Ik hoop dat de afvallige thuis is, ze heeft tegenwoordig een Nederlands vriendje en blijft daar regelmatig overnachten. Dan spelen ze volgens mij geen ganzenbord.'
Ahmed liep de overloop over en luisterde aan de slaapkamerdeur, waar Katrin lag vastgebonden. Vervolgens ging hij naar beneden.
Abdul had de lichten in de salon uitgedaan en lag op de bank naar de Arabische zender Al Jazeera te kijken.

Zwijgend nam Ahmed plaats in een fauteuil en het wachten was begonnen.
Starend naar de reportage over een aanslag op de olievelden in Irak overdacht hij hoe ze moesten handelen wanneer het zesde lid van de Geertsemabende terugkeerde.
Hij ging ervan uit dat de man heel argwanend geworden moest zijn na de ontdekking van hun moordpartij. De kerel moest een sleutel van dit pand hebben, dus bij binnenkomst van het pand moest hij in verwarring gebracht worden.
Ahmed besloot het licht in de keuken aan te doen; deze lag aan het einde van de gang, aan de achterkant van het huis, tegenover de voordeur. Bij een gesloten keukendeur kon men in een donkere gang het licht tussen de kieren door zien schijnen. Ook in de achterkamer naast de keuken, die als kantoor was ingericht, deed hij het licht aan. De deur weer dicht, zodat ook hier het licht tussen de kieren door zou schijnen.
De voordeur ging naar links open en Abdul zou zich achter de opengaande deur gereedhouden voor actie. Het was het handigst om zich schuil te houden op de overloop, halverwege de trap.
Met een pikdonkere achtergrond had hij vanaf de overloop, zonder zelf gezien te worden, goed zicht op de voordeur en het portaal.
Bij het binnenkomen van de man zou hij hem met een paar schoten neerleggen. Mocht hij missen, dan kon Abdul de zaak afronden.
Hij controleerde de geboeide Katrin, maar die bleek van vermoeidheid in slaap te zijn gevallen.
Terwijl hij de deur opnieuw op slot draaide, zoemde zijn mobieltje.
'Ja.'
Het was Yannou.
'Over een minuutje staat Malika voor de deur.'
Ahmed haastte zich naar beneden en bleef licht hijgend achter de deur staan wachten.
Dertig seconden later ging de bel driemaal snel achter elkaar en Ahmed opende de deur.
Malika glipte naar binnen en in de halfduistere gang keek ze Ahmed nijdig aan.
'Ik lag al op bed en ben doodmoe,' zei ze kribbig.
Abdul kwam, met de Beretta in de vuist, op het lawaai af de gang inlopen en keek verbaasd naar Malika.
Met de hand een zwaaibeweging makend zei Ahmed: 'Oké, het is oké. Kom mee, Malika, ik heb een klusje waarvan je straks zegt: bedankt Ahmed, van zo'n kluis krijg ik een kick.'

Het was al halftwee toen het verhoor van Peter de Bruin beëindigd werd en hij weg mocht.
Tijdens het wachten had hij samen met Johnny en de tweede kok, Dennis, de tijd doorgebracht met een spelletje poker.

Buiten gekomen haalde hij een paar keer diep adem en keek loerend om zich heen.
Donkere wolken joegen langs de hemel en zich beschermend tegen de wind trok hij de kraag van zijn duffel hoog op. De storm van vanmiddag was weer in volle hevigheid losgebarsten. Het was nu droog, maar de regen zou vast niet lang meer op zich laten wachten.
Aan de overkant zag hij een late nachtbraker in de richting van de Schoolstraat schuifelen.
Typisch weer voor een afrekening. Rillingen joegen over zijn rug, hij was niet bijgelovig, maar de gedachte die een paar uur geleden bij hem opkwam, deed hem voorzichtig zijn.
Hij had zijn Heckler & Koch in de rechterhand genomen en in zijn rechterzak van zijn duffel gestoken. Desnoods kon hij door de stof heen schieten.
Scherp om zich heen kijkend stak hij de Grote Markt schuin over naar de Prinsegracht.
Hij verlangde naar het warme lijf van Katrin en versnelde zijn pas.

Ahmed had erbij gestaan toen Malika de kluis kraakte en het deurtje openzwaaide. De kluis was grotendeels gevuld met eigendomspapieren van huizen en panden en een kistje vol met papiergeld.
Briefjes van honderd euro lagen in stapels van tien naast en op elkaar, bijeengehouden door elastiekjes. Ahmed telde algauw ongeveer vijftig bundels van duizend euro. Hij gaf Malika een bundeltje van duizend euro voor het openen van de kluis en stopte de papieren en het kistje in een plastic tas, die hij in de keuken had gevonden.
Hij piepte Yannou weer op en vertelde hem dat hij over vijf minuten voor moest rijden en dat Malika naar buiten kwam met de inhoud van de kluis in een plastic tasje.
'Abdullah moet zelf maar bekijken wat hij ermee doet,' besloot hij zijn relaas.
Precies vijf minuten later glipte Malika naar buiten en stapte vlug in de wachtende Seat van Yannou.
Halfeen, zag Ahmed op zijn horloge. Het zou nog wel een poosje duren voordat het laatste bendelid van de Geertsemagang het etablissement mocht verlaten.
Voordat zij het pand van de Schele binnen waren gegaan, hadden ze de consternatie op de Grote Markt gezien, waar verschillende auto's stonden geparkeerd en de ene na de andere ambulance met gillende sirenes arriveerde.
'Abdul,' wenkte hij de Palestijn. Hij nam hem mee naar de hal en legde hem in gebarentaal zijn plan uit.
Abdul knikte dat hij het begrepen had en nam links van de voordeur plaats, terwijl Ahmed zich verschanste op de overloop.
Het zenuwslopende wachten was begonnen.
Een mysterieuze stilte viel over het pand aan de Prinsegracht. De dood, in de

vorm van een Palestijnse terrorist en een Marokkaans-Nederlandse terrorist in spe, stond het laatste lid van de Geertsemabende op te wachten.

Wassenaar

Grootse afrekening in het Haagse criminelencircuit
's-Gravenhage (ANP)

Vannacht zijn in een etablissement aan de Grote Markt zes mannen geliquideerd.
Alle zes zijn bekenden van de politie.
Zij hielden zich bezig met onroerend goed, prostitutie, drugs en de horeca.
Het gaat om: Dirk G., alias de Schele, leider van de bende; Luc S., een Belgische krachtpatser uit Brugge en verdienstelijk vechtsporter; Thaksin T., een Iraanse vluchteling, eveneens een vechtsporter; Jean P., alias de Kid, een uit Parijs afkomstige huurmoordenaar; Patrick la F., alias het Scheermes, een uit Luik afkomstige huurmoordenaar; Eddy de V., beheerder van een groot aantal Haagse prostitutiepanden.
Het etablissement bestaat uit een café annex restaurant met wat hotelkamers op de drie verdiepingen, waar illegale prostitutie bedreven werd.
Volgens een politiewoordvoerder hebben de verhoren niets opgeleverd. Niemand van de aanwezigen, personeel noch klanten, heeft iets opgemerkt.
Voordat de zes geliquideerden gevonden werden, trof een klant zijn metgezel aan op het toilet, naar later bleek doodgestoken.
De politie staat voor een mysterie.
Zie ook naberichten op pag. 5

Jozef Stalman slaakte een zucht van opluchting en bladerde door naar pagina vijf van *AD.nl*.

Nabericht afrekening Haagse criminelen

Vanmorgen vroeg bezochten rechercheurs van de Haagse politie het pand van Dirk G. aan de Prinsegracht en vonden daar het laatste bendelid doodgeschoten in de hal van het pand.
Het gaat om Peter de B., alias Pete Brown, een Amerikaanse ex-commando, en tweede man in de bende.
Verder troffen zij op de eerste verdieping een hysterische vrouw aan, die vastgebonden lag aan een bed. Katrin M. was een vriendin van Peter de B. Zij is tijdelijk opgenomen in een psychiatrische kliniek voor onderzoek.
Daarnaast was de aanwezige kluis in het pand gekraakt.

Glimlachend keek de vastgoedmagnaat naar de stapel papieren die op zijn bureau lagen. Eigendomspapieren van een groot aantal panden in het Haagse centrum. Een flink aantal contracten, gesloten met horecagelegenheden, met onderwerpen zoals 'bewaking' en 'beveiliging'.
Stalman schudde meewarig het hoofd.

Aan m'n laars, dacht hij.
Wanneer de horeca-exploitanten niet betaalden, werd in één keer hun hele zaak aan gruzelementen geslagen.
'Koffie, lieve.'
In de deuropening stond Goedele met Danny op haar arm.
'Ga maar even bij papa op schoot, Danny, dan kan mama een kopje koffie inschenken.'
De daad bij het woord voegend kwam ze even later met twee kopjes koffie uit de keuken.
'Mohammed en zijn makkers slapen zeker nog,' stelde ze vast. 'Maar, Jozef, hoe nu verder? Ik huiver voor wat de jongens gisteravond en vannacht gedaan hebben.'
'Lieve Goedele, over pakweg veertien dagen zitten we ergens op een warm, zonnig eiland. En vergeet niet, het is zij of wij.'

DEEL 3

KABUL, 5 MEI 2007

OP DE NIEUWSZENDER VAN het Arabische televisienetwerk Al-Jazeera verscheen de zoveelste videoboodschap van Al-Zawahiri.

'Al-Qaida en de taliban eisen dat landen die actief zijn in Afghanistan, hun militairen binnen veertien dagen terugtrekken. Wanneer dit niet binnen de gestelde termijn geschiedt, kunnen deze landen aanslagen verwachten in hun parlementssteden.'

Krijgsheer Abu Al-Hassani, alias de Syriër, bekeek glimlachend opnieuw de videoboodschap op de website. Hij wist dat deze boodschap voor de deelnemende landen in Afghanistan een speldenprikje was en niet serieus genomen zou worden.
Twee maanden geleden had hij zijn meesterplan voorgelegd aan de Egyptenaar, Ayman Al-Zawahiri, de tweede man na Osama Bin Laden. Deze had goedkeurend geknikt en samen met hem zijn plan doorgenomen.
Enkele in het buitenland vertoevende Al-Qaida topfiguren had hij nauwkeurig doorgelicht. Drie mannen sprongen eruit als geschiktste leiders voor deze missie.
De vierde persoon werd hem aangereikt door de Egyptenaar.
Hij besefte maar al te goed dat, wanneer deze missie zou mislukken, het gedaan zou zijn met zijn talibanleiderschap.
De uitgezochte medestrijders moesten teams samenstellen die uit ervaren moedjahedien bestonden, mensen die vertrouwd waren met de gewoonten van het land waar zij de aanslag moesten plegen.
Hij had die landen uitgezocht, waarvan hij dacht dat de uitzending van militairen naar Afghanistan bij de bevolking erg gevoelig lag.
Als de aanslagen succesvol verliepen verwachtte hij, dat de volksvertegenwoordigingen zouden eisen hun troepen terug te halen, mede omdat de aanslagen gepland waren in de parlementssteden.
Door het terughalen van de troepen zouden grote leemtes ontstaan bij de bezetters, die bliksemsnel door de taliban opgevuld moesten worden.
De chaos die dan ontstaan zou, gaf de taliban en Al-Qaida de gelegenheid een groot offensief te beginnen om de rest van de bezetters uit Afghanistan te verdrijven.
Over veertien dagen moesten de aanslagen plaatsvinden, in vier steden tegelijk, op dezelfde datum en dezelfde tijd.

Tel Aviv, Israël 2007

HET KANTOOR VAN DE meest geheime organisatie ter wereld, CIS-1, Central Intelligence Service One, die viel onder de verantwoordelijkheid van de Israëlische geheime dienst, de Mossad, en de CIA, de Amerikaanse buitenlandse inlichtingendienst, bevond zich boven een willekeurige supermarkt in Tel Aviv.
Het bestond uit een centrale hal en twee ruime kamers, waarvan de kleinste gebruikt werd als relaxruimte. Naast de lift bevonden zich twee kleine badkamers, een voor de dames en een voor de heren. In het verleden was hier een advocatenkantoor gevestigd, wat nog te zien was aan een smoezelig, verbleekt bordje dat op de stevige houten voordeur geschroefd was.
Voor CIS-1 een prima dekmantel.
De voorgevel van het pand had men zo gelaten, maar aan de binnenkant had men de trap weggehaald, het gat in het plafond dichtgemaakt en achter de deur een muurtje gemetseld. De hierdoor ontstane ruimte werd door de supermarkt als voorraadkast gebruikt.
Niemand realiseerde zich dat de voordeur nep geworden was.
De nieuwe toegang naar het CIS-kantoor was gecreëerd in de supermarkt zelf. Een deur met de vermelding 'privé', tussen het supermarktkantoor en de kantine, gaf toegang tot een kort gangetje, met aan het eind een stalen liftdeur, die men alleen kon openen met een chipcard.
Het hoofd van CIS-1, kolonel Avraham Weinberger, had de voorkeur gegeven aan de grote kamer aan de achterkant, en zijn assistente, luitenant Naomi Binyamin, bevolkte samen met een nog jonge computerwetenschapper, Yaacov Ben-Zvi, de andere kamer aan de voorkant van het pand. De inrichting van de kamers was zeer verschillend.
De wanden van het kantoor van de kolonel werden in beslag genomen door twee gedetailleerde wandkaarten. Op de linkermuur de wereldkaart van het noordelijk halfrond en op de rechtermuur de wereldkaart van het zuidelijk halfrond. Het bijzondere was, dat de twee kaarten waren ingelijst. Vanaf de achterkant werden de kaarten flauw verlicht. Kleine blauwe lichtpuntjes, aangestuurd door een computer, gaven de regio's aan waar de aangesloten agenten in het veld zich bevonden.
Een groot L-vormig bureau stond aan de raamzijde van de kamer, vanwaar de kolonel een goed zicht had op de beide wandkaarten en de deur tegenover hem.
Links van hem, op de voet van de L, stonden een computer en een printer met faxfunctie.
Links van de deur hing een portret van David Ben-Gurion, die Israël in 1948 als nieuwe staat onafhankelijk verklaard had en de eerste premier werd van dit land.
Daarnaast stond een grijze archiefkast voorzien van rolluiken.
Rechts van de deur hingen twee schaapskoppen, scheppingen van de Israëlische beeldhouwer en kunstenaar Menashe Kadishman.
Onder deze schaapskoppen stond een klein dressoirtje met daarop het portret van een lachende jonge vrouw, met rechts van haar een jongen van een jaar of acht en links een meisje van vijf.

Die vrouw was de echtgenote van de kolonel, die op vijfendertigjarige leeftijd samen met zijn toen zevenjarige dochter bij een zwaar ongeluk in het centrum van Tel Aviv om het leven was gekomen. Zijn zoon, nu achtentwintig jaar en gelukkig getrouwd, speelde op dat moment bij een vriendje thuis. De kolonel zelf was, toen nog als agent, in het veld aan het werk.
Het was hem destijds gelukt undercover binnen te dringen in een Hezbollah-cel in Beiroet en hij stond op het punt gegevens te verkrijgen van geplande aanslagen op Libanese regeringsfunctionarissen.
Pas na twee weken, toen zijn opdracht succesvol beëindigd was en hij teruggeroepen werd naar het Mossadkantoor in Tel Aviv, hoorde hij van het ongeluk en het vreselijke nieuws dat zijn vrouw en dochtertje hierbij waren omgekomen. Zijn zoon was tijdelijk opgevangen door de moeder van de kolonel en werd later opgenomen in het gezin van zijn zus. Als Mossadagent was hij vaak langdurig op missie, en om afstand te nemen van zijn verdriet had hij zich volledig op zijn werk gestort.

De inrichting van de kantoorkamer voor aan de straat van luitenant Naomi Binyamin en informaticus Yaacov Ben-Zvi zag er heel anders uit.
Voor de raampartij waren twee bureaus tegen elkaar aan gezet zodat beiden, zittend achter hun bureau, opzij naar buiten konden kijken.
Onder beide bureaus stonden forse computers, en op de bureaus de beeldschermen.
Langs de beide wanden van het kantoor stonden de meest moderne systemen die via een geavanceerd computernetwerk, gebruikmakend van een proxyserver, verbonden waren met internet via supersnelle glasvezelverbindingen. Deze systemen waren speciaal ingericht om berichten op internet te filteren.
Het netwerk beschikte over de modernste en snelste apparatuur die de markt aanbood. Ook de computer van de kolonel was gekoppeld aan dit netwerk.
Dit alles werd beheerd door de 26-jarige Yaacov Ben-Zvi, de beste informaticus die Naomi had kunnen vinden. Een oom van haar, professor en informaticus op de universiteit van Tel Aviv, had haar getipt.
Yaacov was cum laude geslaagd en computeren deed hij al vanaf zijn vierde jaar. Religieus als hij was, droeg hij een zwarte keppel, zwarte broek, wit overhemd en kort geschoren donker haar.
Boven een scherpe, forse neus en onder zware, donkere wenkbrauwen blikten twee heldere blauwe ogen de wereld in. Rond de mond, die geschapen leek om te lachen, en op de vierkante kin, begonnen zich een donzige donkere snor en baard af te tekenen; deze vervolmaakten het niet onknappe gezicht van de jonge informaticus.

In het jaar dat de Britten door de Volkenbond officieel werden aangewezen om het mandaat over Palestina te voeren – dat was in 1922 – immigreerden de grootouders van Naomi Binyamin naar Palestina en vestigden zich in het dorpje Binyamina, gelegen even ten zuiden van Zikhron Ya'akov. Zij kwamen uit Syrië en Naomi's grootvader luisterde naar de naam Eliyahu al-Asuri. Naomi's vader Yitzhak werd in 1930 in Binyamina geboren en op veertienjarige leeftijd meldde hij zich aan bij de Haganah, een zionistische paramilitaire organisatie, die de Joodse belangen beschermde en verdedigde. Hij werd ingedeeld in een groep die onder leiding stond van Moshe Sharett.
Moshe adviseerde hem een nieuwe naam aan te nemen, omdat al-Asuri een Arabisch klinkende naam is. Yitzhak had zijn leider schijnbaar zo sullig en hulpzoekend aangekeken, dat Moshe in een lachbui geraakte die minutenlang aanhield. Hikkend kwam eruit dat wel meer Joden hun Arabisch klinkende namen aanpasten.
'Waarom neem je niet de naam van je geboortedorp aan? Die klinkt echt Joods,' adviseerde Moshe vijf minuten later.
En zo werd Yitzhak al-Asuri, Yitzhak Binyamin. Zonder de *a*, want anders zou het te vrouwelijk klinken.
Zo kon het gebeuren dat broers verschillende achternamen hadden.
De oom van Naomi, de professor, een jongere broer van haar vader, had zijn naam laten veranderen in Shamir.
Naomi zelf was de jongste dochter uit een gezin van zes kinderen; zij had drie zussen en twee broers.
Naomi was geboren in 1980 en groeide op in de oude, prachtig gebouwde wijk Achuzat Bait in Tel Aviv. Zij studeerde Filosofie en Rechten aan de universiteit van Tel Aviv, maar daarnaast koos ze enkele subdisciplines binnen de richting Informatica, zoals 'Informatie- en gegevensbeheer', 'Computernetwerken en communicatiesystemen' en 'Kunstmatige intelligentie'. Ze was een goede studente, logisch denkend en met een voorliefde voor alles wat met computers te maken had. Hoe het kon gebeuren dat een knappe. donkerblonde vrouw van vijfentwintig lentes oud, net afgestudeerd, omringd door vrienden en vriendinnen, met het vooruitzicht carrière te maken als advocate in een eigen praktijk, terechtkwam bij een geheime organisatie als CIS-1...

Tijdens de zesdaagse oorlog in 1967 diende Avraham Weinberger als kapitein in het Israëlische leger onder majoor Yitzhak Binyamin. Zij versloegen met hun manschappen de Jordanese troepen van koning Hoessein en veroverden naast de Westelijke Jordaanoever grote delen van Jeruzalem, waaronder de oude stad en de Klaagmuur.
In die zes dagen was er een vriendschapsband gegroeid die nu, na veertig jaar, nog steeds onveranderd en zeer krachtig was.
Een keer in de week ontmoetten de vrienden elkaar en toen Avraham twee jaar

geleden aan Yitzhak vertelde dat hij op zoek was naar een assistent, vertelde Naomi's vader dat hij wel iemand wist.
Na een sollicitatiegesprek van een paar uur had de kolonel Naomi zo enthousiast gemaakt, dat zij een dag later al het geheime kantoor van CIS-1 mocht betreden. Er volgde nog een gesprek met een personeelsfunctionaris van de Mossad en een week later was ze aangenomen als adjudant. Na twee jaar was ze opgeklommen in rang en mocht ze zich luitenant noemen.

CIS-1

Avraham Weinberger had over de gehele wereld in tientallen jaren tijd een geheim internationaal netwerk van topagenten opgebouwd. Zijn kantoor in Tel Aviv was het centrale punt, dat was uitgerust en ingericht met de modernste computers en de meest geavanceerde software. Via satellieten communiceerden computers over de hele wereld met elkaar en hielden Weinberger op de hoogte van alle actuele gebeurtenissen in de wereld van misdaad en terreur.
Een onmisbare informatiebron was de National Reconnaissance Office (NRO). De toenmalige directeur van de CIA, Kenny McDonald, had voor CIS-1 een link gelegd met de NRO in Chantilly, Virginia, een van de zestien inlichtingendiensten binnen de Verenigde Staten.
De NRO beheerde de verkennings- en spionagesatellieten van de Amerikaanse regering, die ze ook zelf ontwierp en bouwde. Ook coördineerde en analyseerde ze de verzamelde informatie van vliegtuig- en satellietverkenningen van de militaire diensten en de CIA.
De NRO exploiteerde over de hele wereld grondstations die allerlei soorten inlichtingen oppikten en verzamelden van de spionagesatellieten en deze verspreidde zij binnen andere inlichtingendiensten, zoals de Central Intelligence Agency (CIA), het Defense Intelligence Agency (DIA) en vele andere grote instellingen en inlichtingenorganisaties.
Heel bijzonder was het contact dat CIS-1 had met de National Security Agency (NSA), de meest geheime inlichtingen- en veiligheidsdienst in de Verenigde Staten.
Deze inlichtingendienst was gespecialiseerd in het afluisteren van internet, telefoon en dataverkeer. Via cryptoanalyse werd deze elektronische informatie gedecodeerd.
De briljante Israëlische wiskundige Mordechai Speckmann had zich binnen deze organisatie opgewerkt tot hoofd Cryptologie en met toestemming van de NSA-directeur was hij Weinbergers contactpersoon.
De versleutelde informatie die CIS-1 ontving, bestond voornamelijk uit informatie die de veiligheid en belangen van Israël diende. Althans, zo was het afgesproken.
Maar de veiligheid en belangen van Israël werden door Mordechai Speckmann nogal ruim bemeten. Een opgevangen bericht dat een terroristische groep een

aanslag in Europa aan het voorbereiden was, kon volgens Mordechai achteraf de belangen van Israël schaden.

Tijdens zijn actieve carrière ergerde Weinberger zich al aan de besluiteloosheid van regeringen en topambtenaren ten aanzien van de internationale misdaad.
De zichzelf respecterende landen hadden hun eigen inlichtingendiensten. Wilde men, volgens hem, de professionele internationale misdaad en het opkomende terrorisme voluit bestrijden, dan moesten al die zelfstandig opererende diensten samen gaan werken. En dat was in die tijd een onmogelijke zaak, mede door de koude oorlog tussen de Sovjet-Unie, Amerika en het Westen. Hun geheime diensten: de Russische KGB, de Amerikaanse CIA en de Europese geheime diensten zoals het Britse MI 6 in Londen, het Franse Deuxième in Parijs, maar ook de Israëlische Mossad, lagen regelmatig overhoop met elkaar.
Deze keihard opgeleide directeuren gedroegen zich veelvuldig als kinderen die geheime ofwel essentiële informatie voor zichzelf hielden, uit vrees dat een concurrerende dienst met de eer ging strijken. Ze communiceerden wel met elkaar, maar slechts zeer oppervlakkig, waardoor veel missies mislukten. Het was nu eenmaal zo dat, wanneer een dienst minder presteerde dan een andere, er al snel aan de subsidies werd gemorreld.
Sommige agenten in het veld vertrouwden elkaar echter wel, en achtten het doel van een missie belangrijker dan hun eigen eer.
Weinberger had zijn ideeën ten aanzien van de bestrijding van de internationale misdaad voorgelegd aan zijn toenmalige mentor bij de Mossad. Deze pleegde overleg met de directeur van de Amerikaanse CIA en beide veteranen gaven Weinberger groen licht en de nodige steun en adviezen.
In het geheim reisde Weinberger de hele wereld af en benaderde vooraf uitgezochte agenten die volgens zijn ervaren mentor in aanmerking kwamen om deel uit te maken van de op te zetten wereldwijde geheime organisatie. De geselecteerden waren ervaren agenten die tegen de top van hun organisatie aanzaten.
Het moeilijkste was om deze topagenten ervan te overtuigen dat ze zich absoluut niet schuldig maakten aan verraad, maar hun land juist extra ten dienste stonden. Ze zouden immers de beschikking krijgen over centraal verzamelde criminele en terroristische inlichtingen uit de hele wereld. Met zijn geweldige overtuigingskracht wist Weinberger een tiental internationale agenten aan te trekken. Toen de basis eenmaal gelegd was en de agenten, mede door de positieve resultaten, ten volle ervan overtuigd raakten dat zo'n geheime internationale organisatie alleen maar voordelen had, groeide deze uit tot een wereldwijd netwerk van zestig topagenten. Het bijzondere was dat agenten die de gepensioneerde leeftijd bereikten, vaak zelf voor hun opvolging zorgden.

Tel Aviv, 5 mei 2007

Kolonel Avraham Weinberger streek peinzend met zijn hand door zijn al dunner wordende grijzende haardos. Yaacov had zojuist een videoboodschap van de Arabische televisiezender Al-Jazeera doorgesluisd naar zijn computer.
Starend op zijn beeldscherm, mompelde hij: 'Er klopt iets niet.'
Opnieuw las hij het bericht dat op zijn website verschenen was.

'Al-Qaida en de taliban eisen dat landen die actief zijn in Afghanistan, hun militairen binnen veertien dagen terugtrekken. Wanneer dit niet binnen de gestelde termijn geschiedt, kunnen deze landen aanslagen verwachten in hun parlementssteden.'

Hij wist dat dit bericht niet serieus genomen zou worden door de deelnemende landen in Afghanistan, omdat het erop leek dat dit het zoveelste machteloze dreigement was dat Al-Qaida en met name Al-Zawahiri de ether inzond.
Eind 2005 was er op dezelfde zender een oproep verschenen van Abu Musab al-Suri, lid van Al-Qaida, aan slapende terreurcellen om op korte termijn aanvallen te plegen in Engeland, Italië, Nederland, Denemarken, Duitsland en nog enkele landen die militair gezien aanwezig waren in Afghanistan en Irak.
Op zijn bureau lagen echter verschillende berichten die hem dwongen deze keer de waarschuwing serieus te nemen.
De eerste was vijf weken geleden binnengekomen, afkomstig van een geïnfiltreerde Afghaanse Mossad-agent in de grensstrook tussen Afghanistan en Pakistan.

Extra veel sneeuw gevallen op de Hermon, hierdoor ontvangen toeristen versnelde skilessen.

Het bericht was in een eenvoudige geheime codetaal opgesteld, een code die in een ver verleden ontworpen was, maar al jaren niet meer werd gebruikt.
De Mossad-agent had deze oude code gebruikt om de Al-Qaida vertalers op een verkeerd spoor te zetten.
Mochten zij dit bericht onderscheppen, dan zouden deze vrij jonge vertalers, die zeer ingewikkelde software gebruikten om berichten te ontcijferen, hun tanden erop breken.
Weinberger zag het direct en vertaalde glimlachend deze oude codering.

Tienduizenden nieuwe rekruten gearriveerd in de geheime trainingskampen, trainingen gaan dag en nacht door.

Het tweede bericht van een week geleden was van Shin Beth, de Israëlische binnenlandse inlichtingendienst.
Hamas-topfiguur sjeik Mahmoud, van wie Weinberger wist dat hij connecties had met Al-Qaida, had een team van zes mannen uitgekozen en naar Nederland gezonden.

Het team stond onder leiding van Abdullah, een in Nederland geboren immigrantenzoon uit Marokko. De Mossad had even niet geweten waar deze gevaarlijke terrorist uithing, maar nu dus wel.
Het derde bericht had hij via de satelliet uit Virginia van Bobby Murdock, adjunct-directeur van de CIA, ontvangen. Deze had een mail binnen gekregen van een van zijn agenten in het veld, gestationeerd in Koeweit-Stad.
De geheim agent was erachter gekomen dat de steenrijke oliebaron sjeik Faisel binnen twee maanden tweemaal een kort bezoek had gebracht aan Kopenhagen en dat hij daar nu voor de derde maal met zijn privéjet naartoe was gevlogen.
Nederland en Denemarken hadden troepen gestationeerd in Afghanistan en hij wist dat deze Koeweitse sjeik een van de grootste geldschieters was van Al-Qaida.
De sjeik was voor deze bezoekjes nog nooit eerder in Denemarken geweest, dus waarom nu plotseling driemaal in twee maanden tijd?
Een klop op de deur deed hem opkijken.
'Binnen,' riep hij.
Naomi trad het kantoor binnen en overhandigde hem een smalle strook papier.
'Avi,' zei ze, 'een kort berichtje van Shin Beth.'
Weinberger knikte en nam het strookje papier aan, kort en bondig luidde de tekst:

Goldsmid naar Nederland gezonden voor liquidatie Abdullah.

Een zuinig glimlachje plooide zich rond zijn brede mond.
Shin Beth, toch. Wat tot tweemaal toe door goed getrainde Mossad-agenten niet gelukt was... zouden zij daarin dan wel slagen?
Enkele seconden later trokken op zijn voorhoofd opeens de rimpels samen, zijn mond verstrakte en hij kneep zijn ogen half dicht. Hij haalde diep adem, hield deze even vast in de mond en liet daarna de lucht langzaam ontsnappen, wat een licht fluitend geluid veroorzaakte.
In dat korte moment combineerde zijn snelle geest een paar zaken die hem direct van mening deden veranderen.
Tikva Goldsmid, een van de beste inlichtingenagenten van de Shin Beth, gekoppeld aan Benny Goedkoop...! Een Koningskoppel, met een hoofdletter. Goed, dacht hij verder. Nederland is gewaarschuwd, een terroristenteam is het land binnengekomen.
Het enige wat hij moest doen, was Shin Beth en daarmee agent Goldsmid op de hoogte brengen van het Al-Qaida/taliban-dreigement en dat zij het deze keer serieus moesten nemen.
Verder zou hij contact op moeten nemen met Niels Jacobson van de Anti Terreur Eenheid die onder de Deense Inlichtingen Dienst PET viel. Hij moest hem ervan overtuigen het Al-Qaida/taliban-dreigement serieus te nemen.
Verder moest Jacobson extra aandacht besteden aan het derde bezoek van sjeik Faisel en alle leden van zijn gevolg permanent laten schaduwen. Vaag begonnen bij Weinberger de contouren van het terroristische plan vorm te krijgen.
Als een schaakmeester was hij getraind om drie, vier zetten vooruit te denken.

Hij moest zich verplaatsen in de gedachtegang van de bedenker van het plan en opnieuw nam hij het bericht woord voor woord door.
... landen actief in Afghanistan... Naast de Verenigde Staten, Canada, Australië en Nieuw-Zeeland waren dat vanuit de EU onder andere Nederland en Denemarken, Engeland, Duitsland, Italië, Spanje en Frankrijk.
... veertien dagen... Dat was kort dag, dat betekende dus ook dat de taliban al maanden geleden met de organisatie moesten zijn begonnen. Wat enigszins bevestigd was door het bericht van de Mossad-agent uit de grensstreek tussen Afghanistan en Pakistan.
... aanslagen in hun parlementssteden... Waarom gaven zij zo duidelijk aan waar de aanslagen zouden plaatsvinden?
Slim om de volksvertegenwoordigers schrik en vrees aan te jagen door vlak bij huis aanslagen te laten plegen. Tot nu toe waren aanslagen met betrekking tot de landen met militairen in Afghanistan ver buiten hun grenzen gepleegd.
In diverse Europese landen bestond nauwelijks een politieke meerderheid voor het uitzenden van militairen naar Afghanistan.
Een grote aanslag in 'eigen huis' zou die politieke meerderheid weleens om kunnen buigen naar een minderheid, met als gevolg dat de volksvertegenwoordigers van hun regeringen zouden eisen de troepen acuut terug naar huis te laten komen. Dat zou betekenen dat er een vacuüm en een grote chaos zou ontstaan onder de 'bezetters' in Afghanistan.
Vandaar ook de verhoogde activiteit in de bergen op de grens van Afghanistan en Pakistan.
Al-Qaida en de taliban waren een groot offensief aan het voorbereiden.
Met een schok realiseerde Weinberger zich, dat het Al-Qaida/taliban-plan uitvoerbaar was. En wanneer zij hierin zouden slagen, zouden de taliban, gebruikmakend van de korte periode van ontstane chaos, de geallieerde troepen een verschrikkelijk zware slag kunnen toebrengen die weleens beslissend kon zijn voor de toekomst van Afghanistan en het verdere verloop.
Met een minimaal verlies aan talibanzijde zouden krijgsheren, bekend met het terrein, vanuit hinderlagen de terugtrekkende troepen grote verliezen toe kunnen brengen, duizenden militairen zouden sneuvelen.
Volksvertegenwoordigers die voor terugtrekking van hun troepen hadden gestemd, zouden het bloed van honderden landgenoten op hun geweten hebben.
Maar de politiek eigen zouden zij de zaak omdraaien en roepen: 'Zie je wel, wij hadden niets te zoeken in Afghanistan.'
Maar zover is het nog niet, dacht Weinberger grimmig en keerde van zijn sombere gepeins terug naar het heden.
Hij was ervan overtuigd dat Nederland en Denemarken op de aanslagenlijst van de taliban voorkwamen.
De activiteiten van Hamas-leider sjeik Mahmoud en de Koeweitse oliebaron sjeik Faisel spraken voor zich.
Daar kwam bij dat de politieke situatie in Nederland voor wat betreft de uitzending van militairen naar Afghanistan gespannen was.

De linkse oppositiepartijen klaagden over te ruime geweldsinstructies van hun militairen en ondervonden vanuit de bevolking steeds meer steun om een verlenging van de aanwezigheid van de troepen in Afghanistan tegen te houden.
Denemarken werd nog steeds achtervolgd door het spotprentenincident.
Volgens Site, een instituut in Washington dat militante internetboodschappen volgde, werd Denemarken door alle belangrijke leiders van Al-Qaida genoemd als doelwit voor een terreuraanslag.
De vraag was welke landen de taliban nog meer op hun lijst hadden staan.
Het antwoord voor het volgende land dat in aanmerking zou kunnen komen, staarde hem vanaf zijn bureau met vette krantenkoppen aan.

Duitse kritiek op Afghanistan-missie.
Berlijn vreest terroristische aanslagen.
Taliban stellen ultimatum aan Berlijn.
Duitse politie zoekt tiental verdachten, die banden zouden hebben met Al-Qaida.

Ja, ja, knikte hij. 'Duitsland moet het derde land zijn, dat voorkomt op de talibanlijst.'
Met drie landen hield het niet op, er moesten meer landen op de lijst staan, met name landen waar de politieke toestand betreffende het buitenlandbeleid en Afghanistan onstabiel was en waar de bevolking in meerderheid zich steeds meer tegen dit beleid ging keren.
In zijn gedachten kwam Engeland in beeld. De prime minister stond op het punt om af te treden, juist om zijn buitenlandbeleid.
De telefoon naar zich toe trekkend toetste hij het nummer in van Naomi.
Na enkele seconden klonk het vragend: 'Avi?'
'Bezorg me binnen vijf minuten een overzicht van de deelnemende NAVO-ISAF-landen in Afghanistan, oké?'
Weinberger nam een blanco A4'tje en begon een strategisch schema te ontwikkelen. Bovenaan, in het midden, tekende hij een vierkant, waarin hij schreef:

TALIBAN

Vanuit het blokje tekende hij een kort streepje recht naar beneden, met aan de onderkant van dat streepje, een lange streep in de breedte.
Aan het begin links van de streep opnieuw een kort streepje naar beneden, met daaronder een vierkantje. Onderling gelijkmatig verdeeld, onder de horizontale streep, tekende hij nog eens drie vierkantjes.
Een klop op de deur, en Naomi kwam binnen met een printuitdraai in haar handen, totaal negen A4'tjes. Een nietje linksboven in de hoek hield de negen blaadjes bij elkaar.
Op pagina een stond vermeld:

NAVO-ISAF-landen in Afghanistan

Met een dankbare glimlach nam Weinberger de printuitdraai in ontvangst en terwijl Naomi de kamer weer verliet, nam hij snel het eerste blad door.

De International Security Assistance Force (ISAF) is een internationale militaire strijdmacht in Afghanistan die wordt geleid door de Noord-Atlantische Verdragsorganisatie (NAVO).

In eerste instantie was de strijdmacht bedoeld om de hoofdstad Kabul en het omliggende gebied te beschermen tegen de afgezette taliban, Al-Qaida en de Afghaanse krijgsheren, en ter ondersteuning van de toenmalige (eind 2001) overgangsregering van Hamid Karzai.
In vier achtereenvolgende fases had de ISAF zich daarna uitgebreid over de vier andere regio's in het land.
Weinberger vulde zijn A4 aan met informatie uit het overzicht van de NAVO.
Hij besloot zijn contacten in Nederland en Denemarken, plus nog zes andere landen van zijn lijstje, een mail te sturen.
In zijn computer had hij op alfabetische volgorde de landen staan.
Door een dubbelklik op België verschenen 'Antwerpen' en 'Luik'. Na een klik op Antwerpen kwam de naam van zijn contactpersoon, Laurent Defour, tevoorschijn, samen met de bijbehorende contactgegevens.

Den Haag, Nadirs dagboek

Hassan Mahdoufi was op weg naar de binnenkamer, toen hij zijn broer Nadir de trap af zag lopen, op weg naar buiten en naar school.
Het was kwart over acht in de ochtend en hij riep hem na: 'Tot vanmiddag, broer.'
Bijna onder aan de trap draaide Nadir zich om en antwoordde: 'Het zal wel laat worden. Zeg tegen mama dat ik probeer op tijd te zijn voor het avondeten. Ik heb na schooltijd nog wat dingen te regelen.'
Zonder antwoord af te wachten opende Nadir de deur en verdween naar buiten.
Met een flauwe glimlach rond zijn mond bedacht Hassan, terwijl hij de deur naar de huiskamer opende, dat dit hem genoeg tijd zou geven om de computer van Nadir te kraken.
'Goedemorgen, moeder. Hi, kleine prinses,' begroette hij zijn moeder en zijn zusje Naima. Beiden zaten aan tafel te ontbijten en terwijl Hassan tegenover zijn moeder plaatsnam, vertelde hij haar dat Nadir pas tegen het avondeten thuis zou komen.
Met een bezorgde blik in haar ogen zei moeder Mahdoufi: 'Wat bezielt Nadir de laatste tijd toch? Ik maak me zorgen om hem en vraag me af wat hij allemaal uitspookt.'

'Volgens mij,' grapte Naima, 'wil hij bij het toneel en loopt hij nu te oefenen. Hij heeft verschillende kleuren petjes gekocht, van die leuke feestbrilletjes en verschillende soorten snorren. O ja, en ook nog twee pruiken; een met blond haar en een met bruinrood haar.'
Gniffelend vervolgde ze: 'Een Marokkaan met rood haar.'
Moeder en Hassan luisterden glimlachend toe, maar al snel verzuchtte hun moeder: 'Ik vind het maar niks dat hij optrekt met die jongens van de Binnenhofgroep.' En Hassan aankijkend vervolgde ze: 'Je moet vandaag of morgen toch eens met Nadir praten, tenslotte ben jij toch hier een van de straatcoaches of, luxer gezegd, de maatschappelijk werker in onze buurt.'
Hassan knikte.
Toen ook Naima naar school gegaan was en moeder de tafel begon af te ruimen, merkte Hassan op dat hij nog een uurtje op zijn kamer aan het werk ging.
In de hal gekomen sloeg hij in plaats van linksaf, rechtsaf en glipte de kamer van Nadir binnen.
De kamer van Nadir lag aan de straatkant, naast de huiskamer. De computer stond op een eenvoudig bureau tegen de lange muur.
Links achter de deur stond een eenpersoonsbed.
Naima had niets te veel gezegd. Op het onopgemaakte bed lagen verspreid enkele baseballpetjes in verschillende kleuren, brillen met diverse monturen en een bruinrode pruik.
Zuchtend nam Hassan plaats aan het bureau. Hij wist dat Nadir deze attributen gebruikte voor het schaduwen van Mustafa. Hierover zijn hoofd schuddend startte hij de computer op. Na een tiental seconden vroeg de computer om het wachtwoord.
Hassan was er voor vijfennegentig procent van overtuigd dat hij het wachtwoord wist, maar bij het invoeren hield hij toch gespannen de adem in.
Binnenhof, enter.
Na een kort moment klonk een zwak geluidssignaal en Hassan haalde opgelucht adem, hij was binnen!
Hij klikte *Mijn documenten* aan en ja, nu was het een 'fluutje for a nickel'.
De uitdrukking een 'fluutje for a nickel' bracht hem in gedachten automatisch terug naar de tijd in het afkickcentrum. Daar maakte hij kennis met een jonge zeeman, die verslaafd was geraakt. De aanleiding was dat hij, toen hij na een lange zeereis thuiskwam, zijn vrouw met een vreemde kerel in bed betrapte. Kapot was hij ervan. Hij vertelde Hassan dat hij hierdoor meer ging drinken dan goed voor hem was, later in de drugswereld verzeilde en langzaam maar zeker aan lager wal raakte, zoals hij dat uitdrukte.
Op een bepaald moment vroeg hij zich af: waar ben ik in vredesnaam mee bezig? En zijn gezonde verstand kreeg weer de overhand. Hij besloot een afkickpoging te wagen, om daarna weer het zeegat te kiezen. Hassan en de zeeman steunden elkaar wanneer ze het moeilijk hadden en elke keer wanneer Hassan in de put zat, kwam de zeeman bij hem zitten en zei hij steevast: 'Kom op, kerel, dat afkicken is een *fluutje for a nickel*.'

Hassan snapte eerst niet wat hij daarmee bedoelde en toen hij ernaar vroeg, barstte de jonge zeeman in lachen uit.
'Ach,' verklaarde hij, 'het is een oud Nederlands gezegde. Een fluitje voor een cent wil zeggen dat als er iets moet gebeuren wat er moeilijk of beroerd uitziet, men elkaar opbeurt door te zeggen: het is een fluitje van een cent. Anders gezegd: het zal wel meevallen. Zeelui, die veel in Engelssprekende landen komen, vertalen dat dan weer in halfbakken Engels, een *fluutje for a nickel*, gesnopen?'

Met de muis naar *dagboek*, dubbelklik en... niets.
Verbaasd staarde Hassan naar een leeg blad.
Wat nu?
Na even nagedacht te hebben, schakelde hij terug naar *Mijn documenten*.
De betiteling van elk document onder de loep nemend probeerde Hassan erachter te komen waar Nadir zijn dagelijkse belevenissen noteerde.
Allereerst opende hij het document *Nadir Mahdoufi*. Een hele reeks mappen werd zichtbaar.
Afbeeldingen
Muziek
Download
Favorieten
Contactpersonen, enzovoorts.
Een voor een opende hij de mappen en daarna ook andere documenten, maar nergens ook maar iets wat op het dagboek van zijn broertje leek.
'Hassannn, koffie.'
Op zijn horloge kijkend schrok hij van de tijd, al meer dan een uur was hij aan het zoeken. Nog twee documenten had hij te gaan, daarna had hij alles geopend.
Onlangs geopende items en *Ontspanning*.
Snel sloot hij de computer af en luisterde eerst aan de deur of moeder nog op de overloop liep. Niets te horen. Zachtjes opende hij de deur en keek voorzichtig om een hoekje de gang in. Hij hoorde zijn moeder met kopjes rammelen in de keuken en vlug stak hij de overloop over naar zijn eigen kamer. Terwijl hij de deur opendeed en weer dichtsloeg, riep hij op de overloop: 'Graag, moeder, daar heb ik best trek in.'
Naar de keuken lopend vroeg hij: 'Kan ik u ergens mee helpen?'
'Nee, jongen, maar wil je de koffie op je kamer of drink je die bij mij in de huiskamer?'
'Ik kom gezellig bij u, daarna heb ik nog een halfuurtje werk en dan moet ik weg.'
Na het koffiedrinken zei zijn moeder: 'Ik moet nog een paar boodschappen doen. Kom je tussen de middag een boterham eten?'
'Nee, moeder, om elf uur heb ik een bijeenkomst met andere straatcoaches. Iemand van de gemeente zit de vergadering voor en er is ook iemand van de politie aanwezig. Om tijd te winnen gaan we tijdens de lunchpauze gewoon door.'
'Zal ik een paar boterhammen voor je klaarmaken?'
'Nee, dat hoeft niet, we laten belegde broodjes komen met koffie en verse melk.'

'Zo, doe maar duur,' snoof moeder. 'En dat van onze belastingcentjes?'
Hassan stond grinnikend op en spoedde zich naar zijn kamer, voordat moeder nog meer op te merken zou hebben. Snel zocht hij wat papieren bij elkaar en stopte die in een aktetas.
Er lag een memo van de gemeente op zijn bureau die hij nog door moest nemen. Terwijl hij dat deed, stak zijn moeder haar hoofd om de hoek van de deur en zei: 'Ik ben weg, sluit jij straks goed af?'
Een standaard uitdrukking van moeder, dacht Hassan, maar hij zei: 'Is goed, moeder, ik zal de deur goed afsluiten. Tot vanavond.'
Zodra hij de buitendeur in het slot hoorde vallen, stond hij op en haastte zich naar de kamer van Nadir.
De deur openlatend nam hij opnieuw plaats achter Nadirs computer.

De terrorist in spe

NADIR WAS OPGELUCHT TOEN hij de voordeur achter zich dichttrok.
Hij dacht dat niemand hem gezien had.
Hij slikte de brok in zijn keel weg en vermande zich, door rustig te worden en de loop van een wat oudere Marokkaan aan te nemen.
Hij had zich thuis op zijn kamer een zwarte snor onder de neus geplakt, een onopvallend brilletje opgezet en met een groen baseballpetje op zijn hoofd was zijn vermomming perfect, vond hij zelf.
Verder was hij gekleed in een spijkerbroek en jack, met daaronder een wit poloshirt. Aan zijn voeten had hij een paar soepele Puma sportschoenen.
Bij het oversteken van de Van Ostadestraat, op de kruising met de Vaillantlaan, kwam hem een klasgenoot tegemoet. Langs de jongen heen kijkend zag hij vanuit zijn ooghoeken dat de jongen hem even van hoofd tot voeten opnam, maar hem verder geen aandacht schonk. Cool, dacht Nadir, mijn vermomming is goed, want ik word niet herkend.'
Toen de jongen hem passeerde, zei deze zacht, zonder hem aan te kijken: 'Je vermomming is goed, Nadir, maar ik herken je aan je kleren.'
Nadir dwong zichzelf door te lopen en niet om te kijken.
Dat was balen, maar ach... Mustafa wist niets van zijn kleding. Hij had besloten Abdullah's opdracht heel serieus te nemen, en Mustafa de hele dag te volgen. In de buurt van Mustafa's huis stelde hij zich verdekt op. Het wachten begon.

Hassan bekeek de namen van de twee overgebleven documenten.
Een dagboek bijhouden kan ontspanning zijn, redeneerde hij, dus opende hij eerst het document *Ontspanning*.
Zuchtend bekeek hij de inhoud van het document. Ontspanning ja, een paar adressen en telefoonnummers van sportscholen in de buurt. Een paar meisjes-

namen met achter enkele een telefoonnummer.
Zuchtend sloot hij ook dit document af en opende het laatste document. *Onlangs geopende items.*
Achter dit document zat een viertal mappen. De eerste die hij opende had de schone naam *Sama*, wat *hemel* betekende. Bingo!
Onder het kopje *Hemelse opdrachten* versloeg Nadir elke dag het reilen en zeilen van de Binnenhofgroep. Hassan werd door het lezen heel wat wijzer.
Nadir bleek drie maanden geleden een toelatingstest te hebben moeten ondergaan voordat hij zich aspirant-lid van de groep mocht noemen. Een maand geleden had hij een heilige belofte moeten afleggen met de rechterhand op de Koran. Die belofte hield een eeuwige zwijgplicht in.
Nu was hij bevorderd tot juniorlid en mocht hij twee keer in de maand geheime bijeenkomsten bijwonen. Alleen nog zonder stemrecht.
Bezorgd nam Hassan kennis van al deze zaken en schudde vertwijfeld het hoofd. Nadir zat er al veel te diep in om hem hier nog uit te praten.
Hassan bladerde verder en las de korte, weinig opwindende dagverslagen van Nadir. Op het twee na laatste blad, gedateerd 30 april, dus vier dagen geleden, las hij het volgende:

De eerste Hemelse opdracht ontvangen van de grote leider Abdullah zelf.
Mustafa, die verrader, moet ik de hele dag schaduwen en bijzonderheden rechtstreeks melden aan Abdullah. Iedereen met wie de verrader in contact komt moet ik beschrijven en direct doorgeven aan Abdullah. Het contact vandaag met Hassan heb ik niet gemeld, zij zijn vrienden en is volgens mij niet belangrijk.
Ik ben hem gevolgd vanaf ons huis in de Gerard Doustraat tot aan het huis van de verrader aan de Parallelweg.
De verrader nam zijn fiets en toen ben ik hem even kwijtgeraakt, na een kwartier kwam hij alweer terug.
Om zeven uur belde Abdullah en vroeg of er bijzonderheden waren te melden. Ik mocht naar huis, met de opdracht om morgen opnieuw de hele dag de verrader te schaduwen.

1 mei 2007
Ben eerst langs Yannou gegaan en stond erbij toen de Professor aan Yannou vertelde dat Abdullah gecharmeerd is van zijn plan om het Kurhaus en Paviljoen de Witte aan de Scheveningse boulevard, in één keer op te blazen. Wauw, het grote werk.
Ben niet naar school gegaan en de hele dag achter de verrader aan gegaan, niets bijzonders te melden.

Hassan keek op zijn horloge en zag dat hij zich moest haasten voor de vergadering met de gemeente. Hij schakelde de computer uit en besloot later contact op te nemen met Mustafa.

Op vrijdagochtend 4 mei, toen Nadir al om acht uur vertrokken was en moeder Mahdoufi voor het weekend de boodschappen aan het doen was, startte Hassan opnieuw de computer van Nadir op.
Hij wist nu waar hij zoeken moest.
Op het scherm verschenen de notities van 2 en 3 mei.
Bij het lezen van het verslag op 3 mei sloeg zijn hart een keer over. Hij geloofde zijn eigen ogen niet.
Het begon onschuldig:

De verrader vanaf kwart over acht geschaduwd, ben hem gevolgd naar Spoorwijk, zijn werkterrein als sociaal werker.
Hij had daar een paar afspraken en ik beschreef Abdullah de personen die de verrader daar heeft ontmoet.
Ben een docent van school tegengekomen, maar die herkende me niet.
Om acht uur ben ik op een geheime bijeenkomst van de Binnenhofgroep geweest, bij Yannou thuis. Er werden mededelingen gedaan die uiterst geheim moeten blijven:
1. Abdullah is tijdelijk benoemd tot de nieuwe leider van de Binnenhofgroep en Yannou de tweede man.
2. Enkele leden van de Binnenhofgroep hebben samen met Abdullah en zijn team Palestijnen een geslaagde overval gepleegd. Een beruchte Haagse topcrimineel en zijn bende zijn in één nacht geliquideerd.
Yannou sprak waarderende woorden tegen de Professor, Youssef en Ahmed.
3. Abdullah bereidt met zijn team en enkele leden van de Binnenhofgroep een aanslag voor op het Scheveningse Kurhaus en Paviljoen de Witte.
De aanslag wordt gepleegd op 19 mei.

Kreunend sloot Hassan de computer af.
Het kon toch niet waar zijn, dat zijn kleine broertje hierbij betrokken was?

Kopenhagen

Halfnegen. De sjeik met zijn gevolg zat aan het ontbijt.
Het tafelen duurde meestal een vol uur en in die tussentijd moesten de kamermeisjes hun werk doen.
Lilian kreeg een van de kamers van de lijfwachten toegewezen om schoon te maken. Terwijl de cheffin nog toe stond te kijken, begon ze met het opmaken van de bedden.
Met een goedkeurend knikje verliet de cheffin de kamer en sloot de deur achter zich.
Voor de zekerheid maakte Lilian het opmaken van de bedden eerst af, voordat ze zich oprichtte en speurend de kamer rondkeek of er iets bijzonders op te merken viel.
Raar, dacht ze. Ik moet de kamer opruimen, maar er is niets om op te ruimen.

Ze begaf zich naar de badkamer, en trok het deurtje van het toiletkastje open.
Leeg, helemaal niets.
De wastafel was droog en de handdoeken lagen nog netjes opgevouwen op het handdoekenrekje.
Hier ben ik snel klaar, dacht ze.
Ze keerde terug naar de kamer en controleerde de klerenkasten.
Op twee jasjes na was de kast leeg.
Ze schoof de deur verder open en zag toen op de bodem van de kast de twee kisten opgestapeld staan, die de lijfwachten gisteren naar binnen hadden gedragen.
Het deksel van de bovenste kist lag er scheef en dus los op.
Ze keek in de kist en tot haar verbazing zag ze, dat ook deze leeg was, op wat stroken vetvrij papier na. Er zaten donkere vlekken op het papier, met haar wijsvinger streek ze erover en rook eraan.
Ze snoof de scherpe lucht van machineolie op.
Dit alles moet ik direct aan Jacobson melden, dacht ze. Dit kan niet wachten tot twee uur vanmiddag.
De telefoon stond op een bureautje aan de achterkant van de kamer, tussen het raam en de deur naar het balkon in.
Op haar weg naar de telefoon moest ze langs de twee bedden en nu ze daar nog eens goed naar keek, besefte ze dat ze onbeslapen waren.
Bij het opmaken, realiseerde ze zich nu, lagen de bedden opengeslagen, zoals iedere avond het dienstdoende kamermeisje dat deed en het enige wat er niet lag, was het verpakte chocolaatje dat als een extraatje voor de gasten, voor het slapengaan, op het kussen werd gelegd.
Ze nam de hoorn van de telefoon, draaide een nul voor een buitenlijn en toetste het mobiele nummer van Niels Jacobson in.
Ze stond met haar gezicht naar het raam, en zag dat de lucht buiten aan het veranderen was. Toen ze om halfacht vanochtend haar appartement verliet, scheen de zon, maar nu trokken donkere wolken samen.
Terwijl de mobiel enkele malen overging, hoorde ze achter zich een gerucht.

Berlijn

THOMAS SCHULZ BEKEEK ZWIJGEND het e-mailtje van CIS-1.
Niemand zou verwachten dat Schulz, met zijn kleine gestalte, nauwelijks een meter vijfenzestig groot, leiding gaf aan een Anti Terreur Eenheid onder supervisie van de Duitse federale recherche, standplaats Berlijn.
Hij maakte deel uit van het geheime internationale netwerk, dat gedirigeerd werd door Weinberger. Diverse malen had hij op aangeven van Avi aanslagen in Duitsland kunnen voorkomen.
Ook nu nam hij de mail van Avi Weinberger serieus. Berlijn was het doelwit van de taliban en binnenkort zou er een aanslag plaatsvinden.
Hij was een echte Berlijner en zijn gedachten dwaalden af naar zijn geliefde stad,

de hoofdstad en tevens de grootste stad van Duitsland met circa 3,4 miljoen inwoners.
Een heerlijke stad om in te wonen.
Overdenkend welk doelwit de terroristen zouden kiezen, liet hij een rij van historische gebouwen en andere bezienswaardigheden de revue passeren.
Zijn ogen vernauwden zich tot spleetjes, toen hij de telefoon naar zich toe trok, die geplaatst was op een draaiarm.
Bijna direct werd er aan de andere kant van de lijn opgenomen.
'Met Dennis,' klonk het beschaafd.
'Dennis, met Schulz, kun je even komen?'
Dennis Neumann was zijn naaste medewerker en een zeer kundig en gedreven rechercheur.
In tegenstelling tot Schulz was Neumann een forse kerel, met lang ravenzwart haar, dat met een haarlint was samengebonden en tot halverwege zijn rug hing.
Na een korte klop op de deur en zonder verder te wachten op een reactie van binnenuit, betrad Dennis Neumann het kantoortje van Schulz.
Soms ergerde het Schulz, dat Neumann zo eigengereid en brutaal zijn kantoor binnenstapte. Zijn Duitse *Grundlichkeit* had hier moeite mee, maar vandaag kwelden hem andere zorgen en viel het hem niet eens op, dat Dennis plompverloren binnenviel.
Direct tot de zaak komend verwelkomde hij Neumann met: 'Ha, Den, ga zitten en lees deze e-mail.'
Terwijl Dennis Neumann de e-mail doornam, sloeg de pendule, het enige pronkstuk in het sober ingerichte kantoor, elf uur.
Met een nonchalant gebaar wierp hij het velletje papier terug op het bureau van Schulz, en zijn rechterschouder ophalend vroeg hij: 'Heb je me daarvoor geroepen, Thomas? Als we al die berichten die Al-Qaida de ether instuurt serieus moeten nemen, zouden we met de inzet van de gehele Berlijnse politiemacht nog honderden mensen tekortkomen.
Ik had me net verdiept in een bericht van een tipgever uit Neukölln en stond op het punt de tip na te trekken. Droom maar rustig verder, Thomas, ik vermaak me wel in Neukölln.'
Een tikkeltje geërgerd repliceerde Schulz: 'Dat is nu juist wat ik je wil opdragen, duik een paar dagen onder in Neukölln en probeer erachter te komen waar onze vriend Said Boultami mee bezig is.'
Said Boultami stond bij de Anti Terreur Eenheid Berlijn bekend als leider van een agressieve islamitische groep, die zich de 'Unie van de Islamitische Jihad' noemde. Schulz en Neumann wisten dat de groep zich schuilhield in Neukölln en vandaaruit opereerde.
'Luister, Dennis Neumann,' vervolgde Schulz, 'die Avi is mijn tipgever en nog een heel goeie ook, hij heeft ons in het verleden gewaarschuwd voor geplande aanslagen die we met zijn hulp wisten te voorkomen. Dit Al-Qaida bericht is van 5 mei en zij hebben het erover dat de aanslag op zaterdag de negentiende mei zal plaatsvinden, dus jij gaat die Boultami schaduwen en ik ga uitzoeken wat voor

belangrijke evenementen er zich op de negentiende voordoen.'
Met een grijnslachje reageerde Dennis: 'Hé, Thomas, je weet me goed te motiveren. Jouw Abraham, dat is toch de volledige naam voor Avi, en mijn, zullen we hem Ibrahim noemen, komen wel heel toevallig tegelijk met een waarschuwing dat er iets broeit. Maar oké, ik kruip weer in de huid van Salim Khan, de illegaal verblijvende Pakistani, ondergedoken in de Berlijnse stadswijk Neukölln en de zogenaamde neef van moeders kant, Ali Ghazi. Maar ik heb algauw zo'n duizend euro nodig, onder andere geld voor mijn tipgever en mijn levensonderhoud.'
Dennis Neumann sprak verschillende talen vloeiend, waaronder Pakistaans en door zijn donkere uiterlijk kon hij zich heel gemakkelijk uitgeven voor een Pakistani.
Door de stagnerende economie was er veel werkloosheid onder de voornamelijk allochtone inwoners van Neukölln. Huizen die te lijden hadden onder achterstallig onderhoud, kwamen leeg te staan en dat had de Berlijnse stadswijk geen goed gedaan, waardoor het nu een beruchte multiculturele Berlijnse achterstandswijk was geworden.
Perfect voor terroristen om in zulke wijken onder te duiken.
Terwijl Neumann het kantoortje verliet, wreef Schulz zich met zijn rechterhand over het voorhoofd, daarbij proberend een opkomende lichte hoofdpijn weg te masseren.
Vanmiddag had hij een afspraak met zijn huisarts, nadat hij gisterochtend bloed had laten prikken. De laatste tijd had hij last van opstijgingen, gepaard gaande met lichte hoofdpijnen.

De deur van de wachtkamer werd geopend en een slanke jonge man, met een sympathieke glimlach zei vragend: 'Herr Schulz?'
Elkaar de hand drukkend vervolgde de jonge arts: 'Wilt u mij volgen, ik moet zelf ook nog wennen aan onze nieuwe praktijk.'
Een lange gang inwandelend stopte de arts bij de openstaande derde deur rechts en met een uitnodigend gebaar liet hij Schulz voorgaan.
'Neemt u plaats, Herr Schulz,' zei de huisarts, die zelf plaatsnam achter zijn bureau. 'Hoe voelt u zich, nog steeds dezelfde klachten?'
Toen Schulz knikte, vervolgde de huisarts: 'Ik heb hier de uitslag van het bloedonderzoek en het ziet ernaar uit, dat u lijdt aan het *Metabool Syndroom*. Het bloedonderzoek geeft aan: zowel een lichte verhoging van de bloedsuikerspiegel als een lichte verhoging van de cholesterol.
Daarbij komt nog dat u boven de veertig bent en uw werk als rechercheur geeft u veel stress en te weinig beweging, waardoor er zo te zien een beginnend buikje bij u is ontstaan. We zullen nog even uw bloeddruk meten. Het zou mij niets verbazen als ook de bloeddruk iets aan de hoge kant is. Wilt u uw jasje uitdoen en de rechtermouw van uw overhemd opstropen?'
Nadat de bloeddrukmeter was aangebracht en er lucht ingepompt was, liet de arts

de lucht langzaam ontsnappen. Na een halve minuut knikte hij voor zich uit en zei: 'De onderdruk is 85 en de bovendruk 135, een te hoge bloeddruk dus. De hoge bloeddruk is een gevolg van overgewicht, weinig bewegen, roken, stress en ongezond eten.
Wat ik eraan kan doen, is op de eerste plaats u een medicijn voorschrijven dat in ieder geval de hogere bloeddruk te lijf gaat. Daarnaast raad ik u aan gezonder te gaan eten en ten slotte raad ik u aan wat meer te bewegen.
Ik zal u doorverwijzen naar een van onze praktijkondersteuners, die u verder kan begeleiden in het streven naar een gezondere levensstijl.'
'Dank u, dokter, en tot ziens.'
'Geheel tot uw dienst, Herr Schulz, en sterkte, het komt wel goed.'

Terug in zijn kantoor nam Schulz zuchtend plaats achter zijn bureau.
Hij had het medicijn bij de apotheker opgehaald en met een glas water een paracetamol ingenomen tegen de lichte hoofdpijn. Hij probeerde zich weer te concentreren op zijn werk.

Scheveningen

Commissaris Roland de Koning, politiechef van bureau Duinstraat, regio Haaglanden, legde met een fijn lachje om zijn dunne lippen de hoorn op de haak van zijn telefoontoestel.
Hij was zojuist door hoofdcommissaris Bierman persoonlijk gebeld en uitgenodigd voor een strikt vertrouwelijke meeting op het hoofdbureau, waarbij ook nog enkele andere politiefunctionarissen uit verschillende regio's en diensten aanwezig zouden zijn.
Bierman had nogal geheimzinnig gedaan en hem niet verteld waarover de meeting zou gaan.
Dat maakte een mens nieuwsgierig.
Wanneer hij alleen was uitgenodigd, zou het hoogstwaarschijnlijk over promotie gaan. Enkele politiechefs in den lande stonden op het punt met pensioen te gaan en het werd stilaan tijd dat hij werd voorgedragen voor promotie. Onwillekeurig dacht hij terug aan de tijd voordat het politieapparaat werd hervormd.
Het politieapparaat werd in 1993 opgedeeld in 25 regiokorpsen en een Korps Landelijke Politie Diensten.
Hij was toen nog inspecteur en Bierman commissaris in de gemeente Eindhoven.
Na 1993 was het snel gegaan. Cornelis Bierman werd benoemd tot korpschef regio Haaglanden en hij had hem in zijn kielzog meegenomen.
Een klop op de deur bracht hem terug in het heden en op zijn polshorloge kijkend zag hij dat het al halfvijf was.
'Binnen,' riep hij.

Een stevig gebouwde man van ruim een meter tachtig en in burgerkleding betrad het kantoor van De Koning.
'Goedemiddag, commissaris,' begroette hij De Koning.
'Benny,' riep De Koning verrast uit. 'Dat is een tijd geleden.'
De Koning kwam met uitgestoken hand vanachter zijn bureau vandaan en drukte rechercheur Benjamin Goedkoop hartelijk de hand.
'En laat dat gecommissaris maar weg.'
Goedkeurend rondkijkend reageerde Goedkoop: 'Nog steeds dezelfde Roland de Koning, ook op kantoor moet hij zich thuis voelen in een sfeervol, rustgevend interieur.'
Grinnikend antwoordde De Koning: 'Hoe staat het leven tegenwoordig, jongen? Nog steeds single?' En wijzend naar een zitje met een paar gemakkelijke fauteuils voegde hij eraan toe: 'Ga zitten, kerel.'
Voordat Goedkoop plaatsnam, keek hij bewonderend naar het kromzwaard dat boven het zitje aan de muur hing.
Handvat en pareerstang waren ingelegd met prachtige stenen, de kling was voorzien van een inscriptie in het Arabisch. De schede die eronder hing, was versierd met ingezette turkooizen.
De Koning was naast Goedkoop gaan staan en verklaarde: 'Dat is een vroege negentiende-eeuwse sabel uit Turkije, met gegraveerde gebeden en teksten uit de Koran.'
Goedkoop knikte glimlachend en nam plaats in de fauteuil rechts van het salontafeltje.
Hij was nu in de rug gedekt door de muur en had tegelijkertijd goed zicht op de kantoorruimte en de toegangsdeur.
Aan de muur tegenover hem hing een houten kastje met twee glazen deurtjes met daarachter enkele antieke vuurwapens, pistolen en revolvers.
De Koning was een verwoed verzamelaar van alles wat met vuurwapens te maken had.
'Wat wil je drinken, Benny?' vervolgde De Koning. 'De dienst zit er bijna op, dus zeg het maar. Oude recept? Een Famous Grouse met twee blokjes ijs?'
De grijns op het gezicht van Goedkoop verbreedde zich, terwijl hij knikte.
'Ja, doe dat maar, Roel.' De Koning opende glimlachend het deurtje van een kersenhouten kastje, dat links van het zitje tegen de muur stond. Het kastje bleek een complete goed gevulde minibar te bevatten.
Hij deed twee blokjes ijs in een glas en schonk zo veel whisky in, dat de ijsblokjes net onder gedompeld werden.
Zelf nam hij een Carlos Primero, een heerlijk zachte, Spaanse cognac.
Hij reikte het glas met whisky aan Goedkoop en nam plaats in de linker fauteuil.
Zijn glas heffend sprak hij: 'Op je gezondheid, blij je weer eens te zien.'
Beiden nipten van hun glas en lieten de drank voorzichtig door hun mond spoelen, genietend van het verwarmende gevoel.
Goedkoop knikte De Koning goedkeurend toe.

Beiden hadden onder commissaris Bierman gediend. In die tijd was De Koning hoofdinspecteur en Goedkoop brigadier, zij vormden een perfect team, dat de ene ingewikkelde zaak na de andere oploste.
Toen De Koning werd bevorderd tot commissaris, solliciteerde Goedkoop bij de Dienst Internationale Contacten (DIC). Hij werd op voorspraak van Bierman aangenomen en geïnstalleerd als rechercheur met speciale bevoegdheden. In deze functie had hij zijn contactenkring, zowel nationaal als internationaal, vergroot.
Nadat ze even bijgepraat hadden, vroeg De Koning: 'Maar wat drijft jou op deze late maar schone namiddag naar mijn kantoor?'
Het gezicht van Goedkoop verstrakte, een ernstige blik verscheen in zijn blauwgrijze ogen. 'Roel, het begon met een berichtje van een van mijn informanten, ingesproken op mijn antwoordapparaat. Een zekere Mohammed Boukhari is met vijf onbekende mannen na twee jaar weer opgedoken in de Schilderswijk. Ik weet wie Boukhari is en zal dan ook navraag doen bij mijn contacten in Israël. Shin Beth, de Israëlische Binnenlandse Inlichtingendienst, moet weten waar Boukhari uithangt.'
'Hoezo Shin Beth?' onderbrak De Koning het relaas van Goedkoop.
'Mohammed Boukhari,' vervolgde Goedkoop, 'is een Marokkaanse migrantenzoon die in Nederland is geboren. In zijn jongensjaren bezocht hij moskeeën, waar het salafisme gepredikt werd; salafisme is een radicale islamitische stroming die een zuivere interpretatie van de Koran voorstaat, wat een antiwesterse boodschap inhoudt. Dat heeft in zijn opvoeding een belangrijke rol gespeeld.'
'Antiwesterse boodschap?' viel De Koning Goedkoop in de rede. 'De Koran voor moslims is toch net zoiets als de Bijbel voor christenen?'
'Was dat maar waar, Roel. De God van de Bijbel heeft Zijn Zoon Jezus Christus gegeven om mensen te redden, niet om te vernietigen. De Allah van de Koran zegt via de profeet Mohammed onder andere: *Wie in de islam gelooft, is gered van mijn zwaard.* Met andere woorden: wanneer je niet in de Allah van de Koran gelooft, moet je vernietigd worden. De weg van de islam is er een van agressie, geweld en bloedvergieten.'
'Maar,' viel De Koning hem weer in de rede, 'de prediking binnen de moskeeën wordt toch door agenten van de AIVD in de gaten gehouden?'
'Ja, in de moskeeën zijn ze zich daar ook wel van bewust. Men blijft vaak met de prediking binnen de grenzen van de wet, maar in besloten kring verwerpen ze de grondslagen van onze democratie en dat leidt tot afzondering. Maar nogmaals, Roel, hier in het Westen zien we dat nog niet zo scherp en denken velen dat het wel zal loslopen, mede omdat van de bijna één miljoen moslims in Nederland de overgrote meerderheid geweld afkeurt. Maar in landen waar de islam aan de macht is, zijn ongelovigen en zeker christenen hun leven niet zeker.'
Na een adempauze vervolgde Goedkoop: 'Veel jonge moslims die in Nederland zijn geboren en opgegroeid, radicaliseren, vooral ook door contacten via internet. Boukhari werd gerekruteerd, naar ik vernam van Shin Beth, en overgebracht naar een van de opleidingskampen in Syrië. Na zijn opleiding heeft hij met de Hezbollah in de laatste oorlog tegen Israël gevochten. Door zijn opvallend moedige

gedrag, zijn opgedane ervaring en kennis, werd hem door Hamas gevraagd jonge Palestijnen op te leiden in de Gazastrook. Vandaar dan ook Shin Beth; zij weten wie hij is en zien hem als een vijand van Israël. Hoogstwaarschijnlijk weten zij waar hij zich nu ophoudt. Mohammed Boukhari wordt door zijn Hezbollah- en Hamasvrienden Abdullah genoemd.
Vorige week vrijdagavond werd ik opnieuw gebeld door mijn informant. Hij gaf aan me met spoed te willen ontmoeten op plaats twee. Dat betekende voor mij twee dingen. Ten eerste werd hij in de gaten gehouden en ten tweede kon hij niet vrijuit met me praten. We gebruiken voor dit soort gevallen een zelf ontworpen codesysteem en plaats twee is een grand café, waar het vrijdagsavonds vanwege koopavond altijd bijzonder druk is.
Toen ik binnenkwam stond mijn informant aan de bar iets te drinken. Ik nam plaats, twee barkrukken verderop, en bestelde een pilsje. Leunend met mijn rug tegen de bar, overzag ik het eetlokaal en bekeek zogenaamd met veel interesse de zich amuserende, druk pratende, drinkende en etende mensen. Niets verdachts ziende, draaide ik mij om naar de bar. Vanuit m'n ooghoeken zag ik dat mijn informant iets op de achterkant van een bierviltje schreef of tekende. Dat hij me niet rechtstreeks aansprak, kon maar één ding betekenen: zijn schaduw zat ergens in het lokaal. Na een minuut of tien hoorde ik drie zachte tikjes op de bar. Het teken dat hij op het punt stond om te vertrekken.
Ik draaide mij half om en nam een slokje van mijn pils.
Opnieuw vanuit mijn ooghoeken zag ik dat hij z'n glas leegdronk en bij het neerzetten van zijn glas wees hij met z'n pink een bierviltje aan. Hij riep de barkeeper en vroeg om de rekening. Tijdens het afrekenen kwam ik wat dichterbij en maakte ik een opmerking tegen de barkeeper over de drukte in zijn zaak. Tegelijkertijd pakte ik het aangewezen bierviltje en zette daar mijn glas op.
De barkeeper mompelde wat over goede verdiensten en gaf mijn informant zijn wisselgeld terug, daarna begaf hij zich verderop aan de bar waar een schreeuwende kerel bediend wenste te worden.
Voor mijn informant vertrok, bukte hij zich om zijn losgeraakte schoenveter opnieuw te knopen en fluisterde nauwelijks verstaanbaar: "Morgenavond, zelfde tijd, plaats vier." Hierna liep hij rustig het eetcafé uit.'
Terwijl ik mijn pilsje opdronk, overzag ik nogmaals het eetlokaal, maar kon opnieuw niets verdachts ontdekken. Daarna vroeg ik om de rekening, betaalde en liet ongemerkt het bierviltje tegelijk met mijn portemonnee in mijn broekzak verdwijnen. Ik zwaaide naar de barkeeper en vertrok.'

Nadir zat achter in het eetcafé het ritueel tussen Goedkoop en Mustafa aandachtig te volgen. Van Abdullah had hij een vervolgopdracht gekregen om Mustafa te blijven schaduwen. Abdullah had hem uitdrukkelijk bevolen niet te dicht bij Mustafa in de buurt te komen omdat die ervaren genoeg was om een achtervolger op te merken en af te schudden. Nadir had angstvallig verzwegen dat hij al

een keer was betrapt en afgeschud door Mustafa. Daar had hij van geleerd. Hij moest zorgen Mustafa onopvallend en op ruime afstand te observeren.
Nadir had onopvallende kleren aangetrokken en de afstand tussen hem en Mustafa aanzienlijk vergroot. De kans op ontdekking was nihil. Na het succes van Ali B liepen er in de binnenstad genoeg allochtonen met petjes op.
Toen Mustafa opstapte en Goedkoop het eetlokaal nogmaals overzag, boog de jonge Marokkaan het hoofd en verschool zijn gezicht achter de klep van zijn baseballpetje. Onder zijn klep door glurend zag hij dat Goedkoop zich weer naar de bar keerde.
Nu moet ik ervandoor, dacht hij. Tijdens zijn aftocht passeerde hij Goedkoop op nog geen halve meter. De rechercheur goed opnemend zag hij hem een bierviltje in zijn broekzak steken.
Buitengekomen nam hij zijn mobiel en terwijl hij Mustafa op ruime afstand volgde, draaide hij het nummer van Abdullah.

Kopenhagen

Sjeik Faisel had door een van zijn bedienden een privérondleiding laten regelen voor zichzelf en zijn gevolg door Slot Christiansborg en de daaronder gelegen historische ruïnes.
Klokslag elf uur arriveerde het gezelschap voor het paleis. Zij werden ontvangen door twee glimlachende en buigende gidsen, die hen hartelijk welkom heetten.
'Koninklijke Hoogheid,' begon de kleinste van de twee gidsen, 'het is voor ons een grote eer u te mogen ontvangen op Slot Christiansborg en een waar genoegen u en uw gevolg te mogen rondleiden op een van de oudste en historische plekken van de stad Kopenhagen. Wilt u dat we direct aan de rondleiding beginnen of stelt u het op prijs eerst wat te drinken, terwijl mijn collega in vogelvlucht de geschiedenis van de stad Kopenhagen uit de doeken doet?'
De sjeik prefereerde eerst wat te drinken en de gids ging zijn gezelschap voor naar een van de koninklijk ingerichte vertrekken voor officiële ontvangsten.
Nadat iedereen had plaatsgenomen en voorzien was van een drankje, schraapte de tweede gids zijn keel om de aandacht op zich te vestigen en begon zijn betoog.

'Kopenhagen was van oorsprong een eenvoudig vissersplaatsje, Havn geheten. Officieel heet het, dat koning Sven de Eerste…'
Terwijl de gids zijn verhaal deed en de sjeik uiterlijk zeer geïnteresseerd leek, was hij in gedachten met heel andere dingen bezig.
Hij had Raffi de Bask attent gemaakt op twee objecten, die volgens hem in aanmerking kwamen voor het plegen van een wereldschokkende aanslag.
Het eerste object was de op 19 mei geplande 'Wonderful Copenhagen Marathon', waar lopers uit de hele wereld op afkwamen.

Door al zijn bezoeken aan historische gebouwen en paleizen, kerken, musea, parken en pleinen, was de tweede keuze gevallen op Slot Christiansborg.
De gids trok weer zijn aandacht, doordat de man een korte pauze inlaste om zijn droge keel te verwennen met een half glas water.
Even later vervolgde de gids zijn verhaal. 'Het eerste paleis Christiansborg werd in 1745 gebouwd op de ruïnes van Absaloms Burcht bij de Haven en op de ruïnes van het later gebouwde kasteel Kopenhagen. Tijdens een hevige brand in het jaar 1794 werd het eerste paleis Christiansborg verwoest.
Het tweede Christiansborg werd in het jaar 1828 opgeleverd, maar ging in het jaar 1884 eveneens in vlammen op.
In het begin van de twintigste eeuw werden de ruïnes van de Burcht van bisschop Absalom en kasteel Kopenhagen blootgelegd en geheel gerestaureerd. Op deze gerestaureerde ruïnes is het derde paleis Christiansborg gebouwd. Dit werd in het jaar 1928 opgeleverd.
Het huidige gebouw biedt plaats aan het Deense parlement, het ministerie van Financiën en een aantal vertrekken zijn koninklijk ingericht voor officiële ontvangsten, zoals u kunt zien in deze ruimte. Mocht u nog iets te vragen hebben, dan kunt u die tijdens de rondleiding stellen.'

Sjeik Faisel applaudisseerde en zijn volgelingen klapten opgelucht uit beleefdheid mee, want de geschiedenis van Kopenhagen liet hen totaal onverschillig.
De kleine gids nam het van zijn collega over en verzocht het gezelschap hem te volgen voor een rondleiding in de gerestaureerde ruïnes onder het gebouw.
Raffi de Bask had zich ongemerkt bij het gezelschap van de sjeik aangesloten. Hij had zich door een van de jonge chauffeurs vanuit het onderduikadres van de radicale islamitische groep naar hier laten brengen en hem gezegd op hem te wachten.
Het slot was op palen gebouwd, zodat de ruïnes geheel vrij onder het gebouw lagen. Raffi, een explosievenexpert, zag al snel enkele geschikte locaties om de explosieven te plaatsen. Nadat de gidsen een zeer ruime fooi hadden ontvangen, verliet het gezelschap Slot Christiansborg om zich naar een volgend historisch paleis te laten rijden, het sprookjesachtige Slot Rosenborg.
Raffi had zich een toeristische folder toegeëigend, met daarin een plattegrond en een looproute door de ruïnekelders. Hij verliet het gezelschap en spoedde zich naar een wachtende auto om terug te keren naar zijn onderduikadres.
Raffi en zijn team waren ondergebracht in een oud herenhuis aan de Jagtvej, een brede verkeersweg die Osterbro verbond met Norrebro. Norrebro was sinds een paar jaar een multiculturele stadswijk, met koffiehuizen, muziekkroegen en goedkope winkeltjes, waar veel studenten woonden en waar zij als allochtonen niet opvielen omdat een groot percentage van de bewoners allochtoon was.
Na zijn terugkomst bestudeerde Raffi samen met zijn vijf teamleden en de in Kopenhagen wonende Farid de plattegrond van de ruïnekelders van Slot Christiansborg. Hij maakte berekeningen en aantekeningen op de plattegrond waar de explosieven het beste geplaatst konden worden.

Na een klein uurtje richtte Raffi zich uit zijn gebogen houding op en knikte goedkeurend naar zijn teamgenoten. 'Ik zal morgenochtend mijn berekeningen nog controleren, maar nu heb ik dorst en wil ik me even ontspannen. Is het blondje al uit haar verdoving ontwaakt?'
'Ik controleer dat wel even,' reageerde Farid terwijl hij opstond, een bivakmuts over zijn hoofd trok en de kamer uit beende.

Scheveningen

'Zaterdagavond was ik precies op tijd op ontmoetingsplaats vier, het Circustheater in Scheveningen. Ook hier was het ontzettend druk. Alleen, mijn informant kwam niet opdagen. Toen ik vanmorgen de krant opensloeg...'
'Ho, niet te snel, Benny, mag ik even?' onderbrak De Koning het verslag van Goedkoop. 'Voor je verdergaat, wil ik weten wat er op dat bierviltje geschreven stond.'
Zwijgend haalde Goedkoop het bierviltje uit zijn binnenzak en legde het voor De Koning op het salontafeltje.
De Koning boog zich iets voorover en trachtte de geschreven tekst te ontcijferen.
5. V.12-19 Abdullah Kurhaus.
'Benny, sorry, hoor, vertel me maar wat dit betekent?'
Goedkoop knikte.
'5.V.12-19 heeft een vierdubbele betekenis. Je weet wat men bedoelt met de uitdrukking het is vijf voor twaalf: het kan betekenen dat het de hoogste tijd is, maar hier wordt bedoeld dat het bijna zover is, dat wil zeggen: er is een terroristische aanslag in voorbereiding. De vijf geeft aan dat de groep uit vijf leden bestaat. De V betekent voorman of leider. De toevoeging van de naam maakt dus duidelijk dat Abdullah de leider is. Negentien moet een datum voorstellen en omdat het vijf voor twaalf is, staat negentien voor de negentiende van deze maand.
Het is vandaag de zevende, wat betekent dat we nog twaalf dagen hebben om een aanslag te verijdelen. Als Abdullah werkelijk de leiding heeft, zal dat een bijna onmogelijke zaak zijn.'
De Koning slaakte een diepe zucht, nipte van zijn cognac en vroeg toen: 'En Kurhaus, Benny, waar staat dat voor?'
'Kurhaus?' reageerde Goedkoop. 'Zal het doelwit van de aanslag zijn. Er moet daar op de negentiende iets bijzonders aan de hand zijn, een internationaal concert of iets dergelijks, waar veel mensen op afkomen.'
'Dat is simpel uit te zoeken.'
Een korte pauze inlassend, waarbij hij zijn glas ledigde, vervolgde De Koning: 'Waarom kom je bij mij en niet bij je eigen dienst of bij de AIVD? Zij hebben een coördinator Terrorismebestrijding en de mogelijkheden en middelen om je te ondersteunen.'
Goedkoop staarde met half toegeknepen oogleden De Koning enkele ogenblikken aan, sloeg de rest van zijn whisky achterover en reikte zijn glas aan De Koning

met de opmerking dat hij op één been niet kon lopen.
De Koning vervoegde zich bij de bar en herhaalde het inschenkritueel; twee blokjes ijs, whisky, en een cognacje voor hemzelf.
Goedkoop keek toe en wachtte met zijn antwoord tot De Koning weer plaats had genomen. Hij draaide voorzichtig de whisky rond de ijsblokjes, hief zijn glas, mompelde 'proost' en nam een flinke slok van de heldere goudgele drank.
'Roel,' begon hij, 'de hele zaak stinkt als vis die drie weken in de zon heeft gelegen, ik vertrouw niemand meer.'
'Nou, nou, Benny, zo dramatisch kan het toch niet zijn?'
'Roel, luister naar mijn verhaal, daarna hoor ik graag je mening. Vanmorgen sloeg ik de krant open en las een klein berichtje, zoals er helaas bijna elke dag wel een te lezen valt.'

's-Gravenhage (ANP) ***Hagenaar dood gevonden in portiekwoning***

> *In het portiekje van zijn woning aan de Parallelweg in Den Haag is vrijdagnacht het lichaam gevonden van een 34-jarige man.*
> *De politie meldde zaterdag dat de man door geweld om het leven is gekomen.*
> *De politie had vlak voor de ontdekking van het lichaam een melding ontvangen over een ruzie. Getuigen zagen twee mannen weglopen.*
> *De politie is naar hen op zoek vanwege mogelijke betrokkenheid bij de dood van de man.*

'Ik geloof niet in toeval, Roel, ik heb het bericht nagetrokken en het bleek inderdaad om mijn informant te gaan. Vandaar ook dat hij zaterdagavond niet op de afgesproken plaats aanwezig kon zijn, men had hem geliquideerd. Dat stelde mij voor een paar heel vervelende vragen.
Waarom werd hij geliquideerd? Werd hij vermoord omdat hij belangrijke informatie aan mij doorspeelde?
Zo ja, dan weet men ook dat ik een politieman ben. En dat ik met deze informatie hun plannen kan dwarsbomen. Zodat ook mijn leven gevaar loopt.
Ik ben naar je toegekomen, omdat ik jou voor het volle pond kan vertrouwen. Ik weet niet in hoeverre er in mijn eigen dienst is geïnfiltreerd, maar bij de AIVD is er nog maar kort geleden een tolk tot vier jaar cel veroordeeld voor het lekken van staatsgeheime informatie naar een terreurorganisatie.
Vraag me niet hoe ik aan die informatie kom, maar Al-Qaida zit hierachter en het grote brein binnen deze beweging, de Egyptische dokter Al-Zawahiri, schijnt een meesterplan gelanceerd te hebben dat de taliban in Afghanistan weer aan het bewind moet helpen.
Het gaat dus niet om zomaar een Nederlands groepje radicale jongelui, die gevaarlijke spelletjes spelen.
Van wat ik nu uit de doeken ga doen, zullen je oren zo gaan gloeien, dat je twee

zakjes ijsblokjes nodig zult hebben om ze weer af te laten koelen.
Zoals je weet, valt de verantwoordelijkheid van het Nederlandse politieapparaat onder twee ministeries, Binnenlandse Zaken (BZ) en Justitie. Beide ministers kunnen, ondanks hun verschillende achtergronden en partijbelangen, heel goed met elkaar overweg. Beiden vinden dat het politieapparaat perfect georganiseerd is en dat zij de hun opgedragen taken naar behoren uitvoeren.Verkeersovertredingen, diefstallen, zware criminaliteit, en niet te vergeten hulpverlening... allemaal taken die de politie zeer goed beheerst. Dat weet jij als commissaris het beste, toch?
En ter ondersteuning van het gehele politieapparaat zijn er op allerlei gebied gespecialiseerde diensten in het leven geroepen. Na de spraakmakende parlementaire enquête, midden jaren negentig, werden de opsporingsmethoden van de politierechercheurs door de politiek zo omstreden genoemd, dat zij werden verboden. Met als gevolg dat de bevoegdheden van de politie bij wet geregeld moesten worden. Zo is er een opiumwet, een wet op wapens en munitie, de wegenverkeerswet en nog meer soortgelijke wetten.
Het is allemaal goedbedoeld en democratisch opgezet, maar het gevolg is dat de politie in al haar bevoegdheden gebonden is aan zeer strenge regels.
Kort geleden las ik nog een artikel in vakblad *Blauw*, waarin een topman van de Nationale Recherche pleit voor terugkeer van vergaande opsporingsmethoden, noodzakelijk in de strijd tegen de georganiseerde misdaad. De politie raakt op achterstand doordat criminelen de werkwijze van de recherche analyseren. Roel, als we in het binnenland al door de criminelen op achterstand worden gezet, hoe moet het dan gaan wanneer we te maken krijgen met internationaal terrorisme, dat is een crime die alle perken te buiten gaat. De meeste terroristen zijn goed opgeleide en afgetrainde knapen, maar wel ongeciviliseerde godsdienstfanaten. Ze gebruiken onorthodoxe methodes en behoeven zich niet te storen aan landelijke wetten. Ze dreigen, ze moorden, ze plegen aanslagen. Fanatieke jonge moslims worden opgeleid om zelfmoordaanslagen te plegen, waarbij hun de belofte wordt ingeprent, dat ze na zich opgeblazen te hebben als helden door de profeet worden ingehaald en als beloning zich mogen laten verwennen door 72 maagden. Wanneer de rekruten niet fanatiek genoeg zijn, worden ze gedrogeerd en gehersenspoeld, om ze zo in een roes te brengen waarin ook zij bereid zijn zichzelf op te blazen. De meeste leiders zijn hoogopgeleide personen.
Daarnaast speelt geld geen rol. Nieuw opgezette bedrijven, oliebaronnen in het hele Midden-Oosten en corrupte bankiers over heel de wereld financieren Al-Qaida en zorgen voor de miljoenen dollars die nodig zijn om de opleidingskampen draaiende te houden, rekruten te werven, wapens en explosieven in te kopen, of wat zij ook maar wensen.
Er zijn landen, zoals Syrië, Iran, Pakistan, Libië, die hen niet als terroristen zien, maar als vrijheidsstrijders die bezig zijn met een heilige oorlog. Men is in die landen welkom, hoewel dat niet openlijk wordt erkend. Ze hebben daar de gelegenheid om steeds weer nieuwe rekruten op te leiden in daarvoor speciaal ingerichte kampen.

Amerika, EU-landen, Israël en wie weet welk land nog meer hebben speciale antiterreureenheden opgericht waar niemand het bestaan van weet.
Elke eenheid staat onder leiding van een persoon die rechtstreeks verantwoording schuldig is aan presidenten, premiers of de verantwoordelijke ministers.
Voordeel is dat deze antiterreureenheden buiten de wet staan en daardoor op gelijke voet met de terroristen staan, en zo de strijd tegen het terrorisme beter aan kunnen.
Peter de Goeyerd, minister van Justitie, is in overleg getreden met Aagje Wemeldam, minister van BZ. Mede in verband met recentelijk gepleegde moorden, waarvan men veronderstelt dat de daders behoren tot terroristische groeperingen, gezien de manier waarop de moorden zijn gepleegd. De Goeyerd heeft Wemeldam gevraagd contact op te nemen met de top van de Nederlandse politie, om met hen de mogelijkheden te bespreken voor de oprichting van zo'n speciale antiterreureenheid.'
'Waarom zouden ze dit niet samen doen?'
'Omdat de minister van Justitie als eerste verantwoordelijk is voor het handhaven van de Nederlandse wetgeving en beiden vinden dat slechts één minister zich hiermee moet gaan bezighouden. Aagje Wemeldam is een precieze en heel voorzichtige dame, wat blijkt uit haar handelwijze. Zij nodigt alleen korpschef Bierman uit, die zij goed kent uit het verleden, en niet meerdere topfunctionarissen. Haar motto is: hoe minder mensen hiervan weten, des te beter.'
Verbaasd onderbreekt De Koning het betoog van Goedkoop, gooit zijn armen in de lucht en roept uit: 'Kom op, zeg, ik weet dat je een heel goede en kundige rechercheur bent, Benny, maar hoe kan een eenvoudige rechercheur dit allemaal weten? Je vertelt mij al deze dingen alsof jij zelf daarbij aanwezig bent geweest. Dit is nota bene overleg op topniveau.'
Goedkoop knikte.
'Je hebt gelijk, maar mijn bronnen en informanten zijn top. Bovendien, er wordt op de ministeries behoorlijk gelekt. Ondanks dat Wemeldam zo voorzichtig is, blijkt dat in haar directe omgeving iemand heel onbetrouwbaar is. Maar, Roel, graag maak ik mijn verhaal af en verbaas je nergens over. Er is inmiddels een gesprek geweest tussen Wemeldam en Bierman en als ik goed geïnformeerd ben, heb jij morgenochtend om tien uur een afspraak met hem. Dat is de tweede reden om bij jou binnen te lopen.'
De Koning krabde achter zijn oor en merkte op: 'Dus jij denkt dat Bierman mij heeft uitgenodigd voor overleg met als enig agendapunt het oprichten van een speciale antiterreureenheid? Dat jij dit kunt weten is me een raadsel. Dat er gelekt wordt rond het persoontje Wemeldam, oké, maar ik kan me onmogelijk voorstellen dat Bierman na dit topoverleg met Wemeldam anderen hierover heeft geïnformeerd, daar ken ik hem te goed voor. Hij is volgens jou als enige uit de politietop benaderd en gezien de ontvangen uitnodigingen ziet het ernaar uit, dat hij dit karretje gaat trekken. Dus nogmaals, Benny, hoe kun jij dit weten?'
'Uit jouw reactie maak ik op,' repliceerde Goedkoop, 'dat ik het bij het rechte eind heb. Luister, Roel, de zaken liggen voor mij heel eenvoudig, ik ben uitgegaan

van twee tastbare feiten. Ten eerste, wat een van mijn informanten me in de oren fluisterde en ten tweede...'

Goedkoop laste een kleine pauze in en keek De Koning geamuseerd aan. 'Ook ik ben uitgenodigd door Bierman.'

De Koning slaakte een diepe zucht en greep met beide handen vertwijfeld naar zijn hoofd.

Half kreunend reageerde hij: 'Aha, sorry, jongen, dit moet ik even verwerken.'

De Koning leegde zijn glas in één teug en Goedkoop deed het hem grinnikend na. Hierna stelde hij de volgende vraag: 'Benny, dit verklaart nog niet hoe jij weet dat Bierman mij benaderd heeft.'

'O, jawel hoor, ik ben rechercheur, weet je nog? In onze opleiding leer je rechercheren en toevallig weet ik dat Bierman nogal gecharmeerd is van jouw talenten. Iemand moet dat team gaan leiden. Simpel toch!'

'Ach ja, wat simpel,' repliceerde De Koning met een spottende ondertoon.

Kopenhagen

Als een toerist slenterde Niels Jacobson, aan de overkant van het hotel, voorbij hotel New Orléans. Het verkeer raasde langs hem heen. Ongeduldige chauffeurs toeterden er maar op los. Het lijkt Palma de Mallorca wel, dacht hij. Vorig jaar had hij in het centrum, hoog op een terras aan een vreselijk druk kruispunt, een heerlijk Spaans pilsje gedronken. Na een uur en drie biertjes leek het of zijn hoofd op knallen stond. Vreselijk, dat verkeer daar. Luid geclaxonneer, gierende remmen door op het laatste moment te stoppen, gas geven in stilstand en zwaar optrekken met loeiende motoren. En in datzelfde uur drie aanrijdingen, waarbij Spaanse temperamentvolle chauffeurs elkaar de huid vol scholden. Hij was zijn camera vergeten, anders had hij absoluut gefilmd. Met zijn vrienden was hij het terras af gevlucht en snel het autovrije centrum ingedoken.

Op dit moment wachtte hij op Lilian, die hij als een van de kamermeisjes in het hotel had geïnstalleerd. Haar dienst liep van acht uur in de ochtend tot twee uur in de middag.

Lilian Carlson was agent in opleiding en liep stage bij hem. Ze was een zeer intelligent meisje, weggeplukt als studente van het lyceum voor Kunst en Wetenschappen.

Haar favoriete sport was vrij worstelen, met op de tweede plaats kickboksen. Hierdoor was ze een ver boven het gemiddelde scorende 'freefighter'. Haar trainer, een gepensioneerde oud-collega van Jacobson, had haar getipt. Een blik op zijn horloge vertelde hem dat ze nu elk moment naar buiten kon komen.

Lilian was een echte Deense schone: lang blond krullend haar, heldere blauwe ogen, een graag lachende mond met volle lippen, een meter zeventig lang, geen

grammetje vet te veel, lange slanke gespierde benen. Ze mocht er zijn, vond Niels Jacobson.
Vanochtend had hij een mail ontvangen van Avi Weinberger, die zijn argwaan ten aanzien van de sjeik bevestigde.
Hij had Lilian direct bij aankomst van het Koeweitse gezelschap binnengeloodst via de personeelsmanager van het hotel. De man had nogal wat bezwaren gehad en was moeilijk gaan doen. Hij begon met te zeggen dat hij dat niet kon maken tegenover het vaste personeel, vooral omdat de sjeik en zijn gevolg zeer ruime fooien uitdeelden.
'Voeg haar dan toe aan de vaste crew,' had Jacobson naar voren gebracht. 'Een meer of minder zal toch niet opvallen!'
'Ja, maar je kunt zo'n schatrijke oliebaron toch niet door de recherche laten schaduwen? En zeker niet in een vijfsterren hotel, de sjeik heeft recht op privacy.'
'Het spijt me, beste man,' had Jacobson opnieuw gereageerd. 'Toch zul je mijn collega moeten inpassen bij het personeel dat de sjeik met zijn gevolg moet bedienen.'
'Nee, nogmaals nee,' had de personeelsmanager geantwoord. 'Die verantwoordelijkheid neem ik niet voor mijn rekening, dat moet de hotelmanager maar beslissen.'
Jacobson was rustig gebleven, maar de scherpte in zijn stem was hoorbaar toen hij sprak. 'Het is bijna zeker dat enkele lieden in het gevolg van de sjeik nauwe contacten onderhouden met de terroristische organisatie Al-Qaida en hoe minder mensen hiervan op de hoogte zijn des te beter voor u en uw personeel. Wij doen dit niet omdat we dat zo leuk vinden. Dus voor de laatste maal, neem mijn collegaatje op in je personeelsbestand en deel haar in bij de mensen die de sjeik en zijn gevolg moeten bedienen.'
De manager had Jacobson ongelovig aangekeken en was bleek weggetrokken. Uiteindelijk had hij toegegeven. 'O, zit het zo,' had hij gestameld.
Gisteren, de aankomstdag, had Lilian niets te melden, er was haar niets bijzonders opgevallen, behalve dan dat een van de Koeweitse meiden veelvuldig op de kamer van de sjeik verbleef en er giechelende en kirrende geluidjes te horen waren.
Maar vanmorgen rond negen uur had ze hem gebeld en gevraagd haar op te komen halen.
Grijnzend dacht hij eraan terug. Ze had gedaan alsof hij haar liefje was.
'Schattebout,' had ze liefelijk gezegd, 'wil je mij om twee uur ophalen?'
Hij wierp nogmaals een blik op zijn horloge en constateerde dat het al twintig over twee was. Waar bleef ze?

Stadswijk Neukölln

Said Boultami verliet opgelucht de leegstaande gekraakte woning aan de Weisestrasse, zijn longen volzuigend met frisse buitenlucht. Vijf minuten was hij binnen geweest, voordat de penetrante geur hem weer naar buiten dwong. Hij

had de twee neonazi-aanhangers die tot zijn groep vrijheidsstrijders behoorden, bezocht en hun gezegd dat de groep vanavond om negen uur bij elkaar kwam en dat hun aanwezigheid zeer op prijs werd gesteld.
'Adolf,' had hij verder gezegd, 'jij moet om drie uur Amin aflossen op de Sonnenallee, oké?'
Hoofdschuddend en niet begrijpend dat die twee het daar uit konden houden, liep hij snel in de richting van Selchowerstrasse. Hij had dorst en om de hoek in Norbertz café schonk men lekker alcoholvrij pils. Terwijl hij de hoek omsloeg, denderde met veel kabaal een klein vliegtuigje laag over hem heen, bezig te landen op vliegveld Tempelhof. Omhoog kijkend las hij op de staart van het met licht- en donkerblauw gekleurde vliegtuigje 'LGW'.
'Salaam,' klonk het vlak voor hem.
'Salaam,' mompelde hij verschrikt terug tegen een in boerka geklede vrouw, waar hij bijna tegenaan gelopen was.
Hij betrad het café en bleef even staan om zijn ogen te laten wennen aan het schemerdonker binnen. Aan een hoektafeltje ontdekte hij Aziz, een van zijn mannen. Langs de bar lopend bestelde hij een alcoholvrij biertje.
'Allahu akbar,' zei hij, terwijl hij plaatsnam aan het tafeltje van Aziz.
Aziz, gekleed in een kaftan, was een klein kereltje met een forse neus, te groot voor zijn gezicht, dat verder geheel verborgen was onder een volle zwarte baard. Toen hij Said lispelend begroette, kwamen er twee dunne strepen tussen zijn baard tevoorschijn.
Zodra hij zweeg, werd zijn mond opnieuw verborgen achter een overhangende snor.
'Ben je bij Adolf en Anwar geweest?' vroeg hij met pretlichtjes in zijn ogen, want ook hij kwam daar liever niet binnen vanwege de onhoudbare stank.
'Mmm, vanavond om negen uur, geef dat door aan Hakim en zijn broer Amin.'
'Vertrouw jij die twee nazi's?' vroeg Aziz weer.
Said Boultami haalde zijn schouders op, keek de kleine Aziz aan en zei toen: 'Ik zal je een verhaal vertellen en dan moet je zelf maar bekijken of je de beide nazi's vertrouwt of niet.
Hier in Duitsland leven tientallen uit Egypte afkomstige leden van de zich noemende Moslimbroederschap, een organisatie die bekendstaat om haar radicale ideeën. Zij hebben veel sympathie voor het nationaalsocialisme. Leden van hun organisatie werkten tijdens de Tweede Wereldoorlog nauw samen met de nazi's in hun gemeenschappelijke haat tegen de Joden. Al voor de Tweede Wereldoorlog steunden islamitische leiders de grote Adolf Hitler in zijn haat en strijd tegen die vervloekte Joden. Een daarvan is wel de bekendste: de grootmoefti van Jeruzalem, Mohammed al-Husseini. Hij werd lid van de Waffen-SS en richtte in de Balkan een islamitische Waffen-SS op: de Handschar. SS'ers beweren dat hun optreden kinderspel was vergeleken met de onvoorstelbare wreedheid waarmee deze islamitische Handschar tekeerging. In 1941 riep de grootmoefti openlijk: "Mijn islamitische broeders, waar ook ter wereld, ik verklaar een heilige oorlog aan het zionisme! Dood de Joden! Dood ze allemaal!"
Hij en andere islamitische leiders waren verwoede aanhangers van het vergas-

sen van Joden door de nazi's. De grootmoefti was in die tijd de hoogste vertegenwoordiger van Palestina en een vurige SS-Gruppenführer. In de Tweede Wereldoorlog vond er op grote schaal collaboratie plaats van Arabieren, voor het merendeel Palestijnen, met de nazi's.
De binding die wij islamieten met de nazi's hebben, is onze haat tegen de Joden, daarom heb ik de beide neonazi's in onze groep opgenomen, begrijp je?'
Een grote, slonzig geklede kerel met een baseballpetje op en een lange zwarte paardenstaart, kwam het café binnen. Hij knipperde even met zijn ogen tegen het schemerduister en vervolgde toen zijn weg naar een hoekje van de bar om daar plaats te nemen.
Vanwaar hij zat, had hij overzicht over de hele gelagkamer.
Aziz knikte ongemerkt naar hem en tegen Said zei hij: 'Daar heb je die grote Pakistani weer.'
Said keek vluchtig naar de bar en zag, dat de grote kerel een gesprek begonnen was met de barman. Hij haalde zijn schouders op en zei: 'Ja, dat zal wel.'
In één teug leegde hij zijn flesje Warsteiner, veegde met de rug van zijn hand zijn lippen af en zei: 'Reken jij af?' Terwijl hij opstond vervolgde hij: 'Ik heb nog wat te doen.'
Aziz Ahmed staarde peinzend de geheel in spijkergoed geklede Said na.
Bij de deur draaide hij zich grijnzend om, stak zijn hand op als groet en verdween naar buiten.
De grote Pakistani volgde vanuit zijn ooghoeken de terroristenleider op zijn weg naar de uitgang.
Buitengekomen haalde Said Boultami uit de binnenzak van zijn spijkerjack een fezachtig hoofddeksel en zette dat op zijn hoofd. Hij stapte stevig door in de richting van de brede Hermannstrasse, en sloeg deze straat in. Een geheime afspraak met imam Youssef in de soennitische Abu Bakr moskee stond op het program. De imam was vanmorgen uit België aangekomen en had hem gebeld. De ontmoeting zou plaatsvinden in de kelder van de moskee.
Na een aantal straten gepasseerd te zijn, liep hij de Richardstrasse in. Aan het begin was de moskee nog niet te zien, maar toen de straat iets naar rechts afboog en hij de bocht door was, zag hij de prachtige Ottomaanse moskee in haar volle glorie voor zich opdoemen.
Twee minaretten van elk 24 meter hoog, met daartussenin een koepel van 16 meter hoog, beide gemeten vanaf de begane grond. Rond de hoge koepel maakten vier kleinere koepels de moskee compleet.
De minaretten waren wit gekleurd met kobaltblauwe pieken. De hoogste koepel kleurde ook kobaltblauw, terwijl de overige koepels in een mengsel van oranje, blauw en okergeel gekleurd waren.
Het gebouw had een enorme kelder met een oppervlakte van 360 vierkante meter. De begane grond was 340 vierkante meter en de eerste verdieping, die tevens als gebedsruimte was ingericht, was 320 vierkante meter. Een bijgebouw diende als cultureel centrum en links naast de moskee bevond zich een islamitische begraafplaats.

Said Boultami betrad de moskee, terwijl aan de overkant een onopvallende allochtoon langzaam voorbijschuifelde. Hij trok met zijn linkerbeen, zodat hij maar kleine pasjes kon maken.
Hij verdween uit het zicht van de moskee, nadat hij iemand voor een van de ramen op de eerste verdieping van het cultureel centrum gezien had. Iemand die de omgeving met wel heel veel belangstelling in de gaten hield.
Om zich heen kijkend veranderde hij zijn slepende tred langzaam in normaal lopen. Hij trok zijn jack uit, keerde het binnenstebuiten en trok het weer aan. De kleur was van lichtblauw veranderd in een opvallende felrode kleur. Een fondsbril op en de metamorfose was een feit. Hij bleef staan voor een weerspiegelende winkelruit en twee minuten lang observeerde hij de omgeving achter hem. Toen hij ervan overtuigd was dat niemand belangstelling voor hem toonde, keerde hij op zijn schreden terug.
De man voor het raam op de eerste verdieping was verdwenen.
Een paar honderd meter voorbij de moskee viste hij zijn mobiel uit zijn zak. Na tweemaal gerinkel werd er opgenomen.
'Ja?'
'Salim, met neef Ali, ons "wild" is de Abu Bakr moskee binnengegaan, grote kans dat hij daar met iemand heeft afgesproken. Toen ik de eerste keer voorbij hinkte, zag ik een baardige man vanachter een raam op de eerste verdieping de omgeving observeren.'
'Goed, blijf daar nog een poosje rondhangen, ik wil weten wie ons wild daar heeft ontmoet. Ik heb met mijn tipgever gesproken en die zegt dat de groep vanavond bij elkaar komt in het cultureel centrum van de Abu Bakr moskee.'
Zonder dat er verder nog iets gezegd werd, werd de verbinding verbroken.

Dennis Neumann, alias Salim Khan, besloot zijn vriendin met een bezoek te vereren. Zij werkte als kelnerin in Casablanca, een café-restaurant aan de Richardplatz. Hij parkeerde zijn twaalf jaar oude BMW op het laatste rechte stuk van de Richardstrasse en overbrugde lopend binnen een minuut de afstand van zijn auto naar café-restaurant Casablanca.
'Hallo Karl,' begroette hij de ober, die enkele tafels aan het afruimen was. 'Is Lisa in de buurt?'
'Sorry, Salim, maar ze is vanmorgen niet op het werk verschenen. Ze heeft ook niet afgebeld en dat is niets voor haar. Wij hebben haar vandaag al diverse malen gebeld, maar er wordt niet opgenomen. We maken ons dus een beetje bezorgd. Misschien kun jij bij haar thuis langsgaan en uitzoeken wat er aan de hand is?'
Dennis Neumann knikte. 'Ja, ik ga wel even bij haar kijken,' zei hij.
Karl slaakte een zucht van opluchting en vervolgde zijn afruimwerkzaamheden.
Een blik op zijn horloge werpend, zag hij dat het al kwart over drie was.
Dennis twijfelde of hij dat kleine eindje zou lopen, of dat hij de auto zou nemen. Na even nadenken besloot hij de auto te nemen. Dit bracht het grote voordeel

met zich mee dat hij ongezien tot vlak voor het appartement kon komen.
Hij had een vreemd voorgevoel. Het was inderdaad niets voor Lisa om helemaal niets van zich te laten horen.
Hij wandelde terug naar zijn BMW en startte de motor. Toen hij bij de Sonnenallee aangekomen was, bleef hij eerst, trouw aan zijn beroep, vijf minuten in de auto zitten en observeerde het appartement en de omgeving.
Het was een normaal straatbeeld, met voetgangers aan beide kanten van de straat en druk autoverkeer op de weg, want de Sonnenallee was een hoofdverkeersader in Neukölln, die dwars door deze stadwijk liep.
Zijn blik bleef hangen bij een figuur een paar honderd meter verderop, die zich plotseling had omgedraaid en terug slenterde.
Uit zijn zak toverde hij een compact verrekijkertje tevoorschijn. Zijn grote handen omsloten het verrekijkertje, waardoor het nauwelijks te zien was.
Hij zag een jonge kerel die geheel in zwart leer gekleed was, met oorbellen die erg opvielen door zijn kaalgeschoren hoofd, waarop een paarse hanenkam prijkte. Zijn gezicht werd verder opgesierd met een piercing door zijn neus en een stoppelbaard van enkele dagen oud.
'Een naziboefje,' mompelde Dennis voor zich uit. Geduldig bleef hij de knaap observeren. De jongen sloeg de hoek om, de Hertzbergstrasse in en verdween uit het zicht.
Even dacht Neumann dat hij een verkeerde in het oog hield en hij speurde opnieuw naar een ander verdacht figuur, maar de hanenkam slenterde alweer op de Sonnenallee. Het viel Neumann op dat, wanneer de nazi het appartement van Lisa passeerde, hij opzij keek. Dat gaf Dennis de zekerheid dat er een verband bestond tussen het nazijochie en Lisa.
Ongerust vroeg Dennis zich af, waarom de neonazi's belangstelling hadden voor Lisa.
Wat nog meer opviel was dat, als de knaap het appartement gepasseerd was, hij enkele honderden meters doorliep zonder ook maar één keer om te kijken. En dat moest Dennis de kans geven om ongezien in het appartement te komen.
Geduldig wachtte hij tot de knaap weer de Sonnenallee op slenterde en nadat hij Lisa's appartement weer gepasseerd was, nam Dennis de tijd op en controleerde of het jong inderdaad niet eenmaal omkeek.
Tweeënhalve minuut, constateerde Dennis. Dat gaf hem genoeg tijd om ongezien de straat over te steken en met zijn bos inbraaksleuteltjes het slot open te peuteren en ongezien in het appartement te verdwijnen.
Het liep zoals Dennis het voorzien had en de deur zacht achter zich sluitend, voelde hij de adrenaline door zijn aders gutsen. Het eerste wat hem opviel was dat de staande kapstok scheef tegen de muur hing. Hij onderdrukte de neiging om de kapstok weer rechtop te zetten. 'Overal afblijven, Dennis,' beval hij zichzelf. 'Het ziet ernaar uit dat hier een korte worsteling heeft plaatsgevonden, dus is dit een plaats delict.'
Neumann bleef enkele minuten doodstil staan luisteren.
Vanaf de straat drongen vaag de geluiden door van passerende auto's, het zwakke

geknetter van een bromfiets en een optrekkende vrachtwagen. De stilte in het huis werd onderbroken door het opnieuw aanslaan van de koelkast, wat even later begeleid werd door de koekoeksklok uit de zitkamer. Het was vier uur.
De deur naar de slaapkamer stond op een kier. Door de half openstaande keukendeur aan het eind van de gang kon hij een groot gedeelte van de keuken overzien. Uit zijn schouderholster haalde hij zijn revolver tevoorschijn. Muisstil sloop Dennis door de hal naar de keuken. Voordat hij de beide kamers aan een onderzoek zou onderwerpen, wilde hij controleren of zich daar niet iemand schuilhield die hem in de rug zou kunnen verrassen. Voor de halfopen keukendeur hield hij even halt. Zijn hart bonkte hem in de keel en zijn ademhaling was onregelmatig.
Hij dwong zichzelf rustig te blijven, en na een tiental seconden had hij zich weer onder controle. Actie!
Terwijl hij met twee snelle stappen de keuken insprong, knalde hij de keukendeur keihard tegen de muur en constateerde dat er niemand in de keuken aanwezig was, ook niet achter de deur. Snel controleerde hij of de buitendeur op slot zat, draaide zich om en begaf zich geluidloos naar de slaapkamer.
Hij hield zijn revolver met beide handen en gestrekte armen vast, schopte met zijn linkerbeen de slaapkamerdeur met geweld open en dook laag bij de grond de slaapkamer binnen. Hij maakte een perfecte buiklanding op het hoogpolige vloertapijt.
Met zijn hoofd alle richtingen opdraaiend, bleef hij een ogenblik stilliggen en gluurde onder het bed door, op zoek naar iemands aanwezigheid.
Langzaam kwam hij overeind en op zijn knieën zittend, staarde hij verdwaasd, en totaal verrast naar wat er op het bed lag: een vrouwelijke etalagepop, schaars gekleed in zwarte lingerie van Lisa. Een kleine zwarte beha en een zwart slipje was alles wat de pop aanhad. Om haar hals schitterde een prachtige halsketting, gemaakt van wit goud met een ingelegd diamantje op de borst. Dat sieraad had Dennis zelf, zes weken geleden, aan haar gegeven als verjaardagscadeau.
Midden tussen haar borsten, iets naar links, had men een mes in de pop geramd. Het lemmet stak driekwart in de pop en Dennis herkende het mes als een replica van het survivalmes dat John Rambo in zijn film 'First Blood' gebruikte.
Tussen het elastiek van het zwarte slipje stak een opgevouwen stukje papier.
Neumann kwam verder overeind en keek de slaapkamer rond. De openslaande deuren naar het balkon waren gesloten. De deuren van de linnenkast stonden open. De normaal netjes opgevouwen en gestapelde handdoeken lagen slordig over de kastplank verspreid, zo ook Lisa's lingerie, een plank lager. Voor het hanggedeelte waren verscheidene jurken op de grond gesmeten. Zijn blik viel op de nachtkastjes naast het bed, ook daar stonden de deurtjes open en lag de inhoud op de grond.
Eveneens was de kaptafel doorzocht. Het was duidelijk dat iemand naar iets op zoek was geweest.
Als een magneet werd zijn blik weer naar het opgevouwen stukje papier getrokken.
Om het bed heen lopend, zodat hij zicht hield op de openstaande deur, boog hij

zich naar voren en trok het stukje papier met duim en wijsvinger onder het slipje vandaan.
Hij liet het papiertje op het bed naast de pop vallen om eventuele vingerafdrukken niet te beschadigen. Opnieuw met duim en wijsvinger pakte hij een hoekje van het opgevouwen stukje papier en schudde het voorzichtig heen en weer. Verbijsterd las hij:

Pakistani, je bent niet meer welkom in Neukölln.
Verdwijn.
Anders zijn de gevolgen voor jouw rekening.

Scheveningen

De Koning stond op, keek op de klok die aan de muur boven het zitje hing, en liep naar zijn bureau. Hij nam plaats in zijn bureaustoel.
'Oké, Benny, het is nu bijna halfzes, neem plaats en laten we deze zaak snel evalueren.'
Yes, dacht Goedkoop. Dit is De Koning ten voeten uit, direct aanpakken.
De Koning nam pen en een kladblok en vervolgde: 'Wat zijn de feiten?'
Terwijl hij nog sprak, begon hij te schrijven.

- Morgenochtend tien uur: meeting Bierman, met voor ons nog onbekende collega's.
- Doel meeting: het opzetten van een buiten de wet opererende antiterreureenheid.
- Leiding eenheid: De Koning.
- Ook Goedkoop is betrokken.

'Denk jij wat ik denk?'
'Roel, gezien het feit dat er gelekt wordt op BZ en dat de andere genodigden voor ons nog onbekend zijn, lijkt het mij verstandig dat je contact opneemt met Bierman met het verzoek eerst met ons te overleggen, voordat er andere collega's bij de oprichting betrokken worden. Het zou weleens zo kunnen zijn dat deze topgeheime operatie, nog voordat we maar begonnen zijn, reeds een publiek geheim is en dan kunnen we zeker politiek gezien de hele zaak wel afblazen.'
De Koning knikte, reikte naar zijn telefoontoestel... maar voordat hij de hoorn kon vatten hield Goedkoop hem tegen.
'Het is beter met je mobiel te bellen,' zei hij, 'dan via de centrale hier. Je weet hoe nieuwsgierig sommige mensen kunnen zijn.'
Opnieuw knikte De Koning, hij nam het advies ter harte.
'Kees, met Roel hier. Even over die meeting van morgenochtend. Herinner jij je Benny nog?'
'Jazeker,' reageerde Bierman. 'Ik heb Benjamin Goedkoop ook voor morgenochtend uitgenodigd.'

'Ik hoor dat je in de auto zit, ben je alleen?'
'Ja natuurlijk, wie zou ik bij me moeten hebben? Waarom zo geheimzinnig?'
'Benny zit tegenover mij. Hij kwam me vanmiddag opzoeken en vertelde me een paar opmerkelijke zaken. Wanneer ik antiterreureenheid zeg, wat is dan jouw reactie?'
Terwijl Bierman optrok met zijn BMW, hield hij even de adem in.
'Roel, dat kun je niet menen. Als het goed is zijn maar twee mensen hiervan op de hoogte, onder wie ikzelf.'
'Ja, dat weten we, minister Wemeldam. Er wordt in de directe omgeving van de minister gelekt, Kees, en daarom is ons verzoek om de meeting morgen af te blazen en eerst met ons in overleg te treden.'
'Momentje, Roel, ik zet de wagen even aan de kant. Je weet me wel te verrassen, zeg! Bijna nog een aanrijding ook.'
Even later vervolgde hij: 'De meeting afblazen lijkt mij geen goed idee, maar wat zou je ervan denken om over een halfuur af te spreken in het Havenrestaurant, zodat we onder het genot van een glas droge witte wijn en een heerlijk gebakken tongetje deze zaak verder kunnen bespreken?'
'Het is nu kwart voor zes, maakt er dan halfzeven van, wij hebben nog wat dingen uit te zoeken.'
'Prima, tot zo.'
'Mooi, dat is dan geregeld,' sprak De Koning.
Hij keek Goedkoop aan met een blik van: zo naar je zin?
Goedkoop knikte en stak zijn duim omhoog.
De Koning streek zich peinzend over het voorhoofd. 'Oude tijden keren terug, Benny. Het ziet ernaar uit, dat wij al voor de eenheid is opgericht met een zaak bezig zijn. We noemen deze zaak *Operatie Abdullah*.'
Hij boog zich opnieuw over zijn kladblok en vroeg: 'Waar zijn we gebleven?'
Goedkoop nam het woord en zette de feiten op rij, terwijl De Koning ze opschreef.

'– Een groep van vijf, onder leiding van Abdullah, is van plan een aanslag te plegen op het Kurhaus, de negentiende van deze maand.
– Uitzoeken welk evenement er op die zaterdag in het Kurhaus plaatsvindt.
– Shin Beth contacten met de vraag waar Abdullah uithangt.'

De Koning viel in en vervolgde:

'– Jouw informant is vermoord. Hoogstwaarschijnlijk weet men wie jij bent en loop ook jij het risico geliquideerd te worden.
– Hoe kwam jouw informant aan de gegevens, hoe opereerde hij?
– Heb jij, Benny, nog meer informanten, die eventueel dicht bij deze vijf staan?'

Goedkoop nam het weer over.

'– In de directe omgeving van de minister van BZ is een lek.
– Er bestaan in andere landen antiterreureenheden die ondergronds opereren, zijn er contacten met deze eenheden op internationaal niveau?
– Aan wie moet de Nederlandse eenheid rapporteren? Wordt dat Bierman of Wemeldam?'

'Goed, laten we beginnen met uit te zoeken wat voor evenement er op zaterdag 19 mei in het Kurhaus plaatsvindt. Het moet een evenement zijn dat zo veel bezoekers aantrekt, dat een terroristische groepering het de moeite waard vindt om daar een aanslag te plegen.'
De Koning draaide zich half om naar zijn pc.
'Eens even kijken,' mompelde hij. '*Concert by the Sea*, met een optreden van de Italiaanse zanggroep Il Divo.'
'Il Divo?' laat Goedkoop zich horen. 'Is momenteel uitermate populair, daar zullen aardig wat liefhebbers op afkomen.'
Waarop De Koning droog reageert: 'Oké, dat weten we dan. Volgende vraag, wat doen we met Shin Beth?'
'Moment, het is in Israël een uur later dan hier in Holland, maar als het goed is, zijn zij vierentwintig uur per dag te bereiken. Ik zal via de DIC contact laten opnemen met Shin Beth.'
Goedkoop pakte zijn mobiel en wachtte op verbinding, De Koning aankijkend. Met zijn gedachten was hij al bij het volgende punt, de geliquideerde Mustafa.
'Hallo, met Benny Goedkoop. Is Johan de Ruiter nog binnen?'
'Oké, ik wacht even... Johan, met Benny. Zie jij nog kans Shin Beth in Israël te contacten en navraag te doen of zij weten waar de Nederlandse Abdullah zich op dit moment bevindt? Het is belangrijk dat ik dat zo snel mogelijk weet, ik vermoed namelijk dat hij in Nederland is.
Mm... fijn Johan, als je iets gehoord hebt, bel me dan op mijn mobiel. Bedankt alvast.'
'Volgende punt.'
'Arme Mustafa, toen hij nog in de Schilderswijk woonde, heb ik hem vanwege de onrust in die wijk gevraagd me op de hoogte te houden. Hij was sociaal werker in deze buurt en mede daardoor kende hij bijna iedereen.
Tussen de vele goedwillende allochtonen was een groep radicale jongeren ontstaan, die zich steeds baldadiger gedroeg en op den duur de hele buurt terroriseerde. Mohammed Boukhari, alias Abdullah, was er toen al bij en gaf leiding aan de groep. Tijdens een van mijn ontmoetingen met Mustafa – we stonden gewoon op straat in een winkeletalage te staren – zag Abdullah ons en omdat ik hem een keer opgepakt had, wist hij genoeg. Vanaf dat moment had Mustafa geen leven meer en hij moest noodgedwongen, met zijn vrouw en zoontje, verhuizen. Toen Abdullah uit Nederland vertrokken was, durfde Mustafa zich weer te laten zien in de Schilderswijk en hervatte hij zijn oplettendheid in de buurt. Dat kon hij onopvallend doen, omdat zowel zijn ouders als zijn schoonouders daar wonen, die hij uiteraard regelmatig bezocht. Hij verdiende er een klein zakcentje mee. Maar niet meer als sociaal werker, dat droeg hij over aan ene Hassan Mahdoufi. Die zou ik kunnen benaderen, nu Mustafa er niet meer is. Hoogstwaarschijnlijk heeft Abdullah bij zijn terugkeer in de buurt hem gezien en laten schaduwen. De reden hiervoor weten we inmiddels. Ik zal dus erg voorzichtig moeten zijn, want Abdullah zal het niet prettig gevonden hebben dat Mustafa mij informatie heeft toegespeeld. Maar was het daarom nodig om Mustafa te vermoorden?

Daarnaast vraag ik me oprecht af hoe Mustafa aan de gegevens gekomen is. Hij moet heel goed contact hebben gehad met iemand die dicht genoeg bij die groep stond. Abdullah is een moordzuchtige kerel die nergens voor terugdeinst, dat blijkt nu wel weer. Het volgende punt heb ik al beantwoord, ik zal contact opnemen met Hassan Mahdoufi en proberen hem over te halen om ons verlengstuk te worden in de Schilderswijk. Zo belangrijk was de Schilderswijk voor ons niet, zeker niet na het vertrek van Mohammed Boukhari. Maar daar is nu verandering in gekomen.'
Nadenkend wreef Goedkoop over zijn gezicht en vervolgde: 'Hassan Mahdoufi, een ex-probleemjongen, die moet het zijn, Roel. Mustafa heeft me ooit eens verteld dat hij Hassan van zijn drank- en drugsprobleem heeft afgeholpen. Ik zal hem morgenochtend op mijn bureau laten komen, dat lijkt me beter dan dat ik een bezoekje breng aan de Schilderswijk.'
De Koning nam het betoog van Goedkoop over.
'Prima, volgende punt. Een lek in de directe omgeving van minister Wemeldam. Daar zullen we eerst Bierman over moeten informeren, voordat we onderzoek gaan doen binnen het ministerie. Wat volgt er dan, o ja, heb jij op internationaal niveau contacten met andere antiterreureenheden?'
Benny knikte zuinigjes en terwijl hij naar het plafond staarde, antwoordde hij voorzichtig: 'Waarschijnlijk wel, althans: ik denk enkele lui uit het buitenland te kennen van wie ik vermoed dat ze zich volledig inzetten voor de strijd tegen het terrorisme en die dan dus ook verbonden zijn aan een antiterreureenheid van hun land. Ik zal straks Johan de Ruiter hierover aanspreken.'
Een flauwe glimlach verscheen op het gezicht van De Koning, terwijl hij Benny aankeek. 'Goed,' antwoordde hij. 'De laatste kwestie, aan wie moet de eenheid rapporteren?'
'Dat zal Bierman ons wel vertellen... Kom op, Roel, van al dat praten heb ik dorst gekregen en mijn maag begint te rommelen, we kunnen nog net op tijd in het Havenrestaurant zijn.'
Het was kwart over zes en zij aan zij daalden De Koning en Goedkoop de trap af, passeerden de balie en groetten Willem Brand, de wachtcommandant.
Buitengekomen wees De Koning naar rechts, waar zijn dienstauto geparkeerd stond. Hij ontgrendelde de sloten en stapte in. Goedkoop liep om de auto heen, met de bedoeling om voorin naast de chauffeur plaats te nemen. Terwijl hij zijn hand uitstak om het portier te openen, gebeurde het.
'Liggen, Benny!' schreeuwde een heldere vrouwenstem. 'Benny: liggen!'
Tegelijkertijd klonk het geluid van een schot.
Razendsnel liet Goedkoop zich vallen, maar terwijl hij viel kreeg hij een enorme dreun tegen de linkerkant van zijn hoofd. Hij voelde zich wegzakken in een zwart gat. Nog voor hij de grond raakte, was hij buiten bewustzijn.
De Koning, die zijn autosleutel al in het contact had gestoken, sprong als door een adder gebeten weer uit de auto, en griste tegelijk zijn revolver uit zijn schouderholster. Maar terwijl hij zijn hand nog onder zijn colbertje had, moest hij machteloos toezien hoe een Harley-Davidson met brullende motor en gillende banden wegscheurde.

Opnieuw knalden er schoten.
De Koning zocht automatisch dekking achter zijn auto en zag door de autoruiten heen een jonge vrouw, half door de knieën gezakt, met gestrekte armen, in haar handen een pistool geklemd, waarvan de rook nog uit de loop omhoog kringelde.
De Harley was al uit het zicht.
Op de Harley hadden twee personen gezeten.
De vrouw kwam overeind en snelde op de bewusteloze Goedkoop af, tegelijkertijd haar pistool opbergend.
Ook De Koning herstelde zich en liep om de auto heen.
Uit het bureau kwamen Willem Brand en nog twee dienders met de dienstrevolvers in de vuist aangerend.
'Wat is hier aan de hand?' schreeuwde Brand, terwijl hij de omgeving opnam en daarna bezorgd naar Goedkoop keek.
De vrouw nam het hoofd van Goedkoop voorzichtig in haar handen en bekeek de schotwond. Ze constateerde dat er vanaf zijn linkeroor een vurige rode schram tot in zijn haar liep.
Een stekende pijn in zijn hoofd bracht Goedkoop langzaam terug uit zijn bewusteloze toestand. Zijn oogleden voelden zwaar aan en hij probeerde ze knipperend te openen, toen hij de stem van een vrouw hoorde mompelen: '*Baruch hashem*, hij komt bij.'
Met de linkerhand probeerde hij aan zijn hoofd te voelen, maar een zachte vrouwenhand hield hem tegen. 'Benny,' klonk opnieuw haar stem. 'Hoor je mij?'
'Tikva.' Een flauwe glimlach verscheen rond Goedkoops mond. 'Mijn hoop,' fluisterde hij nauwelijks verstaanbaar.

Langs de muur van het bureau schuifelde onopvallend een jonge Marokkaan voorbij.
Scherp nam hij de jonge vrouw op. Buiten gehoorsafstand nam hij zijn mobiel en toetste een nummer in.

Langzaam kwam Goedkoop overeind, zijn hoofd bonkte als een gek, maar een glimlach verspreidde zich over zijn hele gezicht, terwijl hij de jonge vrouw in de ogen keek.
'Tikva,' herhaalde hij haar naam. 'Wat een verrassing, hoe kom jij hier?'
'Dat is een heel verhaal, Benny,' reageerde ze. 'Dat hoor je later wel. Maar laten we je eerst het bureau binnenbrengen en je hoofdwond verzorgen.'
Brand en een van de dienders hielpen Goedkoop overeind en ondersteunden hem op weg het bureau binnen.
Ook De Koning en de jonge vrouw kwamen overeind. De Koning stelde zich voor.

'De Koning, Roel voor vrienden.'
'Tikva Goldsmid,' antwoordde de jonge vrouw. 'Laten we eerst Benny verzorgen, voor je vragen gaat stellen, Roel.'
Ze wilden Goedkoop en zijn helpers achternagaan, toen de tweede diender De Koning tegenhield met de opmerking: 'Commissaris, als ik zo vrij mag zijn: sluit eerst uw auto af, voor u naar binnen gaat.'
Ondertussen was er al een aardige oploop ontstaan. Waar mensen toch altijd zo snel vandaan kwamen? Er waren er bij, die wel heel opdringerig naar voren kwamen.
De diender ging zich ermee bemoeien.
'Oké, mensen, we hebben het weer gehad, doorlopen, alstublieft.'
Binnen werd Goedkoop in het wachtlokaal op een stoel gezet en Brand haalde uit een kast de EHBO-koffer.
Tikva Goldsmid bekeek de hoofdwond wat nauwkeuriger en haalde opgelucht adem.
'Een schampschot, Benny,' zei ze. Ze maakte de schram schoon en smeerde er antibiotische zalf op, waarna ze een gaaskompres op de wond deed en vastzette met een zelfhechtend fixatiewindsel.
Tijdens de behandeling verscheen er een pijnlijke grijns op het gezicht van Goedkoop.
'Sadist,' mompelde hij. 'Maar wel een heel lieve sadist.'
'Lieve sadisten bestaan niet, Benny,' repliceerde ze.
Brand had een kop koffie ingeschonken, deed er een scheut cognac in en gaf deze aan Goedkoop. 'Opdrinken, meneer Goedkoop!'
Tikva keek naar De Koning op en zei: 'Ik heb de man achter op de motor geraakt.'
De Koning keek Tikva een ogenblik aan, sloeg met zijn rechtervuist in de holte van zijn linkerhand en riep uit: 'Potverdrie!'
'Brand,' richtte hij zich tot de wachtcommandant, 'laat onmiddellijk een opsporingsbericht uitgaan dat men moet uitkijken naar een Harley met twee mannen erop, van wie er een hoogstwaarschijnlijk gewond is.'
Dringend liet hij erop volgen: 'Vermeld erbij: vuurgevaarlijk.'
Verder vroeg hij: 'Welke rechercheur heeft er vanavond dienst?'
'Alfons,' reageerde Brand direct. 'Alfonso Morilles.'
'Roep hem op.'
Twee tellen later kwam er een donker getinte man de trap af, die De Koning vragend aankeek.
'Goedenavond, commissaris.' Zijn hand stak hij op naar de anderen, alsof hij wilde zeggen: geldt ook voor jullie. 'Wat kan ik voor u betekenen?'
De Koning legde hem in het kort uit wat er was gebeurd.
Morilles stak opnieuw zijn hand op en zei: 'Met uw permissie, commissaris, toen ik het schot hoorde, ben ik naar het raam gelopen en vandaaruit heb ik het gebeuren gevolgd.'
De Koning knikte ongeduldig en gaf hem opdracht alle ziekenhuizen, klinieken

of wat er ook maar op leek te bellen, met de opdracht dat mocht iemand zich melden met een schotwond, men direct Politiebureau Duinstraat moest bellen.
'Morilles, jij neemt de leiding. Schakel zo veel mogelijk dienstdoende agenten in.'
'Tot uw orders, commissaris.'
Morilles draaide zich om en nam de trap met twee treden tegelijk naar boven.
Aan Goedkoop vroeg De Koning: 'Gaat het weer, Benny? Ik zal Bierman bellen dat het iets later wordt en dat we een gast meenemen.'

Abdullah minderde snelheid en sloeg halverwege de Duinstraat rechtsaf, de Doornstraat in, gaf gas bij en racete in de richting van de Van Boetzelaerlaan.
Achter zich op de motor hoorde hij Sharif kreunen.
Zijn hoofd half omdraaiend schreeuwde hij: 'Alles goed met je?'
'Ik ben geraakt en ik bloed dood,' kermde Sharif.
Abdullah minderde vaart en keek om zich heen. Geen mens te zien, maar dat is logisch, dacht hij. Nederlanders eten stipt op tijd.
Hij stopte de motor en stapte af.
Nu Sharif de steun van Abdullah's rug miste, zakte hij iets naar voren. Zijn rechterarm hing slap naar beneden en bloed droop uit de mouw van zijn jasje.
Snel overwoog Abdullah wat hem te doen stond. Hij kwam uit op twee gedachten: de eerste was zo snel mogelijk de eerste hulp van het dichtstbijzijnde ziekenhuis op te zoeken, met alle risico's van dien.
De tweede mogelijkheid was Sharif een nekschot te geven, hem in de struiken langs de straat te deponeren en er zo snel mogelijk vandoor te gaan.
Hij koos voor de eerste optie. Niet dat hij de tweede verafschuwde, integendeel – het maakte hem niet veel uit als het ging om zijn eigen veiligheid. De reden was, dat hij geen onrust in zijn team wilde zaaien. Het deed het team geen goed, wanneer hij moest melden dat hij Sharif geliquideerd had uit veiligheidsoverwegingen. Daar kwam nog bij dat Sharif een van de twee ouderen was en de meest ervaren medestrijder.
Het dichtstbijzijnde ziekenhuis moest het voorheen Rode Kruis ziekenhuis aan de Sportlaan zijn.
Op dat moment ging zijn mobiel over.
'Met Nadir. Goedkoop leeft nog en ik dacht dat Sharif geraakt werd.'
'Ja,' antwoordde Abdullah. 'Sharif is gewond, een probleempje. Blijf daar in de buurt en hou me op de hoogte.'
Sharif overeind trekkend stapte hij op de motor en zei: 'Hou je vast, kerel, daar gaan we.'

18.35 uur

Vanaf de Sportlaan het parkeerterrein oprijdend overzag hij de situatie. Links van de hoofdingang ontwaarde hij de eerstehulppost.
Hij parkeerde vlak naast de ingang, hielp Sharif van de motor en ondersteunde hem bij het lopen. Voor de balie bleef hij staan, de baliemedewerker was aan het telefoneren.
Abdullah bewoog heftig met zijn vrije arm naar de vrouw om haar aandacht te trekken. Ze merkte hem op, zei nog iets en verbrak de verbinding.
De koptelefoon afnemend keek ze Abdullah vragend aan.
'Mijn vriend is lelijk gevallen, zijn arm is gebroken en aan het vele bloedverlies te zien is het naar alle waarschijnlijkheid een open botbreuk.'
Ze knikte begrijpend en zei: 'Hier rechts de gang in, kamer twee is vrij. Ik waarschuw direct een dokter.'
Abdullah ondersteunde Sharif de gang door, kamer twee in en liet hem plaatsnemen op een van de twee stoelen. Vanonder zijn jack haalde hij zijn Beretta tevoorschijn, schroefde er een geluiddemper op en nam een afwachtende houding aan, de revolver achter zijn rug.
Binnen een minuut ging de deur open en een kleine man in een witte doktersjas trad binnen.
'Heren,' sprak hij en van Abdullah naar Sharif kijkend vervolgde hij: 'Ah, daar is de patiënt. Help me even zijn jas uit te trekken,' vroeg hij aan Abdullah.
Hij verbleekte, toen hij zag dat Abdullah een revolver op hem gericht hield.
'Wat is dit?' stamelde hij. 'Wat heeft dit te betekenen?'
'Mijn vriend heeft een kogel in zijn rechterschouder, doktertje, en die moet jij er zo snel mogelijk uit halen.'
De dokter streek met zijn hand over zijn voorhoofd, keek Abdullah aan en zei berustend: 'Daar heb ik hier de instrumenten niet voor.'
'Waar heb je die wel?'
'Schuin aan de overkant van de gang is een eerste-hulpoperatiekamer.'
'Dokter, u loopt voor ons uit en we steken de gang over naar de operatiekamer. En luister goed naar wat ik nu zeg. Wij komen vlak achter u aan; doe normaal, probeer geen aandacht te trekken, want met dit dingetje hier blaas ik met één schot al uw hersens aan flarden.'
De dokter reageerde laconiek. 'Ik ben arts, ik heb beloofd mensen te helpen, van wat voor pluimage dan ook. Alleen... Ik heb bij de operatie een assistent nodig.'
Sharif kreunde zachtjes en wankelde op zijn stoel.
'Laten we gaan,' nam de arts het initiatief. 'En zwaai alstublieft niet zo met dat vuurwapen.'
De daad bij het woord voegend stapte de arts op de deur af.
'Klein momentje, dokter, eerst mijn vriend overeind helpen en dan in optocht naar de overkant van de gang.'
Even daarna opende de arts de deur en stak de gang schuin over naar de operatiekamer, Sharif ondersteunend en met Abdullah op zijn hielen.

'Dokter Kattenberg,' klonk het van de balie, 'hebt u een momentje?'
Abdullah hield de adem in, de adrenaline gutste door zijn lijf. Maar de arts draaide zich naar de balie en antwoordde: 'Nu even niet, Sonja, ik heb assistentie nodig, waarschuw jij Bram.'
Dit gezegd hebbende vervolgde hij zijn weg en betrad het operatiekamertje met Abdullah in zijn kielzog. Abdullah sloot de deur en samen met de arts ontdeed hij Sharif van zijn jasje.
Het gezicht van Sharif was lijkwit, zijn ogen draaiden in hun kassen en hij leunde zwaar op Abdullah.
'Help me hem op de operatietafel te leggen,' vervolgde de dokter.
Samen hielpen ze Sharif op de operatietafel.
Een schaar pakkend knipte de arts behendig het shirt van Sharif open en trok voorzichtig het met bloed doordrenkte kledingstuk van zijn schouder. Hij begaf zich naar de wasbak en deponeerde het kledingstuk in de daaronder aanwezige pedaalemmer.
Naderende voetstappen op de gang brachten Abdullah in positie achter de deur.
De deur ging open en een lange, magere jongenman betrad de operatiekamer.
'Spoedgeval, dokter?' vroeg hij.
'Jawel, Bram, deze meneer heeft, schrik niet, een kogel in zijn schouder en daar zullen we hem zo snel mogelijk van verlossen.'
De arts pompte een klodder antibacteriële wasgel in zijn rechterhand en waste zijn handen, bestrooide ze met een soort wit poeder en trok steriele latexhandschoenen aan.
'Wanneer jij de benodigde instrumenten klaarlegt, onderzoek ik de schouderwond. Ter voorkoming van infectie zullen we hem eerst een injectie geven tegen tetanus.'
'Injectie tegen wat? Wat is tetanus?' vroeg Abdullah argwanend.
Op het stemgeluid van Abdullah draaide de verpleegkundige zich met een ruk om en bij het zien van de revolver verschoot hij van kleur.
'Tetanus is een ziekte,' legde de dokter onverstoorbaar uit, 'die veroorzaakt wordt door een bacteriële wondinfectie. Voorafgaande symptomen zijn erge pijn – dat heeft hij nu al – daarna ontstaat in en rond de wond spierverstijving.'
'Doe wat de dokter je opdraagt,' bromde Abdullah tegen de verbijsterde assistent. 'Dan gaan we als vrienden uit elkaar. Zo niet...'
Hij zwaaide dreigend met zijn revolver en het gezicht van de verpleegkundige werd nog een tint bleker. Hij keek een ogenblik naar de arts en haastte zich toen naar de wasbak.
'Jongeman,' wendde dokter Kattenberg zich tot Abdullah, 'wanneer jij met dat vuurwapen blijft zwaaien, kunnen wij ons werk niet goed doen, dus doe me een lol!'
Ook de verpleegkundige trok nu steriele handschoenen aan. Beiden knoopten een plastic schort voor en voorzagen zich van een mondmasker en muts.
Abdullah zette een stoel voor de deur, ging erop zitten en hield de medicus en de broeder onder schot.

18.45 uur

De Koning parkeerde zijn VW Passat vijftig meter voorbij het Havenrestaurant op een zojuist vrijgekomen parkeerplaats.
Goedkoop voelde zich na het innemen van twee paracetamols een stuk beter.
Zijn hoofdpijn was gezakt en de schram brandde nog licht na van het ontsmettingsmiddel.
Tijdens de korte rit had Tikva Goldsmid uitgelegd waarom zij zo plotseling op het toneel verschenen was, en hierdoor zeer waarschijnlijk het leven van Goedkoop had gered.
Het was begonnen met een spoedberichtje uit de Gazastrook van een Palestijnse undercover agent, die het vermoeden had dat Abdullah met een team in Nederland een aanslag aan het voorbereiden was.
Deze agent hield zich op in Deir al-Balah, waar hij de bewegingen bespioneerde van de gevreesde Hamas-leider sjeik Mahmoud.
Hij runde een winkeltje in stoffen en Rachida, de kleindochter van sjeik Mahmoud, kwam elke dag wel even bij hem binnen, niet alleen om de mooi gekleurde stoffen te bewonderen, maar hij verdacht haar ervan dat zij een beetje verliefd op hem was. En de 'kleine' Rachida, zoals de sjeik haar liefkozend noemde, hield wel van een babbeltje.
Hier had hij om twee redenen totaal geen bezwaar tegen.
Ten eerste hoorde hij uit de eerste hand wat er zich in het huis van de sjeik allemaal afspeelde en ten tweede was Rachida een pracht van een meid.
Shin Beth, de Israëlische inlichtingendienst, had Tikva opgeroepen en opdracht gegeven om naar Nederland te vliegen.
Omdat zij al eerder succesvol met Benjamin Goedkoop op internationaal niveau had samengewerkt, was de keuze op haar gevallen. Zij zou, samen met Goedkoop, Abdullah op moeten sporen en onschadelijk maken.
Eerdere pogingen om Abdullah in de Gazastrook uit te schakelen waren mislukt. Nu hij zich in Nederland ophield, was dit een nieuwe kans om hem te pakken te krijgen.
De Israëli hadden hier belang bij omdat Abdullah met de Hezbollah tegen Israël had gevochten en daarna voor de Hamas jonge Palestijnen omgevormd had tot geduchte terroristen.
Tikva was met een El Al-lijntoestel om twaalf uur geland op Schiphol en had contact opgenomen met de DIC. Daar had ze van Conny Buitenwijk, de telefoniste, vernomen dat Goedkoop deze middag een bezoek zou brengen aan bureau Duinstraat.
Bij vorige bezoeken aan de DIC was ze bevriend geraakt met Conny. Zij had haar gevraagd Benny Goedkoop niet te vertellen dat zij in Holland was, ze wilde hem verrassen.
'Dat is je dus goed gelukt,' had Goedkoop grijnzend opgemerkt.

Het was vrij rustig in het Havenrestaurant. Enkele paartjes zaten links aan de raamzijde van het restaurant te eten.
Kelners waren bezig de tafels af te ruimen van zojuist vertrokken gasten.
Bierman kwam hun tegemoet en vroeg bezorgd: 'Hoe gaat het, Benny?'
'Onkruid vergaat niet, commissaris. Op dit schrammetje na voel ik me prima,' antwoordde Goedkoop terwijl hij naar de linkerkant van zijn hoofd wees.
'Fijn dat te horen. En deze prachtige jongedame is Tikva Goldsmid,' constateerde hij en hartelijk schudde hij haar de hand. 'Bedankt, meisje, ik ben erg gesteld op Benny.'
Na ook commissaris De Koning een hand gegeven te hebben nodigde hij hen uit aan tafel plaats te nemen.
Bierman wenkte de kelner, die met een niet al te vrolijk gezicht op hen toe kwam. Hij vermoedde dat het een latertje zou worden, en zou dan waarschijnlijk een afspraakje mislopen. Maar misschien kon hij straks nog ruilen. 'Zegt u het maar,' probeerde hij vriendelijk te zijn.

Een zangerig melodietje steeg op uit de binnenzak van zijn jack, zijn mobiele telefoon ging over. Hij nam zijn revolver in de linkerhand en pakte met de rechter zijn mobieltje.
'Hallo.'
'Met Nadir. Goedkoop, de vrouw en nog iemand zijn het Havenrestaurant binnengegaan.'
'Prima, jongen, blijf daar rondhangen,' antwoordde Abdullah en verbrak de verbinding.
Zwijgend onderzocht de arts de wond.
'Zo te zien heb je geluk gehad, jongeman. We zullen je plaatselijk verdoven, dat moet voldoende zijn om de kogel eruit te vissen. Zo te zien is het niet meer dan weke-delenletsel.'
'Wat bedoel je daar nu weer mee?'
'Hè? O, een gewone vleeswond, jongeman.'
'Spuit,' vervolgde de dokter, hierbij zijn rechterhand uitstrekkend naar de verpleegkundige. Na het verdovingsmiddel ingebracht te hebben laste de arts een pauze van enkele minuten in om het goedje de kans te geven zijn verdovend werk te doen.
Daarna vroeg de arts om de scalpel en een tang.

Na nauwelijks een twintigtal seconden hield de arts triomfantelijk een bloederig kogeltje omhoog. Tegen de verpleegkundige zei hij: 'Bram, desinfecteer jij de wond.'
Aan Abdullah vroeg hij: 'Wat doen we hiermee?' wijzend op het kogeltje.
'Bewaar hem voor uw verzameling,' grapte Abdullah, maar toen bedacht hij zich.

Dat kogeltje kon immers als bewijsstuk gebruikt worden.
'U hebt vast wel een plastic zakje om het in te doen. Ik neem het mee voor mijn eigen verzameling,' zei hij grijnzend en vervolgde met een kille ondertoon in zijn stem: 'En nu, mijn vriend, snel verbinden, we hebben weinig tijd.'

'Haga Ziekenhuis, Sportlaan.'
'Met rechercheur Morilles, van bureau Duinstraat. Heeft zich bij jullie iemand gemeld met een schotwond? Waarschijnlijk zijn ze met z'n tweeën op de motor gekomen, allebei van Marokkaanse afkomst.'
'Wat een vragen in één keer,' reageerde de telefoniste. 'Wilt u het nog een keer herhalen, meneer...'
'Morilles.'
'Meneer Morilles? Dan schrijf ik het even op.'
Geduldig herhaalde de rechercheur zijn vragen.
'Momentje, ik informeer even bij Spoedeisende hulp.'
...
'Hallo, Sonja, met Miep, hebben zich bij jou twee Marokkanen gemeld, van wie er eentje een schotwond had?'
'Er hebben zich twee allochtonen gemeld, van wie er een een open botbreuk heeft, maar geen schotwond. Dokter Kattenberg en Bram Nieuwenhuizen zijn hem nu aan het opereren.'
'Zijn ze op een motor gearriveerd?'
'Dat weet ik niet, maar van hieruit zie ik een motor net naast de ingang staan.'
'Kun je zien wat voor merk het is?'
'Een ogenblik, ik loop even naar buiten.'
Het viel Sonja gelijk op dat de achterkant van de motor met bloed besmeurd was en dat het om een Harley-Davidson ging. Snel liep ze terug naar de balie, zette haar koptelefoon weer op en hoorde dat ze in de wacht stond. Na een halve minuut klonk de stem van Miep weer. 'Hallo, Sonja, ben je daar nog? Ja, meid, sorry hoor, maar er kwam een buitenlijntje tussendoor. Ben je iets wijzer geworden?'
'Het is een Harley-Davidson en de duozitting zit helemaal onder het bloed.'
'Weet je zeker, dat het een open botbreuk was? Dit is wel toevallig. Ik heb een rechercheur aan de lijn, die hiernaar informeert.'
'Als dokter Kattenberg zo meteen klaar is, zal ik het hem vragen, oké?'
'Ach, laat maar zitten, meid, ik zie je straks wel bij de koffie, doeiii.'
Ze sloot de interne lijn en opende de buitenlijn, waar Morilles van ongeduld zijn potlood doormidden had gebroken.
'Bent u daar nog, meneer de rechercheur?'
'Ja, wat dacht je dan?' bromde Morilles en wat vriendelijker vervolgde hij: 'Hebt u iets bruikbaars voor ons?'
'We hebben twee allochtonen op de Spoedeisende hulp en de een wordt nu geopereerd aan een open botbreuk.'

'Mmm, weet u met wat voor vervoermiddel ze gearriveerd zijn?'
'Jaaah, een Harley-Davidson, toevallig, hè!? Ik zei nog tegen Sonja, dat is de balie...'
'Excuses, dat ik u onderbreek, maar weten jullie zeker dat het om een botbreuk gaat?'
'Dat, meneer de rechercheur, wilde ik u nu juist gaan vertellen... Nee, dat weten wij als baliemedewerksters niet, maar zodra de doktor uit de operatiekamer komt, zal mijn collega Sonja het hem vragen.'
'Dank u vriendelijk.'

Na verbonden te zijn kwam Sharif kreunend overeind. Zijn linkerhand hield hij ter ondersteuning onder zijn rechterarm.
'Blijf nog even zitten, jongeman,' zei dokter Kattenberg.
'Hoe zo, even zitten, kom op zeg, kun je lopen?' reageerde Abdullah kwaad.
'Hij is behoorlijk verzwakt door al dat bloedverlies,' repliceerde de dokter rustig. 'Even zitten kan geen kwaad,' vervolgde hij. 'Dan maken wij ondertussen een mitella voor het ondersteunen en immobiliseren van de gewonde schouder.'
Na het aanbrengen van de mitella ontdeden de arts en de verpleegkundige zich van hun schorten, mondmaskers en mutsen.
'Kun je lopen?' herhaalde Abdullah nijdig zijn eerder gestelde vraag.
Sharif liet zich voorzichtig met de voeten op de grond zakken, zijn linkerarm steunend op de operatietafel. Zijn gezicht zag grauw van ellende. Hij schuifelde langs de operatietafel naar Abdullah en knikte.
De dokter wendde zich naar de wasbak, trok zijn handschoenen uit, deponeerde deze in de pedaalemmer en begon zijn handen af te spoelen. De verpleegkundige stond toe te kijken, wachtend tot de dokter klaar was.
Abdullah stond een moment besluiteloos naar dit ritueel te staren en nam zijn beslissing.
Hij richtte zijn revolver op het achterhoofd van de verpleegkundige en drukte koelbloedig af. Plof.
De kogel verbrijzelde het achterhoofd en baande zich een weg onder de hersenpan door, om er midden in het voorhoofd weer uit te komen – slierten bloederig hersenweefsel en botsplintertjes met zich meenemend – scheerde vervolgens rakelings over het hoofd van de arts en versplinterde de spiegel boven de wastafel.
De onfortuinlijke verpleegkundige knalde voorover tegen de met zijn bloed besmeurde dokter Kattenberg aan en nam de dokter in zijn val mee naar de grond. Tegelijkertijd had Abdullah zijn revolver reeds op de dokter gericht en schoot, waarna de medicus beweginloos bleef liggen.
Abdullah werd opgeschrikt door het zwakke geluid van naderende sirenes. Snel liep hij op Sharif af en hem ondersteunend snauwde hij: 'En nu wegwezen.'
Terwijl ze langs de balie schuifelden, zag Abdullah dat de telefoniste weer aan

het bellen was. 'Moment, heren,' riep ze. 'Er moeten nog formulieren ingevuld worden.'
Abdullah tilde Sharif op en versnelde zijn pas.

19.05 uur

De drankjes waren maar nauwelijks geserveerd, toen het mobieltje van De Koning rinkelde. Hij nam op en luisterde.
Langzaam verstrakte zijn gezicht. Zijn mond met de toch al dunne lippen veranderde in een rechte streep. Hij knikte even en zei: 'We komen eraan.'
De andere drie keken hem gespannen aan.
'Dat was Morilles. Negenennegentig procent zeker dat Abdullah en zijn gewonde maat zich in het Rode Kruis Ziekenhuis bevinden.'
Als marionetten stonden ze alle vier tegelijk op.
Bierman trok zijn portefeuille en dropte een briefje van twintig euro op tafel. Hij wenkte de kelner en verontschuldigde zich.
'Ja, maar...' protesteerde de kelner zwakjes, terwijl een blijde glimlach om zijn mondhoeken verscheen en hij de vier personen die halsoverkop het restaurant verlieten, opgelucht nakeek.
'We nemen de VW Passat,' vervolgde Bierman, die als hoogste in rang de leiding nam.
Op een sukkeldrafje, met commissaris De Koning voorop, rende het viertal naar de vijftig meter verderop geparkeerde VW Passat.

De automatische deuren schoven open en buiten gekomen overzag Abdullah het parkeerterrein. Vlakbij parkeerde juist een Ford Focus.
Hij liep zo snel hij kon naar de Ford, Sharifs benen sleepten mee over de grond. Een oudere dame stapte uit, opende het achterportier en bukte zich om van de achterbank haar tasje te pakken.
Op dat moment bereikte Abdullah haar en Sharif op zijn benen zettend duwde hij haar voorover de achterbank op. De vrouw slaakte een klein gilletje van schrik, wilde zich verzetten, maar Abdullah gromde haar dreigend toe: 'Zitten en hou je kop, opschuiven.'
Snel hielp hij Sharif op de achterbank, en sloeg hem met de vlakke hand op beide wangen om hem wakker te houden. 'Hier, de revolver, en hou dat mens in de gaten.'
'Sleutels,' vervolgde hij tot de vrouw. 'Kom op, vlug.' Bevend van schrik gaf ze hem die.
Het geluid van de politiesirenes werd steeds luider, het was de hoogste tijd om hier weg te komen. Het voorportier stond nog open en snel stapte hij in.
Terwijl hij de motor startte, zag hij de baliemedewerkster gillend door de open-

schuivende deuren naar buiten rennen. Ze staarde een moment naar de Harley, en keek toen verwilderd het parkeerterrein rond. Ze draaide zich om en rende weer naar binnen.
Rustig draaide Abdullah de auto en reed op de slagbomen van het parkeerterrein af. Zijn hand ophoudend zei hij: 'Parkeerkaartje.'
En terwijl de eerste politieauto met gillende sirene de Sportlaan opstoof, reed Abdullah deze rustig tegemoet, de zonnekleppen omlaag geduwd, zodat zijn gezicht maar voor een kwart te zien was en dus moeilijk te herkennen.
Een zangerig melodietje vertelde hem dat zijn mobieltje overging. 'Ja.'
'Met Nadir. Goedkoop, de vrouw en nog twee kerels hebben met spoed het Havenrestaurant verlaten en zijn in een VW Passat vertrokken. Ik kan ze niet meer volgen.'
'Goed werk, Nadir, ga maar terug naar de buurt en hou je mobiel stand-by tot ik je weer nodig heb.'
Terwijl hij rechtsaf afsloeg, in de richting van de stoplichten bij de Houtrustbrug, passeerde hem een VW Passat, die vanaf de Houtrustweg rechtsaf de Sportlaan opstoof.
'Cool man, dat was close.'

Kopenhagen

Langzaam ontwaakte Lilian uit een diepe slaap.
Een schrijnende hoofdpijn bracht haar ertoe om haar rechterhand naar haar voorhoofd te brengen, maar halverwege hield iets haar arm tegen.
Verward opende ze haar ogen en staarde versuft naar haar half opgeheven arm.
Het duurde even voor het tot haar doordrong dat ze gekluisterd en vastgebonden op een stalen ledikant lag.
Zuchtend liet ze haar hand terugvallen op het bed. Ze probeerde haar andere arm op te tillen en merkte dat ze die vrij kon bewegen. Na haar voorhoofd lichtjes gemasseerd te hebben probeerde ze, steunend op haar elleboog, overeind te komen.
Met haar lichaam in een half zittende, half liggende positie probeerde ze haar hersenen te ordenen.
Wat is er gebeurd?
Waar ben ik?
Wie heeft me als een hond vastgelegd aan dit ledikant?
En waar was ik in vredesnaam mee bezig?
Door met haar tong over haar mond te strijken, probeerde ze een branderig gevoel op haar lippen weg te likken. Terwijl ze daarna met de bovenkant van haar hand over haar mond streek, rook ze opnieuw de zoetige geur en proefde ze de branderig smakende vloeistof die in een soort kapje op haar neus en mond gedrukt werd, voor ze zich voelde wegglijden in een donker gat van vergetelheid.
Ze had nog gevoeld dat iemand haar opving en daarna... niets meer.

De kussens schikkend in haar rug nam ze een zittende houding aan, trok haar benen op en sloeg haar armen om haar knieën, voor zover dat mogelijk was met haar gekluisterde rechterarm. Ze legde haar hoofd op haar knieën en probeerde zo rustig mogelijk na te denken over haar bizarre positie.
Ze had de hotelkamer van een van die bodyguards doorzocht en een paar vreemde dingen ontdekt, die ze direct aan Niels wilde melden.
Ze had gebruikgemaakt van de telefoon op de kamer en ze herinnerde zich dat, terwijl Niels zich meldde, zij een gerucht achter zich hoorde.
Iemand moest geruisloos de kamer zijn binnengekomen, terwijl zij het nummer van Niels intoetste. Ze had zich half omgedraaid en vanuit haar ooghoeken had ze gemeend een donker ogende kerel te zien, die langzaam op haar toeliep.
'Met Niels,' had het uit de telefoonhoorn geklonken.
'Schattebout,' had ze gekird. 'Wil je mij om twee uur af komen halen?'
Terwijl ze de telefoonhoorn teruglegde op het toestel, moest de kerel supersnel dichterbij gekomen zijn en haar dat kapje op haar neus en mond gedrukt hebben. Het moest chloroform geweest zijn, mede omdat de bedwelming zo verrassend snel toesloeg en het nauwelijks in haar opkwam zich te verdedigen. Vroeger werd chloroform als narcosemiddel gebruikt om mensen te verdoven voordat ze geopereerd werden.
Zuchtend richtte ze zich op en terwijl ze zachtjes opnieuw haar voorhoofd masseerde, nam ze de ruimte op.
Een onbeschermd peertje tegen het plafond verspreidde een zwak lichtschijnsel. Recht tegenover zich zag ze een deur in een kale betonnenmuur. Ook de andere muren waren glad en vlak gestuct. Het vertrek had alleen linksboven, hoog tegen het plafond aan, een tuimelraampje, dat dik onder het stof en spinrag zat.
Nogmaals om zich heen kijkend bedacht ze, dat dit geen ruimte was die bij het hotel hoorde. Wie het ook waren, ze moesten haar uit het hotel ontvoerd hebben. Ze huiverde even en bekeek de handboeien en het ijzeren ledikant.
De handboeien zagen er stevig genoeg uit, maar het ledikant was oud en roestig. Voorzichtig liet ze zich aan de kant waar de handboei aan het ledikant bevestigd was, op de grond zakken. Haar linkerhand steunde op het bed, toen ze probeerde te gaan staan.
Het geluid van een sleutel die omgedraaid werd in een slot, deed haar met een ruk zich omkeren en ze staarde schuin naar de deur, die langzaam openzwaaide.

Sven Larsen draaide zich kreunend om en graaide naar de luid rinkelende telefoon naast zijn bed. Terwijl hij de hoorn van het toestel nam, viel zijn oog op de wekker, het was halfdrie in de middag. 'Hallo,' klonk zijn stem, schor van de slaap. Larsen maakte deel uit van de Anti Terreur Eenheid en was door Jacobson in het New Orléans hotel binnengeloodst, uiteraard ook via de personeelsmanager. Hij werd geïnstalleerd als nachtportier. Zijn werktijden liepen van negen uur 's avonds tot zes uur de andere ochtend. Twee andere leden van de eenheid verdeelden hun

aanwezigheid in de lounge en in de bar van het hotel, van twee uur in de middag tot negen uur 's avonds. Tevens had Jacobson twee rechercheurs van het politiecorps Kopenhagen geleend voor het volgen buiten het hotel. Zo had Jacobson bijna vierentwintig uur controle op de handel en wandel van de sjeik en zijn gevolg.
'Sven, met Niels. Lilian is nog niet komen opdagen uit het hotel. Vanmorgen belde ze me, of ik haar om twee uur op wilde komen halen. Ze noemde me schattebout, ik vertrouw het niet. Is jou gisteravond en vannacht nog iets bijzonders opgevallen?'
'Ik moet mijn rapportje nog uitwerken,' raspte Larsen. Hij schudde zijn hoofd om goed wakker te worden en vervolgde: 'Maar in grote lijnen een kort verslag. Gisteravond rond tien uur verlieten twee bodyguards het hotel. Daarna, met tussenpozen van ongeveer een kwartiertje, twee bij twee de andere vier. Vreemd, want de sjeik is gewoon in zijn hotel gebleven, dus zonder bescherming van zijn bodyguards, en naar ik begreep al vroeg gaan slapen. Ik heb ze niet meer terug zien komen. Wat opviel was dat ze alle zes een grote reistas bij zich hadden, behoorlijk zwaar, te zien aan het dragen.
Verder zijn de twee piloten de stad in geweest, die kwamen rond drie uur vannacht, met een behoorlijk stuk in hun kraag, weer het hotel binnen. Vanmorgen om zes uur werd ik afgelost.'
'Goed,' zei Niels. 'Maar nu heb ik je dringend nodig. Ik wil dat je buiten aan de achterzijde mij rugdekking geeft. Aan de voorzijde zal ik Nick Polsen zijn post in laten nemen en aan de hotelbar binnen zit Jan Mortensen waarschijnlijk aan een glaasje nep cognac. Ikzelf zal het hotel via de dienstingang binnengaan. Ik wil erachter komen waar Lilian is en eventueel een stevig onderhoud met de personeelsmanager hebben. Hoeveel tijd heb je... Momentje, er stopt een loeier van een limousine voor de hotelingang, een zwarte Lincoln. Het is de sjeik, kom zo snel mogelijk, Sven, over en uit.'
Er waren in de stad een paar autoverhuurmaatschappijen die dergelijke grote auto's beschikbaar hadden voor bijvoorbeeld trouwerijen en bijzondere gelegenheden. Het ging om oudere modellen die geïmporteerd waren uit Amerika. Deze limousine zag er schitterend opgepoetst uit.
Jacobson bedacht dit binnen een paar seconden, terwijl hij het tafereel dat zich afspeelde voor het hotel bleef volgen.
Nog voor de limousine gestopt was, sprong de lijfwacht, die naast de chauffeur zat, uit de auto, rende om de motorkap heen, zodat hij het eerst bij de linker achterdeur was. Hij nam tegelijkertijd de omgeving goed in zich op.
Een van de toeschietende hotelportiers hielp de sjeik uitstappen en de andere opende het rechter achterportier, om een jonge Arabische vrouw bij het uitstappen te assisteren.
Inmiddels was ook een tweede auto achter de limousine gestopt, een splinternieuwe Ford Mondeo, waar vier jonge kerels snel uitstapten.
Er volgden nog twee auto's, waar de neven met hun dames inzaten.
De kerels omringden als een beschermende muur de sjeik en de vrouw. Terwijl zij het hotel betraden, verdwenen zij uit het zicht. De Lincoln trok op, met de Ford

Mondeo achter zich aan en beide wagens draaiden de naast het hotel gelegen privéparkeerplaats op.
Twee bodyguards keerden terug uit het hotel om de rest van het gezelschap te begeleiden. En terwijl ze de portieren openhielden, lieten ze hun blik over de omgeving dwalen.
Jan Mortensen had vanaf zijn plaats aan de bar goed zicht op de entreehal en zag de sjeik met zijn gevolg binnenkomen.
Vanachter de balie kwam een bediende de sjeik reeds tegemoet lopen met de kamersleutels al in de hand. Een tweede bediende spoedde zich naar de liften en drukte op alle knoppen om zo snel mogelijk een van de liften beneden te hebben.
Mortensen draaide zich hoofdschuddend naar de barkeeper, die samen met hem het tafereel in de hal had gevolgd en mompelde: 'Slijmballen.'
De barkeeper grinnikte. 'Nog een cognacje, Jan?'

Farid stak zijn hoofd voorzichtig om de deur en zag het blondje naast het ledikant staan. Een korte trilling door de onderlip van Lilian gaf aan dat ze schrok van het plotselinge verschijnen van het gemaskerde hoofd, maar het volgende ogenblik herstelde ze zich en keek de gemaskerde Farid recht in de ogen.
'Ah, je bent bij kennis,' stelde Farid nuchter vast. 'Ga terug op bed zitten,' vervolgde hij in zijn Deense allochtonentaaltje. 'Je krijgt zo meteen buitenlands bezoek.'
Lilian haalde haar schouders op en ging weer op het bed zitten.
Die ogen mag ik niet vergeten, dacht ze, het is voor later het enige herkenningspunt.
Een licht stipje in het linkeroog viel op in zijn glanzend donkerbruine ogen.

'Wil je iets drinken? Of eten?'
Met haar vrije linkerhand maakte ze een drinkbeweging. 'Water,' zei ze zacht.
Farid, die twee stappen de kelderruimte was binnengelopen, knikte, draaide zich om en verliet de kelder, de deur achter zich sluitend.
Lilian zuchtte, en bleef enkele minuten stil op het bed zitten, terwijl haar ogen opnieuw de kelderruimte inspecteerden. Daarna draaide ze zich een kwartslag om, zodat haar benen over de rand van het bed hingen en bekeek de roestige spijlen aan het hoofdeinde van het bed.
Haar handen omvatten een spijl en met een heftige beweging probeerde ze de spijl los te rukken. Maar dat zou te simpel zijn, de spijl gaf dan ook geen millimeter mee. Ze liet de spijl los en zag wat roest op de binnenkant van haar handen. Tegelijk merkte ze op dat waar haar handen de spijl omvat hadden, er een plekje glimmend metaal tevoorschijn kwam. Het ledikant is steviger dan het eruitziet, dit gaat niet lukken, dacht ze, terwijl ze het roest van haar handen probeerde te vegen.
Gestommel van meerdere voeten deed haar afwachtend naar de deur staren. Vier kerels, allen met een bivakmuts op, kwamen de kelderruimte binnen. Een van hen, die met het lichtpuntje in zijn linkeroog, hield een glas water in zijn hand en

gaf het haar, waarna hij zich weer snel terugtrok.
In een taal die voor Lilian niet te verstaan was, begon de man die het dichtst bij het ledikant stond, vragen te stellen. Niet begrijpend keek ze ook deze man in de ogen.
'Hij wil weten hoe je heet,' klonk de stem van het 'lichtpuntje'.
Onwillekeurig voelde ze haar buikspieren samentrekken, toen de man haar bleef aanstaren. Ze zag geen leven in die ogen, ze moest denken aan dode schelvisogen, koud, onbewogen en nietszeggend. Een angstwekkende kilte omsloot haar hart. Toch sloeg ze haar blik niet neer.
Hij snauwde haar iets toe en een flits bliksemde door zijn rechteroog.
'Zeg je naam,' vertaalde 'lichtpuntje'.
Doordat sommige woorden met een neusklank werden uitgesproken en het klonk als 'hachh' en 'gachh' bedacht ze, terwijl de kerel haar nog steeds aankeek, dat het een Arabische taal moest zijn. Ze zag de fletse schelvisogen tot leven komen, een bikkelharde staalblauwe gloed priemde haar tegemoet, terwijl de kerel haar ruw bij haar blouse beetpakte en zijn gezicht dicht bij het hare bracht. Hij snauwde niet meer, maar lispelde als een slang enkele woorden, die zij opnieuw niet verstond.
'Deense slettenbak, je naam,' vertaalde 'lichtpuntje' en voegde eraan toe: 'Alsjeblieft, zie je niet dat je hem razend maakt!'
Ze dwong zichzelf haar ogen niet neer te slaan, ze bleef de kerel strak aankijken. Ze had geen flauw idee hoe laat het was, terwijl ze zich afvroeg of Niels Jacobson en haar collega's al op zoek naar haar waren. De eerste vraag was of ze al vermist werd?
In haar ooghoek zag ze de klap aankomen, maar ze kon hem niet meer blokkeren. Met de vlakke linkerhand sloeg de kerel keihard en brutaal tegen haar rechterwang, zodat haar hoofd naar links vloog en het glas water uit haar hand op de grond viel. Doordat ze werd vastgepakt aan haar blouse, bleef haar lichaam rechtop zitten. Pijnlijk en versuft probeerde ze met haar linkerhand haar wang te betasten.
De kerel gromde iets in het Arabisch en 'lichtpuntje' riep wanhopig: 'Je naam, hoe heet je?'
Haar wang werd rood en begon te gloeien. Langzaam richtte ze haar hoofd op en keek de kerel opnieuw in de ogen. Ze had iets gezien in zijn ogen, een fractie van een seconde, voordat die klap eraan kwam. Een lichte beweging van zijn rechterooglid. Ongemerkt balde ze haar linkervuist met de knokkels naar voren. Hij hield haar nog steeds vast aan haar blouse en 'lichtpuntje' kreunde: 'Zeg toch je naam.'
De andere twee kerels stonden geamuseerd toe te kijken, een beetje afleiding kon geen kwaad en misschien later...? Uiteindelijk was het een stevige en prachtige meid, die wel een stootje kon hebben. Ze hadden Raffi de Bask al eerder jonge vrouwen onder handen zien nemen en het duurde nooit lang voordat de vrouwen zeer bereidwillig werden.
Lilian zag het rechterooglid een fractie van een seconde bewegen, maar nu was ze hem voor. Razendsnel vloog haar linkervuist omhoog en knalde de kerel vol op de zijkant van zijn gezicht. Tegelijkertijd deelde ze met haar rechtervoet een trap uit die hem vol in de onderbuik trof, zodat hij dwars voor haar op haar knieën kwam te liggen.

Opnieuw haalde ze met haar linkerhand uit en trof hem nu in de nek, vlak onder zijn oor.
Terwijl zijn teamgenoten verbijsterd stonden toe te kijken, gleed het lichaam van Raffi langzaam van het bed af, naar de grond, waar het bewegingloos bleef liggen. Het duurde zeker tien seconden voordat 'lichtpuntje' als eerste reageerde.
'Dwaze griet, dit wordt je dood.'
In het Arabisch gaf hij de andere twee opdracht de bewusteloze Raffi op te pakken en af te voeren.
Lilian haalde haar schouders op en wreef voorzichtig over haar pijnlijk opzwellende rechterwang. Nadenkend staarde ze 'lichtpuntje' een ogenblik aan.
Hij kon weleens gelijk hebben met zijn laatste opmerking, dacht ze. Misschien was het beter haar charmes in de strijd te gooien, om hem zogenaamd te versieren, terwijl de andere twee het te druk zouden hebben met hun leider. De twee verdwenen luid stommelend met hun leider uit de kelderruimte, terwijl 'lichtpuntje' de scherven van het glas opraapte en daardoor onbewust vrij dicht in de buurt van het bed kwam. Echter niet dicht genoeg bij Lilian.
'Hé,' zei ze, zo lief als ze kon, 'ik heb nog steeds dorst en krijg nu ook een beetje honger, kun jij wat regelen? Trouwens, je hebt heel mooie ogen.'
Vanuit zijn geknielde houding keek hij haar verrast aan en een glimlach vormde zich rond zijn lippen onder de bivakmuts, waardoor ook zijn ogen een zachtere glans kregen. Hij ging rechtop staan met de glasscherven in zijn handen en vroeg: 'Hoe heet je?'
'Lilian.'
'Waarom zei je dat niet tegen hem?' vroeg Farid, met zijn hoofd naar de deur knikkend.
'Omdat ik een afschuwelijke hekel heb aan machokereltjes zoals hij.'
'Oké, maar ik vrees het ergste, wanneer hij straks bijkomt. Ik kan je niet helpen, al ben ik de leider van de islamitische vrijheidsstrijders in Kopenhagen. Ik zou dat graag willen, maar ik kan niet, ik zit er te diep in. Als ik eruit stap, laten ze me niet levend gaan.'
'Hoe ben je hierin verzeild geraakt?' vroeg Lilian, haar knieën optrekkend zonder haar rok vast te houden, zodat haar bovenbenen verleidelijk zichtbaar werden. 'Je lijkt me een aardige vent.'
Zijn ogen neerslaand, antwoordde hij: 'Vroeger, een jaar of vijf geleden, was ik heel anders. Ik geloofde wat onze imam ons vertelde op geheime jongerenbijeenkomsten, ik was een van de felste aanhangers van Osama bin Laden, ik werkte me omhoog en omdat ik leiderscapaciteiten heb, kreeg ik drie jaar geleden de hoogste rang in Kopenhagen, maar er zijn dingen gebeurd, die...' Zijn stem stokte en een wegwerpgebaar makend besloot hij: 'Ach, laat maar zitten, ik zal boven gaan kijken hoe de situatie daar is en haal water en een sandwich voor je, nu het nog kan.'

Niels Jacobson kon zich niet meer bedwingen, hij moest weten waarom Lilian niet naar buiten kwam. Nick Polsen, die verderop in een etalageruit stond te turen, zag Niels een armbeweging maken en naar het hotel wijzen. Hij stak zijn hand op dat hij het had begrepen en bewonderde opnieuw de etalage. Jacobson stak de straat over en ging via de draaideur van het hotel de lobby binnen.
Hij negeerde de receptionist en liep rechtstreeks door naar de bar.
Jan Mortensen had zijn chef al zien aankomen en liet zich van zijn barkruk afglijden. Jacobson wenkte hem en beiden namen plaats aan een tafeltje voor het raam, ver genoeg van de bar, zodat de nieuwsgierige barkeeper hen onmogelijk kon horen.
'Jan,' begon Jacobson, 'Lilian is niet uit het hotel op komen dagen, terwijl ze mij vanochtend heeft gebeld met de vraag of ik haar om twee uur op wilde komen halen. Is jou nog iets vreemds opgevallen?'
'Nou, nee, ik heb Lilian de hele dag nog niet gezien, maar dat is niet vreemd en kan ook niet anders, want zij gaat via de dienstingang het hotel in en uit.'
'Goed, ik ga binnen polshoogte nemen en de personeelsmanager aan de tand voelen. Ik verwacht Sven over ongeveer een kwartiertje aan de overkant van het hotel. Neem ongemerkt contact met hem op en vertel hem dat ik op onderzoek uit ben en dat hij zijn post aan de achterzijde van het hotel in moet nemen.'
Jan Mortensen knikte. Beide mannen stonden op en terwijl Jacobson zich naar de receptie spoedde, nam Mortensen zijn plaatsje aan de bar weer in.
Een grijnzende barkeeper ontving hem met de opmerking: 'Lekker geheimzinnig doen jullie. Of ik niet weet dat we de recherche over de vloer hebben.'
Mortensen haalde zijn schouders op en zei: 'Het is beter voor je gezondheid dat je van niets weet en luister, Christiaan, zolang de sjeik in het hotel logeert, zullen wij elkaars gezelschap moeten velen.'
'Ah, extra beveiliging,' constateerde de barkeeper begrijpend.
'Juist,' liet Mortensen hem in die waan. 'Wanneer je dus iets raars of vreemds opmerkt, laat het me dan weten. Je behoort tot het vaste personeel en onderling zullen jullie nieuwtjes of buitensporige gebeurtenissen vast met elkaar uitwisselen. Dat zou ons geweldig helpen.'
'Waar zou ik dan op moeten letten, Jan? Er gebeuren dagelijks gevalletjes die ongewoon zijn, vooral ook door de verscheidenheid aan gasten, voor het merendeel buitenlanders. Jij bent rechercheur, van mij wordt verwacht dat ik de drankjes in de juiste glazen schenk, mijn glazen helder houd en een goeie mix kan shaken. Daar komt nog bij dat ik de gasten aan de bar moet onderhouden met een vriendelijke glimlach en een praatje en dat valt niet altijd mee.'
Met pretlichtjes in zijn ogen reageerde Mortensen op het relaas van de barkeeper.
'Ik heb met je te doen, Chris, want voor mijn gevoel vergeet je het belangrijkste, namelijk dat je tijdens je werk niet mag drinken en dat valt tussen al die dranken vast niet mee. Of heb ik het verkeerd?'

Niels Jacobson liet zijn legitimatie zien aan de receptionist en met een stem die geen tegenspraak duldde zei hij: 'Ik wil nu een onderhoud met de heer Olufsen, de personeelsmanager.'
De receptionist knikte, draaide zich om naar een intercomachtig apparaat, nam de hoorn op en drukte een knop in. Even later sprak hij in de hoorn. 'Meneer Olufsen, ik heb hier de heer Jacobson van de recherche, die u nu wil spreken.'

'Neemt u plaats, meneer Jacobson, wat kunnen wij nog meer voor u betekenen?' opende Olufsen het gesprek, met de nadruk op 'meer' en met een zuinig glimlachje rond zijn mond.
'U weet heel goed waar ik voor kom, ik wil weten waar Lilian gebleven is.'
Jacobson, die was blijven staan, deed een stap naar voren en keek Olufsen recht in zijn schichtige ogen. Olufsen nam onzeker plaats achter zijn bureau en zonder Jacobson aan te kijken antwoordde hij: 'Voor zover ik weet is ze om tien uur vertrokken. De cheffin...'
'Je liegt,' onderbrak Jacobson hem hard. 'Lilian zou haar post nooit vrijwillig verlaten, zonder mij daarvan in kennis te stellen. Ik wil weten wat jouw rol is bij de verdwijning van Lilian.'
'De cheffin kwam mij om tien uur vertellen dat het nieuwe kamermeisje vertrokken was.'
Dreigend kwam Jacobson naar voren, tot bij het bureau. Nijdig schudde hij zijn hoofd.
'Je denkt toch niet dat we op ons achterhoofd zijn gevallen? Lilian is verdwenen en nogmaals: ik wil weten wat jouw rol hierin is. Heb je de sjeik ingelicht? Heb je hem verteld, dat je van de politie hebt gehoord dat zich terroristen in zijn gevolg bevinden? Heb je hem verteld dat wij met een team zijn mensen schaduwen? Heb je hem verteld dat een van de kamermeisjes deel uitmaakt van dat team?'
De steeds nerveuzer wordende personeelsmanager probeerde zichzelf in bedwang te houden en om niet op te laten vallen dat zijn handen begonnen te trillen als een espenblad, speelden zijn vingers krampachtig met een ballpoint.
Wat heb ik mijzelf op de hals gehaald, peinsde hij wanhopig. Hoe praat ik me hieruit, zonder toe te geven.
'Geef me antwoord, misbaksel,' snauwde Jacobson.
Hij beledigt me, flitste het door Olufsen heen, dat hoef ik niet te pikken. Het biedt me een kans om mezelf hier uit te praten.
Moed verzamelend stond hij van zijn bureaustoel op en voor het eerst Jacobson aankijkend sprak hij ferm: 'U hebt mij beledigd, dat hoef ik niet te slikken. Ik dien een klacht in bij uw superieuren en nu verzoek ik u mijn kantoor te verlaten.'
Jacobson stak zijn arm al uit, met de bedoeling de personeelsmanager over zijn bureau heen te trekken, maar wist nog juist op tijd zijn opkomende woedeaanval te onderdrukken. Hij stapte achteruit en nam plaats in een van de fauteuils, die

schuin tegenover het bureau van Olufsen stonden. Ik pak het verkeerd aan, dacht hij, Olufsen aankijkend.
'Beseft u wel, mijn waarde heer Olufsen,' begon hij opnieuw, 'dat er een collega van ons is verdwenen en hoogstwaarschijnlijk ontvoerd, mede door uw toedoen?'
Een korte pauze inlassend om zijn woorden goed te laten doordringen, vervolgde hij: 'Wanneer u nu volledig meewerkt en antwoord geeft op mijn vragen, zodat wij dan ook mede door uw toedoen onze collega kunnen opsporen, zullen wij niet moeilijk doen over uw uitingen aan de sjeik. Hebt u dit goed begrepen, meneer Olufsen?'
Olufsen kalmeerde langzaam en kreeg zichzelf onder controle door de rustige manier waarop Jacobson hem nu benaderde. Hij was weer achter zijn bureau gaan zitten, streek met zijn vingers als een hark door zijn dunner wordende haardos en knikte Jacobson toe.
'Om te beginnen, wat heb je de sjeik precies verteld?'
'Nou,' klonk het eerst nog schuchter uit de mond van Olufsen, 'ik heb hem gewaarschuwd, dat de politie vermoedt dat er zich terroristen in zijn gezelschap bevinden.'
'Wanneer heb je hem dat verteld?'
'Vanmorgen, voor het gezelschap aan het ontbijt plaatsnam.'
'Was de sjeik alleen, toen je hem dat vertelde? Stond er iemand in de buurt?'
De personeelsmanager streek zich over het voorhoofd en antwoordde nadenkend: 'Voor de sjeik uit, misschien een paar meter, kwamen eerst twee bodyguards de eetzaal binnen, daarna de sjeik en dan na weer een paar meter nog twee bodyguards, met daarachter de rest van het gezelschap. Toen ik de sjeik beleefd aansprak, bleef hij staan en de anderen ook.'
Zijn mond opnieuw nadenkend samentrekkend vervolgde Olufsen: 'Misschien hebben de bodyguards iets opgevangen, maar wat dan nog, ze spreken volgens mij alleen Arabisch.'
'Hoe reageerde de sjeik?'
'Eerst keek hij verbaasd, vervolgens schudde hij verontwaardigd zijn hoofd. Hij pakte mijn hand en zei dat hij zulke onzin in jaren niet gehoord had, en dat veel politiemensen paranoïde zijn, dat had hij ook in Koeweit City wel meegemaakt. Toen begon hij te glimlachen en vroeg me of ik hem kon vertellen welke hotelmedewerkers tot het politieteam behoorden.'
Olufsen sloeg zijn ogen neer en liet een stilte vallen. Hij streek met zijn rechterhand over zijn gezicht en begon met zijn linkerhand nerveus op het bureaublad te trommelen. Hij begon zich opnieuw onbehaaglijk te voelen. Hij dacht eraan, dat de hand die de sjeik hem gaf vijfhonderd dollar bevatte. Hij had het geld aangenomen en de sjeik alles opgebiecht wat hij wist.
Jacobson bestudeerde de personeelsmanager achter zijn bureau en voelde al aan wat de man verder nog zou vertellen, dus wachtte hij rustig af, tot Olufsen zijn verhaal zou vervolgen.
'Na enige aarzeling heb ik de sjeik verteld wat ik wist.'

Het klonk erg benepen, maar het hoge woord was eruit en de opluchting was van zijn gezicht af te lezen.
'Wat heb je de sjeik precies verteld?' vroeg Jacobson verder.
'Dat de nachtportier en een kamermeisje tot het politieteam behoorden,' antwoordde Olufsen voorzichtig. Jacobson dacht dat de man niet kon weten dat ook Jan Mortensen binnen in het hotel gestationeerd was. Jan was gewoon een gast, die voor onbepaalde tijd een kamer had gehuurd.
'Je hebt hem dus precies verteld welk kamermeisje.'
Olufsen knikte.
Conclusie, dacht Jacobson, de sjeik is direct betrokkene en heeft het stadsbestuur en heel Kopenhagen op het zogenaamde verkeerde been gezet. Tegen Olufsen zei hij: 'Voor jouw eigen veiligheid: wees in het vervolg wat voorzichtiger met je uitlatingen! Blijf de sjeik met alle egards behandelen. Maar dit gesprek heeft nooit plaatsgevonden, begrijp je me?'
Jacobson stond op en gaf Olufsen een hand ten afscheid, zich tegelijkertijd realiserend dat hij en zijn team voor een onmogelijke opgave stonden. Lilian was ontvoerd en zeker niet meer in het hotel. Want waar zouden de terroristen haar moeten verbergen? In de suite van de sjeik? Of in een van de hotelkelders? Nee, te veel risico's voor ontdekking. Maar waar hadden ze haar heen gebracht? De terroristen moesten contacten hebben in de stad zelf.
Ondertussen liep hij de lobby door naar de uitgang.
Halverwege de hal bleef hij even staan en opzij kijkend zag hij Mortensen aan de bar zitten. Met een hoofdknik gaf hij deze te kennen hem te volgen.

Den Haag, Sportlaan, 19.08 uur

Direct na aankomst bij het Haga Ziekenhuis liet rechercheur Morilles een kordon agenten het ziekenhuis omsingelen. Niemand mocht eruit en niemand mocht erin.
Hij begaf zich naar de hoofdingang en vervoegde zich aan de balie.
De baliemedewerkster depte haar ogen. Ze wendde zich tot Morilles en met een huilerig stemmetje vroeg ze hoe ze hem van dienst kon zijn.
'Mijn naam is Morilles, recherche bureau Duinstraat, heb ik u aan de lijn gehad?'
De baliemedewerkster snoot haar neus en vermande zich. Nog beverig knikte ze en zei: 'Mijn naam is Miep Uitdehoogte, zeg maar Miep. Zo noemt iedereen mij hier.'
'Oké, Miep, wat is er gebeurd na mijn telefoontje?'
De baliemedewerkster had zichzelf weer aardig in bedwang, maar de vraag die Morilles stelde deed opnieuw haar mondhoeken trillen.
Ze schudde haar hoofd en keek Morilles in de ogen. De rechercheur knikte haar bemoedigend toe en over de balie heen nam hij haar rechterhand in de zijne en kneep er zachtjes in.
Kom op, meid, zeiden zijn ogen.

Miep slaakte een diepe zucht, trok haar hand terug en begon haar verhaal.
Nog geen tien minuten na het telefoontje van Morilles had Sonja, haar collega van Spoedeisende hulp, haar helemaal overstuur gebeld. Ze had geprobeerd de twee allochtonen tegen te houden, maar zonder zich aan haar te storen hadden zij het ziekenhuis verlaten.
De gang in kijkend zag ze de deur van de operatiekamer openstaan, maar noch de dokter noch de broeder kwam naar buiten. Ze had de arts geroepen, maar toen er geen reactie kwam, had ze haar post, tegen de ziekenhuisregels in, verlaten, was de gang ingelopen en kreeg bijkans een hartstilstand door wat ze in het operatiekamertje zag. Gillend was ze naar buiten gelopen, maar de twee allochtonen waren in geen velden of wegen te bespeuren, alleen de motor stond nog op dezelfde plek. Toen belde ze de politie.'
'Dokter Veldhuisen en dokter Spiegelenberg,' vervolgde Miep, 'onderzoeken nu dokter Kattenberg en Bram, de verpleegkundige.'
'Waar is jouw collega van Spoedeisende hulp?'
'Sonja is helemaal van de kaart en vind je dat gek? Wat dat kind heeft meegemaakt en wat ze te zien kreeg, wens je je grootste vijand nog niet toe.'
'Waar is de betreffende operatiekamer?'
'Hier rechts van mij, deze deur door, dan kom je in de gang naar de balie van de Spoedeisende hulp. De derde deur rechts in de gang is het operatiekamertje.'
'En,' voegde ze eraan toe, 'Sonja zit in de kantine, onder toezicht van de hoofdzuster, bij te komen van de schrik.'
'Dank je, Miep, en hou je goed, meid, ik kom straks nog even langs.'
Morilles wilde zich op weg begeven naar de Spoedeisende hulp.
'Meneer,' sprak een man, deftig in het pak, hem aan, gaat dit nog lang duren? Wij zijn hier op bezoek geweest en willen graag weer naar huis.'
In de ontvangsthal had zich een tiental mensen verzameld, die na hun bezoek aan geliefden, familie of kennissen het ziekenhuis niet mochten verlaten.
De rechercheur krabde zich achter de oren, want nadat hij van Miep had vernomen dat de gezochten het ziekenhuis al hadden verlaten, vroeg hij zich af of het nog wel nodig was de boel afgesloten te houden.
Deze mensen ondervragen had totaal geen zin, de plaats delict was de Spoedeisende hulp en daar moest hij zo snel mogelijk naartoe voor aanvullende informatie.
'Attentie,' sprak hij luid, zich richtend tot de groep verzamelde bezoekers. Terwijl het geroezemoes verstomde, vervolgde hij: 'Dames en heren, geef me een kwartier. Ik moet nog een paar dingen onderzoeken, daarna zal de hoofdingang, onder toezicht, weer vrijgegeven worden.' En tactisch voegde hij eraan toe: 'Wij vragen excuses voor het u aangedane ongemak en danken u bij voorbaat voor uw geduld.'
Na zijn korte toespraak spoedde Morilles zich naar de Spoedeisende hulp en in de gang aangekomen zag hij de derde deur rechts openstaan.
Met een paar stappen bereikte hij het operatiekamertje en een blik naar binnen deed zijn gezicht verstrakken.
Morilles had in zijn vijftienjarige loopbaan bij de politie al genoeg meegemaakt,

maar nog steeds raakte hij van slag bij het zien van dergelijke taferelen.
Een lange magere jongeman lag op zijn rug op de grond, de ogen gesloten, met een lijkwit gezicht en een plasje bloed onder zijn hoofd.
Iemand zat op zijn hurken naar hem te staren en schudde verdwaasd met zijn hoofd, niet begrijpend wat hier allemaal was voorgevallen.
Op de operatietafel lag een kleine man, die zo te zien geopereerd werd door twee artsen, wat hij al vernomen had van Miep. Morilles liep de kamer in en tikte de hurkende man op zijn schouder. Deze keek hem vanuit zijn geknielde houding wanhopig aan, tranen welden op in zijn ogen.
Morilles pakte de man onder zijn linkerarm en trok hem voorzichtig overeind. Hij wenkte hem dat hij mee moest komen en gedwee volgde de man de rechercheur.
Buiten de operatiekamer gekomen liep Morilles een tegenovergelegen opvangkamertje, waarvan de deur openstond, binnen en gebaarde de man plaats te nemen op een van de twee aanwezige stoelen.
Morilles sloot de deur, en ging zelf ook zitten.
Morilles keek de man enkele seconden stilzwijgend aan en vroeg toen niet onvriendelijk: 'Uw naam en functie hier in het ziekenhuis?'
Een diepe zucht slakend antwoordde de man met een ietwat gebroken stem: 'Jean Zonderland, ik ben hoofdverpleegkundige.'
'Goed, meneer Zonderland, ik voel met u mee. Dat wat er gebeurd is, moet een behoorlijke schok voor u zijn, maar ik moet mijn werk doen. Mijn naam is Morilles, recherche, bureau Duinstraat. Ik ga u een paar vragen stellen en wil dat u uw emoties in bedwang houdt.'
De hoofdverpleegkundige knikte, streek met zijn hand over zijn gezicht en antwoordde: 'Vraagt u maar rechercheur.'
Zijn stem klonk al wat vaster.

Kopenhagen

Het hotel uitkomend bleef Niels Jacobson een ogenblik stilstaan. Hij overzag het straatbeeld en naar rechts kijkend zag hij een van de tijdelijk ingehuurde rechercheurs van het politiekorps Kopenhagen op zijn post heen en weer slenteren. Olaf Magnusson en Soren Pedersen waren aangewezen om de sjeik, waar deze ook heen ging, te volgen. De eer viel vandaag te beurt aan Magnusson. Zodra ze oogcontact hadden, wenkte Jacobson hem met zijn hoofd om hem te volgen. Jacobson stak de drukke rijweg over en liep in de richting van Nick Polsen, die voor de zoveelste keer in een etalage stond te gapen. Toen hij hem passeerde zei hij zacht: 'Is Sven er al? Zo ja, haal hem op en kom direct naar het bureau voor overleg.'
Mortensen en Magnusson arriveerden bijna gelijktijdig bij de BMW van Jacobson, die al achter het stuur zat en bezig was de motor te starten. Mortensen nam plaats naast de chauffeur en Magnusson, een grote brede kerel van een meter negentig, schoof, zijn hoofd diep bukkend, op de achterbank.

Aangekomen bij het hoofdkantoor van de Anti Terreur Eenheid parkeerde Jacobson de BMW zo dicht als mogelijk was bij de ingang.
Samen met de beide andere rechercheurs liep hij het politiebureau binnen en ze namen de trap naar de eerste verdieping. Boven aan de trap sloegen ze linksaf, een gang in met aan weerszijden diverse deuren. Aan het einde van de gang bevond zich aan de rechterkant de vergaderruimte.
Jacobson nam plaats aan het hoofdeinde van een langwerpige, metalen vergadertafel. Magnusson nam twee stoelen verder, rechts van Jacobson plaats, terwijl Mortensen de koelkast opende en aan zijn collega's vroeg of ze iets wilden drinken. Magnusson had trek in een appelsapje en Jacobson vroeg aan Mortensen een thermoskan koffie te bestellen. Even later arriveerden Sven Larsen en Nick Polsen, die links en rechts van Jacobson tegenover elkaar plaatsnamen. Elk teamlid had zijn eigen plek.
'Sven, Nick, wat willen jullie drinken?'
Jan Mortensen was meestal degene die zich opwierp als ober en voegde er lachend aan toe: 'Vandaag geen bier, jongens.'
'Oké, mannen,' begon Niels Jacobson de bijeenkomst. 'Lilian is verdwenen en zo goed als zeker ontvoerd door die kerels van de sjeik. Ik zal jullie een voor een vragen of jullie iets vreemds of abnormaals is opgevallen en denk alsjeblieft goed na, voordat je antwoord geeft. Sven, van jou heb ik al een kort mondeling verslag gehoord, maar ik zou graag zien dat je dat herhaalt, zodat ook de anderen op de hoogte zijn.'
Sven knikte en vertelde zijn verhaal.
Jacobson noteerde voor zichzelf de belangrijkste punten.
'Nick, your turn.'
'Wat mij opviel, is dat de huidige begeleiders van de sjeik niet dezelfde zijn als degenen met wie hij Denemarken is binnengekomen. Ik weet dat Arabieren veel op elkaar lijken, maar sinds we te maken hebben met een flink percentage allochtonen in Kopenhagen, leren we toch de verschillen in de gezichten te onderscheiden. Tijdens mijn wacht gisteravond reden er veel auto's af en aan, zowel voor het hotel als op het parkeerterrein. Voor het hotel werden de, door Sven aangegeven, vertrekkende bodyguards opgehaald door particuliere auto's. Van de laatste kon ik het kenteken opnemen omdat hij mijn kant op kwam en mij heel dicht passeerde; de andere twee auto's reden de andere kant op.'
'En dat vertel je ons nu pas?' reageerde Jacobson opgewonden.
'Eerder was het nog niet echt belangrijk, toch!' verdedigde Polsen zich. 'Maar het is een lichtblauwe SAAB, het kenteken is VW 36 573.'
'Oké,' kalmeerde Jacobson enigszins. 'Sorry, Nick, en Sven: laat dit direct natrekken.'
Sven Larsen fungeerde onofficieel als zijn rechterhand en terwijl Sven het nummer noteerde en opstond, wendde Jacobson zich tot Olaf Magnusson.
'Olaf, is jou nog iets bijzonders opgevallen?'
Voordat Olaf kon antwoorden, kwam een jonge agente een thermoskan met verse koffie brengen. 'Ik heb mijn best gedaan,' zei ze, terwijl ze met knipperende ogen naar Niels lonkte.

'Fijn, dank je, Paula,' antwoordde Jacobson emotieloos, terwijl hij de dop van de thermoskan los schroefde en de dampende bruine vloeistof in een beker goot. Enigszins teleurgesteld draaide Paula zich om en verliet heupwiegend de kamer, nagestaard door grijnzende mannen.
'Ze ziet jou wel zitten, chef,' merkte Jan Mortensen op.
'Ja, dat zal wel,' reageerde Jacobson nuchter. 'Maar ik denk, dat onze hersens zich met belangrijker zaken moeten bezighouden. Oké, Olaf, voor de draad ermee.'
'De auto's van het gezelschap reden rechtstreeks naar Christiansborg, waar men precies om elf uur arriveerde. Voorbijgangers zagen de sjeik uitstappen en nieuwsgierig als Kopenhagenaars zijn, verzamelde zich al snel een twintigtal toeschouwers, onder wie ik mij mengde. Van dichtbij heb ik dus de sjeik met zijn volgelingen het paleis zien binnengaan. Daardoor viel het me op dat een allochtoon, die wandelend vanuit de richting Christians Brygge dichterbij kwam, zich aansloot en als een van de laatsten mee naar binnen liep. Bijna onopgemerkt werd hij begroet door enkele leden van het gezelschap.
Terwijl onze stadsgenoten hun weg vervolgden, trok ik me terug in mijn auto. Na circa anderhalf uur kwam het gezelschap weer naar buiten. Als laatste kwam onze allochtoon naar buiten met wat folders en brochures in zijn hand. Hij liep weg in de richting van de Christians Brygge. Op het moment dat hij naar buiten kwam, keek hij recht in mijn camera en heb ik hem gefotografeerd. Daarna ben ik de sjeik gevolgd naar slot Rosenborg.'
Hij overhandigde zijn digitale camera aan Jacobson en liet hem de gemaakte foto zien. Na een blik op het beeld geworpen te hebben, gaf Niels de camera aan de zojuist weer binnengekomen Sven, die eveneens het beeld bekeek. Zwijgend gaf hij het toestelletje door aan Nick Polsen, die het beeld wat langer in ogenschouw nam. Met zijn vinger op de foto tikkend, zei hij: 'Deze meneer behoort tot het gezelschap dat met de sjeik aankwam op Kastrup.'
Jacobson sloeg het dossier 'Koeweit', dat rechts voor hem op tafel lag, open en zocht tussen de stapel foto's naar de beeltenis van de betreffende allochtoon.
'Dat is hij, een van de bodyguards,' zei hij beslist en hield de gevonden foto iets van zich af, om hem goed te kunnen bekijken. 'Ondanks zijn donkere huid en een flinke neus is ook hij geen geboren Arabier.'
De andere foto's van de bodyguards voor zich uitspreidend vervolgde hij: 'Hier, bekijk die andere knapen maar eens. Die gezichten horen bij lui uit het Midden-Oosten, maar hij? Ik vermoed dat hij een Spanjaard is. Nick, neem contact op met Interpol, het zou me niet verbazen als hij een strafblad heeft zo lang als de Oresund brug.'
Zich tot Mortensen wendend en zichzelf nog een beker koffie inschenkend vroeg hij:
'En, Jan, is jou nog iets opgevallen? Vanaf de bar heb je goed zicht op de lobby van het hotel.'
Jan Mortensen haalde zijn schouders op en begon te vertellen.
'Ik erger me kapot aan de manier waarop de receptionisten en portiers reageren, wanneer die machosjeik het hotel binnenkomt.'

'Jouw mening over het personeel interesseert ons niet, beste Jan, heb je nog iets bruikbaars?'
'Net als Nick ben ik ervan overtuigd dat de huidige lijfwachten niet dezelfde zijn als degenen met wie de sjeik de eerste dag het hotel binnenkwam. De barkeeper meende zelfs een van die vervangers te herkennen. Hij woont in het centrum van Norrebro en zoals je weet wonen daar veel allochtonen. Zeker wist hij het niet, maar hij zou navraag doen.'
Jacobson knikte en noteerde de bevindingen.
De volgende conclusies en hierdoor oprijzende vragen schreef hij op:
1. Oorspronkelijke bodyguards zijn de terroristen.
2. Zij zijn vervangen door allochtone Kopenhagenaars.
3. Dat betekent dat een van de plaatselijke extreme moslimgroeperingen contacten onderhoudt met een terroristenbeweging/Al Qaida (?)
4. Wij weten niet waar zij zich schuilhouden en dat betekent, dat zij in alle vrijheid een aanslag kunnen voorbereiden.
5. Is Christiansborg een mogelijk doelwit?
6. Hoogstwaarschijnlijk wordt Lilian op hetzelfde onderduikadres vastgehouden.
7. Een domme zet van de sjeik om Lilian te laten ontvoeren. Hij moet toch begrijpen, dat elke beschikbare politieman nu op zoek is naar zijn collega. Tenzij hij niet anders kon en Lilian een voor hem zeer belastende ontdekking heeft gedaan.

Wat is concreet?
1. Kenteken van de auto.
2. Foto van de Spanjaard/Interpol.
3. Barkeeper herkent een Kopenhaagse allochtoon.

Wat kunnen we nog meer?
1. Onze tipgevers en infiltranten in het moslimwereldje benaderen, misschien hebben zij iets gehoord.
2. Contact opnemen met CIS-1, Avi Weinberger en hem de Kastrup-foto's doormailen.

En verder?
1. Terug naar onze posten in het hotel.
2. De sjeik blijven schaduwen.
3. Mijn collega bij de recherche van het politiekorps Kopenhagen vragen om Christiansborg dag en nacht te laten observeren.
4. Contact opnemen met zijn baas bij de Deense inlichtingendienst en hem de zaak voorleggen. Hij moet hem ervan zien te overtuigen dat de sjeik niet zo onschuldig is als het lijkt en dat hij zich bewust laat gebruiken als dekmantel voor een terroristische aanslag.

De mannen zaten zwijgend rond de tafel, wachtend tot Jacobson klaar was. Nick Polsen ontbrak inmiddels, hij was al bezig contact te zoeken met Interpol.
'Oké, mannen,' begon Niels Jacobson. Hij las zijn notities voor en zijn conclusies. De tafel rondkijkend vroeg hij: 'Hebben jullie hier nog iets aan toe te voegen?'
Zoals meestal was het Jan, die zich geroepen voelde om een opmerking te plaatsen of commentaar te geven.
'Netjes op een rij gezet, chef!'
Olaf, de geleende rechercheur van het politiekorps Kopenhagen, voelde zich nog niet helemaal op zijn gemak tussen die speciaal opgeleide 'zware jongens' van de Anti Terreur Eenheid. Hij kuchte beleefd om aandacht.
'Zeg het maar, Olaf,' nodigde Jacobson hem vriendelijk uit.
'Ik zie dat u heel duidelijke foto's hebt van de verdwenen lijfwachten. Het lijkt mij, dat het toch mogelijk moet zijn deze foto's te vermenigvuldigen, om daarna een simpel opsporingsbevel te laten uitgaan in het hele Grootkopenhaagse gebied.'
De mannen van de A.T.E. keken elkaar aan en opnieuw was het Jan, die als eerste reageerde. 'Simpel noemt hij dat... Een geweldige opmerking, man, ik schaam me, dat ik daar zelf niet opgekomen ben.' De anderen knikten en Jacobson voegde eraan toe: 'Dat is een heel goeie, Olaf, ik vind dat je een volwaardig lid bent van ons team.'
Na een klop op de deur kwam een jonge agent de kamer binnen, met vlak achter hem Nick Polsen. Nick nam weer plaats aan de vergadertafel en de jonge agent gaf Jacobson een A4'tje.
'We hebben de SAAB nagetrokken en het blijkt dat hij gistermiddag is gestolen. De eigenaar woont in Frederiksberg en heeft aangifte gedaan op het politiebureau aldaar.'
Jacobson zuchtte. 'Dat was te verwachten, het zijn geen amateurs. Bedankt voor de info.'
De agent bleef staan en friemelde nerveus aan een uniformknoop.
'Is er nog iets?'
'Moeten we niet een opsporingsbevel uit laten gaan, meneer?' vroeg de jongeman. Jacobson sloeg de ogen neer, wreef met zijn rechterhand over zijn voorhoofd en sloot een moment zijn ogen. 'Zijn we nou zo in de war door de ontvoering van Lilian, dat we zelf niet meer kunnen denken?' mompelde hij. 'Prima opgemerkt, spoor die SAAB voor ons op, we kunnen wel een succesje gebruiken.'
Ondertussen trokken donkere wolken zich boven Kopenhagen samen. De lucht werd donker en de eerste felle lichtflitsen schoten vanuit de hemel naar de aarde, gevolgd door knetterende donderslagen.
De harde noordelijke wind zweepte het water in het Kattegat hoog op en samen met de felle regenbuien vielen de steeds hoger wordende golven aan op het begin van de Sont, de vierenhalve kilometer brede waterdoorgang tussen het Deense Helsingor en het Zweedse Helsingborg, een van de drukst bevaren waterwegen van de wereld.
Door de vernauwing en de harde noordelijke wind werd het water, komende uit

het Kattegat, de Sont ingeperst, waardoor de golven hoger opgestuwd werden dan normaal bij windkracht zes of zeven. Kleinere scheepjes, zeilboten en visserslui zochten ijlings een goed heenkomen in een van de vele haventjes langs de Deense kust.
De regen kwam met bakken naar beneden en door de felle windstoten werden de ramen van het hoofdbureau stevig getest.
Het was schemerig geworden in de vergaderruimte en Jan had op eigen initiatief het licht aangedaan.
De tune van een mobiel overtrof het geluid van de tegen de ramen kletterende regen. Niels Jacobson pakte zijn telefoon en zag op het schermpje een onbekend nummer. Schouderophalend drukte hij op de groene knop en bracht de mobiel naar zijn rechteroor.
Als door de bliksem getroffen sprong hij overeind, waarbij het armstoeltje in een boog door de kamer vloog en tegen de korte muur aan kwakte. Een van de armleuningen brak spontaan af.
De mannen staarden verbaasd en verschrikt naar hun chef, die ze hoorden schreeuwen: 'God zij dank!'
En even later: 'Waar ben je?'

Den Haag, Sportlaan, 19.10 uur

Commissaris De Koning parkeerde de VW Passat achter een politieauto vlak voor de hoofdingang.
Toen zij het ziekenhuis in wilden gaan, werden ze tegengehouden door een stoere hoofdagent van zeker een meter negentig. 'Ho, ho, dame en heren, waar wilt u naartoe?'
Beide commissarissen waren in burger en de hoofdagent was duidelijk niet van bureau Duinstraat, anders had hij commissaris De Koning wel herkend.
De Koning liet zijn legitimatie zien en zei: 'Dit zijn korpschef Bierman, rechercheur Goedkoop en special agent Tikva Goldsmid, Israëlische binnenlandse veiligheidsdienst.'
De stoere hoofdagent deed een stap opzij, tikte met twee vingers aan de klep van zijn pet en uitnodigend zwaaiend met zijn andere arm, zei hij: 'Dame, heren, gaat uw gang.'
Terwijl het gezelschap de ontvangsthal van het ziekenhuis binnenging, sprak de jonge diender, die de hoofdagent assisteerde bij de bewaking van de hoofdingang: 'Cool, zeg, zulk hoog bezoek, dit kan niet zomaar een schietpartijtje zijn geweest.'
Commissaris De Koning baande zich een weg tussen de wachtende mensen door naar de balie, met achter zich korpschef Bierman, Tikva Goldsmid en Benjamin Goedkoop.
Miep Uitdehoogte, de baliemedewerkster, zag de vier op zich afkomen. Wat nu weer, dacht ze.

Ondertussen was de directeur van het ziekenhuis in de ontvangsthal verschenen, die, onrustig knipperend met zijn ogen, de situatie in de hal in zich opnam.
Het was hem opgevallen dat De Koning met zijn gevolg het ziekenhuis binnen mocht gaan, dus veronderstelde hij al dat het om politie moest gaan.
Met een paar driftige stappen stond hij naast Miep achter de balie, juist op het moment dat De Koning aan Miep wilde vragen of ze rechercheur Morilles had gezien. De directeur dacht ze wel even de les te lezen, deze machtswellustelingen.
'Met wie hebben wij het genoegen?' kraste hij uit de hoogte.
'Commissaris De Koning van bureau Duinstraat, en wie mag u wel zijn?' repliceerde De Koning.
Even knipperde de directeur met de ogen, sprakeloos omdat hij, nota bene op zijn eigen werkterrein, zo werd aangesproken.
'Joris van Meerkerke, directeur van dit ziekenhuis,' flapte hij eruit en vervolgde: 'Hoe haalt u het in uw hoofd om het hele ziekenhuis af te grendelen? Dat zal ons geen goede publiciteit bezorgen.'
Voordat De Koning kon antwoorden reageerde korpschef Bierman.
'Meneer Van Meerkerke, er zijn twee vuurgevaarlijke terroristen gesignaleerd in uw ziekenhuis, met name op de eerste-hulpafdeling, en wij zouden graag zo snel mogelijk via de kortste weg daarnaartoe willen.'
'U zult de afdeling Spoedeisende hulp bedoelen,' bitste Joris van Meerkerke. 'Nadat de twee door u genoemde terroristen een arts en een verpleegkundige hadden neergeschoten, hebben zij in allerijl het ziekenhuis verlaten, dus nogmaals: waarom dan toch nog deze afgrendeling?'
De gezichten van de vier personen voor de balie verstrakten, toen zij hoorden dat er geschoten was.
'Nogmaals,' vroeg Bierman op strenge toon, en dat kon hij als korpschef bijzonder goed, 'De kortste weg naar de eerste hulp?'
Voordat Van Meerkerke kon antwoorden, ontstond er kabaal bij de hoofdingang. Twee kerels, de een met een microfoon in de hand en de ander met een reusachtige camera op de schouders, probeerden de stoere hoofdagent voorbij te komen. Samen met zijn jonge collega Dirk bleef de hoofdagent pal voor de opdringerige mannen staan. Degene met de microfoon schreeuwde dat ze van TV West waren en een opnameverslag wilden maken voor het nieuws van negen uur.
Directeur Joris van Meerkerke staarde verbijsterd naar het tafereel. 'Nee,' kreunde hij. 'Geen televisie.'
Rechercheur Goedkoop draaide zich om en keek naar Miep, die tijdens de confrontatie van directeur Van Meerkerke met de politiefunctionarissen zenuwachtig met haar vingers had staan frunniken. Uiteindelijk was Van Meerkerke toch haar directeur, al was ze het totaal oneens met hem en verweet ze hem stilletjes dat hij het gebeurde zo koel opnam. Hij was nog niet eens even poolshoogte gaan nemen en tegen Sonja, haar collegaatje, had hij gesnauwd dat ze zich moest beheersen.
'Juffrouw, hebt u rechercheur Morilles hier ontmoet en weet u waar hij is?'
Omdat het kabaal toenam en de wachtende bezoekers zich met het incident bij

de ingang gingen bemoeien, boog Miep zich over de balie heen naar voren om zich verstaanbaar te maken en beantwoordde de vraag van Goedkoop. 'Die deur daar,' wees ze met haar rechterarm naar de toegangsdeur die scheiding maakte tussen de ontvangsthal en de Spoedeisende hulp. 'Rechercheur Morilles is daarheen gegaan.'
'Dank u wel, juffrouw.'
De hoofdagent en zijn collega kwamen in het nauw door de opdringerige TV-West mensen en de achter hen opdringende bezoekers.
Goedkoop tikte De Koning en Bierman op de schouders, die beiden de uit de hand lopende situatie bij de ingang observeerden. Ze zagen dat de hoofdagent in zijn mobieltje om assistentie vroeg. Goedkoop wenkte de anderen met de hand dat zij hem moesten volgen.
Wat bezielt mensen toch, wanneer ze een cameraploeg in de buurt zien?
Terwijl collega's te hulp schoten om de orde te herstellen en directeur Joris van Meerkerke handenwringend en totaal verbijsterd geen woord meer kon uitbrengen, spoedden de vier zich naar de Spoedeisende hulp.

Zich precies aan de snelheid houdend reed Abdullah de President Kennedylaan af. Tijdens de rit keek hij herhaaldelijk in de achteruitkijkspiegel en bestudeerde het gezicht van Sharif, die op zijn lippen beet, tot bloedens toe, om niet weg te zakken in een bewusteloze toestand. Hij hield de Beretta dreigend gericht op de vrouw. Het mens zat weggedoken in een hoek van de achterbank met haar handen voor haar gezicht geluidloos te snikken. Abdullah had haar ruw te verstaan gegeven dat ze doodstil moest zijn en haar ogen dicht moest houden.
Zorgelijk keek hij naar de benzinemeter, die praktisch op nul stond.
Hij wilde zich snel van de Ford Focus ontdoen. Via zijn mobiele telefoon had hij al contact opgenomen met Yannou, die hen straks zou oppikken. Net iets te vroeg begon de motor te sputteren en sloeg af. Abdullah stuurde de auto naar de kant en parkeerde langs de stoeprand. Honderd meter verderop zag hij de Seat van Yannou geparkeerd staan. Hij belde Yannou en verzocht hem achteruit te rijden om hen snel op te kunnen pikken. Abdullah en Sharif stapten snel over in de Seat en Abdullah siste tegen Yannou: 'Wegwezen!'

Morilles keek de hoofdverpleger even peinzend aan.
'Jean' – Morilles sprak hem bewust met zijn voornaam aan om een vertrouwelijke sfeer te scheppen tussen hem en de hoofdverpleegkundige – 'ik wil graag de namen en de functies weten van beide slachtoffers.'
Met een pijnlijke trek op zijn gezicht en nog steeds een wanhopige blik in zijn ogen antwoordde Jean Zonderland met gesmoorde stem.
'Die lange magere is Bram Nieuwenhuizen, verpleegkundige; hij was opgeroepen

om dokter Kattenberg te assisteren bij een open botbreuk.'
Morilles had een kleine zakrecorder ingeschakeld om het vraaggesprek op te nemen en vervolgde: 'Weet je nog hoe laat de patiënt arriveerde?'
'Dat moet rond halfzeven geweest zijn. Bram en ik hadden iets gegeten en bij het verlaten van de kantine werd Bram opgepiept. Vandaar dat ik ook weet dat het om een open botbreuk ging.'
'Heel goed,' knikte Morilles. 'Kun je me ook vertellen, wat er precies gebeurd is en hoe het met de slachtoffers gesteld is?'
'Ik werd opgepiept door Miep, de baliemedewerkster in de ontvangsthal. Ze zei dat er iets vreselijks gebeurd was op de Spoedeisende hulp, en vroeg of ik direct naar de operatiekamer wilde gaan.'
Jean Zonderland pauzeerde even. Niet dat hij de spanning wilde opvoeren, maar hij werd overweldigd door emoties. Hij slikte een paar keer en vervolgde: 'Toen ik het operatiekamertje binnenging, kreeg ik bijna een hartstilstand van wat ik te zien kreeg, ik kon mijn ogen niet geloven. Bram lag boven op dokter Kattenberg, bloed droop vanuit zijn nek over de dokter heen, op de vloer. Ik nam de daar aanwezige interne telefoon op en belde Miep om de artsen Veldhuisen en Spiegelenberg met spoed te laten oproepen, wetende dat de beide doktoren zich in de kantine bevonden.'
'Wat gebeurde er daarna?'
Jean schudde even met zijn hoofd en staarde verdwaasd naar de vloer. Toonloos vervolgde hij: 'Ik zag een rond gaatje in de nek van Bram, maar bracht dat nog niet direct in verband met een schotwond.'
En Morilles aankijkend zei hij verontwaardigd: 'Op zo'n moment denk je daar toch niet aan, we leven in een veilig Nederland en niet op de Balkan.'
Laat dat veilige maar weg, dacht Morilles. Na de moorden op Pim Fortuyn en op de publicist Theo van Gogh zaten zijn collega's van regio Amstelland met een reeks recentelijk gepleegde moorden in hun maag.
'Ik zag dokter Kattenberg bewegen,' vervolgde Jean zijn trieste relaas, 'en toen kwamen de doktoren Veldhuisen en Spiegelenberg binnen. Dokter Veldhuisen zakte door de knieën en pakte de pols van Bram. Na een tiental seconden keek hij me aan en zei: "Jean, help me Bram van dokter Kattenberg af te halen. We kunnen niets meer voor hem doen, hij heeft zo te zien een nekschot gehad en moet op slag zijn overleden."
We haalden Bram van de dokter af. Het bloederige gat in zijn voorhoofd, boven de verbaasde uitdrukking rond zijn nog geopende, starende ogen, zal me nog lang achtervolgen.
"God zij dank," hoorde ik dokter Veldhuisen tegen zijn collega zeggen: "Pierre leeft nog, help me hem op de operatietafel te leggen."
Pierre,' legde Jean uit, 'is de voornaam van dokter Kattenberg. Toen kwam u al binnen en nu zitten we hier.'
Morilles drukte op de stopknop van het bandrecordertje en stak zijn hand uit naar Jean Zonderland. 'Bedankt, Jean, je hebt me goed geholpen. Ga maar aan de slag, misschien hebben de beide doktoren je nodig. Dat is wellicht de beste

remedie tegen de schok die je kreeg te verduren.'
Jean knikte, slaakte een diepe zucht en begaf zich naar het operatiekamertje, de rechercheur in gedachten achterlatend.

Kopenhagen

Farid kwam hoofdschuddend de kelder weer binnen.
Net als een volleerde kelner in een overvol café droeg hij op zijn opgeheven rechterhand een dienblad, met daarop een glas water, een beker melk en een bordje waarop voor een hongerige Lilian een sandwich uitdagend lag te pronken.
Op het bed toelopend zei hij: 'Je hebt hem stevig geraakt, hij is nog steeds buiten kennis.'
'Weet ik,' zei Lilian. 'Dat duurt zeker nog een paar uur. Mag ik weten hoe jij heet, dat praat wat gezelliger.'
Zijn arm uitstrekkend overhandigde hij haar het dienblad, om daarna snel een stap terug te doen. 'Maakt het iets uit als je weet hoe ik heet?'
Nonchalant, terwijl ze haar rechterknie optrok, zodat Farid opnieuw een vrije inkijk had onder haar rok, reageerde ze: 'Ach, volgens jou ben ik straks toch dood, dus ik dacht die laatste uurtjes samen met jou op een prettige manier door te brengen.'
'Lilian,' zei hij, meewarig zijn hoofd schuddend, 'je hebt geen idee wat je te wachten staat. Zolang hun leider buiten bewustzijn is, durven de andere vijf jou niet aan te raken. Als hij weer bij is, zal hij in eerste instantie niet weten wat hem is overkomen. Waarschijnlijk ben jij de eerste die hem een knock-out heeft bezorgd. Maar de anderen zullen hem moeten vertellen dat hij door een vrouw buiten westen is geslagen en geschopt, nota bene door een vrouw die met één arm vastgeketend zat. Dat zal voor hem onverdraaglijk zijn en hij zal totaal uit zijn dak gaan, mede ook doordat dit gebeurde onder de toeziende ogen van twee van zijn mannen.'
'Je maakt mij niet bang, Lichtpuntje – zo noemde ik je in gedachten omdat je een licht stipje in je linkeroog hebt. Ik zal je een paar opmerkelijke dingen vertellen die waarschijnlijk bij jou nog niet bekend zijn, en dan hoop ik dat je nog een greintje gezond verstand bezit om te kunnen concluderen dat je jezelf in een heel lastig pakket hebt gemanoeuvreerd.
Ten eerste: wij, van de Anti Terreur Eenheid Kopenhagen, weten dat de met de sjeik meegekomen bodyguards een terreurgroep vormen die een spraakmakende aanslag in Kopenhagen wil plegen.
Ten tweede: we zijn geïnfiltreerd in het hotelpersoneel.
Ten derde: de sjeik en zijn eerbiedwaardige gezellen worden scherp in de gaten gehouden. Ze hebben geen schijn van kans om ook maar iets te ondernemen.
Ten vierde: mijn collega's zullen niet rusten voordat ze mij gevonden hebben. Ik weet zeker dat elke beschikbare politieman of -vrouw naar mij op zoek is.
Ten vijfde: ik vind dat je moet meewerken om erger voor jou te voorkomen en

dat je mij de sleutel van deze handboeien moet geven.
Zijn glanzende donkerbruine ogen gleden van onder haar rok vandaan over haar lijf, naar haar gezicht en haar ogen; ze keken haar geamuseerd aan.
'Ik moet toegeven dat je een zeer knappe, verleidelijke meid bent, maar laten we ons koppie erbij houden. Het is niet helemaal zoals jij de situatie omschrijft, de groep vrijheidsstrijders zitten hier in dit huis ondergedoken en kunnen in alle rust de aanslag voorbereiden. De sjeik en zijn eerbiedwaardige gezellen, zoals jij ze noemt, bezoeken zeer opvallend en geheel in stijl alleen maar paleizen, kastelen, restaurants, muziektheaters en weet ik wat nog meer. Hem en zijn eerbiedwaardige gezellen kan men niets ten laste leggen en jullie geïnfiltreerde agenten zien zij als een extra bescherming tegen eventuele opdringerige moslimhaters.'
Haar rok over haar knie trekkend overdacht Lilian hoe ze er nu voorstond.
Hij was schijnbaar ongevoelig voor haar charmes en ook haar opmerkingen kregen geen grip, ergo het was nu een tegen een. Tijd om haar derde wapen in te zetten.
Met een zucht en een zacht kreuntje legde ze haar voorhoofd op haar knieën, terwijl ze nog steeds het dienblad in haar handen had. Zeker een minuut bleef ze zo zitten.
Farid bekeek haar zwijgend, niet wetend wat te doen.
'Ooo, wat nu,' klonk haar stem terneergeslagen.
Ze leefde zich zo intens in haar rol van wanhopig meisje in dat ze, terwijl ze haar hoofd ophief en Farid aankeek, het zelfs presteerde om een traan over haar lichtelijk opgezette rechterwang te laten rollen. Het dienblad in haar handen begon te trillen. Ze pakte het glas water en terwijl ze een paar slokken nam, klapperden haar tanden tegen het glas. Geheel ontredderd keek ze met betraande ogen Farid opnieuw aan en fluisterde: 'Help me alsjeblieft.'
'Dat kan ik niet, ze maken me af.'
Bewust hield Lilian het dienblad schuin, waardoor de beker met melk begon te schuiven. En inderdaad, Farid reageerde met een snelle stap naar voren. Hij pakte het dienblad uit haar hand en dacht ver genoeg bij haar vandaan te blijven. Haar traptechniek werden daarmee echter flink onderschat. Bliksemsnel liet Lilian zich onderuit zakken, terwijl ze in een flits haar rechterbeen strekte en met haar voet hem vol en keihard in de nek raakte. Totaal uit balans klapte hij naar voren met zijn hoofd tegen de rand van het ijzeren ledikant en viel stuiterend op de vloer, vlak naast het bed. Lilian sprong op en, haar geboeide rechterhand ontziend, gaf ze Farid met haar linkervoet de genadeklap. Koortsachtig begon ze zijn broekzakken te doorzoeken, ze moest snel het sleuteltje vinden dat haar zou verlossen van de handboeien. Ze viste uit zijn rechterachterzak een mobieltje en legde dat op het bed.
Farid lag voorover, ze zou hem om moeten draaien om bij zijn broekzakken te komen. Haar rechtervoet schoof ze onder zijn linkerdijbeen en met haar linkerhand greep ze hem bij zijn bovenarm. Haar voet als een soort koevoet gebruikend en sjorrend met haar linkerarm kreeg ze hem zover dat hij op zijn rechterzij

kwam te liggen en, snel als ze was met haar rechterbeen, trapte ze hem verder op zijn rug. Omdat ze vermoedde dat de man rechts was, woelde ze eerst met haar hand in zijn rechterbroekzak. Ze haalde opgelucht adem, toen ze het begeerde sleuteltje tevoorschijn haalde.
Er klonk gestommel op de trap, er kwam iemand naar beneden. Ze moest opschieten!

Den Haag, Haga Ziekenhuis

Het geluid van meerdere snelle voetstappen in de gang deed Morilles uit zijn gepeins opschrikken, en door de geopende deur hoorde hij de stem van rechercheur Goedkoop zeggen: 'Wat een puinhoop.'
En iets later: 'Hoe staat de zaak ervoor, Morilles?'
Nadat de vier een blik in het operatiekamertje geworpen hadden, volgden ze Morilles de opvangkamer in. Morilles deed beknopt verslag van wat hij van Jean Zonderland had vernomen en hij besloot met: 'De twee allochtonen zijn niet meer in het ziekenhuis, dus kunnen we het kordon agenten laten opbreken, zodat de in- en uitgangen weer vrij zijn.'
Hij vervolgde met: 'Ik zal de technische dienst laten komen om de Harley te onderzoeken. Het is vrijwel zeker dat we met de gezochte terroristen te maken hebben. Hoe ze zijn weggekomen is op dit moment nog een raadsel. Miep, de baliemedewerkster, vertelde me dat Sonja van de Spoedeisende hulp de twee niet heeft kunnen tegenhouden en na haar ontdekking in het operatiekamertje gillend naar buiten is gerend, maar de twee waren in geen velden of wegen meer te bekennen. Ik zal Sonja een kort verhoor afnemen in de hoop dat ze zich nog iets kan herinneren van toen ze buiten het parkeerterrein overzag.'
Commissaris De Koning knikte Morilles bemoedigend toe. 'Oké, Morilles, handel jij hier de zaak maar af, en morgenochtend om acht uur verwacht ik jouw rapport op mijn bureau. We verdwijnen via de eerste-hulpuitgang en proberen ongezien hier weg te komen. Een interview met TV West en een nieuwe ontmoeting met de ziekenhuisdirecteur kunnen ons gestolen worden.'

Lilian, Kopenhagen

Zo vlug als ze kon stak ze het sleuteltje in het slot van de handboei, die aan het ledikant vastzat. Zodra ze zich bevrijd had, overbrugde ze met een paar snelle stappen de afstand tussen het ledikant en de half openstaande deur. Ze drukte zich naast de deur plat tegen de muur aan.
De kerel was bijna beneden en riep iets in een vreemde taal.
De deur ging helemaal open, en Lilian handelde bliksemsnel door hem gelijk de handboeien vol in het gezicht te gooien. Door de slagkracht wankelde hij achteruit en struikelend viel hij ruggelings op de trap, waar hij een ogenblik verdwaasd

bleef liggen. Voordat hij ook maar een kik kon geven, zat Lilian met haar knie stevig op zijn borst gedrukt en omklemde haar linkerhand zijn keel, de luchtwegen dichtknijpend.
Over zijn neus en zijn linkeroog liep een bloederige streep van zeker twee centimeter breed, waarmee de handboeien zich als wapen hadden bewezen.
Zwak probeerde hij Lilian van zich af te slaan, maar na een tiental seconden maakten zijn benen een stuiptrekkende beweging en verslapte zijn lichaam.
Snel trok ze hem de kelder in en sleepte hem naar het ledikant, waar ze hem naast Farid neerlegde. Ze ontdeed nu ook haar rechterhand van de handboei en vervolgens haalde ze deze door het frame van het ledikant en klikte de ene kant om de pols van Lichtpuntje en de andere om de pols van de andere kerel.
Het mobieltje stopte ze in de zak van haar jasschort, ze droeg immers nog steeds de outfit van een kamermeisje. Even uitblazend stond ze nog een moment haar werk te bewonderen. Glimlachend draaide ze zich om, stak ook het sleuteltje van de handboeien in haar zak en sloop de trap op. Boven aan de trap stond de deur op een kier, daar doorheen glurend zag ze een halletje met schuin aan de andere kant een gesloten deur, waarachter geroezemoes klonk.
De deur voorzichtig verder openduwend zag ze links een blinde muur en rechts een half openstaande deur, die zicht gaf op een gasfornuis en dus blijkbaar de keuken van het pand. Ze sloop verder de hal in en begaf zich naar de keuken.
Vlak bij de keukendeur bleef ze plotseling stokstijf staan, want vanuit de keuken drong het geluid van het sluiten van een kastdeurtje tot haar door. Haar hart bonkte in haar keel en de adrenaline gierde door haar lichaam.
Er werden glazen ergens op gezet en zo te horen opende iemand een fles frisdrank om die vervolgens leeg te schenken in de glazen.
Langzaam liet ze de ingehouden lucht ontsnappen en ontspande zich.
Blijkbaar moest ze nog een keer iemand uitschakelen, zodat de weg naar buiten, naar de vrijheid, weer openlag. Onhoorbaar bewoog ze zich verder naar de half openstaande keukendeur, totdat ze zicht kreeg op de ene helft van de keuken, een gasfornuis, een koelkast en een keukenspiegeltje waardoor ze de andere helft van de keuken kon zien. Ze keek via het spiegeltje op de rug van een kerel, die juist op dat moment de fles frisdrank afsloot. De koelkast bevond zich naast het spiegeltje, tegenover het aanrecht waar de man voor stond. Als de kerel zich zou omdraaien om de fles frisdrank terug te zetten in de koelkast, was het onvermijdelijk dat hij haar via datzelfde spiegeltje zou zien. Ze moest dus snel handelen, wilde ze de verrassing nog een rol laten spelen. Soepel overbrugde ze de laatste meter, glipte door de halve opening de keuken in en nam de starthouding van een freefighter aan. De kerel had zich juist naar de koelkast toe gedraaid, met de bedoeling de fles frisdrank terug te zetten en stond met zijn rug naar Lilian toe. Een soort zesde zintuig deed hem zich in een reflex omdraaien en Lilian ziende hief hij de fles boven zijn hoofd en viel haar spontaan en woest aan. Mooier kan het niet, flitste het door haar heen, en een seconde later blokkeerde haar linkerpols de neersuizende arm met de fles en gaf ze de man een venijnige trap midden in zijn kruis.

Dat ontlokte hem een kreet van pijn en vooroverbuigend greep hij met beide handen naar zijn kruis, te laat beseffend dat dit het einde van het gevecht inluidde. Om iets meer ruimte te creëren deed Lilian een halve stap achteruit om daarna met een gebogen rechterknie de man vol onder de kin te raken. Zonder nog geluid te geven sloeg de man keihard achterover tegen de grond.
Waarschijnlijk was de kreet van de kerel opgemerkt, want in de hal werd er een deur geopend en iemand riep iets, voor Lilian onverstaanbaar.
Ze moest zo snel mogelijk verdwijnen. Ze stapte over de kerel heen en opende de niet afgesloten achterdeur. Ze werd verrast door de regen die met bakken naar beneden kwam. Voor zich zag ze een tuinpad en links iets verderop, wazig door de regen, een schuurtje. Opnieuw werd er achter haar geroepen, en de stem kwam dichterbij.
Ze zag de sleutel aan de binnenkant in het slot van de deur steken, trok hem eruit, gooide de deur dicht en sloot hem van buiten af.
Dit houdt ze even bezig, dacht ze en de sleutel in haar zak stekend liep ze vlug het pad af.
Aan het eind van het tuinpad ontwaarde ze een schutting met een deur.
Links van haar stond het schuurtje. De neergutsende regen kletterde oorverdovend op het zinken golfplaten dakje van de schuur. In de luwte van het schuurtje drukte ze zich even tegen de muur om op adem te komen. Ze was al tot op haar huid doorweekt en huiverend trok ze de kraag van haar blouse dicht. Een moment later schoof ze langs de muur naar de tuindeur en tastte naar de deurkruk.
Het was geen originele deurkruk, maar een ronde knop die Lilian probeerde open te draaien, maar haar natte handen kregen geen greep op de knop en glibberden eromheen.
'Ooo, kom op, zeg,' kreunde ze zacht.
Haar handen onder haar nog droge oksels afvegend probeerde ze ze daarna als een klemschroef om de knop te persen, en hem nogmaals naar rechts te draaien, terwijl ze zacht met haar schouder tegen de deur drukte.
Ze slaakte een zucht van opluchting, toen de knop meegaf en de deur door een veer naar binnen werd getrokken. Ze stapte naar buiten en kwam in een brede steeg van een meter of acht terecht. De steeg werd schaars verlicht door verschillende soorten lampen die naast de garagedeuren waren opgehangen, waarschijnlijk door de bewoners zelf. Enkele auto's stonden aan weerszijden van de steeg geparkeerd.
Naar links en rechts kijkend zag ze aan de rechterkant dichtbij een brede straat, goed verlicht door hoge lantaarnpalen. Naar links kijkend zag ze alleen maar een dicht gordijn van water en daardoor kon ze het einde van de steeg niet zien.
Een zwak krakend geluid drong van achteren tot haar door, en omkijkend zag ze door de neergutsende regen een lichtbundel uit het huis naar buiten schijnen. Ze begreep dat de kerels de keukendeur hadden opengebroken en het voor haar hoog tijd werd om ervandoor te gaan. Even stond ze besluiteloos, opnieuw naar links en rechts kijkend, niet wetend welke kant ze op moest. Als ze naar links uitweek, zou ze snel door de regen opgeslokt worden en niet meer te zien zijn,

alleen wist ze niet waar ze terecht zou komen, misschien liep de steeg wel dood. Geschreeuw vanuit het huis dreef haar in een snelle run naar rechts, de verlichte straat in. Voor ze de hoek omsloeg, keek ze achterom en zag twee kerels de steeg inkomen. Ze dacht: bekijken jullie het maar, en opnieuw koos ze voor rechts. Voortsnellend zag ze, dat ze langs een brede rijweg rende. Ze probeerde zich te oriënteren, maar door de dichte regen zag ze geen herkenningspunten.
Voor haar doemden er stoplichten op van een oversteekplaats, die op rood stonden. Ze moest stoppen, en zenuwachtig keek ze achterom.
Enkele auto's raasden haar voorbij, ze zag dat ze voor een groot kruispunt stond. Naast de oversteekplaats stond een paal met een straatnaambordje bovenaan.
Haar hand boven haar ogen houdend voor de nog steeds neerstriemende regen probeerde ze de straatnaam te lezen. Een windvlaag dreef de regen een moment bij het bordje vandaan en ze las 'Norrebrogade'. Het stoplicht sprong op groen en snel sprintte ze naar de overkant.
De stoep aan de overkant bereikend liep ze opnieuw langs een straatnaambord en in een flits las ze 'Jagtvej'. Nu wist ze waar ze was. Vlak hierna wist ze, was het Norrebro-kerkhof.
Langs het kerkhof rennend zag ze, dat het hek openstond. Ze rende het kerkhof op en stopte na vijf grafzerken gepasseerd te zijn bij een grotere zerk en keek om naar de weg. Terwijl ze zich achter de grafzerk verborg, wilde ze toch de weg blijven observeren.
Ze was tijdens haar wilde vlucht niemand tegengekomen. Logisch, dacht ze, je moet wel een steekje los hebben zitten om met zulk weer de straat op te gaan.
Op haar hurken zittend gebruikte ze het mobieltje van Lichtpuntje en tikte het nummer van Jacobson in.
Ze hoorde hem opnemen, maar hij zei niets, en terwijl een glimlach zich om haar mond plooide, zei ze ondeugend: 'Hallo, schattebout.'
'God zij dank,' hoorde ze Jacobson schreeuwen, met een hoop herrie op de achtergrond.
'Het spijt me, dat we elkaar vanmiddag zijn misgelopen.'
'Waar ben je?' schreeuwde Jacobson zwaar hijgend.
'Ik lig hier als een verzopen kat in de modder, verborgen achter een grafzerk op het Norrebro-kerkhof, vlak bij de ingang. Ik ben ontsnapt en vermoed dat mijn achtervolgers het hebben opgegeven.'

Scheveningen

Terug aan het bureau Duinstraat namen Benny en Tikva hartelijk afscheid van commissaris De Koning en korpschef Bierman, en plaatsnemend in de grijze Ford Mustang van Benny vertrokken ze naar Den Haag Centrum.
Het was ondertussen geheel donker geworden.
Ze hadden voor de volgende ochtend afgesproken dat Benny noch De Koning aanwezig zouden zijn op de bijeenkomst die door Bierman georganiseerd was;

in plaats daarvan zouden Benny, Tikva en De Koning zich samen met Morilles buigen over de zaak 'Abdullah'.
Benny's maag liet een rommelend geluid horen.
'Tikva, het is al halfnegen, zullen we samen ergens een hapje gaan eten?'
Ze reageerde met een knikje van haar hoofd.
'Mijn favoriete bistro ligt in het centrum van Den Haag,' vervolgde Benny. 'Maar voor we daar zijn, ben ik van de graat gevallen.'
'Ben je wat?' vroeg Tikva.
'O, gewoon een Nederlandse uitdrukking dat ik die bistro niet ga halen gezien mijn enorme trek. Hou je van vis? We zijn nu in Scheveningen en ik ken hier een paar heel goede visrestaurants.'
Toen Tikva bevestigend geknikt had, wist Benny de auto al snel te manoeuvreren in de richting van restaurant Cap Ouest. Pal tegenover dit restaurant vond hij nog een parkeerplek. Een beetje geluk kan geen kwaad, dacht hij.
Tikva wilde uitstappen, maar Benny hield haar tegen.
'We gaan luxe uit eten en ik wil me als een heer gedragen, dus laat me je helpen uitstappen.'
Vlug liep hij om de auto heen en hield heel charmant het portier open, terwijl hij een hand aanbood om haar te helpen uitstappen.
Een voorbij wandelend echtpaar bleef even staan, waarbij de vrouw opmerkte: 'Da dee jij vroger ok, Teun.' Waarop de man reageerde: 'Et zel wel, kom Cor, deurlope.'
Vriendelijk knikte Benny naar de vrouw, tegelijk Tikva bij haar rechterelleboog pakkend. Links en rechts de straat af kijkend staken ze snel, voor een aanstormende Volvo, de straat over.
Toen ze het restaurant binnenkwamen werden ze direct ontvangen door een vriendelijk glimlachende juffrouw, waarbij het Benny opviel dat haar ogen niet meededen.
'Goedenavond mevrouw en meneer, hebt u gereserveerd?'
Benny schudde het hoofd en de juffrouw met zijn bekende ontwapenende en charmante glimlach aankijkend zei hij: 'We hopen dat u nog een tafeltje vrij hebt, het is laat geworden op ons werk en we zijn uitgehongerd.'
Het lukte hem. Ze ontdooide en haar ogen lachten nu mee, terwijl ze zei: 'Wilt u mij volgen, ik heb nog een intieme hoektafel vrij.'
Het restaurant was voor driekwart bezet en de juffrouw bracht hen naar een tweepersoons tafel in de hoek van het restaurant voor het raam. Het gedimde licht maakte er een romantisch plekje van.
Terwijl de juffrouw beleefd op afstand bleef staan, keek Benny Tikva vragend aan. Ze koos ervoor om met haar rug naar het restaurant te gaan zitten en Benny schoof haar stoel netjes aan. Toen ook Benny plaatsgenomen had, kwam de juffrouw dichterbij en vroeg of ze iets wilden drinken.
'We eten straks allebei vis, dus een fles heerlijke witte wijn lijkt mij niet verkeerd.'
'Tja, dat wordt moeilijk. Wij hebben namelijk bij elk visgerecht een bijbehorende wijn gezocht, omdat de smaak van bijvoorbeeld zeetong heel anders is dan die

van schol of kabeljauw, om maar iets te noemen. Ik zou niet weten welke wijn ik u moet adviseren, begrijpt u?'
Benny zat de juffrouw met halfopen mond aan te gapen en herstelde zich, toen hij een zacht trapje tegen zijn scheenbeen kreeg.
'O, nou, voor het eten kunnen we dan wel wat sterkers drinken, wat vind jij, Tikva?'
'Mm, voor mij een rosé van het huis.'
'Ik graag een Schotse whisky. Hebt u Famous Grouse in huis?'
'Jawel, wilt u ijs in de whisky?'
'Graag twee blokjes.'
Met een vriendelijk knikje verwijderde de juffrouw zich.
'Eindelijk samen... hoe gaat het met jou, Tikva?'
'Goed, Benny, goed, maar laten we het over het mooie uitzicht hebben hier aan de haven, romantisch toch met al die lichtjes? Of over ons werk.'
Direct liet ze daarop volgen: 'Waar kan Abdullah zich verschuilen?'
'Oké, ik zal niet meer vragen hoe het met jou gaat, maar we zijn nu ontspannen uit eten, dus alsjeblieft geen Abdullah. Je ogen zijn nog steeds heel mooi, alleen wil ik ze zien stralen.'
Door de nijdige blik die ze hem toewierp schoot Benny in een aanstekelijke lach, waardoor ook Tikva een glimlach niet kon onderdrukken.
Ze keek Benny diep in de ogen en boog over de tafel heen om met haar handen zijn knuisten te omstrengelen.
'Benny, je weet dat ik je heel hoog heb zitten, maar ik ben nog niet zover, dat ik aan een nieuwe relatie begin. Geef me alsjeblieft wat tijd en laten we voorlopig goede vrienden blijven. Bovendien zijn we collega's die met een belangrijke en zeer moeilijke opdracht zitten, die nu de hoogste prioriteit heeft.'
''t Is goed, Tikva, ik zal geduld moeten opbrengen. Al moet ik m'n halve leven op je wachten...'
Ze kneep hem even in de handen en trok zich toen weer terug.
'Een mooi restaurant,' veranderde ze van onderwerp. 'Als het eten net zo goed is als het interieur hebben we een paar fijne culinaire uurtjes voor de boeg.'
'We zullen ons best doen, mevrouw,' reageerde de juist terugkerende juffrouw. Terwijl ze de drankjes neerzette, vervolgde ze: 'U zult er geen spijt van hebben dat u voor Cap Ouest hebt gekozen. Mag ik u de kaart overhandigen?'
Hieraan toevoegend zei ze. 'Onze specialiteit voor deze avond is een exclusief vijf gangen verrassingsmenu, waarbij u de keuze geheel overlaat aan de keukenbrigade, voor een prijs van € 47,50 per persoon. Uit te breiden met een kaasplankje, meerprijs € 10,50 per persoon. Maar uiteraard kunt u ook à la carte bestellen.'
Benny knikte vriendelijk naar haar en de juffrouw verwijderde zich weer.
'Lechajiem, op je gezondheid,' proostte Benny, zijn glas opheffend naar Tikva.
'Proost,' reageerde Tikva glimlachend.
Ze namen beiden de menukaart op.
'Zo te zien houden we beiden niet zo van verrassingen,' merkte Benny op. 'Nemen we een voorgerecht?'

'Dat hangt van de gerechten af, je weet dat ik niet alles mag eten. Wat betreft vis alleen vis met schubben en ook geen schaaldieren zoals krab of garnalen.'
De voorgerechten doornemend koos Tikva voor filet americain en Benny had wel trek in gamba's.
Nadat beiden de hoofdgerechten en de nagerechten hadden doorgenomen, was Tikva de eerste die haar menukaart teruglegde op tafel.
'Jammer,' zei ze, 'dat de Noordzeetong samen met de kreeft in één menu is gestopt.'
'Als je tongfilets wilt, bestel je toch alleen tong?'

Anderhalf uur later streek Benny voldaan met zijn hand over zijn buik en depte Tikva met een servetje haar lippen af. Nadat de rekening betaald was, begaven ze zich naar buiten.
'Zullen we nog even langs de haven wandelen?' vroeg Tikva. 'Ik kom hier niet iedere dag en het is ook nog eens goed voor de spijsvertering.'
'Lijkt me een goed idee. Durf je me een arm te geven?'
De avondkilte deed haar licht huiveren, en aan de aangeboden arm drukte ze zich even tegen Benny aan.
Kuierend langs de haven vroeg Benny: 'Overnacht je in een hotel of logeer je bij mij?'
'Het liefst overnacht ik bij jou,' antwoordde Tikva.
'Oké, dan kun je gebruikmaken van mijn slaapkamer met badkamer en neem ik de logeerkamer wel.'
'Je bent lief.'
Na die opmerking bleef het een poosje stil, ze genoten van elkaars nabijheid.
'Zullen we omkeren en zien dat we thuiskomen?' verbrak Tikva de stilte en licht rillend vervolgde ze: 'Ik vind het een beetje te fris.'
Het was rustig op de weg en binnen twintig minuten stonden ze in het appartement van Benny.
'Momentje, dan pak ik even een paar spulletjes uit mijn slaapkamer. Ik wist natuurlijk niet dat jij zou komen.'
Vlug ruimde Benny een paar kledingstukken op, gooide de gebruikte handdoek in de wasmand en verving deze door een schone. Verder zagen de badkamer en de slaapkamer er schoon en opgeruimd uit. Eén dag in de week kwam de werkster zijn appartement schoonmaken en toevallig was dat gisteren gebeurd.
De slaapkamer uitkomend zei hij met een uitnodigend gebaar: 'All yours, my love.'

Kopenhagen

'In de auto's, mannen. Jan, zorg eerst dat je een paar grote handdoeken en dekens opduikelt. Sven, Lilian heeft ongeveer jouw lengte, zorg voor een overhemd, een

broek en een regenjack. Lilian is ontsnapt aan de terroristen en zoals ze het zelf formuleerde, ligt ze als een verzopen kat achter een grafzerk op het Norrebro-kerkhof.
Olaf, in de garderobe staan een paar paraplu's, pak die en rij met mij mee. Nick, jij start alvast de tweede auto, wacht op Jan en Sven en komt ons zo snel mogelijk achterna.'

Lilian gluurde om de grafzerk heen naar de ingang. Toen ze niemand zag, stond ze op uit de modder en half schuilgaand achter de grafzerk probeerde ze zich warm te wrijven.
Inmiddels waren er, tergend langzaam, tien minuten verstreken na haar telefoontje met Niels. Elk moment verwachtte ze haar collega's te zien.Rillend en klappertandend stapte ze van achter de grafzerk het grindpad op en begon te springen, alsof ze aan het touwtje springen was.
Het voelde goed en na een minuutje rilde ze niet meer en voelde ze het bloed weer door haar aderen stromen.
De wind was iets afgenomen en daarbij ook de felle regenbuien. Het was pikdonker en op het geluid van de regen op het jonge groen na was het doodstil op het kerkhof. Alleen bij de ingang was het schaarse licht van een lantaarn te zien.
Griezelend keek ze om zich heen. Niet dat ze bang was, maar ze kon zich wel betere plekken indenken om zich op te houden dan een begraafplaats op een donkere stormachtige avond. Zoiets hoorde thuis in een horrorfilm.
Terwijl ze overwoog haar collega's tegemoet te lopen, hoorde ze het geluid van een stoppende auto.
Hoopvol staarde ze naar de ingang.
Autoportieren werden geopend en sloegen weer dicht.
Drie mannelijke figuren kwamen door de ingang de begraafplaats oplopen.
Als op commando straalde vanaf alle drie tegelijk een krachtige lichtbundel de duisternis in.
De middelste figuur wenkte met zijn zaklantaarn naar rechts en een van de anderen verdween naar rechts het kerkhof op. Een wenk naar links en de derde man verdween naar links het kerkhof op.
De middelste man, schijnbaar de leider, liep langzaam rechtdoor over het grindpad in de richting van de grafzerk, waarachter Lilian zich opnieuw schuilhield.
De contouren van de man waren duidelijk te zien. Het was niet Niels Jacobson.
Turend naar de langzaam naderbij komende kerel, die zijn lichtbundel links en rechts van het grindpad liet schijnen, herkende Lilian met een schok de gestalte die op haar afkwam.
O help, ging het door haar heen. Dat is die schoft die mij een kort verhoor afnam, de leider van de groep terroristen.
Ze kronkelde zich als een slang op haar buik door de modder vanaf het grindpad naar de andere kant van de grafzerk. Voorzichtig gluurde ze om de grafzerk heen

en constateerde tot haar schrik dat de kerel de grafzerk al tot op hooguit tien meter was genaderd.
Koortsachtig overwoog ze haar mogelijkheden.
De lichtbundel zwiepte weer de andere kant op en opnieuw gluurde ze om de grafzerk heen.
Toen ze haar knieën wilde optrekken, stuitte ze met haar rechterknie op iets hards. Ze pakte het op en voelde dat het een platte gladde steen was.
Ze woog de steen in haar hand en schatte het gewicht op een kilo.
Een glimlach plooide zich rond haar mondhoeken bij de gedachte aan een oud trucje, die in haar opkwam. Reeds als jong meisje paste ze deze truc toe bij het verstoppertje spelen, om iemand de verkeerde kant op te sturen.
Op haar knieën zittend richtte ze zich voorzichtig op, ervoor zorgend dat ze goed verborgen bleef achter de grafzerk.
Tot het uiterste gespannen wachtte ze af tot het juiste moment daar was.
De sterke lichtbundel scheen over de zerk heen en verdween toen langzaam naar de andere kant van het grindpad.
De kerel was de grafzerk al tot op vijf meter genaderd.
Haar arm zwaaide iets naar achteren, daarna naar voren en Lilian gooide met kracht de steen een meter of twintig het kerkhof dieper in.
De neerkomende steen veroorzaakte een ketsend geluid, waarop de terrorist reageerde en de lichtbundel met een ruk naar voren, langs het grindpad liet schijnen.
Met een paar snelle passen passeerde hij de grafzerk van Lilian.
Terwijl de kerel voorbijkwam, zag ze een handwapen in de rechterhand van de terrorist. De terroristen wilden haar doden.
Met een beklemmend gevoel begon ze om de grafzerk heen te kruipen. Wilde ze uit het zicht van de terrorist blijven, dan moest ze zorgen dat ze aan de andere kant van de grafzerk kwam. Haar hart sloeg een keer over, toen ze merkte dat de kerel stil was blijven staan.
Het geknerp van het grind onder zijn schoenen was opgehouden. Vanuit haar ooghoeken zag ze dat hij met zijn zaklantaarn de omgeving voor hem afzocht. De kerel moest een zesde zintuig hebben, want plotseling draaide hij zich om en de lichtbundel bescheen voluit Lilians grafzerk en schuilplaats. Snel als een adder gleed ze op haar buik en ellebogen naar de andere kant van de grafzerk, terwijl de kogels langs haar heen gierden en stukken steen van de grafzerk afrukten.
Even later lag ze hijgend van inspanning met haar rug tegen de grafsteen naar de ingang van de begraafplaats te staren. Zich wanhopig afvragend waar Niels en de anderen bleven.
Ze hadden hier allang moeten zijn.
Ze hoorde zacht soppende en sluipende voetstappen dichterbij komen.
De terrorist moest van het grindpad de modder zijn ingelopen.
Hij riep zijn metgezellenen en beval hen naar hem toe te komen. 'Ik heb de snol,' voegde hij eraan toe.
Vanuit haar ooghoeken zag ze van twee kanten de lichtbundels snel naderbij komen.

Met getrokken wapens in de ene hand en een zaklantaarn in de andere legden ze voorzichtig de laatste meters af.
De leider kwam van links om de grafsteen heen op haar af en hij liet een sarcastisch lachje zien.
Haar ogen met haar hand afschermend zat Lilian gevangen in drie lichtbundels, waarbij de kerels op veilige afstand bleven staan, waarschijnlijk uit eerbied voor haar inmiddels beruchte stoot- en traptechnieken.
De leider beval haar in het Spaans te gaan staan.

Den Haag, korpschef Bierman

Toen Bierman was thuisgekomen, was hij gelijk achter zijn bureau gaan zitten. Na de belevenissen van die dag had hij de behoefte om de cv's van de overige negen kandidaten nog eens door te nemen.
Voordat hij de eerste map opende, ging hij in gedachten nog eens na hoe hij aan deze uitstekende politiefunctionarissen was gekomen.
Hij was op zoek gegaan naar mannen en vrouwen in de leeftijd van 25 tot 35 jaar die privé niet gebonden waren. Toen hij als volgend criterium invoerde dat de geselecteerden cum laude geslaagd dienden te zijn, hield hij 357 politiefunctionarissen over. Daarvan hielden zeven vrouwelijke en 29 mannelijke agenten zich bezig met recherchewerkzaamheden, onder wie één vrouw en drie mannen internationaal.
Via de landelijke afdeling personeelszaken vroeg hij van deze geselecteerden hun carrièreverloop op en kwam toen uiteindelijk op twee vrouwen en zeven mannen uit, afgezien dan van De Koning en Goedkoop, die hij persoonlijk kende als uitstekende speurders. Een van de twee vrouwen was een topper op IT-gebied.

Veertien dagen geleden was hij op zijn privételefoon gebeld door Agnes Wemeldam, een goede studievriendin van hem, en nu minister van Binnenlandse Zaken. Heel geheimzinnig had ze een afspraak met hem gemaakt, met als ontmoetingsplaats Piet S.
Piet Suikerbuik was de eigenaar en barkeeper van een intiem cafeetje waar zij in hun studententijd vaak samen een biertje hadden gedronken.
Nostalgische gevoelens bekropen hem toen hij het café betrad. Het interieur was nog hetzelfde, maar achter de bar stond een jonge gast die hem vriendelijk begroette en hem vroeg wat hij wilde drinken.
Terwijl hij bestelde en naar Piet vroeg, vertelde de jonge gast dat Piet zijn vader was en inmiddels boven achter de geraniums zat.
Toen hij zijn oude studievriendin, enigszins vermomd door de blonde haardos en hoornen bril, ontwaard had, hadden ze elkaar hartelijk begroet. 'Waarom al die geheimzinnigheid en wat zie je eruit!' had hij gereageerd.

'Kees, dit is *top secret*, de minister-president, de minister van Justitie en ikzelf maken ons grote zorgen over het feit dat het terrorisme, ook in Nederland, steeds grotere vormen aanneemt. De politie doet haar best, maar met al die wetjes en regels waar zij zich aan dient te houden, is zij geen partij voor de professioneel opgeleide terroristen. Van de minister-president hebben we vernomen dat in verschillende Europese landen in het grootste geheim speciale teams zijn geformeerd die vrij en naar eigen inzicht mogen opereren en niet gebonden zijn aan die regels.'
Vervolgens had ze Bierman de vraag gesteld of hij zo'n team ter bestrijding van het terrorisme in Nederland wilde samenstellen.

Hoofdschuddend nam hij de eerste plastic map van de stapel en verdiepte zich voor de derde keer in de negen cv's. Van elke persoon liet hij nog eens alle bijzonderheden tot zich doordringen.
De klok sloeg twaalf uur en geeuwend stond hij op, om op zijn tenen de slaapkamer binnen te gaan, waar zijn vrouw zich al geruime tijd in de armen van Morpheus bevond.

Kopenhagen

Bij de ingang van de begraafplaats glipten vijf figuren het kerkhof op, zich daarna opsplitsend, twee naar links en drie naar rechts.
Als een grove waaier naderden de vijf antiterreurbestrijders geluidloos de drie terroristen, die zich oppermachtig voelden tegenover een weerloze Lilian.
Niels Jacobson had de grootste moeite om zijn woede te onderdrukken bij het zien van Lilian, die rillend van de kou ruggelings tegen de grafzerk in de modder lag.
Die schoften moeten zich wel heel dapper voelen, flitste het door hem heen.
Op vijftien meter afstand bleef hij staan en stak zijn linkerhand op.
Naar links en rechts van hem kijkend zag hij dat zijn eenheid in positie stond, de revolvers gericht op de drie terroristen.
'Hands up,' brulde Niels.
Totaal verrast draaiden de twee terroristen links en rechts van Rafaello zich in een vloeiende beweging om, tegelijk door de knieën zakkend en blindelings schietend op hun belagers.
De twee terroristen konden niet op tegen de vuurkracht van vier Denen en dodelijk getroffen vielen ze achterover in de modder.
Terwijl hun zielen aan de verre reis naar de hemel van de profeet Mohammed begonnen, lag een springlevende Rafaello in de modder tegen de grafsteen aan, met Lilian als een schild voor zich, zijn pistool tegen haar rechterslaap gedrukt.
Toen Niels Jacobson 'Hands up' brulde, was Rafaello naar voren gedoken, boven

op Lilian, die te verrast was om te reageren. Niels had een keer geschoten, maar de kogel was over de duikende terrorist heen gevlogen en een tweede keer schieten durfde hij niet aan, bang om ook Lilian te raken.
Zich omhoog drukkend tegen de grafsteen en Lilian met zich mee sleurend, schreeuwde Rafaello in het Spaans dat zij hun wapens op de grond moesten gooien.
Nick Polsen zat gehurkt bij Jan Mortensen, die in de borst was geraakt en half bij kennis achteroverlag.
'Pronto,' schreeuwde de Bask opnieuw en vertwijfeld keken de mannen naar Jacobson, die na een ogenblik met een moedeloos gebaar zijn wapen op de grond liet vallen.
Sven Larsen en Olaf Magnusson volgden het voorbeeld van Jacobson, terwijl Nick Polsen, overeind komend, zijn wapen achterliet op het lichaam van Mortensen.
De Bask had Lilian bij haar haar gegrepen en trok haar ruw mee het grindpad op. Zijn pistool drukte hij gemeen hard tegen haar rechterslaap. Met zijn hoofd gebaarde hij naar Nick Polsen dat hij zich bij de drie anderen rechts van het grindpad moest voegen.
Machteloos moesten de vier terreurbestrijders toezien hoe de terrorist Lilian in zijn macht had en bezig was haar opnieuw te ontvoeren.
Gewillig liep Lilian met de Bask mee, de pijn verbijtend die hij haar bezorgde en wachtend op een kans om zich aan zijn greep te ontworstelen.
Als hij zich met de auto uit de voeten wil maken, dacht ze, ligt daar mijn kans.
Toen ze de vier mannen van de antiterreureenheid op vijf meter afstand passeerden, gebeurde het ongelofelijke. Plotseling spoot warm vocht over haar hoofd en in haar nek. Het pistool gleed van haar slaap naar beneden, terwijl de terrorist door de knieën zakte en haar in zijn val meesleurde naar de grond.
Kreunend kwam Jan Mortensen overeind, de nog rokende revolver in zijn beide vuisten geklemd. Hij had de terrorist vanuit zijn liggende houding met de revolver die Nick op zijn lijf had laten liggen, van achteren door het hoofd geschoten. De kogel was onder in de nek naar binnen gedrongen en kwam er hoog op het voorhoofd weer uit. De terrorist was op slag dood.
Niels kwam snel op Lilian toegelopen, terwijl Nick en Sven Mortensen overeind hielpen.
Olaf, de uitgeleende politieman, stond hoofdschuddend het tafereel te bekijken.
Hij voelde zich een figurant tijdens de opname van een keiharde Amerikaanse gangsterfilm.
'Niels,' vroeg hij, 'moet ik de stadsreinigingsdienst bellen of toch maar de politiedokter en de geneeskundige dienst?'
Opgelucht grinnikend reageerde Niels Jacobson: 'De stadsreinigingsdienst is zo'n gek idee nog niet, je doet maar.' En tegen Lilian: 'Kom, meisje, je ziet er niet uit.'

Anderhalf uur later zaten ze bij elkaar in de vergaderruimte aan de Slotsherrensvej 113. Niels Jacobson verklaarde aan Lilian, in het bijzijn van de andere teamleden, waarom het zo lang duurde voordat ze de begraafplaats op kwamen.
'Toen wij het Norrebro-kerkhof in zicht kregen, stopte er juist een grote Volvo voor de ingang en zagen we drie gewapende kerels de begraafplaats oprennen. We besloten om eerst onze kogelvrije vesten aan te doen en dat kostte ons een paar minuten. Toen we pistoolschoten hoorden, vreesden we het ergste.'
Niels laste een kleine pauze in.
'We haastten ons naar de ingang van de begraafplaats en zagen drie lichtbundels vanuit verschillende richtingen zich bewegen naar een centraal punt. We begrepen dat de drie terroristen jou gevonden hadden en dat we nu snel moesten handelen. We spraken af dat we verspreid als een waaier het kerkhof op zouden gaan, om de ontsnappingskans voor dit boeventuig zo klein mogelijk te houden. Hoe het verder is gegaan, weet je, gelukkig is het goed afgelopen.' Jacobson wendde zich nu tot Jan. 'Hoe gaat het met je borst, Jan?'
'De dokter constateerde een paar gekneusde ribben, een beetje pijnlijk, maar daar kan Jantje Mortensen wel tegen.'
Lachend vervolgde Jacobson: 'Volgens Lilian hebben we de leider van de groep uitgeschakeld; ze heeft me de ligging van het huis waar ze werd vastgehouden beschreven. Sven, Nick en Olaf gaan met mij mee. Met een beetje geluk nemen we ook de rest van de groep te grazen.'
'Maar niet zonder Jan Mortensen, dat pleziertje neem je me niet af, Niels!'
'En hoor ik er niet meer bij?' reageerde ook Lilian.
'Ja, maar...'
'Niks te maren, er zijn nog minstens drie tot vier terroristen in dat huis, dus je hebt Lilian en mij hard nodig. Drie bij de voordeur en drie bij de achterdeur.'
Aarzelend gaf Niels toe. 'Goed dan,' zei hij. 'Sven, help jij Jan om zich in een kogelvrij vest te hijsen. Nick, jij neemt de leiding op je aan de voorkant van het pand, samen met Sven en Jan. Lilian en Olaf: wij nemen de achterkant voor onze rekening.
Nick, laten we onze horloges op de seconde af gelijk zetten. Het is nu tien over elf en 35 seconden. Oké, we hebben vijf minuten nodig om ons gevechtsklaar te maken en het is ruim tien minuten rijden naar het betreffende pand. We observeren het pand, voor en achter, vijf minuten, zodat we exact om 31 minuten over elf tot actie kunnen overgaan.'

De stormachtige wind was afgezwakt tot een zachte bries en het regende niet meer. De antiterreureenheid van Jacobson observeerde het pand aan de voor- en achterkant. Er was geen leven te bespeuren, maar dat wilde nog niet zeggen dat het pand verlaten was.
Precies om 31 minuten over elf sprak Niels in de mobiele telefoon: 'Nu, Nick, en wees voorzichtig.'

In het zwakke lichtschijnsel ging Lilian voorop, zij wist precies de weg. Vlak achter haar kwam Niels, en Olaf ten slotte zorgde voor rugdekking.
De poortdeur stond op een kier. Lilian keek Niels aan en toen hij knikte, trapte Lilian de deur helemaal open, daarna zocht ze snel dekking achter de schutting.
Niels zat in gehurkte houding en gluurde voorzichtig om de deurpost heen de tuin in. Toen niets zich bewoog, stak hij zijn hoofd wat verder om de deurpost, zodat hij zicht had op het pad en de keukendeur. Er brandde geen licht in de keuken, ook de ramen op de bovenverdieping waren duister.
Niels schoof om de deurpost heen en drukte zich met de rug tegen de muur van een schuurtje. Vanuit het pand nog steeds geen enkel teken van leven.
Er klonk klassieke muziek uit het nevenstaande pand links en in het buurhuis rechts brandde licht op de eerste verdieping.
Lilian en Olaf hadden zich inmiddels aangesloten bij Niels. Lilian tikte Niels op de arm en fluisterde in zijn oor: 'Ik ga eerst, ik weet de weg.' En voordat Niels kon protesteren, snelde Lilian al over het tuinpad, op weg naar de keukendeur.
Doordat het slot eerder deze avond geforceerd was door de terroristen stond ook de keukendeur op een kier.
Tegen de muur naast de keukendeur stond Lilian een ogenblik stil te luisteren. Even daarna stootte ze met haar voet de naar buiten scharnierende deur open.
Opnieuw bleef ze doodstil staan luisteren.
Het geluid van de voordeurbel klonk zwak tot haar door. Dat moeten Nick, Sven en Jan zijn, dacht ze. Van binnenuit kwam geen reactie op de voordeurbel.
Opnieuw geen enkel teken van leven in het pand.
Ze zag Niels en Olaf via het pad dichterbij komen en snel glipte ze de keuken in.
Voordat Niels me tegenhoudt, dacht ze overmoedig.
Midden in de keuken bleef ze plotseling als aan de grond genageld staan.
'Hé, wat moeten jullie daar, stelletje schorem,' klonk buiten een harde stem.
Ook Niels en Olaf stonden verrast een moment doodstil op het tuinpaadje.
Olaf draaide zich om en zag een geüniformeerde politieman het tuinpad opkomen.
De man had zijn wapenstok in de rechterhand en sloeg speelsgewijs met de stok enkele malen in de muis van zijn linkerhand, zich er schijnbaar op verheugend om enkele flinke klappen uit te kunnen delen. Het was een beer van een vent met enorm brede schouders.
'Ga Lilian achterna, Niels,' zei Olaf. 'Laat de gerechtsdienaar maar aan mij over, het is een bekende van me.'
Terwijl Niels achter Lilian aan de keuken in rende, zei Olaf: 'Het is niet wat je denkt, beste man.'
'O nee?' reageerde de politieman nijdig. 'Ik hou jullie al ruim tien minuten in de gaten en jullie geheimzinnige gedragingen geven mij toch een heel ander idee, jullie zijn gewoon een paar ordinaire inbrekers.'
Ondertussen was de agent Olaf tot op ongeveer twee meter genaderd, toen hij verbaasd stil bleef staan. 'Olaf Magnusson,' hakkelde hij. 'Wat doe jij hier?'

'Mijn zus zal het niet prettig vinden wanneer haar broertje in elkaar geslagen is door haar lieve echtgenoot.' Lachend liet Olaf erop volgen: 'Daar riskeer je zeker mee, dat ze je een maand droog laat staan, beste zwager.'
Ernstig nu: 'Ik moet mijn tijdelijke collega's achterna, zou jij post kunnen vatten bij het poortdeurtje? Niemand mag erin of eruit, later hoop ik je te mogen vertellen wat hier allemaal aan de hand is, tot straks.'
Nog voordat de verbouwereerde agent kon reageren was ook Olaf in het huis verdwenen.
Lilian was de hal ingeslopen en passeerde rechts twee gesloten deuren en halverwege links de kelderdeur die half openstond. Vanuit de kelder straalde zwak licht de hal in.
Ze stond nu bij de voordeur en was even besluiteloos.
Als ze de deur open zou maken zonder de jongens buiten te waarschuwen, dan was het vrijwel zeker dat de jongens met geweld naar binnen zouden komen.
Als ze zou roepen dat ze de deur ging openmaken, zouden nog eventuele aanwezigen hierdoor gealarmeerd worden.
Dus terwijl ze Niels achter haar de hal hoorde binnenkomen, riep ze zacht door de postspleet in de deur: 'Nick!'
'Lilian, alles oké?' reageerde hij direct.
'Ik maak de deur open.'
Tegelijk trok ze de deur van het slot en zwaaide deze naar binnen open.
Haar collega's stapten snel en geluidloos achter elkaar het huis binnen.
Een gerucht bij de keukendeur deed ze alle vijf met een ruk omzien, de handwapens gereed om te schieten.
'Olaf,' siste Niels, 'blijf daar stand-by.'
Fluisterend gaf hij zijn bevelen.
'Nick en Sven controleren de kamers boven.'
'Jan blijft hier bij de voordeur.'
'Lilian en ik controleren de kamers beneden en de kelder.'
Nick en Sven probeerden geluidloos de trap op te sluipen, maar hier en daar kraakte een traptrede, waardoor ze hun klim versnelden en al snel uit het zicht verdwenen waren.
Niels sloop naar de eerste deur en Lilian volgde hem.
Even stonden ze stil, met hun rug tegen de muur, Niels rechts en Lilian links van de deur.
De adrenaline gierde door hun bloed. Door rustig adem te halen probeerden ze zichzelf onder controle te krijgen.
Lilian was er eerder klaar voor dan Niels. Ze keek naar hem en wachtte geduldig tot hij knikte.
Niels nam in een gebukte starthouding plaats voor de deur en Lilian greep de deurknop vast en duwde hem langzaam omlaag. Ze gaf de deur een tikje om te controleren of hij op slot zat en gooide hem daarna met een ferme zwaai helemaal open; tegelijk scheen ze met een sterke zaklantaarn om de deurpost heen de kamer in.
Niels dook laag bij de grond de kamer in.

Buiten de felle lichtbundel van de zaklantaarn werd de kamer schemerig verlicht door het binnenvallende licht van een straatlantaarn.
Met één oogopslag constateerden ze dat er zich niemand in de kamer bevond.
Rustig stond hij op en Lilian deed het licht in de kamer aan.
'De vogels zijn gevlogen,' merkte Niels op.
'Laten we de achterkamer controleren,' reageerde Lilian.
Ze kwamen beiden de donkere hal weer in en herhaalden de procedure van de voorkamer.
Ook hier was niemand.
Ondanks dat ze ervan overtuigd waren dat er zich niemand meer in het pand bevond, slopen ze, Niels voorop, met Lilian vlak achter hem, de keldertrap af.
Ze zagen dat de kelderdeur wijd openstond. Onbewust vroegen ze zich af waarom.
Ze kwamen er snel achter, want zodra Niels' voet zichtbaar werd vanuit de kelder, werd hij beschoten. Snel trok hij zijn voet terug, Lilian vragend aankijkend. Voordat Niels haar kon tegenhouden sprong Lilian snel als de wind die paar treden af en verdween uit het zicht van Niels.
Vlak daarop hoorde hij een enkel schot en hem bekroop de vrees dat Lilian het slachtoffer zou zijn.
Het bleef enkele minuten stil beneden en Niels probeerde opnieuw de kelder te betreden.
Er werd niet opnieuw op hem geschoten en wat hij zag verbaasde hem in eerste instantie, maar even daarna begreep hij de situatie waarin Lilian zich bevond.
Ze had als stagiaire zeer goed werk verricht, maar nog nooit iemand doodgeschoten.
Aan het bed gekluisterd lag daar iemand die de dood uiteindelijk als een uitkomst zag voor zijn lijden. Maar wat Niels veel meer trof, was de in elkaar gezakte figuur van Lilian. Ze zag lijkwit.
Niels liep snel op haar toe, nam de revolver uit haar handen en trok haar beschermend tegen zijn borst aan. Hij streelde door haar blonde haren. Het moest voor haar een drama zijn.
Zijn oog viel opnieuw op de dode terrorist.
Zijn gezicht was vreselijk verminkt. Lilian moest hem het genadeschot gegeven hebben.
Hij nam haar gezicht in zijn handen. Tranen dropen over haar wangen en ze vroeg zich hardop af: 'Ben ik daarvoor opgeleid? Om andere mensen dood te schieten?'
'Lilian, wat ik je nu ga zeggen zal je weinig troost geven in de situatie waarin je nu verkeert. Wij worden inderdaad opgeleid om dergelijke gruwelijke wezens te doen stoppen met hun nutteloos geweld. Het zijn satanische wezens die feestvieren wanneer een zelfmoordaanslag is gelukt, waarbij tientallen onschuldige burgers zijn omgekomen. Neem bijvoorbeeld die vreselijke aanslag op de Twin Towers in New York. Duizenden en duizenden slachtoffers. In het geheim vierden diverse moslimlanden feest. Zelfs in geciviliseerde landen als Denemarken

en Nederland gingen jonge moslims juichend de straat op. Ja, dappere Lilian, wij worden ervoor opgeleid om dergelijke creaturen te stoppen.'
Iemand kwam de trap af. Niels keek op en zag dat Nick Polsen de kelderruimte betrad.
'De terroristen zijn verdwenen, wat nu, chef?'

Bureau Duinstraat

De volgende ochtend vijf voor negen parkeerde Benny zijn Ford Mustang voor het politiebureau Duinstraat. Ze hadden om negen uur met commissaris De Koning en rechercheur Morilles afgesproken. Het bureau binnenkomend meldden Benny en Tikva zich aan de balie bij de wachtcommandant. Het was een andere politieman dan die van de avond ervoor. De agent stak zijn hand uit en stelde zich voor. 'Aangenaam, René Tuinstra, de commissaris heeft me ingelicht. Morilles is reeds bij hem binnen, u weet de weg, neem ik aan?'
Benny knikte.
Met een klop op de deur van het kantoor van commissaris De Koning kondigden ze zichzelf aan. De Koning zat aan het hoofdeinde van een kleine vergadertafel, met links van hem rechercheur Morilles. Er stonden nog drie vrije stoelen aan de tafel, een naast Morilles en twee aan de andere kant.
Na elkaar begroet te hebben nam Benny plaats naast Morilles en Tikva ging tegenover hem zitten.
'Koffie?' vroeg De Koning, naar de thermoskan wijzend.
'Graag,' klonk het uit twee monden en Tikva nam het op zich de koffie in te schenken.
Benny vroeg aan de rechercheur: 'Heb je nog wat kunnen slapen, Morilles?'
De vermoeid ogende rechercheur grijnsde. 'Ja,' zei hij. 'Om halfdrie vannacht had ik mijn rapport klaar en toen ben ik even op de bank gaan liggen. Het was voor ons bureau verder een rustige nacht. Ik heb drie kopieën gemaakt, het origineel voor de commissaris en voor ons drieën een kopie.'
'Goed,' nam de commissaris het woord, het rapport in de hand nemend. 'Morilles en ik hebben het rapport al doorgenomen en het eerste gedeelte hebben we gisteravond al gehoord, maar kort samengevat:

1. De twee terroristen arriveerden rond halfzeven op hun Harley-Davidson bij het ziekenhuis en kwamen binnen met de mededeling dat een van hen een open botbreuk had en direct geholpen moest worden.
2. Sonja van de Spoedeisende hulp schakelde dokter Pierre Kattenberg in, die op zijn beurt de verpleegkundige Bram Nieuwenhuizen opriep om hem te assisteren bij een open beenbreuk. Later bleek dat het geen open beenbreuk was, maar een kogelwond.
3. Nadat de gewonde terrorist geholpen was, schoot de ander om onbekende redenen de dokter en de verpleegkundige overhoop. De verpleegkundige werd van achteren door het hoofd geschoten en overleed ter plekke; hij

heeft met zijn lichaam de voor hem staande dokter waarschijnlijk het leven gered. De dokter is zijn halve oor kwijt en niet buiten bewustzijn geweest, maar heeft zich dood gehouden, tot hij bekende stemmen hoorde en probeerde zich te bewegen om onder de verpleegkundige uit te komen. Dat blijkt uit een verklaring die hij al heel snel kon afleggen.

4. Uit de verklaring van Sonja blijkt dat de terroristen nog geen halve minuut voor wij arriveerden verdwenen waren.

Maar nu komt het,' onderbrak De Koning zijn betoog, 'Morilles, vertel de gebeurtenissen van later gisteravond.'

En Morilles stak van wal.

'Terugkomend op het bureau vroeg ik aan Willem Brand, de wachtcommandant, of hij nog iets bijzonders te melden had en dat was zo. Om tien over negen had hij een telefoontje binnengekregen van een zeer ongeruste jongedame, die het nieuws van negen uur op TV West gezien had, waaronder dus de aangedikte toestanden in en rond het Haga Ziekenhuis aan de Sportlaan. Haar vader lag in dat ziekenhuis, herstellende van een gebroken heup en haar moeder was bij hem op bezoek geweest, maar nog altijd niet thuisgekomen. Ze had zich eerst niet ongerust gemaakt, omdat haar moeder wel vaker s'avonds een kopje koffie ging drinken bij haar jongere zuster, maar na het nieuws op TV West was ze ongerust geworden en had haar tante gebeld met de vraag of haar moeder daar was. Toen haar tante dat ontkende, besloot ze de politie te bellen. Haar moeders naam is, even spieken, Sientje de Graaf, geboren op 3 oktober 1952, dus 54 jaar oud, wonende op de Westduinweg en rijdt in een acht jaar oude donkerblauwe Ford Focus met het kenteken VW 25 FZ.

Het intrigeerde me door:

punt 1. Centraal de gebeurtenissen in en rond het Haga Ziekenhuis
punt 2. De zo plotseling spoorloos verdwenen terroristen
punt 3. Op ongeveer hetzelfde tijdstip een spoorloos verdwenen bezoekster van het Haga Ziekenhuis.

Ik heb Willem Brand gevraagd een opsporingsbericht uit te doen gaan langs alle Haagse politiebureaus, met vermelding van de auto en het kenteken. Al vrij snel ontvingen we een telefoontje van de Hoefkade, dat er vroeg in de avond een thuiskomende bewoner in de Lulofsstraat de politie gebeld had die vertelde dat er voor zijn woning een donkerblauwe Ford Focus stond met op de achterbank een in elkaar gedoken vrouw.

Toen hij haar wilde aanspreken, want de portieren waren niet afgesloten, kroop de vrouw sidderend bij hem vandaan naar de andere kant van de achterbank; volgens de aanmelder was de vrouw volkomen overstuur.

Een patrouillewagen is erheen gestuurd, waarna de vrouw naar de Spoedeisende hulp gebracht is. Daar heeft een assistente van de psychiatrische afdeling haar een kalmerend spuitje gegeven en haar in bed gestopt.

In het dashboardkastje van de donkerblauwe Ford Focus lag het kentekenbewijs dat op naam van de heer G. de Graaf staat. Het kenteken klopt met de auto van de vermiste moeder.

De vrouw had niets bij zich. Vermeldenswaardig is nog dat de benzinetank volledig leeg gereden is.
Een en een optellend is deze mevrouw de verdwenen moeder van de ongeruste dochter en hoogstwaarschijnlijk is haar auto de vluchtauto geweest van de beide terroristen.
Wij hebben bureau Hoefkade gevraagd om, wanneer de vrouw wakker wordt, te proberen een verklaring van haar los te krijgen.
De technische dienst heeft de Harley-Davidson onder handen genomen en behoudens het geronnen bloed verder geen sporen ontdekt. De berijder moet handschoenen aan hebben gehad. Men heeft het kenteken nagetrokken, maar het komt niet voor in de databank.'
Cynisch voegde hij hieraan toe: 'Dus deze motor bestaat niet. Ook de Ford Focus is onder handen genomen en ook hier geen vingerafdrukken aan het stuur, verder alleen van de vrouw.'
Er viel een korte stilte, die Tikva gebruikte om nog eens koffie in te schenken, terwijl ze opmerkte: 'Het is de vraag waar de terroristen zich schuilhouden; het moet een plek zijn waar ze niet of nauwelijks opvallen, en dat betekent dat ze vrienden moeten hebben of heel goede kennissen.'
Benny knikte en zei: 'We moeten uitpluizen waar en wat Mohammed Boukhari heeft uitgespookt voordat hij twee jaar geleden verdween, en met welke lui hij zich ophield. Helaas is mijn tipgever vermoord, een mensenleven meer of minder maakt ze totaal niet uit.
Als ik me goed herinner, reed hij toen ook al op een Harley-Davidson; hij droeg altijd een jack met op de rug een Eagle met uitgespreide vleugels, ook getekend op het wiel van de motor.'
'Black Eagles,' viel Morilles hem in de rede. 'Hij moet daar lid van geweest zijn om zo'n jack te mogen dragen. Black Eagles is een beruchte Haagse motorclub die zich met van alles en nog wat bezighoudt. Linke jongens, waar je niet zomaar naar binnen stapt.'
'Welke mogelijkheden hebben we nog meer?' nam de commissaris weer het heft in handen. 'We zouden een paar rechercheurs in de Lulofsstraat huis aan huis de bewoners kunnen laten verhoren. Wellicht heeft iemand iets gezien wat voor hem op dat moment niet opvallend was. Maar in een andere context geplaatst kan elk normaal lijkend straattafereel belangrijk zijn voor ons onderzoek.'
'En we zouden een paar van zijn vroegere vrienden uit de Schilderswijk kunnen oppakken voor verhoor, misschien weten zij iets wat ons verder kan helpen,' merkte Benny op. 'Ook zou ik de opvolger van Mustafa Abdaoui kunnen benaderen en...'
De telefoon onderbrak het betoog van Benny. De commissaris stond op, en liep naar zijn bureau.
'De Koning... – Goed, Tuinstra, verbind maar door.'
De commissaris drukte de knop van de luidspreker in, zodat de anderen ook konden meeluisteren. 'Goedemorgen, met commissaris De Koning van bureau Duinstraat.'

'Goedemorgen, commissaris, met wachtcommandant Roelofsen van bureau Hoefkade. Op verzoek van rechercheur Morilles heeft vanmorgen vroeg een politieagente, met de hulp van de dochter van mevrouw De Graaf, een verklaring op kunnen nemen. Het officiële document mailen we nog door, maar in het kort luidt de verklaring als volgt: Mevrouw De Graaf had haar auto geparkeerd op het parkeerterrein van het ziekenhuis en wilde van de achterbank haar tas pakken, toen ze door twee donkere kerels werd aangevallen.
Ze duwden haar op de achterbank en een van hen ging naast haar zitten en hield haar onder schot met een vuurwapen, terwijl de ander achter het stuur kroop. Hij eiste de autosleutel en het parkeerkaartje en gaf haar ruw te verstaan dat ze moest bukken en haar mond moest houden. Toen het arme mensje begon te huilen, gaf hij haar een klap en siste dat hij toch gezegd had dat ze zich stil moest houden. Terwijl het vrouwtje doodsangsten doorstond en in een hoek van de achterbank ineengedoken zat, reed hij rustig weg. Het duurde een hele tijd, hoelang wist ze niet meer, voordat de auto stopte en naar de kant gereden werd.
De twee stapten uit en een van hen snauwde opnieuw dat ze zo moest blijven zitten.
Dat was het, ik hoop dat jullie hier iets mee kunnen.'
'Roelofsen, bedankt. Dit verhaal past in het plaatje dat wij voor ogen hebben, nogmaals bedankt.'
De Koning legde de hoorn terug op het toestel en nam weer plaats aan de vergadertafel.
'Goed,' zei hij, 'het plotseling verdwijnen van de twee terroristen is opgelost, nu verder.'
Benny aankijkend vervolgde hij: 'Zullen we Morilles meenemen in de zaak, die we gemakshalve "Operatie Abdullah" hebben genoemd?'
'Lijkt me een goed idee,' knikte Benny.
'Mooi, dan zal ik heel beknopt de uitkomst weergeven van wat Benny en ik gisteren besproken hebben, voordat hij beschoten werd.'
Terwijl commissaris De Koning zijn schrijfblok voor zich nam, begon hij aan zijn samenvatting.

'Punt 1: Een groep van vijf terroristen, onder leiding van Abdullah, is ons land binnengekomen met de bedoeling een aanslag te plegen op het Scheveningse Kurhaus, op de negentiende van deze maand.

Punt 2: Het evenement op de negentiende van deze maand, in het Kurhaus, is een *Concert by the Sea, met een optreden van de Italiaanse zanggroep "Il Divo"*. Deze groep is momenteel uitermate populair, zodat hier heel veel liefhebbers op af zullen komen. Benny, neem jij het nu van mij over.'

En Benny vervolgde meteen: 'Zoals ik gisteren al zei, zou ik de opvolger van mijn vermoorde tipgever in de Schilderswijk benaderen, dat is ene Hassan Mahdoufi. Verder heeft Abdullah zijn vroegere maatjes van de zich noemende Binnenhofgroep bezocht, wat mij sterk doet vermoeden dat zij erbij betrokken zijn. Er moet een link bestaan tussen mijn tipgever en iemand uit

de Schilderswijk die dicht genoeg bij de Binnenhofgroep en dus ook bij Abdullah staat, om deze informatie doorgespeeld te krijgen.'
Er viel een korte stilte, waarvan Tikva gebruikmaakte door op te merken, dat een paar rechercheurs dag en nacht het Kurhaus in de gaten moesten houden, zowel vanbuiten als vanbinnen. En verder aanvullend: 'Ook moeten we een ledenlijst van de motorclub opvragen.'
Commissaris De Koning knikte. 'Laten we een plan van actie opzetten,' zei hij.
En terwijl hij begon te schrijven: 'Te beginnen met een huis aan huis verhoor in de Lulofsstraat. Morilles, jij gaat straks naar huis om een paar uur te slapen, zodat je vanavond met een paar collega's die taak op je kunt nemen.'
De commissaris onderbrekend zei Morilles: 'Mag ik u erop wijzen dat de Lulofsstraat ver buiten ons district ligt?'
'Dat klopt, maar ik zal korpschef Bierman bellen met het verzoek, dat alle bureaus hun volledige medewerking verlenen. "Operatie Abdullah" heeft de hoogste prioriteit.'
'Benny, jij gaat samen met Tikva die Hassan Mahdoufi opzoeken. Daarna gaan jullie op zoek naar het clubhuis van die beruchte motorclub om inzicht te krijgen in hun ledenadministratie.'
'Morilles, weet jij waar dat clubhuis precies staat?'
'Pal naast de Scalagokhallen, het clubhuis is er tegenaan gebouwd.'
'Oké, neem een paar geüniformeerde agenten mee die in die beurt bekend zijn, Benny! Je weet maar nooit. Ikzelf zal me bemoeien met de observatie van het Kurhaus en de broodnodige versterking van ons team met rechercheurs van andere politiebureaus. Morilles, begeef je vanavond om zeven uur rechtstreeks naar de Hoefkade, waar twee collega's je zullen assisteren. Laten we elkaar op de hoogte houden als er iets te melden is en morgenochtend om acht uur hier op mijn kantoor weer samenkomen. En nu aan de slag, maar wees voorzichtig.'

DEEL 4

PETERHEAD, SCHOTLAND

Noordzee, 57 graden noorderbreedte/3 graden oosterlengte

De 'Good Old Molly', een trawler met als thuishaven het Schotse Peterhead, lag al anderhalve dag te dweilen op de afgesproken positie.
Loom bewoog de trawler zich op de lichte golfslag in het water van de Noordzee.
'Laten we een paar mijl noord opstomen, Terry,' opperde captain Jim McCoy. 'We vallen te veel op, als we hier te lang stil liggen te niksen.'
'Aye aye, cap.'
Stuurman Terry McClaren belde naar de machinekamer en zei tegen de machinist: 'We gaan een beetje spelevaren, Danny-boy, blijf stand-by.'
Rinkelend zette hij de telegraaf op halve kracht vooruit.
Een trilling voer door het veertig jaar oude schip toen de machinist vervolgens zijn hendel overhaalde.
McClaren nam zelf het stuurwiel en bracht het schip op koers noord, 0 graden.
Het begon al te schemeren, zodat McCoy de boordlichten en het toplicht aanstak.
De zee voor hen was schoon, geen schip of visserman te bekennen.
Een blik naar achteren werpend zag hij enkele lichtjes in de verte, knipperend in de avondschemering.
Enkele visserslui, die hun geluk op de Doggersbank probeerden. Het was eigenlijk nog te vroeg in het jaar, maar met haring wist je het nooit precies.
Het schuifdeurtje van de stuurhut aan bakboord werd opengeschoven en Billy, de jongste opvarende aan boord, kwam de stuurhut binnen.
'Gn'avond, zal ik het roer overnemen, stuur?'
'Nee, Billy, ik hou Molly wel op koers. Haal maar een bak koffie voor de captain en mij.'
'Aye, aye, stuur.'

Veertien dagen geleden had ene dokter William Smith contact gezocht met Jim McCoy.
Hijzelf was op dat moment nog aan het varen in de buurt van Groenland. Maar zijn vrouw had het telefoonnummer genoteerd, waarop McCoy zou kunnen terugbellen.
Dokter Smith had hem een geweldig voorstel gedaan, 50.000 Engelse ponden kon hij verdienen, met als tegenprestatie in open zee een tiental kisten overnemen van een vrachtschip, genaamd de 'African Queen', varend onder Liberiaanse vlag.

Hem was al 25.000 pond cash vooruitbetaald en bij aflevering in de haven van Peterhead zou hem nog eens 25.000 pond cash in het handje gedrukt worden.
De coördinaten werden opgegeven en hier lagen ze dan te wachten op de 'African Queen'.
Ze waren die maandag uitgevaren en hadden vier dagen in de buurt van IJsland op kabeljauw gevist. Het had hun meegezeten, in die vier dagen hadden ze 45.000 kilo kabeljauw gevangen.
Zaterdagmorgen vroeg waren ze op de afgesproken positie aangekomen. Zaterdag op zondagnacht had de ontmoeting moeten plaatsvinden, maar het vrachtschip was nog niet komen opdagen.
'Blijf alstublieft in positie als het schip niet op tijd is. Het schip komt van Djibouti in de Golf van Aden en er kan onderweg van alles gebeuren,' had de dokter dringend verzocht.
Al de hele avond speurde Jim McCoy de zuidelijke horizon af, op zoek naar de lichten van een groot vrachtschip.
In zichzelf mopperend, omdat dat vrachtschip maar niet kwam opdagen, wendde hij zich tot zijn stuurman, de enige die op de hoogte was van de transactie. 'Ik weet dat je hier problemen mee hebt, Terry, maar na een zwaar vissersleven worden we op onze oude dag maar schameltjes bedeeld.'
McClaren schraapte zijn keel, maar gaf geen antwoord.
'Deze aanbieding kwam uit de lucht vallen en betekent een extraatje voor ons, toch? Oké, we weten niet wat voor lading we moeten overnemen en Peterhead binnen moeten smokkelen, maar als wij het niet gedaan hadden, zijn er genoeg anderen die het wel gedaan zouden hebben. Je kent onze pappenheimers toch wel?'
'Het is al goed, Jim, maar als ik wist wat voor handel we Engeland moeten binnen smokkelen, zou ik me een stuk beter voelen,' reageerde McClaren.
'Terry, misschien is het beter dat we dat niet weten.'
McCoy las de coördinaten af en stelde vast dat ze twee mijl ten noordoosten van de afgesproken positie voeren.
Over zee uitkijkend naar eventuele tegenliggers en controlerend aan stuurboordzijde en achter hen, waren er geen schepen in de buurt, die de manoeuvre in gevaar konden brengen, wanneer hij het schip op tegenkoers bracht.
Aan McClaren gaf hij de opdracht het schip over stuurboord te laten draaien, om daarna koers 220 graden aan te houden.
De trawler voer nog steeds op halve kracht en toen McClaren het stuurwiel hard over stuurboord liet draaien, helde het schip lichtjes over. Toen het kompas 200 graden aangaf, begon de stuurman tegenroer te geven. Even draaide het schip door de 220 graden heen om vlak daarna zich vast te bijten in de nieuwe koers.
Opnieuw zocht McCoy met zijn verrekijker de horizon af, tegelijkertijd de telegraaf rinkelend op langzaam vooruit zettend.
'Zo te zien is het druk op de Doggersbank, ik tel zeker een tiental vislichten.'
'M'n handen jeuken, Terry, ik zou best een *trek* op haring willen wagen.'
Mopperend vervolgde McCoy: 'Die dokter uit Southend-on-Sea zal me 10.000

pond meer moeten betalen voor de nu al bijna twee dagen extra, die wij liggen te wachten, en nog eens 1.000 pond als een extraatje voor de bemanning.'
McClaren grinnikte wat voor zich heen, hij kende Jim McCoy al van jongs af aan. Beiden waren na de Tweede Wereldoorlog geboren en opgegroeid op de puinhopen die de oorlog had achtergelaten.
Ze waren buurjongens geweest en hun vaders voeren samen op dezelfde trawler. Hoewel Jim anderhalf jaar ouder was, trokken ze al snel samen op.
Even was er een onderbreking geweest in hun samenzijn. Jim monsterde aan als jongste maatje op een trawler toen hij vijftien jaar was, maar Terry moest toen nog twee jaar naar school.
Nu, na ruim zevenenveertig jaar, voeren ze nog steeds samen.
'Terry,' onderbrak McCoy zijn gemijmer, 'onze vrachtvaarder is in aantocht.'
McCoy zag dat ze bijna op de afgesproken positie waren aangekomen.
'Stop de motor, Terry, over tien minuten is hij dicht genoeg genaderd om hem het afgesproken signaal te geven. Informeer voor de zekerheid Danny dat we straks onze oude Molly langszij een schip moeten manoeuvreren, zodat het voor hem er even op aankomt.
Haal de matrozen aan dek en zeg hun, dat het zover is. We nemen een pallet vracht over van een koopvaarder, bestemd voor de *Chivas Brothers limited*.'
Al snel zag McCoy door zijn verrekijker de contouren van een groot vrachtschip uit het donker zichtbaar worden.
Zijn blik even op het dek gericht, zag hij dat McClaren de matrozen opdracht gaf de stootkussens en autobanden over stuurboord buitenboord te hangen. Gelukkig hadden ze te maken met een kalme zee.
Danny McCloud, de eerste machinist, kwam nieuwsgierig de stuurhut binnen.
Enkele korte lichtflitsen, gegeven met de seinlamp van het vrachtschip, schoten de trawler tegemoet.
'Ze worden ongeduldig, Danny, maar oké, ik zal ze het afgesproken signaal geven. En verdwijn jij naar je smeerput, het zal even spannend worden.'
McCoy richtte het zoeklicht op de vrachtvaarder, drukte op het aan/uit knopje en hield drie seconden lang de knop ingedrukt. Wachtte toen drie seconden, om opnieuw op de aan-knop te drukken en weer drie seconden het felle licht van het zoeklicht naar de vrachtvaarder te laten schijnen. Dit proces herhaalde hij in totaal vijf keer.
Het antwoord was simpel, vijf korte lichtstoten met de seinlamp.
Ter bevestiging moest McCoy het zoeklicht geen drie maar vijf seconden laten schijnen.
Het vrachtschip was nog anderhalve mijl verwijderd van de trawler, toen het zijn machines stopte en het schip liet uitvaren.
Vijf minuten later waren de twee schepen elkaar zo dicht genaderd, dat men menselijke gestalten bij elkaar kon waarnemen. McCoy flitste het zoeklicht aan en richtte het op de boeg van het vrachtschip. 'African Queen' stond er met sierlijke letters op de boeg.
De vaart van de 'African Queen' was nog maar hooguit een mijl per uur en het

schip slingerde licht op de zwakke deining van de Noordzee.
McClaren kwam de stuurhut binnen en nam weer plaats achter het stuurwiel.
McCoy zette de telegraaf rinkelend op langzaam vooruit en McClaren manoeuvreerde 'Good Old Molly' vakkundig langszij de 'African Queen'.
De trawler bonkte tegen de bakboordzijde van de koopvaarder, maar de stootkussens en de autobanden vingen de stoten op.
McCoy zorgde ervoor dat de trawler dezelfde vaart aanhield als het vrachtschip.
De kapitein van het koopvaardijschip bleek een doortastend man te zijn, want een laadboom van de vrachtvaarder zwaaide al buitenboord boven de trawler.
Een pallet, beladen met kleine houten kisten en afgebonden met een net, bungelde onder aan de laadkabel. De pallet slingerde zwak op het slingeren van de vrachtvaarder. Op een geschikt moment liet men vanaf het vrachtschip de pallet snel zakken tot een meter boven het dek van de trawler. Een zestal matrozen grepen de pallet beet en hielden hem in bedwang.
'Terry McClaren, ben ik al zo oud dat mijn ogen me bedriegen, of zie jij ook wat ik zie?'
De pallet, door de matrozen in bedwang gehouden, hing een moment ter hoogte van de stuurhut en McClaren zag wat McCoy zag.
Boven op de pallet, zich vastklampend aan het net, zat een man.
Langzaam liet men van het vrachtschip de pallet zakken en zodra deze op het dek van de trawler stond, liet men de kabel zover vieren, dat een van de matrozen de strop van de haak kon wippen. Tegelijk sprong de man lenig van de pallet af en zonder nog aandacht aan de pallet te besteden, begaf hij zich op weg naar de stuurhut.
De kabel met de haak ging omhoog, om even later met de laadboom uit het zicht van de trawlermatrozen te verdwijnen.
Rinkelend zette McCoy de telegraaf op halve kracht vooruit.
McClaren gaf een paar graden bakboord en langzaam kwam de trawler los van het vrachtschip. Eenmaal enkele meters van elkaar verwijderd liet McCoy de scheepshoorn drie keer loeien als afscheid en zette de telegraaf op volle kracht vooruit.
Ook de machines van het vrachtschip kwamen weer tot leven en naar stuurboord wegdraaiend vervolgde het zijn reis.
De hele operatie had nog geen kwartier geduurd.
Het schuifdeurtje aan bakboord werd opengeschoven en de palletman stapte de stuurhut binnen.
'Goedenavond, captain McCoy,' begroette hij McCoy, alsof het de normaalste zaak van de wereld was dat een wildvreemde zich op volle zee aan boord liet hijsen.
'Mijn naam is Farooq,' vervolgde hij in perfect Engels, terwijl hij zijn hand uitstak. 'Het is mij zeer aangenaam met u kennis te mogen maken.'
'Welkom aan boord,' mompelde de verblufte McCoy. 'Wat is hier de bedoeling van? Dit was niet afgesproken. Hoe moet ik dat straks in Peterhead verklaren aan de douane? Sorry, mijne heren, maar ik heb een verstekeling aan boord?'
De man die zich als Farooq had voorgesteld, antwoordde glimlachend: 'Ik weet

zeker dat u daar wel een oplossing voor vindt, een man meer of minder aan boord zal de douane in Peterhead niet opvallen. Ik maak me meer zorgen over de grondstoffen die u aan boord hebt genomen. Deze grondstoffen zijn goud waard voor de Schotse whiskyfabriek Chivas Brothers limited. Dit product is topgeheim en alleen bestemd voor Chivas.'

De man had een donker getinte huid, kortgeknipt zwart stug haar, een forse neus met daaronder een brede mond met smalle lippen en tot nu toe een innemende glimlach.

McCoy had de man zwijgend geobserveerd, maar wist zich geen raad met de opvallend lichte ogen.

'Ik ben ook de man aan wie u de grondstoffen moet overdragen en degene die met u de deal mag afsluiten, begrijpt u, captain?'

Rond drie uur in de ochtend voer de 'Good Old Molly' de haven van Peterhead binnen.

Ze meerde af voor de loods waar zij straks de vis moesten lossen.

Ze lagen maar nauwelijks afgemeerd, toen er al een douanier aan boord sprong en zich bij captain McCoy meldde.

'Welkom thuis, McCoy, McClaren,' sprak hij vriendelijk. 'Alweer snel terug, goede vangsten gehad?'

'In een goede week tijd vingen we 45 ton kabeljauw,' reageerde McCoy. 'We hoorden op zee, dat er een goede prijs wordt betaald en besloten de kabeljauw vers aan te voeren.'

'Goed gedacht, McCoy, de handel betaalt een pond per kilo. 45.000 Engelse ponden in een week tijd is niet slecht. Captain,' vervolgde hij officieel, 'om zeven uur komt de *Black Gang* aan boord, u weet wat dat betekent. De bemanning moet aan boord blijven, totdat het schip is doorzocht.

Hebt u vooraf al iets aan te geven?'

Brommend schudde McCoy het hoofd.

'Oké, McCoy, ik zie dat de "Meredith" ook heeft afgemeerd; je hebt geluk dat je net voor haar de haven bent binnengelopen. Zij moeten tot zeker negen uur aan boord blijven.'

'Wie verwachten jullie nog meer?' vroeg McCoy.

'Rond vijf uur de "Mathilde" en een uurtje later de "Rose Mary". De jongens van de Black Gang zullen het druk krijgen vandaag.'

'Waarom beginnen ze dan niet een paar uur eerder? Wij visserslui staan toch ook dag en nacht op onze benen!'

Glimlachend nam de douanier afscheid met een slotopmerking: 'Er moet bezuinigd worden, McCoy, tot ziens.'

Farooq had men een oude, smerige overall aan laten trekken en een wollen zeemansmuts gegeven; als je niet beter wist, behoorde hij tot de opvarenden die ijverig in de machinekamer aan het poetsen waren.
De kisten had men bedolven onder een lading kabeljauw.
Precies om zeven uur meldde zich de chef van de Black Gang. Na een niet onvriendelijke begroeting vroeg McCoy, of men eerst de visruimen wilde inspecteren, zodat de matrozen met het lossen van de vis konden beginnen. Na het lossen moest de trawler nog naar de eigen ligplaats verhaald worden.
Om kwart over zeven gaf men het visruim vrij en de matrozen begonnen met het lossen van de kabeljauw. De kabeljauw werd in stevige hardplastic viskisten gelegd tot circa twintig kilo per kist, daarna werden vier kisten op elkaar gestapeld en met hun eigen laad- en losboompje het ruim uit gehesen en aan wal gezet. De kisten werden de vishal in getrokken en men plakte op de bovenste kist een velletje papier met de vermelding 'Old Molly'.
De vis werd gekeurd, om daarna bij opbod verkocht te worden aan inkopers van hotelketens, aan de groothandel, maar ook aan kleine zelfstandige vishandelaren.
Een partij van tien viskisten werd opgekocht door een handlanger van Farooq.
De kisten werden in een kleine vrachtwagen geladen, met als opschrift aan de zijkanten van de laadbak Chivas Brothers limited.
Farooq had plaatsgenomen in de cabine naast de chauffeur en rustig reed het vrachtwagentje het terrein af. Bij de uitgangspoort werden ze aangehouden door de portier, die de koperspapieren met de lading moest controleren. Buiten de poort haalde men opgelucht adem en met de toegestane snelheid reed de chauffeur naar de eigen ligplaats van de trawler, waar een kleine loods stond voor opslag van allerlei visserijartikelen. Farooq opende de loodsdeur en de vrachtwagen reed naar binnen. De loodsdeur werd zorgvuldig afgesloten en Farooq en de chauffeur gingen snel aan de slag.
Onder de kabeljauw had men per viskist twee kleine, in geolied papier verpakte Chivaskistjes verborgen.
De kabeljauw werd snel in lege viskisten overgeladen.
Daarna waste Farooq zijn handen om de Chivaskistjes schoon in ontvangst te nemen, nadat de chauffeur deze ontdaan had van het door de vis besmeurde, geoliede papier.
Farooq stapelde de kisten netjes op een pallet in de laadruimte van het vrachtautootje.
De pallet werd omwikkeld met krimpfolie en met een handpompwagentje tegen het achterschot van de cabine gereden.
De chauffeur waste zijn handen en beiden ontdeden zich van de geleende overalls.
Farooq opende de loodsdeur en het vrachtautootje reed naar buiten en stopte met zijn voorkant in de richting van de straat. De chauffeur liet de motor lopen en wachtte op Farooq.

De laatste kisten vis werden aan wal gehesen en McCoy stond al in de stuurhut. Hij wilde zo snel mogelijk het schip verhalen naar hun eigen ligplaats. McCoy vertrouwde die Farooq voor geen meter, hij vond hem te glad en bovendien moest er nog worden afgerekend.
Het was niet ver varen naar hun eigen ligplaats en toen ze langzaam de zijhaven invoeren, zag hij opgelucht Farooq aan de kade staan wachten en zwaaien.
McCoy zwaaide terug en dat was het laatste wat hij in zijn aardse leven deed, zwaaien naar zijn beul.
Een geweldige steekvlam schoot omhoog vanuit de machinekamer, dwars door de stuurhut heen, gevolgd door een gigantische ontploffing die het schip uit het water tilde en in duizend stukjes uit elkaar deed spatten.
Zijn mobieltje dichtklappend draaide Farooq zich met een duivelse grijns op zijn gezicht om en klom in de cabine van het vrachtwagentje naast de chauffeur.
'Rijen maar, Ehsan Rabbani, op naar ons volgende intermezzo: het Wembley stadion in Londen. Mijn leermeester zei altijd: neem geen risico's, laat nooit getuigen achter en hoe toepasselijk: verbrand de schepen achter je. Mijn orders zijn dat ik het stokje van Waheed moet overnemen, de MI5 agenten zitten hem te dicht op de hielen. Vertel dat aan je broer Hassan wanneer je weer in Manchester bent. Maar ook jij en je broer moeten heel goed oppassen, want ook jullie namen zijn bekend bij de MI5.'
Ehsan knikte bevestigend. 'Mijn broer en ik zijn ervan op de hoogte dat MI5 agenten in Manchester hun uiterste best doen om ons te volgen. Maar zoals ook nu, zijn wij in staat spoorloos te verdwijnen.'
'Hoe?'
'Dat weten alleen mijn broer en ik en dat willen we graag zo houden.'
Ambulances, politieauto's en de brandweer kwamen hun met gillende sirenes tegemoet.
Koelbloedig vervolgde Ehsan zijn weg, terwijl hij zich netjes aan de toegestane snelheid hield. 'Waheed zal het niet prettig vinden!'
'De verantwoordelijke man in Pakistan heeft dit zo beslist. De leiding is ervan overtuigd dat Waheed de beste man in Engeland is, alleen te veel aandacht van de MI5 zou de aanslag op 19 mei in gevaar kunnen brengen. We maken een stop in Newcastle, ik heb daar nog een paar vrienden die ons vannacht graag onderdak zullen verlenen. Het is beter om 's nachts niet te rijden. Op de stille wegen zouden we te veel opvallen. Van daaruit kan ik ook contact leggen met onze man in Londen.'

Londen

Mukhtar Rahman, de explosievenexpert van de terreurgroep van Waheed, vermaakte zich uitstekend. Om zijn hospita miss Barbara Graham nog meer aan zich te binden had hij zojuist haar hartstochtelijke wens in vervulling doen gaan.
Na het avondeten was hij op haar vraag om nog een kopje koffie bij haar te komen drinken ingegaan, om zich daarna onder het genot van een drankje te laten

inpalmen door zijn flirtende hospita. Op een gegeven moment had hij haar met beide handen uit haar fauteuil omhooggetrokken en haar vol op de mond gekust, tegen zich aan gedrukt en zacht in haar mollige billen geknepen. Ze had zich hijgend uit zijn omarming losgemaakt, hem bij de hand gepakt en haar slaapkamer binnengetrokken.

Na de stoeipartij stond hij nu zijn broek op te hijsen en glimlachend keek hij over zijn schouder naar zijn hospita, die de lakens tot onder haar kin had opgetrokken, en hij zei plagend: 'Miss Bette Davis, u bent een engel, zowel in bed, als daarbuiten.'

'O Mukhtar, ik was bijna opgedroogd, dit is me in jaren niet overkomen, dank je hartelijk. Maar waarom blijf je niet bij me in bed, alleen is maar alleen.'

'Ik moet mezelf verontschuldigen, miss Graham, ik heb nog een afspraak buiten de deur.'

'Toch niet met een andere vrouw, hè?' zei ze pruilend.

Grinnikend reageerde Mukhtar: 'Na jou! Ik zou het niet meer op kunnen brengen.'

Van onderwerp veranderend zei ze: 'Toch wel jammer, hè, van die olijfgroene Ford, ik vond het een heel mooie auto.'

Hij wendde zich snel af, terwijl zijn gezicht verstrakte. 'Dat is verleden tijd, miss Graham, daar zouden we het niet meer over hebben.'

Zijn stem klonk scherper dan hij bedoelde en ze reageerde geschrokken. 'O sorry, Mukhtar, vergeef me.'

Zijn stem klonk milder, toen hij zei: 'Het is wel goed zo, miss Graham.'

'Na vanavond mag je me wel bij mijn voornaam noemen, hoor!'

Zijn schoenen aantrekkend zei hij: 'Oké, miss Barbara, het zal voor mij even wennen zijn, maar je hebt gelijk. Het is nu tien uur. Ik blijf maar een uurtje weg en ik zou het zeer op prijs stellen als je een heerlijke kop koffie voor me klaar hebt staan met die verrukkelijke zelfgebakken cake als ik terugkom.'

De deur achter zich dichttrekkend speurde hij de straat af, op zoek naar figuren die daar niet behoorden te zijn. De kans dat men hem gevonden had, was nihil.

Voordat hij een week geleden het Britannia Hotel in Birmingham verliet, had hij de nachtportier weggelokt door middel van een telefoontje, waarin hij aangaf dat op de kamer naast hem keiharde muziek werd gedraaid waardoor hij niet kon slapen. Hij had zijn eigen kamernummer doorgegeven en verwachtte dat de nachtportier eerst via de telefoon die zogenaamde lawaaimakers tot de orde zou roepen en bij geen gehoor zich zelf naar de suite zou begeven. Grinnikend had hij de mopperende portier de trap naar de eerste etage zien nemen. Snel had hij de envelop met autopapieren en sleutel uit het postvakje gehaald en was ongezien, netjes door de hoofdingang, verdwenen naar buiten.

De Honda Civic had hij zo gevonden. Hij stond onder een lantaarn geparkeerd en de lichtval deed de verse donkergroene verf glimmen.

Via een andere weg was hij teruggereden naar Londen.

Zijn hospita had hij verteld dat zijn Ford Fiesta was gestolen en dat hij nauwelijks geld genoeg had om daarna een tweedehands Honda Civic te kopen maar, had hij haar wijsgemaakt, hij had de gestolen Fiesta opgegeven aan de verzekering, zodat hij binnenkort een uitkering kon verwachten.

Antwerpen

Laurent Defour, chef van de Observatie Eenheid, een van de drie eenheden die onder het Speciaal Interventie Eskadron vielen, bekeek glimlachend een rapportage van een van zijn manschappen. Dit sloot goed aan bij de informatie die hij een week geleden van CIS-1 had doorgekregen.
De rapportage luidde als volgt:

Directeur en eigenaar Marc van Someren van bouwgigant Van Someren Bouw te Antwerpen heeft een zakenreis georganiseerd naar Berlijn.
Met een tiental zakenlieden plus zijn beide bodyguards, de broers Al-Makaoui, is hij twee dagen geleden vertrokken naar Berlijn.
Een paar dagen voor *zijn vertrek had hij een geheime ontmoeting met imam Youssef Nassir, leider van de Pakistaanse moskee Lahore.*
Imam Youssef Nassir onderhoudt nauwe contacten met een extremistische beweging in Berlijn, die zich de Unie van de Islamitische Jihad noemt. Leider van de Unie is Said Boultami.
Zij bereiden een aanslag voor in Berlijn en de genoemde datum is 19 mei a.s.

De rapporteur was een geïnfiltreerde Belg van Pakistaanse afkomst die deel uitmaakte van zijn eenheid.
Defour wist dat moskee Lahore – helaas niet de enige in Antwerpen – onderdeel was van een extremistisch netwerk, dat vertakkingen had tot onder andere in Pakistan, Afghanistan, Bangladesh, Groot-Brittannië, Duitsland en waarschijnlijk ook Nederland.
Onder andere het rekruteren van jonge moslims voor de madrassa's in Pakistan stond centraal in deze moskee. Naast de verplichte Koranstudie werden de jongeren daar aan zware trainingen onderworpen om te worden opgeleid tot guerrilla's. De preken die de jonge moslims daar, maar ook hier in Antwerpen, moesten aanhoren, waren doorspekt met een diepgewortelde haat tegen iedereen die het moslimgeloof niet aanhing. De afgestudeerde studenten werden hierna ingelijfd bij de taliban, in hun strijd tegen de bezetters van Afghanistan.
Extremistische organisaties hadden hier in de moskee een van hun hoofdzetels.
Het gerinkel van zijn telefoon haalde hem uit zijn gedachtegang.
Traag nam hij de hoorn van het toestel.
'Chef,' klonk het gejaagd aan de andere kant van de lijn, 'hier Asif, ik heb geen tijd en zeg het maar één keer. Groep zakenlieden heeft veel explosieven en wapens, onder andere Russische Kalasjnikov geweren, meegesmokkeld in de

bus naar Berlijn. Komen uit moskee. Anwar Ismail met twee man vanochtend vroeg ook afgereisd naar Berlijn. Sorry, chef, zij weten ik undercover, ik moet onderduiken. Ik verdwijn met vrouw en kinderen naar *safehouse* in Brugge. U hoort nog van mij.'

Met de hoorn nog in de hand verwerkte Laurent Defour de mededelingen van Asif Ahmed. Vooral de laatste mededeling trof hem zwaar. Dat Asif ontmaskerd was, was erg vervelend en vooral gevaarlijk voor Asif zelf en zijn familie. Vanuit het oogpunt van fundamentalistische extremistische moslimkringen werd Asif gezien als een verrader en verraders werden geliquideerd.

De hoorn teruglegend op het toestel vroeg hij zich af, waar Van Someren het wapentuig in Berlijn gelaten had. Hij had de betrokken zakenlieden na laten trekken en de enige strafbare feiten bestonden uit een paar verkeersovertredingen, terwijl er een zijn rijbewijs een paar maanden had moeten inleveren voor het rijden onder invloed. Maar zij hadden beslist geen connecties met een of andere extremistische terreurbeweging.

Anwar Ismail was een Pakistaanse topcrimineel die de moskee gebruikte als dekmantel voor zijn handel in wapens en drugs. Hij zou ook wel degene zijn die de explosieven en wapens geleverd had.

Hij moest deze nieuwe inlichtingen rapporteren aan Avi Weinberger van CIS-1. Daarna was het de hoogste tijd de twee andere chefs van de Eenheden Interventie en de Logistieke en Technische Eenheid, die ook onder het Speciaal Interventie Eskadron vielen, bij elkaar te roepen om zich te beraden over de laatste gebeurtenissen.

Den Haag, dinsdag 15 mei

COMMISSARIS ROLAND DE KONING keek de kring rond en merkte op: 'De tijd dringt, we moeten iets doen.'

Voor de zoveelste keer zaten ze met z'n vieren op het kantoor van De Koning. De commissaris aan het hoofd, Benny Goedkoop naast rechercheur Alfons Morilles aan zijn rechterkant, met aan de linkerzijde van de tafel Tikva Goldsmid.

Starend naar een schrijfblok, dat voor hem op tafel lag, vervolgde de politiechef: 'Ondanks de genomen maatregelen en ons intensieve speurwerk zijn we nog niet veel verder gekomen. Voor me ligt een samenvatting van wat het ons tot nu toe heeft opgeleverd. Om ons geheugen wat op te frissen ga ik alle punten voorlezen en mocht een van jullie commentaar hebben of iets willen toevoegen, meld je dan.'

'Benny en Tikva:

1. Het gesprek met Hassan Mahdoufi heeft niet veel opgeleverd. Hij was zeer nerveus en het lag er dik bovenop dat hij iets achterhield. Hij bekende wel dat hij Mustafa Abdaoui had getipt over de geplande aanslag op het Scheveningse Kurhaus, maar beweerde dat hij daar bij toeval achter was gekomen. Hij wekte de indruk dat hij iemand dekte.

2 .Verbazingwekkend was de volledige medewerking van de motorclub Black Eagles. Op de recente ledenlijst komt de de naam van Mohammed Boukhari niet voor. Zij beweerden dat hun administratie bij een binnenbrandje een halfjaar geleden in vlammen is opgegaan.
3. Bij een tweede bezoek aan de Schilderswijk bleek dat de twee oude vrienden van Mohammed Boukhari al meer dan een week verdwenen waren. Navraag bij de ouders leverde niets op.
   Ook een bezoek aan de familie Boukhari verliep zeer moeizaam. De ouders spraken niet of nauwelijks Nederlands en haalden verontschuldigend vele malen de schouders op.
   Erg ongerust over het verdwijnen van hun zoon waren de ouders niet.

Morilles:

1. Het huis aan huis onderzoek in de Lulofsstraat heeft niets opgeleverd. Niemand heeft iets opmerkelijks gezien en de rechercheurs kregen de indruk dat de bewoners niet zo op de politie gesteld zijn.
2. Een nieuw verhoor met de betrokken ziekenhuismedewerkers in het Haga Ziekenhuis leverde ook geen nieuwe gezichtspunten op.
3. Een bezoek aan een omstreden moskee aan de Fruitweg leverde een lichtpuntje op. Een van de oudere moskeegangers herinnerde zich Mohammed Boukhari als de *Gemotoriseerde moslim*. De ouderen hadden hem die bijnaam gegeven om zijn macho motorgedrag.
   Boukhari had een paar jaar geleden een oudere vriend, die hem een enkele keer bij de moskee ophaalde.
   Onder de moskeegangers werd beweerd dat die oudere vriend een rijke onroerendgoedhandelaar was.

De Koning:

1. De bewaking in en rond het Scheveningse Kurhaus is goed georganiseerd, maar er is nog geen resultaat geboekt. Rechercheurs zijn verkleed als portier, ober, barkeeper en zelfs is er een in de keuken gestationeerd als bordenwasser.
   Vanaf het Gevers Deijnootplein en van de strandzijde, de Promenade, wordt het gebouw scherp geobserveerd.
   Het personeelsbestand van het Kurhaus is grondig doorgenomen. Een tiental recent in dienst getreden werknemers is gescreend en een enkeling zelfs verhoord.
   Leveranciers trekt men na en alles wat geleverd wordt, controleert men grondig.'

Nadat de commissaris zijn verslaglegging beëindigd had, viel er een beklemmende stilte. De vier wethandhavers staarden nadenkend voor zich uit. Er heerste een mineurstemming.
Benny en Tikva keken elkaar in de ogen, waarbij Tikva knikte, alsof ze Benny ergens toestemming voor gaf.
De avond hiervoor hadden ze gebrainstormd en beiden waren ervan overtuigd

dat het onderzoek een andere wending diende te nemen.
De alerte commissaris nam het oogcontact waar en verbrak de stilte. 'Benny, Tikva, jullie zitten op iets te broeden; voor de dag ermee, we kunnen wel een opkikker gebruiken.'
'Ik wil graag contact opnemen met de Criminele Inlichtingen Eenheid, de CIE,' reageerde Benny bedachtzaam. 'Roel zorgt ervoor, dat we daar met alle egards ontvangen worden.'
'Waarom de CIE?' vroeg Alfons Morilles argwanend.
'Tikva en ik proberen via een andere weg dichter bij ons doel te komen. Ik herinner me een krantenbericht van een week of zo geleden, dat melding maakte van een ongekende opruiming in het Haagse criminele circuit. De rechercheurs van de CIE hebben deze zaak onderzocht, maar geen enkel aanknopingspunt met de daders gevonden.
Wij zitten op een dood spoor, maar feit is dat er een terreurgroep onvindbaar is en daarnaast enkele leden van de Binnenhofgroep.'
Zijn wenkbrauwen optrekkend vroeg Morilles: 'Maar waar zien jullie dan aanknopingspunten in deze heel verschillende zaken?'
'Binnen een tijdsbestek van nog geen halfuur heeft men een van de sterkste en best georganiseerde Haagse bendes geliquideerd, een bende van zeven topcriminelen nota bene.
De terreurgroep van Abdullah is een goed getrainde eenheid en is hiertoe in staat. Daarbij komt dat wij op zoek moeten naar de connectie tussen de rijke onroerendgoedhandelaar en Mohammed Boukhari. Misschien kan de CIE ons helpen.'

Berlijn

NA DE ONTVOERING VAN zijn vriendin Lisa Rink en de geuite dreigementen had Dennis Neumann een metamorfose ondergaan. Hij had zijn lange glanzende zwarte haardos af laten scheren en droeg een alpinopetje op zijn kale hoofd. Op zijn voorhoofd zat een donkere bril geklemd.
Hij droeg een donker streepjespak dat slonzig om zijn gespierde lichaam hing, en een paar zwarte, afgetrapte leren schoenen maakten zijn vermomming compleet.
Hij had zijn vier teamleden ingezet in de Berlijnse stadswijk Neukölln.
Pascal als stratenveger bij de Gemeentelijke Reinigingsdienst.
Marcel als groenmedewerker bij de Gemeentelijke Plantsoenendienst.
Karl en Gustav als werknemers van de plaatselijke telefoondienst.
Ook neef Ali Ghazi had hij tijdelijk als buitenstaander opgenomen in zijn team.
De Abu Bakr moskee werd vierentwintig uur per dag geobserveerd. Alles en iedereen die de moskee in of uit ging werd gefotografeerd en uitvoerig beschreven. Alleen tijdens het ochtend- en avondgebed was hier geen beginnen aan. Imam Youssef Nassir moest erg populair zijn bij de plaatselijke moslimgemeente, want de moskee stroomde, vooral bij het avondgebed, vol.

De namen op de bestelwagens van leveranciers werden genoteerd en grondig nagetrokken.
Regelmatig stopten er bussen met toeristen, voor een bezichtiging van deze prachtige moskee. Ook deze bussen werden genoteerd en nagetrokken.
Dennis en neef Ali volgden om beurten, vierentwintig uur per dag, Said Boultami als een schaduw. Tot nu toe zonder resultaat. Dennis dacht eraan om, zonder toestemming, de moskee binnen te vallen en te doorzoeken.

Thomas Schulz, chef van de Anti Terreur Eenheid Berlijn, las de e-mail nogmaals, verbaasd zijn hoofd schuddend. 'Ongelofelijk,' mompelde hij.
De telefoon oppakkend draaide hij een intern nummer. 'Dennis, heb je even?'
Even later kwam Dennis de kamer van Schulz binnen, nam ongevraagd plaats aan de andere zijde van het bureau en kreeg een velletje papier toegeschoven.
'Lees,' zei Schulz.
'Ah, weer een e-mail van jouw beroemde tipgever,' reageerde Neumann, waarbij zijn stem schor klonk van vermoeidheid.
Meewarig bekeek Schulz zijn naaste medewerker. 'Wat zie je eruit, jongen. Neem vanmiddag alsjeblieft wat eerder vrij en ga slapen. Dit hou je niet vol.'
'Herr Schulz, doe me een lol. Tijdens onze opleiding kregen we wekenlang slecht voedsel, sliepen in vierentwintig uur tijd hooguit driemaal een uur op matrassen waarvan de veren in je rug priemden en daar waren we nog trots op ook.'
Hardop las hij het bericht voor.

'Lieber Freund Thomas, gisterochtend vroeg is uit Antwerpen een bus vertrokken met een zakelijke delegatie aan boord met bestemming Berlijn. Alleen de leider van deze delegatie, een grote Antwerpse aannemer in de bouw, Marc van Someren, en zijn beide bodyguards, de broers Al-Makaoui, hebben nauwe banden met imam Youssef Nassir. Deze heeft contact met Said Boultami, een extremist en leider van de Unie in Berlijn. Zware explosieven en wapens zijn in de bus meegesmokkeld naar Berlijn.
De vanuit Antwerpen opererende wapenhandelaar Anwar Ismail is met twee van zijn mannen vanmorgen ook naar Berlijn vertrokken. Alle bij naam genoemde personen hebben indirect contact met Al-Qaida.
Avi.
P.S. Het wordt tijd dat jullie je grenzen weer sluiten, extremistische moslims dartelen vrolijk van het ene Europese land naar het andere.'

Dennis keek zijn chef zwijgend seconden lang aan. Schulz, die zijn naaste medewerker kende als zijn broekzak, doorbrak de stilte.
'Oké, Dennis, rapporteer.'
'Chef, gistermiddag laat arriveerde voor de Abu Bakr moskee een Belgische bus. Een tiental passagiers stapte uit voor een bezichtiging. Tegelijkertijd werden ook enkele koffers en kisten gelost, waarbij het opviel dat de kisten bijzonder zwaar

moesten zijn. Met vier man werden de kisten uit de bagageruimte van de bus getild en met steekwagentjes de moskee in gereden. Die kisten moeten de door jouw Avi genoemde zware explosieven en wapens bevatten.'
Een hoofdknikje van Schulz gaf aan dat hij het hiermee eens was.
'Ik stel voor,' vervolgde Dennis, 'om de moskee uit te kammen. Laten we vanavond nog een nachtoperatie organiseren.'
Met zijn rechterhand over zijn half kale hoofd strijkend, reageerde Schulz: 'Lopen we nu niet te hard van stapel?'
Dennis stond met een ruk op en boog zich voorover, de beide handen plat op het bureau van zijn chef, die hij woedend recht in de ogen keek.
'Goed, goed, goed, Dennis, rustig maar, wat is exact je voorstel? Maar ga eerst weer zitten.'
'Kom op, chef, jij staat er toch om bekend dat je een man van actie bent! We weten vrijwel zeker dat die explosieven naar binnen gebracht zijn en we hebben die handel niet meer naar buiten zien komen.'
'Je hebt gelijk. Oké: laat van de basis in Hangelar een tweede team opdraven. Schakel Grenszschutz Fliegergruppe in en bestel een helikopter om het team van Hangelar over te brengen naar vliegveld Tempelhof, nabij Neukölln. Roep een arrestatieteam van het SEK (Special Einsatz Kommando) op en laat de commandanten zich hier om tien uur vanavond melden voor verdere briefing. Deze nachtoperatie krijgt de naam "Abu Bakr operatie".'

Londen

Barbara Graham was uit haar bed gekomen, had haar sweater omgeslagen en de televisie aangezet. Traditiegetrouw stond het toestel op BBC 1. Wijlen haar man was verslaafd geweest aan de rechtstreekse sportverslagen en nabeschouwingen en daarnaast natuurlijk aan BBC 1 News.
Nu leek er een mooie natuurserie op de buis te zijn.
Haar lichaam trilde nog na en op dit moment voelde ze zich een jonge dertiger. Heerlijk ontspannen nam ze een ogenblik plaats in haar fauteuil. Ze moest niet vergeten op tijd koffie te zetten.
Toen de harde stem van de nieuwslezer de huiskamer binnendrong, schrok ze op. O, wat erg, dacht ze, ik ben zeker even ingedommeld, snel naar de keuken om koffie te zetten.
Vijf minuten later zat ze weer voor de buis, terwijl in de keuken het hete water pruttelend door de gemalen koffie het koffiepotje in druppelde.
Premier Blair kreeg het weer zwaar voor de kiezen, de man kon geen goed meer doen en de peilingen gaven aan dat Labour stemmen aan het verliezen was. Hij moest maar aftreden en het premierstokje doorgeven aan partijgenoot Gordon Brown.
Barbara vroeg zich ondertussen af waar Mukhtar bleef. Hij zou na een uurtje weer terug zijn.

Het nieuws was afgelopen en ze wilde het toestel al uitschakelen, toen de nieuwslezer aandacht vroeg voor een extra politiebericht.

> *De Binnenlandse Veiligheidsdienst is op zoek naar de eigenaar van een gloednieuwe olijfgroene Ford Fiesta, kenteken: WEST315LON, standplaats Londen en omgeving.*
> *Mocht u in uw omgeving iemand kennen van wie de Ford Fiesta plotseling is verdwenen, neem dan contact op met MI5, het Thames House of met het dichtstbijzijnde politiebureau.*
> *De eigenaar is hoogstwaarschijnlijk een terrorist en vuurgevaarlijk.*
> *De hoogste voorzichtigheid is geboden.*

Barbara Graham had haar handen voor haar mond geslagen en met ogen groot van ontzetting staarde ze een moment nog naar de getoonde olijfgroene Ford Fiesta.
Met de afstandsbediening schakelde ze het toestel uit, apathisch bleef ze zitten.
Toen ze de voordeur hoorde dichtslaan, keek ze verschrikt naar de deur.
'Barbara, heb je koffie?' riep Mukhtar vanuit de hal. 'Ik kom er zo aan, ik moet boven nog iets regelen, schenk maar gelijk in.'
Wankelend stond ze op, zich vasthoudend aan de leuning van de fauteuil.
Wat moet ik doen? vroeg ze zich af, ervan overtuigd dat de Ford Fiesta de olijfgroene auto van haar huurder was. De voordeur uit, en naar de buren vluchten?
Met een snik vermande ze zich en begaf zich naar de keuken.
Hoe snel kon een situatie in een mensenleven veranderen. Nauwelijks een uur geleden voelde ze zich hoog boven de wolken verheven en nu leek het wel of de grond onder haar voeten wegzonk. Ze moest sterk zijn, en misschien was het toch toeval, er reden natuurlijk wel meer olijfgroene auto's rond.
Ze schonk de koffie in en peinsde verder. Mukhtar was altijd beleefd en ook nog lief, dit moest een vergissing zijn.
Ze tilde de deksel van het dekschaaltje op en sneed twee dikke plakken cake af.
Terroristen waren meedogenloos, Mukhtar was immers het tegenovergestelde, mijmerde ze verder.
Ze moest haar gedachten bij het koffiedrinken houden en met wat er eventueel daarna nog zou gebeuren.
Aan het laatste denkend voelde ze een warme gloed door haar onderlichaam trekken.
Ze kreeg weer wat kleur op haar wangen en voelde zich een stuk zekerder worden. Zonder te beven bracht ze de kopjes en de cake naar de salon.

MUKHTAR RAHMAN ONDERDRUKTE ZIJN moordlust en woede, toen hij zijn kamer binnenkwam. Hij moest eens rustig overwegen wat hem te doen stond.
Hij was een minuut voor elf thuisgekomen en had een slapende Barbara in haar

fauteuil voor de televisie zien zitten. Een vreemd voorgevoel vertelde hem op de gang te blijven en het BBC nieuws af te wachten.
Toen de nieuwslezer nog maar nauwelijks begonnen was, hoorde hij haar wakker schrikken en tegen zichzelf mopperend spoedde ze zich naar de keuken.
Hij onderdrukte een glimlach en sloop geluidloos de trap op naar boven.
Even later hoorde hij haar terugkeren in de salon om, naar hij aannam, weer plaats te nemen in haar fauteuil voor de tv.
Geluidloos was hij weer naar beneden geslopen en luisterde het nieuws af.
Na het nieuws hoorde hij Barbara opstaan en hij wilde net doen of hij nu pas thuiskwam, toen de nieuwslezer een extra politiebericht aankondigde.
Tijdens het uitspreken van dat bericht verstrakten zijn gelaatstrekken. De huid spande zich rond zijn kaken en in zijn donkerbruine ogen verscheen een keiharde, meedogenloze glans. Hij meende Barbara haast te voelen verstijven.
Toen Barbara het televiesietoestel uitschakelde, moest hij zich met kracht bedwingen om niet naar binnen te gaan om haar direct van het leven te beroven.
Even nog wachtte hij af, zou ze gaan telefoneren? Als dat zo was, had hij geen keus.
Toen het binnen rustig bleef, besloot hij nu thuis te komen.
Zachtjes opende hij de voordeur en sloeg hem met een klap weer dicht.
Tegelijk riep hij: 'Barbara, heb je koffie? Ik kom er zo aan, ik moet boven nog iets regelen, schenk maar gelijk in.'
Achter zijn bureau plaatsnemend concludeerde hij dat hij keuze had uit twee opties: *Hij liquideerde haar of hij liquideerde haar niet.*
Wat waren de voor- en nadelen als hij haar nu ombracht?
Het enige voordeel dat hij kon bedenken was, dat zij hem niet meer kon verraden.
Nadelen: Het was nog te vroeg om haar uit de weg te ruimen, er waren nog drie dagen te gaan voordat de grote boem plaatsvond. Buren zouden haar missen en waar zou hij het lijk moeten verbergen? Een vermiste Barbara Graham zou een opmerkelijke buur aan het denken zetten en zich kunnen doen realiseren dat haar huurder in het bezit was geweest van een olijfgroene Ford, ondanks dat hij de Ford maar twee dagen in zijn bezit had gehad. Argwaan zou ontstaan en de politie was zo gebeld.
Wat zou er gebeuren als hij haar nu niet ombracht?
Hij moest straks tijdens het koffiedrinken een gezellig gesprek met haar hebben over allerlei koetjes en kalfjes. Daar hield Barbara wel van.
Daarna zou hij haar verleiden en hij zou zijn uiterste best doen om haar te behagen. Dat was niet eens zo moeilijk, want zoals zij had hij er nog maar weinig in bed gehad. Dus nog minstens drie dagen plezier met haar.
Morgen zou hij haar vertellen dat de verzekering had gebeld, en dat hij daarnaartoe moest.
Langzaam verdween zijn woede, om plaats te maken voor een sportief gevoel. Er stond hem immers een soort uitdaging te wachten. Hij zou Barbara's vertrouwen in hem opnieuw moeten winnen.
Zoals hij dit bedacht had, bleef dit ook na de aanslag een zeer goed en veilig schuiladres.

Na een paar weken, wanneer de storm geluwd was, zou hij op zijn eigen papieren Engeland verlaten. Voor Engeland was hij officieel nog steeds een inlichtingenofficier van de Pakistaanse Inlichtingendienst, een perfecte dekmantel. Hij had de tickets al in zijn bezit. Eerst zou hij naar München vliegen, om daar over te stappen op een lijnvlucht naar Istanbul, vandaar naar Tripoli in Libië en dan rechtstreeks terug naar Pakistan.
In de badkamer friste hij zich op door een paar handen water in zijn gezicht te gooien. Hij droogde zich af en trok voor het spiegeltje boven de wasbak een opgewekt gezicht, terwijl hij tegen zichzelf zei: 'We kiezen voor optie twee en we gaan plezier met haar maken.'
Vanavond had hij contact gehad met een oude bekende, die hem de nodige zware explosieven moest bezorgen. De levering was twee dagen te laat, maar inmiddels was een kleine vrachtwagen met de spullen onderweg naar Londen.

Wassenaar

Er heerste een opgewekte stemming in villa 'Op goed geluk'. Het optimisme vierde hoogtij.
De geslaagde liquidatie van de Geertsemabende had het zelfvertrouwen van de jonge Palestijnen, maar ook van de leden van de Binnenhofgroep, tot grote hoogten opgestuwd. Mohammed Boukhari, alias Abdullah, voelde zich zelfs geroepen om te waarschuwen voor overmoedigheid.
Sharif begon goed te herstellen van zijn kogelwond. Jozef Stalman had direct na hun aankomst in Wassenaar contact opgenomen met een dubieuze dokter, een kennis uit het verleden, die tegen een flinke vergoeding wel naar de villa wilde komen. De eerste drie dagen had de dokter eenmaal per dag de wond gesteriliseerd en opnieuw verbonden.
Hij was nog tweemaal teruggeweest voor controle en had Sharif op zijn gezonde linkerschouder geklopt en gezegd: 'Prima, kerel, de komende dagen nog rustig aan doen en daarna ben je er weer tegen opgewassen. De chirurg die jou van de kogel verloste heeft trouwens goed werk verricht.'
Abdullah had na een week onderhandelen met Wilfred Winands, alias de Schone, de nieuwe voorzitter van de Black Eagles en tevens een internationale wapenhandelaar, een deal bereikt wat betreft de aankoop van een partij zware explosieven.
Afgelopen nacht had de levering van de partij plaatsgevonden en nog deze nacht moest begonnen worden met het plaatsen van de explosieven.

Het was precies zeven uur die avond toen de gesloten Ford Transit geladen werd met de kisten explosieven en honderden meters opgerolde kabels.
Op aanraden van Abdullah had Youssef op het laatste moment deze beige Ford

Transit van de sloop gered. Op verschillende plekken vond roestvorming plaats op de carrosserie, maar een lik verf deed wonderen. Belangrijk was het opschrift aan beide zijden van de laadruimte.

Fa. Vrolijk Visspecialiteiten Scheveningen

De Professor had uitgezocht dat een bruidspaar Paviljoen De Witte had afgehuurd van 14.00 uur tot 18.00 uur om daar hun receptie te houden. Daarna werd het diner en aansluitend het bruiloftsfeest elders gehouden. Het personeel had een uurtje nodig om op te ruimen, berekende de Professor, zodat rond 19.00 uur iedereen vertrokken zou zijn.
Precies om 20.00 uur stopte een Ford Transit van de Fa. Vrolijk voor het buitenhek van Paviljoen De Witte. Youssef stapte uit en had binnen tien seconden de elektrische bediening in werking gezet, die de grote poort open deed schuiven. Weer achter het stuur plaatsnemend reed hij rustig de poort door en parkeerde de bus precies voor de leveranciersingang, zodat van buitenaf niemand kon zien wat er zich afspeelde aan de andere kant van de bus. Youssef stapte weer uit en opende de zijdeur van de Transit.
Als eerste kwam Slimme Malika naar buiten, die binnen vijf seconden het slot van de toegangsdeur gekraakt had. Terwijl zij naar binnen stapte, glipten dicht achter haar aan de beide explosievenexperts van de groep, Yasser en Abdul, naar binnen. Malika liep direct door naar de kelder en begon de stelling leeg te halen die voor de toegangsdeur stond die naar het onderaardse gangenstelsel leidde.
Ook de Professor kwam uit de laadruimte en in rap tempo werden de kisten en rollen kabels naar binnen gesjouwd. Binnen tien minuten was het busje gelost en de Professor verdween ook naar binnen.
Youssef sloot de zijdeur van de Transit, nam rustig plaats achter het stuur en reed met een sukkelgangetje het terrein af. Buiten de poort stapte hij uit om de elektrische bediening in te schakelen, zodat het hek weer op zijn plaats schoof.
De hele operatie had hooguit een kwartier geduurd.
De Professor had berekend waar de dragende punten van de gebouwen zich precies bevonden. Op zijn aanwijzingen plaatsten Yasser en Abdul de springstoffen op de juiste plaatsen. Draadloze detonators werden in de springladingen geplaatst en om zeker te zijn dat de springstoffen tot ontploffing konden worden gebracht, werden honderden meters kabel uitgerold en ook aangesloten op de springladingen. Deze zekerheid had de Professor ingebouwd, omdat het signaal, dat gegeven werd door middel van een mobiele telefoon, geen zekerheid bood tot ontploffing wanneer dit door tonnen beton heen moest dringen.
In de gangen onder het Kurhaus werden de zwaarste springstoffen aangebracht en het werken hier werd bemoeilijkt doordat de mannen niet zonder zuurstofmaskers konden.
Langzaam verplaatsten ze zich vanaf het Kurhaus, onder de flats aan de Zeekant door, in de richting van Paviljoen De Witte. Malika fungeerde als rugdekking en hield zich op in het Paviljoen.

Tegelijk doorzocht ze de ontvangstruimten, de bar en de keuken, op zoek naar geld of voor haar waardevolle dingen.

Precies om twee uur 's nachts stopte het busje van de Fa. Vrolijk recht voor het loopdeurtje, naast het grote schuifhek. Bijna onzichtbaar opende Malika aan de binnenkant van het hek het slot. Drie in het donker geklede figuren overbrugden in ijltempo de ruimte tussen het Paviljoen en het hek. Youssef had de zijdeur van de Transit al geopend en even later zaten de vier veilig en onzichtbaar voor de buitenwereld in de laadruimte. Youssef sloot de zijdeur en nam weer plaats achter het stuur. Terwijl hij rustig optrok en wegreed, keek hij op zijn horloge en met voldoening constateerde hij dat deze hele ophaalactie nog geen anderhalve minuut had geduurd.

Jozef Stalman maakt schoon schip

Onroerendgoedhandelaar Jozef Stalman was begonnen aan zijn criminele afscheidstournee. Hij besloot contact te leggen met collega's die er niet vies van waren om geld wit te wassen.
De eerste was een goede kennis, Jonathan Kunst. Net als Stalman was hij gechanteerd door Geertsema. Kunst zat onderuitgezakt in een van de fauteuils.
'Jozef, man, mijn ogen vielen bijna uit hun kassen, toen ik de krant opensloeg. Wat een opluchting! Tegelijkertijd dacht ik: welke bende hier in Den Haag moet in staat zijn geweest deze liquidatie uit te voeren?'
Stalman, die achter zijn bureau zat, haalde zijn schouders op en met een grijns zei hij: 'Jonathan, ik zou het niet weten, maar wij zijn van ze af.'
'Zouden het de Nigerianen kunnen zijn? Of de Italiaanse maffioso? In Amsterdam zijn trouwens de laatste tijd Engelse topcriminelen gesignaleerd.'
'Jonathan Kunst, ik heb je gevraagd hiernaartoe te komen om zaken te doen en niet om raadsels op te lossen. Wat de Geertsemabende betreft, dat is een zaak voor de politie.' Wijzend naar de stapel eigendomspapieren en contracten vervolgde Stalman: 'Daar ligt de erfenis van onze Schele. Hij heeft zijn panden en bezittingen nagelaten aan mijn persoontje, vergezeld van een notariële akte, opgesteld door een notaris in Breda en door Geertsema zelf ondertekend.'
Kunst had al genoeg meegemaakt in zijn leven, maar dit overtrof alles en hij staarde sprakeloos naar de stapel papieren.
'As je me belazert, Jozef... dat kan niet waar zijn!'
'Het is waar en hou op met zeuren. Het is een geweldige erfenis die op z'n minst zo'n half miljard euro waard is. Alleen zijn er wat probleempjes die wij samen moeten zien op te lossen.'
'Een half miljard... probleempjes die wij samen moeten zien op te lossen... Jozef, ik ben toe aan een jonge jenever, ijskoud graag.'
'Komt in orde, daar had ik me al op voorbereid.'

Jonathan Kunst zat onderuitgezakt in een van fauteuils en hapte in één keer het glaasje jenever achterover naar binnen. Terwijl hij de ijskoude jenever door zijn mond liet spoelen, hield hij het lege glaasje omhoog.
Glimlachend schonk Stalman het opnieuw tot aan de rand toe vol.
De fles terugleggend in het vriesvak nam hij zelf zijn favoriete Courvoisier, die hij in een voorverwarmd cognacglas schonk.
Zijn glas omhooghoudend sprak hij plechtig: 'Jonathan, op een succesvolle samenwerking.'
'Proost,' repliceerde Kunst. 'Dat we beiden levend en gezond deze zaken mogen afronden.'
'Goed,' nam Stalman opnieuw het woord. 'Ik wil deze hele handel zo snel mogelijk weer verkopen, en weet je waarom? Omdat ik een onroerendgoedhandelaar ben en geen hoerenbaas of een horecauitbuiter. Het is een cliché, maar ik zeg het na: schoenmaker, blijf bij je leest. Het grote probleem is, dat de beide zetbazen van respectievelijk de prostitutiepanden en de horeca, in het verleden aangesteld door Geertsema, bezig zijn zich sterk te maken door allerlei tweederangs boefjes in te huren, om de zaken over te nemen.'
'We moeten iemand vinden die zowel krachtig genoeg is om de beide zetbazen terug in hun hok te plaatsen als kapitaalkrachtig genoeg om de boel te kopen. Jij hebt in het verleden, laten we zeggen in je wilde jaren, een poosje in Italië vertoefd. Jij moet daar op z'n minst kennissen hebben die lid zijn van een of andere maffiafamilie.'
Kunst sloeg de tweede borrel opnieuw in één keer achterover. Hij zei niets, maar keek Stalman recht in de ogen.
'O, ik begrijp je. Nou, voor de duidelijkheid, Jonathan, je hoeft het niet voor niets te doen, ik bied je vijfentwintig procent van de verkoopsom aan. Circa honderdvijfentwintig miljoen euro.'
Jonathan Kunst knipperde niet eens met de ogen en was zeker niet onder de indruk van het hem aangeboden bedrag. 'Alleen op fiftyfifty-basis, Jozef.'
Stalman dacht een ogenblik na. Kunst had hem met de rug tegen de muur gezet, maar wat moest hij anders? Om tijd te rekken door net te doen of hij inderdaad het voor en tegen aan het afwegen was, dronk hij op zijn gemak zijn glas leeg en schonk opnieuw voor hen beiden in.
Weer achter zijn bureau plaatsnemend hief hij opnieuw zijn glas op, alsof hij een besluit had genomen, en zei: 'Jonathan, als je werkelijk in staat bent die handel van de hand te doen... oké, op fiftyfifty-basis, gezondheid.'
Kunst glimlachte fijntjes, hij had een machtige troef achter de hand.
Een paar dagen geleden was hij gebeld door een Italiaanse vriend die wat problemen had en vroeg of hij zich bij Jonathan een tijdje mocht schuilhouden. Gisterochtend had hij hem opgehaald vanaf Schiphol.
Meer dan vijftien jaar hadden zij elkaar niet meer gezien noch gesproken, maar het weerzien was alsof ze de dag ervoor nog contact hadden gehad. Jonathan Kunst was hem totaal vergeten, anders had hij hem wel te hulp geroepen toen Geertsema hem afperste.

Luca Navarra was een volle neef van Carmello Navarra, de vermoorde maffiabaas van de in Noord-Italië opererende clan La Lombardia, een speciale tak van de in Zuid-Italië gevestigde 'Ndranghetamaffia, de meest beruchte en gevreesde maffia in Italië. Carmello Navarra wilde zich losmaken van de organisatoren uit Calabrië. Hij vond dat zij zelf wel in staat waren om hun boontjes te doppen, en dat werd zijn dood.
Luca was het volledig eens geweest met zijn oom en omdat hij daarom vreesde ook vermoord te worden, nam hij de vlucht.
Voor hij zijn grootvader belde, de grote 'Ndrangheta baas, en toestemming vroeg om veertien dagen op vakantie te gaan, stond hij in Milaan al op Linate Airport, om een vlucht te nemen naar Amsterdam.
'Jozef, ik moet vanmiddag met iemand praten. Als je niets van mij hoort, kom dan morgenochtend om tien uur op mijn kantoor. Ik hoop je dan voor te stellen aan een telg van een van de machtigste maffiabazen in Italië.'

Luca Navarra, een veertigplusser van een meter tweeëntachtig lang, zag er getraind uit.
Navarra deed zijn jasje uit en luisterde geïnteresseerd naar het voorstel van Kunst. Hij zag direct de grote voordelen voor hemzelf, hij moest alleen zijn grootvader Francisco ervan zien te overtuigen welke enorme kansen er voor de 'Ndrangheta-clan in Nederland voor het grijpen lagen.
Den Haag was maar het begin. Hier groots beginnen, daarna uitvloeien naar de andere grote steden, zoals de maffiaclan dat ook in Italië had gedaan naar Noord-Italië.
Kunst had zijn verhaal gedaan en keek afwachtend in de donkerblauwe ogen van Navarra, nieuwsgierig naar zijn reactie.
Luca Navarra had geleerd niet al te enthousiast te reageren op de op het eerste gezicht schitterende businessdeals, maar tegenover zijn vriend liet hij die schijn voor wat het was.
'Amigo,' reageerde hij met zijn typerende schorre stem, 'ik zie het al helemaal uitgestippeld voor me. Wij gaan het samen maken, hier in de lage landen, zodra de contracten getekend zijn!'
'En Jozef Stalman?' vroeg Kunst.
Met zijn rechterwijsvinger maakte Luca een flitsende beweging over zijn keel.

Om tien uur precies belde Jozef Stalman aan en Jonathan Kunst zelf opende de deur.
'Kom binnen, Jozef. Heb je iemand meegebracht?'
'Mag ik je voorstellen aan mijn levensverzekering en beste vriend: Mohammed.'
Terwijl hij Mohammed de hand drukte, merkte Kunst twijfelend op: 'Ik weet niet

of mijn Italiaanse vriend dit zal accepteren. Wij tweeën is oké, en het gaat niet om jouw persoon, Mohammed, maar een derde persoon hierbij betrekken lijkt ons niet zo'n goed idee.'
'Maak je niet ongerust, Jonathan, de deal was en is fiftyfifty en dat blijft zo. Alleen houdt Mohammed een oogje op mij. Je kent hem toch nog wel?'
'Ja, ja vertel mij wat. Maar goed, kom verder en maak kennis met Luca Navarra.'
Na de kennismaking namen Luca en Mohammed elkaar tersluiks op.
Een keiharde knaap, die Italiaanse maffioso, concludeerde Mohammed, die mogen we niet onderschatten.
Ondertussen vertelde Kunst aan Stalman dat Navarra grote belangstelling had en dat hij alleen zijn grootvader, de godfather van de 'Ndranghetamaffia in de Zuid-Italiaanse regio Calabrië, moest bellen voor de nodige contanten.
Inmiddels zou Jonathan een drietal contracten opmaken, een voor de prostitutiepanden, een voor de horecagelegenheden en een voor het overnemen van de afgesloten beveiligingscontracten.
'Prima, hier heb ik kopieën van de eigendomspapieren en de contracten. De originelen heb ik om veiligheidsredenen goed opgeborgen. Deze komen pas voor de dag wanneer het geld op mijn Zwitserse bankrekening staat. Hoelang denk je dat dit gaat duren?'
'Vanmiddag nog zal Navarra contact zoeken met Zuid-Italië. Zodra ik wat weet, bel ik jou. Hoelang het gaat duren? Geen flauw idee, misschien een week, misschien twee weken.'
'Jullie krijgen een week,' repliceerde Stalman. 'En geen dag langer, er is nog iemand die belangstelling heeft.'
Stalman stond op, Mohammed een wenk gevend dat hij wilde vertrekken.
Kunst zat Stalman met open mond aan te staren.
'Maar Jozef, dat kun je toch niet maken?'
'Natuurlijk wel. Ik vind dat jij en je maffiavriendje zich aan de afspraken moeten houden en zich geen rare dingen in het hoofd moeten halen. Ik zit al een poosje in het vak en ben een doorgewinterde rotzak.'
Jonathan zijn hand toestekend zei hij: 'Doe je best, Jonathan, ik hoop spoedig van je te horen.'

Berlijn, 15 mei, 22.00 uur

THOMAS SCHULZ ZAT ALS een veldheer achter zijn bureau en overzag de situatie in zijn kantoor. Exact om 22.00 uur hadden de twee commandanten van de GSG9 teams, Dennis Neumann en Andreas Heller, alsook de commandant van het arrestatieteam, Florian Steinhofer, zich gemeld voor de briefing betreffende de 'Abu Bakr operatie'.
Schulz had vooroverleg gehad met zijn commandant Dennis Neumann over de opzet en de uitvoering van de nachtoperatie.
Schulz opende de bijeenkomst door de commandanten welkom te heten en ver-

volgde met een uiteenzetting van de aanleiding en het doel van deze actie.
'Allereerst verzoek ik jullie deze operatie zo stil en geluidloos mogelijk uit te voeren.'
'Waarom?'
'De Abu Bakr moskee is zeer populair bij de moslims en in de directe omgeving van de moskee wonen heel veel sympathiserende moslims. Dus laten we proberen geen volksopstand te ontketenen.'
'Doel van de operatie?'
'Onder leiding van een bouwondernemer arriveerde gisteren uit Antwerpen een zakelijke delegatie, bestaande uit een tiental ondernemers, voor een bezoek van een week aan onze geliefde stad Berlijn. Deze bouwondernemer is een Belg die zich tot de islam bekeerd heeft en hij onderhoudt nauwe contacten met extremistische moslimleiders. Wij verdenken hem ervan dat hij samen met een salafistische imam en de leider van een extremistische groep hier in Berlijn een aanslag aan het voorbereiden is die moet plaatsvinden op zaterdag 19 mei. De naam van de imam is Youssef en hij heeft contacten met Al-Qaida.
De zakenlieden zijn dus gisteren met de bus in Berlijn aangekomen; we weten vrijwel zeker dat deze bus explosieven heeft binnengesmokkeld.
Onder de spionerende ogen van Dennis Neumann en zijn mannen zijn de explosieven de moskee binnengebracht.'
'De te volgen tactiek?'
'Andreas Heller, jij krijgt de leiding over de twee GSG9 teams, in totaal tien mannen. Je zorgt voor een hermetisch afgesloten kordon om de moskee. Jullie starten om precies 01.00 uur en binnen vijf minuten moet de moskee omsingeld zijn.
Florian Steinhofer, op verzoek van Dennis Neumann vraag ik u hem in uw team op te nemen. Om exact 01.05 uur dringt u met uw team de moskee binnen en arresteert u tijdelijk iedereen die daar binnen is. Vind de explosieven en hopelijk ook een ontvoerde jonge vrouw, Lisa Rink, de vriendin van Neumann.'

Neukölln, Richardstrasse

Precies 1 minuut voor 1 uur reden twee zwarte personenbusjes stapvoets de Richardstrasse in. Geconcentreerd volgden de manschappen in gevechtsuitrusting de vorderingen van de busjes. Ze waren de moskee nu tot op vijf meter genaderd.
'Attentie,' klonk zacht de stem van commandant Heller. 'Open de schuifdeur.'
'Go, go, go,' klonk het even later.
Het busje was iets voorbij de ingang van de moskeetuin gereden, zodat de tweede bus iets voor de ingang stopte. De eerste man schoof geruisloos de schuifdeur open en achter elkaar sprongen de GSG9 mannen naar buiten. Evenzo ging het bij het tweede busje en binnen tien seconden waren ze in de moskeetuin verdwenen en nam iedereen zijn positie in.
De lege busjes reden alweer met zacht ronkende motoren de Richardstrasse uit.

Vier minuten later arriveerde een iets grotere bus voor de ingang van de moskee. Het arrestatieteam bestond uit elf personen, inclusief Dennis Neumann.
Ook hier hetzelfde ritueel.
'Attentie,' klonk de rustige stem van commandant Steinhofer.
Gespannen zat Dennis Neumann op zijn hurken voor de schuifdeur, wachtend op de order om hem open te maken.
Tien seconden voordat de bus tot stilstand kwam, klonk de order: 'Schuif de deur open.'
Even later klonk het zacht: 'Go, go, go.'
Neumann sprintte voor de anderen uit de moskeetuin door naar de gesloten massieve deuren van de moskee.
Terwijl de mannen achter hem samendromden, probeerde Neumann de deur te openen.
Er is geen beweging in te krijgen, dreunde het door zijn hoofd.
Dan maar het poortdeurtje aan de achterkant van de moskee, tegenover het cultureel centrum.
Hij wenkte met zijn rechterarm en het team volgde hem blindelings.
Zo geluidloos mogelijk renden de mannen om de moskee heen.
Neumann rekende erop dat het deurtje aan de achterkant niet afgesloten zou zijn, omdat het cultureel centrum ook enkele gastverblijven herbergde; de gelovigen moesten zich vrij in en uit de moskee kunnen bewegen.
Van de GSG9 teams was niets te bespeuren, getraind als ze waren lagen ze onzichtbaar om de moskee en het cultureel centrum heen in dekking.
Even voor het bereiken van de achterdeur hield Neumann in, keek achterom en wachtte op commandant Steinhofer. 'Hoogstwaarschijnlijk overnachten de belangrijkste moslims in het centrum,' zei hij en adviserend vervolgde hij: 'Neem vijf mannen en arresteer iedereen die zich in het centrum ophoudt. Ikzelf ga met de resterende vier mannen de moskee binnen.'
Steinhofer knikte even en wenkte met zijn arm vijf van zijn mannen om hem te volgen. Neumann bleef even wachten tot het team van Steinhofer het centrum binnenging.
Neumann knikte de overige mannen toe en opende het achterdeurtje dat inderdaad niet op slot zat. Een voor een glipten de mannen naar binnen, met in de ene hand een vuurwapen en in de andere een zaklantaarn.
De moskee was heel spaarzaam verlicht door flauw brandende kobaltblauwe en okergele lampen aan de muren. Behalve de grote open ruimte waren er aan de rechterkant enkele vertrekken zonder deur, waarbij de deuropeningen werden afgesloten door een gordijn. Een moment stonden de mannen stil en lieten hun ogen speurend door de ruimte gaan. In de open ruimte was niemand te zien.
Het schitterende interieur, bestaande uit keramiek, marmer en duurzaam hout, was het tweede wat de mannen opviel. De frisse gebruikte kleuren, kobaltblauw, wit, oranjerood en okergeel, straalden je gewoon tegemoet.
'Dat zal wel wat gekost hebben,' mompelde een van de mannen.
'Heb je de vloer gezien, gemaakt van keramisch zand,' reageerde een ander zacht.

'Hou jullie koppen dicht,' siste Neumann en gebaarde naar twee van zijn mannen dat zij de vertrekken moesten doorzoeken.
Hij wenkte naar de andere twee om hem te volgen.
Geluidloos slopen zij op hun sportschoenen de brede marmeren trap af naar het kelderverblijf. Ook de kelderruimte was schemerig verlicht door okergele lampen. Het interieur was een blauwdruk van de begane grond. De gehele rechterkant werd in beslag genomen door afgescheiden ruimtes en ook hier waren de deuropeningen afgesloten door stoffen gordijnen.
Links had men enkele kamers met deuren gecreëerd en in het midden van de kelderruimte stonden enkele rijen stoelen, terwijl tegenover de trap een katheder was geplaatst. De kelder werd duidelijk gebruikt als vergaderruimte.
Achter de katheder hing tegen de muur een schitterend handgeweven Perzisch kleed. Het kleed besloeg de gehele hoogte van de keldermuur, zo'n drieënhalve meter en was zeker tien meter breed.
Dennis controleerde eerst de afgescheiden ruimtes rechts. Hij schoof het gordijn van de eerste ruimte opzij en ontdekte in het schemerdonker twee slapende figuren. Hij deed een stap terug en begaf zich naar de tweede ruimte, sloeg het gordijn opzij, zodat hij naar binnen kon kijken en ontdekte achterin de linkerhoek opnieuw twee slapende figuren.
Weer deed hij een stap terug en wenkte een van de mannen naderbij.
'Ga naar boven,' fluisterde hij. 'Laat een van de twee boven aan de trap achter, dienend als rugdekking, en kom met de ander naar beneden.'
De man knikte en snelde geluidloos naar de trap.
Even later waren ze met z'n vieren en Neumann gebaarde dat twee man buiten de ruimtes stand-by moesten blijven, terwijl hijzelf met de overgebleven agent opnieuw de eerste ruimte betrad en naar de slapende figuren op de grond liep, om hen met een schop in de lendenen wakker te maken.
De twee figuren schoten recht omhoog en staarden verschrikt in de mondingen van de beide vuurwapens.
'Opstaan,' commandeerde Neumann ruw.
En tot de man van de SEK: 'Sla ze in de boeien en haal de ketting van de ene over de andere heen, zodat ze aan elkaar vastzitten.'
Behendig klikte de SEK-agent de handboeien rond de polsen van de ene kerel, haalde de ketting erdoorheen en gebaarde naar de andere kerel om zijn handen vooruit te steken, maar Neumann zei: 'Die tweede kerel moet je met zijn handen op zijn rug vastklikken.'
De man begon te protesteren, maar Neumann kende geen pardon en plaatste ruw zijn .359 Magnum tegen de slaap van de kerel, die in elkaar kromp van angst en snel zijn handen achter zijn rug liet verdwijnen, waarna de SEK-agent gemakkelijk de handboeien kon sluiten.
'Breng ze naar buiten en laat ze gaan zitten op de voorste rij stoelen. En bewaak die twee.'
Neumann wenkte naar een van de twee SEK-agenten die buiten stonden te wachten, om samen de tweede afgescheiden ruimte te betreden.

Opnieuw twee slapende figuren, die op losse matrassen op de vloer lagen. Neumann gebruikte zijn zaklamp en scheen de twee om de beurt in het gezicht.
'Ah, twee nazischoffies,' merkte hij op.
Een van de twee knipperde met zijn ogen tegen het licht en zei: 'Wat moet dat hier, hou op, of er gebeurt een ongeluk.'
Neumann trapte hem in zijn ribben, waarop de nazi, nu klaarwakker, vliegensvlug overeind sprong en als een volleerd bokser om Neumann heen danste.
Met de zaklantaarn sloeg Neumann toe, maar de nazi ontweek deze behendig en een keiharde rechtse ontplofte op de kin van Neumann, gevolgd door een linkse in de maagstreek. Neumann sloeg dubbel en liep struikelend achteruit.
De nazi wilde hem volgen, maar de SEK-agent kwam bliksemsnel tussenbeide en plaatste de loop van zijn wapen tegen het voorhoofd van de nazi. Meteen liet de nazi zijn armen slap langs zijn lichaam hangen en vroeg: 'Wat heeft dit te betekenen?'
'Alles goed met jou, commander?' vroeg de SEK-agent over zijn schouder.
Dennis kon wel een stootje hebben en kwam wrijvend over zijn kin weer naar voren.
'Prima gereageerd, kerel,' zei hij tegen de SEK-agent. 'Sla ze in de boeien met de handen op de rug, en keten ze daarna met de ketting aan elkaar.'
De tweede nazi zat inmiddels overeind, verbaasd om zich heen te kijken. Dennis Neumann herkende hem, het was de knaap met de paarse hanenkam, degene die liep te posten voor het appartement van Lisa. Terwijl de SEK-agent het naziboksertje de handboeien omdeed, vroeg Neumann aan de ander zijn naam.
'Adolf Po...' wilde de hanenkam antwoorden, maar zijn maatje riep: 'Stop, dat gaat ze geen moer aan. We moeten eerst weten wat deze hele poppenkast te betekenen heeft.'
Ruggelings aan elkaar geketend werden ook zij in de ruimte op de voorste rij stoelen gezet.
Ondertussen, wakker geworden van het rumoer, kwam uit de derde ruimte een kleine man tevoorschijn met een te forse neus voor zijn gezicht, dat bijna geheel bedekt werd door een volle zwarte baard.
Zijn pientere oogjes namen de situatie in de kelderruimte snel op. Zijn handen vooruit stekend liep hij op de SEK-agenten af, terwijl zijn ogen even naar Dennis Neumann flitsten.
Ook hij kreeg handboeien om en moest naast zijn makkers plaatsnemen. De bewaking werd toegewezen aan een van de SEK-agenten en Neumann gebaarde naar de andere twee hem te volgen en de kelderruimte verder uit te kammen.
In de vierde deurloze ruimte werd niemand aangetroffen.
Achter twee van de drie deuren aan de linkerzijde van de kelderruimte bleken volledig ingerichte kantoren te zijn, de derde kamer stond vol met computerapparatuur.
Peinzend liet Neumann zijn blik door de kelderruimte gaan.
Hij zag een microfoon op de katheder gemonteerd. Langs de wanden hingen verspreid zes geluidsboxen. Achter de katheder stond een flip-over.

Nogmaals liep hij langs de wanden de kelderruimte rond. Met zijn vuist sloeg hij diverse keren op de muur, luisterend naar het geluid dat hierdoor veroorzaakt werd, op zoek naar eventuele geheime bergplaatsen.
In deze ruimte geen spoor van Lisa Rink en ook geen explosieven.
Schouderophalend gelastte hij de mannen met hun gevangenen de trap op te gaan naar de begane grond. Nog even rondkijkend en tegelijk zijn pijnlijke kin masserend, volgde hij even later de mannen naar de begane grond.
'Laat de gevangenen op de vloer links tegen de muur gaan zitten,' beval hij de bewaking. 'De anderen doorzoeken de afgescheiden ruimtes.'
Neumann zelf opende de massieve toegangsdeur, gluurde naar buiten en zag dat alles nog rustig was. Daarna deed hij de deur dicht zonder hem op slot te doen.
Vanaf de massieve toegangsdeur liep hij linksom langs de muur en herhaalde de procedure die hij ook in de kelderruimte had toegepast.
De SEK-agenten kwamen uit de laatste afgescheiden ruimte met een kerel naar buiten. De man kwam hem bekend voor. Hij had hem tijdens het posten diverse malen naar buiten zien komen en voedsel en goederen in ontvangst zien nemen. Waarschijnlijk een soort huismeester.
Ook hij kreeg de handboeien om en hij mocht de vijf anderen gezelschap houden.
Net toen hij klaar was met zijn inspectieronde kwam commandant Florian Steinhofer met zijn team en vier geboeide kerels de moskee binnen.
De vier werden bij de anderen gezet en Steinhofer liep op Dennis Neumann af.
'Hoe staan de zaken er hier voor?' vroeg hij en direct daarop vervolgde hij: 'Wij hebben het cultureel centrum binnenstebuiten gekeerd, maar helaas: niets.'
Rimpels trokken samen in het voorhoofd van Dennis en Steinhofer aankijkend zei hij: 'De gebedsruimte boven op de eerste verdieping is onze laatste kans.'
Een brede marmeren trap, direct rechts naast de afgescheiden ruimtes speciaal voor de mannen, voerde omhoog naar de eerste verdieping.
Recht tegenover de brede trap had men een kleinere trap aangelegd die omhoog voerde naar de vrouwengalerij.
De twee vierentwintig meter hoge minaretten waren bereikbaar vanaf de eerste verdieping.
Het podium was gebouwd als een soort terras, vanwaar de voorgaande imam de gehele gebedsruimte kon overzien.
Dikke met de hand geknoopte kleden lagen voor het podium in gelijke rijen van vijf over het gehele vloeroppervlak. Tegenover het podium, aan het andere einde van de ruimte, had men een galerij gebouwd, speciaal voor de vrouwen om te bidden. De hoogte onder de galerij bedroeg drieënhalve meter.
De hoogte van de middelste en belangrijkste koepel, gemeten vanaf de eerste verdieping, bedroeg twaalf meter en had een diameter van twaalf meter.
De koepel rustte op acht zuilen, elk met een diameter van zestig centimeter, die hun fundamenten in de kelderruimte hadden.
Om de middelste koepel heen waren vier kleinere koepels gebouwd.
Toen Dennis Neumann de eerste verdieping betrad, stond hij ademloos en vol

bewondering de gebedsruimte in zich op te nemen. De hoogte van de koepels en de schitterende kleurencombinaties maakten diepe indruk op hem. De mannen die hem gevolgd waren, stonden zwijgend en sprakeloos om hem heen.
'Oké, mannen, doorzoek deze ruimte en vind alsjeblieft de explosieven.'
Na een kwartier zoeken verzamelden de manschappen zich rondom Neumann en Steinhofer. Zij stonden met lege handen, want ook in de gebedsruimte werden geen explosieven gevonden.
Commandant Andreas Heller was met een paar van zijn mannen de moskee binnengekomen en voegde zich bij de twee andere commandanten.
Dennis Neumann had zijn chef gebeld en hem op de hoogte gebracht.
Toen Thomas Schulz het negatieve nieuws op zich liet inwerken, verschenen grote zweetdruppels op zijn voorhoofd. Dit werd een schandaal, zoals men in Duitsland nog niet eerder had meegemaakt, met als gevolg zijn carrière naar de bliksem.
Als imam Youssef Nassir aanstaande zaterdag aan de gelovigen het gebeurde van vannacht bekendmaakte, ontstond in Neukölln een ware volksopstand.

Den Haag, woensdag 16 mei

Commissaris De Koning had via korpschef Bierman een afspraak geregeld met de CIE Blijlevens.
Woensdagochtend, om precies 09.00 uur, meldden Benny en Tikva zich aan bij de wachtcommandant van het CIE kantoor.
Het duurde nog geen minuut voor rechercheur Adriaan Blijlevens hen kwam ophalen en hen de beveiligde en afgesloten vertrekken van de CIE binnenbracht.
Blijlevens wees op twee stoelen voor een fors uitgevallen bureau.
Blijlevens zelf nam achter zijn bureau plaats en vroeg de beide gasten of zij trek hadden in een kopje koffie. Een grote thermoskan stond reeds op zijn bureau en Blijlevens schonk na de bevestiging de koffie in.
'Suiker en melk? Bedienen jullie jezelf maar.'
De politiemensen zaten elkaar een tiental seconden te observeren.
Blijkbaar vielen Benny en Tikva bij Blijlevens in de smaak, want hij opende met de vraag: 'Zullen we elkaar tutoyeren? Ik ben bang dat we de komende dagen nauw moeten samenwerken en dan is het prettiger om elkaar bij de voornaam te noemen.'
Zonder op antwoord te wachten vervolgde hij: 'Ik heb begrepen, dat jullie geïnteresseerd zijn in de verhoorverslagen aangaande de zo droevig aan zijn einde gekomen Geertsemabende. Maar ik ben een nieuwsgierig mens en voor ik jullie toegang verschaf tot onze geautomatiseerde registers wil ik eerst weten waarom jullie in de Geertsemabende geïnteresseerd zijn.'
Blijlevens, die achter in de veertig was, voelde zich duidelijk superieur aan Benny en Tikva.
Deze veel jongere collega's keken hem geamuseerd aan en Tikva porde Benny

stiekem in zijn zij, alsof ze wilde zeggen: Kom op, joh, een beetje stroop rond de mond van Blijlevens kan geen kwaad.
'Goed, Blijlevens, eh... Adriaan, we zullen ons eerst voorstellen. Je kent onze namen wel, maar waarschijnlijk geen achtergronden. Tikva is een agent van Shin Beth, de Israëlische Inlichtingendienst, en naar Nederland gezonden met een speciale opdracht. Ikzelf ben een buitengewoon opsporingsambtenaar, maar liever benoem ik het anders: een rechercheur met speciale bevoegdheden bij de DIC, de Dienst Internationale Contacten. In het verleden hebben Tikva en ik al meer samengewerkt en nu jagen we beiden op dezelfde persoon of, beter gezegd, personen. Deze personen zijn Palestijnse terroristen en komen uit de Gazastrook. De leider van deze groep is een Nederlander met een Marokkaanse achtergrond. De man heet Mohammed Boukhari, is in Den Haag geboren en opgegroeid en wordt in het Midden-Oosten Abdullah genoemd. De Israëlische interesse voor deze Abdullah komt voort uit, ten eerste het laatste Israël-Hezbollah conflict – noem het maar gerust oorlog – waarbij deze Abdullah een opvallende rol heeft gespeeld. Door zijn stoutmoedigheid bracht hij de Israëliërs veel schade toe. Het gerucht gaat dat hij in Nederland voor de Hezbollah wapens heeft ingekocht. Na de oorlog heeft hij zichzelf de Gazastrook binnengesmokkeld en werd hij door de Hamas als een held ontvangen. Ten tweede leidde hij in een geheim trainingskamp nabij Gaza-stad jonge Palestijnen op tot volwaardige Hamasstrijders c.q. terroristen.
Uit goede bronnen weten we dat deze jonge maar zeer ervaren terrorist Nederland is binnengekomen met vijf Palestijnse strijders, om op 19 mei, aanstaande zaterdag dus, een aanslag te plegen op het Scheveningse Kurhaus. Hierbij worden zij geholpen door enkele leden van de zogenaamde Binnenhofgroep.'
In de korte stilte die Benny na deze mededelingen liet vallen, merkte Blijlevens op: 'Een sterk verhaal, maar wat heeft jullie Abdullah met mijn Geertsema te maken?'
'Mogen wij eerst een wedervraag stellen?' viel Tikva in. 'Hebben jullie enig idee welke topcriminelen in de Haagse onderwereld in staat zijn een bloedbad aan te richten, zoals de Geertsemabende is overkomen?'
Adriaan Blijlevens voelde zich overbluft en staarde Tikva enkele seconden met open mond aan. Hij wilde reageren, maar hij had geen antwoord. Uiteindelijk schudde hij met zijn hoofd.
Benny aankijkend stamelde hij: 'Jullie... jullie denken dat die Abdullah van jullie...! Nee, er is geen enkel verband, elk motief ontbreekt, waarom zou hij dat gedaan hebben? Jullie jagen op terroristen en wij hebben te maken met Haagse topcriminelen die elkaar soms het leven zuur maken en ja, een enkele keer wordt er een geliquideerd, wanneer hij zich niet aan de spelregels houdt.'
'Adriaan, jullie zullen vast een verkennend onderzoek hebben uitgevoerd en al jullie informanten hebben geraadpleegd. Ik durf te wedden dat dit onderzoek niets heeft opgeleverd. Jullie staan voor een raadsel, jullie tasten in het duister, net als wij. Is het dan zo vreemd dat wij onze Abdullah ervan verdenken deze actie te hebben uitgevoerd? Uiteindelijk worden deze kerels opgeleid om bliksemsnel toe te slaan, om zich daarna ook weer snel terug te trekken. Hun enige zorg is een perfect onderduikadres om vandaaruit te opereren!'

Blijlevens slaakte een diepe zucht, hij leek bijna overtuigd.
'Geef me een aanwijzing, enige vorm van motief, dat jullie bewering gegrond is.'
'Oké, alles wat we van deze Abdullah weten, zal ik je vertellen. We gaan meer dan twee jaar terug in de tijd. Abdullah, toen nog Mohammed Boukhari, had zich opgewerkt tot leider van de Binnenhofgroep, een Marokkaanse groep jongeren, die connecties had met Youssef Nassir. Dat is een belangrijke soennitische imam in België, die gezien wordt als de Europese contactman van Al Qaida. Boukhari was lid van de Haagse motorclub de Black Eagles en bevriend met een rijke onroerendgoedhandelaar. Wie die handelaar is, weten we niet. Wat we wel weten is dat beiden toen een Harley-Davidson bezaten. We hebben de ledenlijst van de Black Eagles opgevraagd, maar deze gaat maar tot een halfjaar terug. Bij een brandje is hun administratie verloren gegaan, beweren ze. Abdullah is een kille moordenaar, een leven meer of minder doet hem niets. Eerst heeft hij mijn informant vermoord, daarna pleegde hij een aanslag op mijn persoontje, waarbij een van zijn mannen een kogel in zijn schouder opliep. Brutaal meldden ze zich bij de Eerste hulp in het Haga Ziekenhuis aan de Sportlaan en nadat de kogel verwijderd was, schoot hij de chirurg en de verpleegkundige koelbloedig neer, wat de verpleegkundige niet heeft overleefd.'
'Omdat we met ons speurwerk niet verder kwamen,' nam Tikva het van Benny over, 'zijn we de zaak anders gaan benaderen. We hebben geprobeerd in de huid van deze terrorist te kruipen en zijn onszelf vragen gaan stellen.'
'Vraag een. Wanneer je twee jaar bent weggeweest en je komt terug naar Nederland met een groep Palestijnse terroristen om een aanslag voor te bereiden en uit te voeren... Waar ga je dan in de eerste plaats naar op zoek? Je zoekt onderdak, een veilige schuilplaats, om vandaaruit de geplande operatie te leiden.
Vraag twee. Wij veronderstellen dat je dan een oude rijke vriend om hulp vraagt, die in een groot grachtenpand of in een villa woont, die in ieder geval ruimte genoeg heeft om jouzelf en je vijf teamleden onderdak te verschaffen. Die rijke vriend is een onroerendgoedhandelaar, die ook zaken doet met de onderwereld, bijvoorbeeld zwart geld witwassen. Verder filosoferend: die Geertsemabende is bezig de hele Haagse onderwereld over te nemen en bedreigt ook de rijke vriend van Abdullah.
Hier heb je een motief: ik geef jou onderdak en jij verlost mij van die bedreigende Geertsema.'
Blijlevens pakte met gefronste wenkbrauwen de thermoskan en schonk opnieuw koffie in.
'Uit de verhoren blijkt,' begon Adriaan hardop zijn gedachten uit te spreken, 'dat de moordenaars via de nooduitgang aan de achterkant van het gebouw zijn binnengekomen. Daarvoor moeten ze een handlanger binnen in het etablissement hebben gehad. Deze persoon heeft de nooduitgang op een afgesproken tijd geopend en na de moordactie weer afgesloten. De volgende ochtend hebben we een buurtonderzoek laten doen, maar niemand heeft iets gezien of gehoord. We staan voor een raadsel.'
Terwijl hij de telefoon oppakte en een intern nummer draaide, zei hij: 'Laten we

de verhoorverslagen doornemen en dan in het bijzonder die van de werknemers.
...
Met Adriaan. Pieter, wil jij de verslagen van de Geertsemazaak nog twee keer uitdraaien?
...
Oh, prima joh, en bedankt.
...
Mijn collega Pieter de Groot wist dat jullie kwamen en heeft al twee computeruitdraaien klaarliggen, hij komt ze nu brengen.'

Wassenaar

Samen met Mohammed Boukhari bevond Stalman zich in zijn favoriete kantoorruimte onder de grond.
Er zat maar weinig schot in de zaak. Het eerste telefoontje van Kunst maakte duidelijk dat Navarra toestemming had gekregen en dat hij als vertegenwoordiger van de 'Ndrangheta de zaak af mocht handelen. Het tweede telefoontje hield de mededeling in dat het tegenzat met het opmaken van de contracten. En gisteren belde Kunst met de mededeling dat het geld nu spoedig vanuit Zuid-Italië overgemaakt zou worden.
'Ze houden ons aan het lijntje, Mohammed,' begon Stalman na een lange stilte. 'Maar waarom?'
'Die Navarra heeft vijf maffiosi uit Italië laten overkomen en is gaan samenwerken met Wilfred Winands, alias WW de Schone, de president van de Black Eagles,' antwoordde Mohammed.
Stalman keek hem verbaasd aan. 'Hoe weet jij dat?'
'Ik doe zaken met de Schone. Wij hadden explosieven nodig en hij kon mij die leveren.
Maar om terug te komen op die Navarra, ook de Schone heeft vijf van zijn ruwste makkers toegevoegd aan de nieuw gevormde bende, die hierdoor is ontstaan.
Die Luca Navarra kent het klappen van de zweep en deinst nergens voor terug.
Hij heeft dezelfde tactiek toegepast als ik: iedere niet Nederlands sprekende is gekoppeld aan een Nederlander.
Die vijf maffiosi zijn vechtmachines en de vijf Black Eagles doen niet onder voor die Italianen.
Je vroeg, Jozef, hoe ik dit alles weet? Tijdens mijn bezoek kwam ik een oude bekende tegen.
"Er is veel veranderd, Mohammed," sprak hij mij aan. "Sinds jij ons twee jaar geleden verliet."
"Hoezo," vroeg ik. "Alleen een wisseling van de president."
De Black Eagle schudde zijn hoofd en vervolgde: "Dat ook, maar met de Schone als president kijken we nergens meer van op."
Hij vertelde mij heel interessante dingen, Jozef.

Door de kopieën die jij aan Kunst hebt gegeven, wisten ze precies welke prostitutiepanden en horecagelegenheden ze aan moesten pakken. De lijken van de beide zetbazen zijn met auto en al opgetakeld uit het riviertje de Vliet. Ze zijn schijnbaar met hun auto van de weg geraakt en het water in gereden. Daarbij kwamen ze klem te zitten en ze zijn vervolgens verdronken.'
Het gezicht van Jozef Stalman was lijkwit weggetrokken, stamelend bracht hij eruit: 'Ben ik de volgende?'
'Je bent zo druk bezig geweest je eigendommen te koop aan te bieden aan andere onroerendgoedhandelaars, dat je niet in de gaten had wat die zogenaamde vriend van jou, die Jonathan Kunst, achter jouw rug om allemaal aan het bekokstoven was. In zeer korte tijd is hij de ongekroonde koning van de Haagse onderwereld geworden, met op de achtergrond Luca Navarra die aan de touwtjes trekt. En dat alles heeft ze geen eurocent gekost. Zelfs het etablissement op de Grote Markt is weer open, alsof er niets is gebeurd.'
Met een beetje meer kleur op zijn gezicht herhaalde Stalman zijn vraag: 'Ben ik de volgende die ze uit de weg willen ruimen?'
'Het was een goede zet van je, toen je mij meenam naar de eerste ontmoeting met Kunst en Navarra. Je zou hier niet meer tegenover mij zitten, wanneer je alleen was gegaan. Jozef, maak je niet ongerust, zolang wij hier zijn, zal jou niks gebeuren. En wanneer wij vertrekken, ben jij met Goedele en je zoontje al een dag eerder vertrokken. Hoe staat het met de verkoop van je onroerend goed?'
Een flauwe glimlach verscheen op het gezicht van Jozef Stalman. Hij liep naar de achterwand, drukte op het verborgen paneeltje achter het Perzische wandtapijt en geluidloos schoof de bar de kantoorruimte in.
Terwijl hij voor zichzelf een cognac inschonk en voor Mohammed een whisky, zei hij: 'Alle kantoorpanden ben ik kwijt, op één na. Die paar horecapanden die ik in mijn bezit had, kon ik heel snel kwijt aan de Nigeriaanse maffia. Twee prostitutiepanden heb ik aangeboden aan de Joego maffia. Zij zouden mij vanmiddag laten weten of zij de panden overnemen of niet.'
'Heb je genoeg om ergens anders opnieuw te beginnen?'
De glimlach op het gezicht van Jozef werd breder toen hij zei: 'Jammer van die 250 miljoen aan Geertsemapanden, maar wij kunnen voor de rest van ons leven gaan rentenieren op een zonnig tropisch eiland. Het geld is overgemaakt naar de bank Julius Baer op de Kaaimaneilanden en de tickets heb ik reeds ontvangen; vrijdagmiddag vliegen wij de zon tegemoet.'

Kopenhagen, woensdag 16 mei

Bent Lunde van de Deense Inlichtingendienst PET, de directe chef van Niels Jacobson, knipperde nerveus met zijn linkeroog en toen hij sprak trilde zijn onderlip zo erg, dat Niels moeite had om zijn chef te verstaan. Niels had zojuist zijn chef geïnformeerd over de gebeurtenissen van de afgelopen tien dagen.

'Ik kan niets voor je doen, Niels, burgemeester Olafson en ik kunnen geen kant meer op.'
Toen de openingszin eruit was, hield het knipperen en trillen in het gezicht van Lunde op. Hij had zichzelf weer in bedwang en vervolgde: 'Je hebt geen enkel tastbaar bewijs dat sjeik Faisel als dekmantel fungeert voor een geplande aanslag aanstaande zaterdag. Arresteren is dus uitgesloten. We moeten nog oppassen dat hij geen aanklacht indient vanwege zijn vermoorde bodyguards. De sjeik en zijn gezelschap oppakken, het land uit zetten en met zijn eigen vliegtuig terugsturen naar Koeweit wordt politiek gezien het grootste schandaal van de eeuw.'
Hij reikte Jacobson een exemplaar van het dagblad *Jylland Posten* aan en zei: 'Hier, lees, voorpaginanieuws.'

Deense moslims blijven zich roeren.
Zorg wegens nieuw misbruik moslimregimes.
Kopenhagen –

> *Twee jaar na de publicatie zorgen de Mohammed spotprenten nog steeds voor rumoer en protest in de islamitische geloofsgemeenschap in Denemarken.*
> *De religieuze organisatie Det Islamiske Trossamfund i Dannark blijft pogingen ondernemen om via de rechter ons dagblad publiekelijk zijn verontschuldigingen te laten aanbieden.*
> *De Denen zijn voorzichtiger dan ooit met hun kritiek op de islam.*
> *Egypte, Saoedi-Arabië en verschillende andere moslimlanden misbruikten de cartoons om opkomende islamitische bewegingen in toom te houden. Het kwam de regimes goed uit om op deze manier te laten zien dat ze de islam serieus namen.*

Met een machteloze zucht gaf Niels het dagblad terug aan zijn chef. Er stond nog veel meer in datzelfde artikel, maar hij had hier even geen zin in.
'Ik zal het duidelijk stellen, Niels Jacobson: hou de sjeik buiten schot, over een paar dagen vertrekt hij weer en is het leed geleden; doe verder waarvoor jullie zijn opgeleid, speur de rest van de terroristen op en voorkom een aanslag.'

Norrebro Kopenhagen

FARID HAD DE TWEE overgebleven terroristen ondergebracht op een andere locatie, maar nu midden in het centrum van Norrebro. Deze locatie was minder geschikt om als uitvalsbasis te dienen dan de vorige, maar een betere had hij niet tot zijn beschikking.
De zwaar toegetakelde terrorist, die op sterven na dood was, had gesmeekt om achter te mogen blijven, zodat hij nog een paar heidenen als trofeeën mee zou kunnen nemen op zijn lange reis naar de profeet.
Farid had twee van zijn eigen mensen aan het team toegevoegd, zodat de groep, buiten de chauffeurs, weer uit vijf man bestond. Hij stuurde een boodschapper

naar het hotel om de sjeik te informeren over de laatste gebeurtenissen.
Farid zelf kon nog steeds niet begrijpen waarom Rafaello alles op het spel zette, alleen maar om die meid weer terug te halen. Toen de terrorist die haar gevolgd was, meedeelde dat ze zich schuilhield op het kerkhof, beval de gekrenkte Rafaello twee van zijn mannen hem te volgen.
Farid schudde even met zijn hoofd en vroeg zich nieuwsgierig af hoe de sjeik zou reageren.
Er was niets verloren en hij wist dat de sjeik nog twee goed opgeleide terroristen binnen zijn lijfwacht ter beschikking had. Een daarvan was de tweede man na Rafaello, Abu Hamza.

Een slecht gehumeurde sjeik Faisel liep rusteloos heen en weer in zijn suite.
Hij had zojuist vernomen dat vier van zijn speciaal opgeleide manschappen, inclusief Rafaello, onnodig neergeschoten waren door de Deense Anti Terreur Eenheid en dat dit indirect te maken had met de ongelofelijke ontsnapping van een vrouwelijke agent. Hij had begrepen dat Farid, de leider van de Al-Qaida cel in Kopenhagen, tijdelijk de leiding op zich had genomen.
Hij bleef voor de boodschapper staan en zei: 'Vertel nog eens precies hoe dit heeft kunnen gebeuren.'
Nerveus vertelde de Deen van Marokkaanse afkomst opnieuw zijn verhaal, ervoor zorgend dat Rafaello en zijn twee kompanen als helden naar voren kwamen.
'Het enige foutje dat gemaakt werd, was door degene die de vrouw eten en drinken heeft gebracht. Hij kwam te dicht bij haar in de buurt. Want met een razend snelle linkse directe trof zij hem aan de onderkant van de hals, waardoor hij bewusteloos raakte. Hij was ook in het bezit van de sleutel van de handboeien. Een van de anderen zag haar wegkomen via de achteruitgang. Hij gaf een waarschuwende schreeuw en ging zelf achter de vrouw aan, dwars door de stromende regen. Hij zag haar uiteindelijk verdwijnen op een kerkhof. Teruggekeerd heeft hij uiteraard Rafaello hierover ingelicht.
Rafaello is met twee strijders het kerkhof op gegaan en daar liepen ze in een val van de Deense politie. Geraakt door vele kogels wisten ze toch nog enkelen van die heidenen mee te nemen op hun reis naar de profeet.'
Abu Hamza stond als toehoorder naast de boodschapper en schudde ongelovig het hoofd. De sjeik aankijkend spreidde hij zijn handen, als een onuitgesproken vraag.
Een flauwe glimlach vertoonde zich rond de mondhoeken van de sjeik, die steeds breder werd, alsof er een geweldige humoristische gedachte bij hem opkwam.
'Abu,' sprak hij plechtig, 'maak je over mijn veiligheid geen zorgen. Dag en nacht word ik immers bewaakt door de leden van de Anti Terreur Eenheid. Neem Asif mee en maak het werk van Rafaello af. Vergeet slot Christiansborg, in en rond het paleis krioelt het van de politie. Concentreer je op de *Wonderful Copenhagen Marathon*; lopers van over de hele wereld komen hierop af. Schakel Farid in en verken

samen met hem de route die door de marathonorganisatie is uitgestippeld. Er moeten genoeg plekken zijn waar jullie op een veilige manier explosieven kunnen plaatsen. Voorzie de springstoffen van detonators, zodat je de explosieven van afstand op elk tijdstip kunt laten ontploffen. De boodschapper weet waar je Farid en de rest van het team kunt vinden, wees voorzichtig en maak niet dezelfde fout als Rafaello. Het is bewonderenswaardig dat jullie zijn naam hooghouden, maar de uitleg is mij te simpel. Er is iets gebeurd, waardoor Rafaello door het lint is gegaan en zich heeft laten leiden door zijn woede. Breng onze missie tot een goed einde en je beloning zal groot zijn.'

'Sjeik Faisel, ik dank u voor de eer en het vertrouwen. Wij zullen u niet teleurstellen.'

De boodschapper bij de arm nemend verliet Abu Hamza de suite van de sjeik. Hij spoedde zich naar de kamer van Asif. Na een korte klop op de deur liep hij naar binnen.

Asif lag lui achterover op zijn bed en keek Abu nieuwsgierig aan.

'De sjeik wil dat we in actie komen. Pak wat je denkt nodig te hebben en kom direct met ons mee. We moeten ongezien het hotel verlaten en er is op dit moment maar één mogelijkheid. Elke ochtend om precies tien uur komt het wasserijbedrijf de containers met vuil wasgoed ophalen; het is nu tien voor tien, opschieten dus.'

Kopenhagen

Het was rustig in de hotelbar en barkeeper Christiaan pakte deze gelegenheid aan om Jan Mortensen, die zijn observatiepost weer had ingenomen, te vertellen wat hij had ontdekt aangaande de verwisseling van de lijfwachten.

'Ken je de *Islamiske Trossamfund*? Een van de jeugdgroepen, gelinkt aan deze islamitische geloofsgemeenschap, is de racistische kant op gegaan. Ze zorgen voor nogal wat overlast in de buurt. Vandaar ook dat hij me zo bekend voorkwam. Zoals hij zich nu gedraagt, wijkt behoorlijk af van hoe ik hem ken: een arrogante macho uit onze buurt. Zijn ouders zijn gematigde moslimimmigranten uit Marokko, de familie Selim. De ontspoorde zoon heet Naim. Als het Trossamfund demonstreert, zorgen deze jongeren voor onrust en ongeregeldheden, ze gooien stenen naar de oproerpolitie en dat soort gein. Dat zo'n ventje hier nu lijfwacht speelt voor een gerespecteerde Koeweitse sjeik? Sorry, Jan, daar snap ik de ballen van.'

'Barkeeper, graag nog een gin-tonic please!' Christiaan werd weer aan het werk gezet.

CIE Den Haag

Benny en Tikva namen samen het verslag door van het verhoor van Gerard Jongeneel, afgenomen door Blijlevens en letterlijk genotuleerd door Pieter de Groot.

Zaak Geertsema
Donderdag, 10 mei 2007, 01.30 uur
Plaats delict: Etablissement Grote Markt Den Haag
Ondervraagde: Gerard Jongeneel, portier
Ondervrager: A. Blijlevens, rechercheur CIE
Notulist: P. de Groot, rechercheur CIE

'Nu je goed wakker bent, beste heer Jongeneel, beginnen we onze ondervraging met de aankomst van de zojuist aan hun einde gekomen overledenen.'
'Geertsema en twee van zijn medewerkers arriveerden kort na zes uur.'
'Was hun gedrag anders dan normaal?'
'Helemaal niet, ze groetten mij zoals altijd. De heer Geertsema heeft de gewoonte om me een klapje op de schouder te geven en te vragen: "Alles goed met je, Gerard?" Ze namen plaats aan de voor hen gereserveerde tafel, achter in het restaurant en onze directe baas Eddy de Vreugde voegde zich bij hen. Even later namen ook de favoriete meiden van de vier heren plaats aan tafel en hun feestje kon beginnen.'
'Gebeurt dit iedere avond?'
'Iedere avond!' grinnikte Jongeneel. 'Dat zou Don Juan niet volhouden. Nee, alleen op de woensdagavond, dan is het voor de heer Geertsema en een paar van zijn naaste medewerkers stierenavond.'
'Goed, ga verder.'
'Hoe bedoel je, ga verder?'
'Doe me een lol, Jongeneel, ik wil een nauwkeurig verslag van deze avond, dus doe je best.'
'Nou,' schokschouderde de portier, 'daar gaat-ie dan.
Het was een rustige avond, de bar en het restaurant waren goed bezet. Even dreigde het uit de hand te lopen. Jean en Patrick hadden zich aan de overkant zitten bezatten en kwamen behoorlijk aangeschoten ons etablissement binnenzeilen.'
'Wie zijn Jean en Patrick?'
'Jean Petit en Patrick la Fontaine zijn twee medewerkers van de heer Geertsema.'
'Goed, ga verder.'
'Ze nestelden zich luidruchtig aan de bar en verstoorden de rust in het restaurant. Luc Somers wist de twee te kalmeren.'
'Wie is Luc Somers?'
'Somers is een Belg en een van de adjudanten van de heer Geertsema.'
'Goed, ga verder.'
'Somers wist ze zover te krijgen, dat ze met een meid naar achteren verdwenen.'
'Wat bedoel je, ze zijn naar achteren verdwenen?'
'Buiten de bar en het restaurant beschikken we ook over een luxe hotelletje.'
'Volgens mij, meneer Jongeneel, is dat luxe hotelletje een illegale hoerentent. Heb ik gelijk?'
Een twijfelend knikje van Jongeneel.
'Spreek je uit, portier.'
Zoals op meer plaatsen van het genotuleerde verslag kroop hier Pieter de Groot in de huid van Jongeneel, want hij had het opgeschreven.

Hij moest zich realiseren dat de verantwoordelijken niet meer in het land der levenden vertoefden, want na een korte pauze antwoordde de portier volmondig met:
'Ja, meneer de rechercheur.'
'Hoe laat verdwenen die twee naar achteren?'
'Dat zal tussen halfnegen en negen uur geweest zijn.'
'Goed, en verder?'
'Het was kwart over negen toen het gezelschap Geertsema zich verplaatste naar de derde verdieping. Daarna werd het steeds rustiger, de gasten van het restaurant waren klaar met eten, rekenden af en vertrokken. Aan de bar hingen nog een paar vaste klanten die de pech hadden dat alle meiden bezet waren.
Om tien over elf ontstond er enige consternatie; een restaurantgast had zijn metgezel bewusteloos in het toilet gevonden. Johnny belde direct dokter Wong, en deze constateerde dat de man met een scherp voorwerp was neergestoken en al was overleden. We hebben toen direct de politie en een ambulance gebeld. De politie was er bijzonder snel bij. Ze kwamen juist de Prinsegracht oprijden, vertelde een van hen mij later.
Het moet halftwaalf geweest zijn toen de ambulance arriveerde, tegelijk met Peter de Bruin.'
'Wie is Peter de Bruin?'
'Dat is de eerste adjudant van Geertsema.'
'Oké, ga verder.'
'Peter vroeg wat er aan de hand was en dat heb ik hem verteld.
Hij liep verder naar binnen en net toen de ambulancebroeders met de dode gast het restaurant verlieten, kwam Blonde Greet de gelagkamer binnenvallen, helemaal in paniek. Peter ving haar op en zette haar op een stoel, om even later zijn pistool uit zijn broekband tevoorschijn te halen en haastig door de deur naar achteren te verdwijnen. Een van de agenten liep op Blonde Greet af; ze wisselden een paar woorden waarna de agent zijn collega een seintje gaf en toen zelf ook door de deur naar achteren verdween. Na een minuut of tien kwamen Peter en de agent de gelagkamer weer binnen. De agent stond een moment te smoezen met zijn collega en waarschijnlijk hebben ze toen jou gebeld.'
'Agenten smoezen niet en voor jou ben ik u, Jongeneel. Is je verder nog iets opgevallen, iets waarvan je dacht: dat gebeurt ook niet iedere avond?'
'Iemand aan de bar, ik had hem nog nooit hier gezien. Hij zat er een uur, de precieze tijd weet ik niet meer, dat moet u straks maar aan Johnny vragen. Hij dronk alleen appelsap en toen hij wegging, duwde hij een tientje in m'n handen. Verder kwam Chique Ernie van boven naar beneden om buiten een frisse neus te halen.'
'Wie is Chique Ernie?'
'Gewoon een klant die minstens tweemaal per maand ons etablissement met een bezoek vereert. Meestal, als ze vrij is, kiest hij voor Blonde Greet, maar vanavond was Blonde Greet bezet en koos hij voor Isabelle, een Frans meisje.'
'Hoe laat kwam hij naar beneden?'
'Pfff, dat zal rond tien uur geweest zijn. Vraag dat straks ook maar aan Johnny,

die heeft een rare gewoonte: hij noteert bij de eerste bestelling aan de bar de tijd en bij het afrekenen opnieuw. Voordat Ernie naar buiten ging, stond hij even te smoezen met Johnny.'
'Goed, we gaan terug naar gisterochtend. Hoe laat begint jouw werkdag?'
'Om tien uur gaan we open en dan begint mijn dagtaak.'
'Vertel ons elke gebeurtenis, hoe normaal ook, vanaf tien uur.'
'Elke ochtend komt, zodra we open zijn, de heer Geertsema met een paar van zijn mensen koffiedrinken. Even nadat de heer Geertsema met zijn metgezellen naar binnen was gegaan, wilde er een allochtoon naar binnen. Bij ons in de zaak komen nooit allochtonen, en trouwens, die zijn ook niet welkom. Dus ik hield hem tegen en gaf hem een duwtje, waardoor de knaap achterover op zijn achterste viel. Langzaam stond hij op en plotseling trok hij een mes zo groot als een slagersmes; hij wilde me aanvallen. Ik zei: "Kom maar op, schoffie, ik maak gehakt van je," en ik riep nog naar Johnny: "Johnny, een messentrekkertje". Maar als uit het niets stond daar ineens een grote donkere allochtoon tussen ons in, met zijn rug naar mij toe en voordat ik in de gaten had wat er precies gebeurde, renden beide allochtonen weg en verdwenen om de hoek de Vlamingstraat in. Johnny kwam naar buiten, keek overdreven om zich heen en vroeg cynisch waar mijn messentrekkertje gebleven was. Op dat moment reden twee agenten op mountainbikes ons voorbij. Ik riep ze en vertelde wat er gebeurd was. De agenten wilden weten hoe ze eruitzagen en fietsten de Vlamingstraat in. Verder is er weinig opvallends gebeurd, tot afgelopen avond.'

Benny en Tikva hadden wat notities gemaakt en keken elkaar aan. Tikva knikte en Benny begon te praten. 'Wij geloven niet in toeval, maar beide keren dat Geertsema het etablissement betreedt, wordt hij gevolgd, eerst overdag door een allochtoon en 's avonds door een onbekende die een appelsapje drinkt, na een uur verdwijnt en de portier een overdreven fooi geeft.'
'Adriaan, we willen graag in contact komen met de beide mountainbikeagenten, kun jij dat regelen?'
Toen Blijlevens bevestigend knikte, verdiepten Benny en Tikva zich in het verslag van Johnny.
'Nou, nou, jullie zijn wat mij betreft overijverig.' Blijlevens wreef over zijn buik en vervolgde: 'Mijn maag begint te rommelen. Ik weet een eettentje waar ze overheerlijke uitsmijters serveren. Gaan jullie mee? Ik trakteer.'

Den Haag, woensdagmiddag

HET WAS HALFEEN 'S MIDDAGS en Alfonso Morilles, steunend met beide handen op de wasbak, staarde in de spiegel van zijn badkamer in zijn nog slaperige lichtbruine ogen. Het was laat geworden vannacht door het posten in de Schilderswijk.

Vooral het huis van Hassan Mahdoufi had hij geobserveerd.
Twee opmerkingen van Benny Goedkoop hielden hem bezig:

'Hij (Hassan Mahdoufi) wekte de indruk, dat hij iemand dekte.'

en

'Wij moeten op zoek naar de connectie tussen de rijke onroerendgoedhandelaar en Mohammed Boukhari.'

De avond en de nacht hadden hem niets opgeleverd.
Zuchtend streek hij met de rechterhand over zijn streepjessnorretje, dat nodig bijgewerkt moest worden. 'Nog even,' glimlachte hij flauw. 'En dan loop ik met een hangsnor.'
Vanmiddag wilde hij contact zoeken met een lid van de motorclub Black Eagles. De betreffende jongeman had vorig jaar net zijn motorrijbewijs A gehaald en hups, pa bezorgde hem een gloednieuwe Kawasaki Ninja ZX-10R, een schitterende geelbruine machine.
Morilles begreep de bewuste pa, zijn goede vriend Evert van Halewijn, wel. Een droevig voorval, zo'n twee jaar geleden, veranderde het leven van de familie enorm.
Echtgenote en moeder Josine was twee jaar geleden het slachtoffer geworden van een tragisch ongeluk. Sindsdien was ze een wrak. Door een beschadiging aan haar hersenen was ze verlamd geraakt aan haar benen, praten kon ze niet meer en zittend in een rolstoel staarde ze nietszeggend voor zich uit. Daar kwam nog bij dat zoon Meindert enig kind was.
De koude kraan openzettend liet hij het koude water in zijn handpalmen lopen en dompelde zijn gezicht erin.
Hij zeepte zijn kin, wangen en snor in. Vijf minuten later bekeek hij tevreden het resultaat.
Om twee uur had hij een afspraak met zijn vriend Evert van Halewijn. Hopelijk kon deze als springplank fungeren naar zijn zoon Meindert. Hij wist dat Evert er niet zo happy mee was dat zijn zoon lid was geworden van de motorclub.
Na een voedzame brunch verliet hij om exact kwart voor twee zijn eengezinswoning aan de Stevinstraat en startte hij de motor van zijn oude Ford Scorpio. Ruim tien minuten later stond hij voor een dubbele eikenhouten voordeur. 'Notaris Van Halewijn' was met gouden krulletters in de naamplaat gegraveerd.
Glimlachend betrad hij een ruime hal, achter de balie zat een aantrekkelijke blonde jongedame die hem nieuwsgierig aankeek.
'Goedemiddag, meneer, waarmee kunnen wij u van dienst zijn?' vroeg ze in zuiver Leids Nederlands, zonder het Haagse accent.
Morilles constateerde dat verder niemand in de hal aanwezig was en vroeg: 'Wij?'
'Ja,' knikte het blondje. 'Wij van Notariskantoor Van Halewijn.'
Zijn schouders ophalend zei Morilles: 'Ik heb om twee uur een afspraak met notaris Van Halewijn.'
Op de grote klok kijkend, die tegenover de balie aan de linkermuur hing, ant-

woordde de blonde jongedame: 'Dan bent u precies op tijd, meneer...'
'Morilles, rechercheur Morilles.'
Ze keek Morilles even aan, maar was niet onder de indruk.
'Meneer Morilles, neemt u daar maar even plaats.'
Terwijl Morilles het antieke tweezitsbankje stond te bekijken en twijfelde of het zijn tachtig kilogram gewicht wel kon houden, stopte er buiten een motor recht voor de deur.
Even later werd de deur met kracht geopend en een forse jongeman betrad de hal van het notariskantoor. De knaap was geheel in het leer gekleed: een zwarte Bering motorjas, een zwarte Synchro broek, en daaronder Maverick laarzen.
In de rechterhand had hij een paar Arizona handschoenen en onder zijn rechterarm hield hij een traditionele zwarte helm met een recht lang vizier geklemd.
Zonder acht te slaan op Morilles beende hij met drie grote stappen naar de balie, waarachter de blonde juffrouw stond te bellen.
Morilles zag haar fletse blauwe ogen oplichten bij het zien van de jongeman.
Ze sprak nog een paar woorden in de telefoon en legde daarna de hoorn op het toestel.
'Goedemiddag, schoonheid, is de juut al gearriveerd?'
Met een stralende glimlach knikte ze en wees met haar gemanicuurde rechterwijsvinger naar Morilles.
Zich omdraaiend verplaatste hij de handschoenen van zijn rechter- naar zijn linkerhand, evenzo de motorhelm, en liep toen met uitgestoken rechterhand op de rechercheur af.
'Sorry, Meindert van Halewijn,' stelde de jonge Van Halewijn zich voor, terwijl hij zo zijn eerdere opmerking probeerde goed te maken. 'Wilt u mij maar volgen? Pa verwacht ons.'

Zacht slurpend van zijn thee en zijn ogen gericht op Meindert van Halewijn luisterde Morilles naar het antwoord op zijn vraag of Meindert binnen de motorclub ooit iets had gehoord over ene Mohammed Boukhari en zijn rijke vriend.
'Om te beginnen,' sprak de jonge Van Halewijn, 'hebben wij binnen de motorclub een zwijgplicht. Toen ik twee jaar geleden lid werd van de Black Eagles, heb ik moeten zweren dat alle gebeurtenissen die binnen de club plaatsvinden, nooit naar buiten gebracht zullen worden, op straffe van royement.'
De rechercheur aankijkend aarzelde hij een moment voor hij de volgende zin uitsprak: 'Voorvallen die naar buiten worden gebracht en de club ernstige schade toebrengen, worden bestraft met de dood. *Lekken naar de prinsemarij* wordt bijvoorbeeld gezien als een doodzonde.'
Morilles zette zijn kopje terug op het schoteltje en reageerde met half dichtgeknepen ogen. 'Ik waardeer je loyaliteit aan de club, maarrr...'
'Jongen, dat meen je toch niet serieus, waar ben je in vredesnaam lid van geworden?' klonk de bezorgde stem van vader Evert ertussendoor.
De jonge Van Halewijn haalde ongeïnteresseerd zijn schouders op, keek met open vizier eerst zijn vader recht in de ogen, daarna Morilles.

Met een glimlach rond zijn mond stond hij van zijn stoel op en wilde met een groet het kantoor van zijn vader verlaten, met de bedoeling de twee oudere mannen in vertwijfeling achter te laten.
Dwingend en met een scherpe ondertoon klonk de stem van Morilles: 'Ik adviseer u, jongeheer Van Halewijn, weer plaats te nemen op de door u zojuist verlaten stoel.'
Halverwege draaide Meindert zich om. Zijn armen wijd uitstrekkend zei hij: 'Van mij komt u niets te weten als het om de motorclub gaat, meneer Morilles. Ik heb onder ede plechtig beloofd trouw te zijn aan de clubreglementen, met als eerste regel uiterste geheimhouding over zaken die direct of indirect met de motorclub te maken hebben.'
De rechercheur knikte geduldig en met de hand wuivend zei hij, alsof het een jongetje uit de vierde klas van de lagere school betrof: 'Ga zitten, jongen en luister naar wat ik van je verlang. Ik vraag niet of je een dure eed wilt verbreken, ik vraag alleen maar of je vijf minuten naar mijn verhaal wilt luisteren.'
Zijn vader aankijkend nam Meindert schoorvoetend weer plaats in de stoel voor het bureau.
Vader en zoon Van Halewijn aankijkend begon rechercheur Alfonso Morilles zijn verhaal. 'Ik weet dat ik een risico loop, maar wat ik jullie ga vertellen moet beslist binnen deze vier muren blijven. Kan ik daarop vertrouwen?'
'Je maakt me nieuwsgierig, Fons,' reageerde Evert van Halewijn. 'Het gebeurt je niet iedere dag dat een rechercheur je om geheimhouding vraagt. Meindert, meneer Morilles kan op onze zwijgzaamheid vertrouwen, toch?'
Meindert had zijn onverschillige houding laten varen en zijn belangstelling groeide met de minuut. Een flauwe glimlach verscheen op zijn gezicht, toen hij zijn vader toeknikte.
'Mooi, je kunt ons vertrouwen, Fons, waarmee kunnen wij de politie van dienst zijn?'
Morilles schraapte zijn keel, nam nog een laatste slok thee, en dacht na hoe hij zou beginnen.
'Twee jaar geleden verdween uit Nederland een allochtoon van Marokkaanse afkomst. Zijn naam is Mohammed Boukhari, opgegroeid in de Haagse Schilderswijk. Hij is de stichter en was de leider van een groep Marokkaanse jongeren die zich de Binnenhofgroep noemden. Zij terroriseren de Schilderswijk en onderhouden contacten met een Belgische groep onder leiding van de beruchte imam Youssef. Deze imam heeft een link met Al-Qaida. Zijn voornaamste taak is het ronselen van islamitische jongeren, die naar de opleidingskampen van Al-Qaida worden gesmokkeld, waar zij klaargestoomd worden voor de strijd tegen bijvoorbeeld de aanwezigheid van westerse troepen in Afghanistan. Boukhari heeft zijn opleiding in een van deze kampen gehad en heeft met de Hezbollah tegen Israël gevochten, om daarna op te duiken in de Gazastrook. Kortgeleden is hij teruggekeerd in Nederland, vergezeld door vijf Palestijnse terroristen. Onder leiding van deze Boukhari is de groep een aanslag aan het voorbereiden die, als wij ze niet kunnen stoppen, gepleegd zal worden op aanstaande zaterdag 19 mei. Doel

van de aanslag is het Kurhaus in Scheveningen. Op 19 mei wordt in het Kurhaus een groot concert gegeven door de populaire Italiaanse zanggroep Il Divo en dat betekent een uitverkocht concert. De prinsemarij, zoals Meindert ons noemt, doet er alles aan om die aanslag te verijdelen.
Alleen... de Boukharigroep en enkele leden van de Binnenhofgroep zijn van de aardbodem verdwenen. Ze zijn ondergedoken en we zijn er bijna zeker van dat zij zich schuilhouden bij de vroegere rijke vriend van Boukhari. Ons enige houvast zijn de Black Eagles, want Boukhari en zijn vriend waren daar beiden lid van. We proberen achter de naam van die rijke vriend te komen, vandaar dat wij ons tot jou wenden, Meindert. We vragen niet of je eedbreuk wil plegen, maar vragen je medewerking om de aanslag te voorkomen en dus honderden mensen het leven te redden.'

CIE Den Haag

NA DE LUNCH BELDE Blijlevens zijn collega, rechercheur De Groot. 'Pieter, neem contact op met het hoofd van de fietsende politieagenten. Wij willen een babbeltje maken met de twee mountainbikeagenten die afgelopen dinsdag 9 mei, rond tien uur in de ochtend, op de Grote Markt, een klacht in ontvangst namen van de portier Jongeneel over een messentrekkende allochtoon. Vraag ook naar de film die opgenomen is door de camera's op hun helm.'
Benny Goedkoop knikte goedkeurend, om zich vervolgens met Tikva te verdiepen in het verhoorverslag van Johnny van Rijswijk.
Rechercheur Blijlevens opende het verhoor met: 'Meneer Van Rijswijk, neemt u plaats. Mijn naam is Blijlevens, ik wil u graag enkele vragen stellen, en mijn collega De Groot noteert uw verklaring.
Als barkeeper hebt u een goed overzicht van wat er zich zo allemaal in de zaak afspeelt. Graag horen wij uw verslag vanaf het moment dat Geertsema het etablissement binnenkwam.'
'Geertsema kwam om vijf minuten over zes binnen met twee van zijn kompanen. Ze namen plaats achter in het restaurant, tussen de dracaena's.'
'Wat zijn dracaena's?'
'Kijkt u maar om u heen, het zijn de tropische planten die door het hele restaurant willekeurig zijn neergezet.'
'Goed, ga verder.'
'Vlak na binnenkomst van Geertsema betrad een onbekende jongeman de zaak en kwam bij mij aan de bar zitten. Hij bestelde een appelsapje en dat was precies, even spieken, om zeven minuten over zes.'
'Wat is dat voor lijst die u daar hebt?'
'Ik heb de rare gewoonte – vraag me niet waarom – om bij de eerste bestelling van een klant de naam, de tijd en het drankje te noteren. Bij nieuwe klanten noteer ik een korte omschrijving van hun outfit. Deze meneer had een normaal postuur, droeg een beige regenjas, had een bril op zijn neus zonder montuur en zat de eerste vijf minuten nerveus om zich heen te kijken.'

'Mag ik die lijst even inzien?'
'Ja hoor, alstublieft.'
Collega Blijlevens verdiepte zich in de lijst en vroeg na een minuut.
'Wie is Ernie?'
'Chique Ernie? Ernie is een klant die een paar keer in de maand een gin-tonic komt drinken, om zich daarna met een van de meiden te vermaken.'
'Is je verder nog iets opgevallen wat die Chique Ernie betreft?'
Blijlevens gaf de lijst terug aan de barkeeper die, voor hij antwoord gaf, opnieuw de lijst raadpleegde.
'Nu u me dat vraagt: Ernie kwam om twee minuten over zeven aan de bar zitten en knoopte direct een praatje aan met die nieuwe gast. Hij bestelde om drie minuten over zeven een gin-tonic en een appelsapje.'
'Het is niet zo vreemd dat mensen aan de bar met elkaar in gesprek raken en elkaar trakteren op een drankje.'
'Maar wat wel vreemd is, en dat zag ik vanuit mijn ooghoeken, dat Ernie die beige regenjas een tientje gaf, waarna die beige regenjas opstapte zonder af te rekenen. Toen ik wilde reageren, wenkte Ernie mij en zei: "Johnny, zet die paar appelsapjes maar op mijn rekening." Ik keek de beige regenjas na en zag hem het tientje als fooi aan Gerard geven.'
'Laten we die Chique Ernie even blijven volgen, hoe heeft hij zich gisteravond verder vermaakt?'
'Het moet ongeveer kwart over acht zijn geweest, toen ik hem met Isabelle, een Parisienne, over de prijs hoorde onderhandelen. Na vijf minuten was hij plotseling met haar naar boven verdwenen. Ik merkte het later pas op, omdat mijn aandacht werd getrokken door de binnenkomst van twee zatte kerels.'
'Wie waren die zatte kerels?'
'Twee kompanen van Geertsema, Petit en La Fontaine.'
'Goed, we gaan verder met onze gulle Ernie.'
'Ernie kwam rond tien uur aan de bar en vroeg wat het hem zou kosten als hij de nacht met Isabelle zou doorbrengen. Ze konden het samen goed vinden, voegde hij eraan toe. Daarna liep hij naar buiten om een frisse neus te halen. Na een minuut of twintig was hij weer terug en hij liep direct door naar boven. Daarna zagen we hem pas weer toen iedereen van zijn bed werd gelicht.'
'Zijn er verder nog incidenten geweest, hoe klein ook?'
'Dat kan ik het beste zien als ik mijn lijst punt voor punt doorneem. Dan draait de avond zich als een opgenomen film af in mijn hoofd.'
Van Rijswijk verdiepte zich opnieuw in zijn lijst en begon na enkele minuten weer te praten. 'Het zal een minuut of tien over elf zijn geweest, toen een van de gasten zenuwachtig bij mij aan de bar kwam staan. "Eh, barkeeper," zei hij, "ik maakte mij ongerust over mijn tafelgenoot, omdat die al meer dan tien minuten op het toilet verbleef. Ik ben gaan kijken en vond hem op een toiletpot, zonder enig levensteken, wilt u alstublieft even meekomen."
Ik waarschuwde de hoofdkelner, Appie Krekel, hij heet eigenlijk Krekelenbosch, dat hij een moment op de bar moest letten. Achter in het herentoilet vond ik een

man, geheel gekleed en in elkaar gezakt op een toiletpot, zo te zien helemaal van de kaart. In overleg met Gerard heb ik dokter Wong gebeld en die constateerde dat de man al was overleden en gestoken moest zijn met een scherp voorwerp. De dokter heeft toen een ambulance en de politie gebeld. De rest is u bekend.'

Benny en Tikva keerden zich beiden tot Blijlevens en Tikva vroeg: 'Heb je ook die Chique Ernie verhoord?'
Glimlachend overhandigde Blijlevens een A4'tje aan Tikva en zei: 'De kerel is behoudens die avondwandeling steeds bij dat Franse meisje gebleven. Hij vertelde dat de Parisienne bijzonder bang was voor ene Jean Petit, ook een Fransman. Hier, lees het zelf maar.'
De telefoon rinkelde en Blijlevens nam de hoorn van de haak.
'Een ogenblikje, Pieter, ik schakel de luidspreker in, dan kunnen onze gasten meeluisteren. Oké, begin maar.'
'Het hoofd van de Fietsende Brigade laat vragen op welke locatie zijn beide mountainbikeagenten zich moeten melden morgenochtend?'
Blijlevens maakte een vragend gebaar naar Benny en Tikva.
'Hier bij jou op kantoor is wel zo handig, Adriaan,' reageerde Benny. 'Hoe laat?'
'Zij kunnen om tien uur komen, is dat goed?'
'Regel het maar, Pieter, herinner hen er nog aan dat ze de filmpjes mee moeten nemen en zorg dat jij er ook bij kunt zijn,' antwoordde Adriaan.
'Prima, over en uit.'
Grinnikend legde Blijlevens de hoorn terug en merkte op dat Pieter de Groot in zijn jonge jaren een opleiding had gevolgd op de Marconistenschool in Rotterdam, vandaar dat hij nog steeds bij het afsluiten van een gesprek de term *over en uit* gebruikte.
'Adriaan, wij zouden die Chique Ernie een stevig verhoor willen afnemen. Ik heb het gevoel dat deze chique meneer onze missing link is. Hij heeft alle tijd van de wereld gehad om de achterdeur te ontgrendelen, om zo de moordenaars binnen te laten.'
'Ik vind het best, Benny, maar die Parisienne beweert dat hij al die tijd bij haar in bed heeft gelegen. Hij heeft hiermee een waterdicht alibi.'
'Tikva zal Isabelle onder handen nemen en die trekt de waarheid er wel uit.'

DEEL 5

DEN HAAG, CIE, DONDERDAGOCHTEND 17 MEI

Precies om negen uur betraden Tikva en Benny het CIE-kantoor.
Na een goede nachtrust hadden beiden het gevoel dat ze vandaag een paar flinke stappen vooruit konden maken.
Blijlevens kwam hun al tegemoet. 'Koffie?' vroeg hij. 'Ach, wat vraag ik, tuurlijk willen jullie koffie voordat we aan de verhoren beginnen.'
Terwijl hij inschonk, zei hij: 'Isabelle, de Parisienne zit al te wachten in verhoorkamer een. O ja, ik heb tegelijk ook de portier van zijn privéadres op laten halen, de brave borst sliep nog. Dezelfde twee dienders die Isabelle en Jongeneel hebben opgehaald, zijn onderweg om Chique Ernie op te halen. We hebben zijn directe chef geïnformeerd en hem gezegd dat we Ernie nodig hebben voor een getuigenverklaring en dat we liever niet hebben dat onze vriend hierover van tevoren wordt ingelicht.'
Van zijn hete koffie slurpend keek hij met glimmende pretogen Benny en Tikva aan.
'Die twee dienders hebben het druk vanochtend, want nadat ze onze chique meneer in verhoorkamer nummer twee hebben gedropt, moeten ze om halftien die sociaal werker uit de Schildersbuurt ophalen. Wat is zijn naam ook alweer?'
'Hassan Mahdoufi,' reageerde Benny.
Er viel een korte pauze, waarbij ze alle drie ongestoord van hun koffie genoten.
Zijn kopje op zijn bureau terugzettend nam Blijlevens opnieuw het woord.
'Juist,' zei hij. 'Hassan Mahdoufi... Maar nu het echte nieuws. Ik weet wie die rijke vriend van jullie Abdullah is.'
Zowel Benny als Tikva kwamen met een ruk overeind. 'Wat?'
'Rustig, rustig, mijn geachte medemisdaadbestrijders, ga weer zitten.'
Genietend van zijn wetenschap en de spanning opvoerend dronk hij eerst zijn kopje koffie leeg en terwijl hij opnieuw inschonk, vervolgde hij: 'Jozef is de voornaam.'
'Jozef hoe?' vroeg Benny, met een hardere stem dan zijn bedoeling was.
'Kom op, Adriaan, dit is de doorbraak waar we al dagen aan werken,' klonk zacht maar scherp de stem van Tikva.
'Vanmorgen om acht uur kreeg mijn collega Pieter de Groot rechercheur Morilles aan de lijn, met de vraag of wij iemand kenden met de voornaam Jozef, zeer vermogend, met contacten in de onderwereld. Pieter voerde de naam Jozef in onze computerbestanden in, maar onze computer kent geen rijke Jozef met dergelijke contacten. Pieter zou Pieter niet zijn als hij het zoeken opgaf,' vervolgde Blijlevens onverstoorbaar. 'Na de vruchteloze zoektocht in onze computerbestanden ondervroeg hij zijn collega's en zo kwam hij ook bij mij. En laat ik toeval-

ligerwijs een rijke Jozef kennen, alleen wist ik niet dat hij criminele contacten had. Zijn naam is Jozef Stalman en hij is handelaar in onroerend goed. Hij woont in een luxueuze villa in Wassenaar. Waarom kom ik op hem? Hij vroeg mij een maand geleden om informatie over de Geertsemabende. Ik heb hem die toen gegeven, want ik stond bij hem in het krijt.'

Op datzelfde moment drentelde commissaris De Koning diep in gedachten in zijn kantoor heen en weer. De zaak zat muurvast, hij had het gevoel dat ze iets over het hoofd zagen, maar wat! Achter zijn bureau plaatsnemend nam hij opnieuw alle stukken door.
De bewaking in en rond het Kurhaus had tot nog toe niets te melden. Niets opvallends was te bemerken in de dagelijkse beslommeringen van het hotel-restaurant.
Hij probeerde zich in te leven in de gedachtegang van de terroristen. De groep bestond uit minstens acht man, dus hoogstwaarschijnlijk geen zelfmoordaanslag. Vanuit de lucht zou een kamikazepiloot met een helikopter vol explosieven het Kurhaus vol kunnen treffen. Hij maakte een aantekening om de luchtvaartpolitie in te schakelen.
De rinkelende telefoon verstoorde zijn eenzijdige brainstorming.
De hoorn van het toestel opnemend luisterde hij naar de stem van de wachtcommandant.
'Commissaris, Goedkoop voor u aan de lijn.'
'Met Roel, goedemorgen Benny, hoe gaat het bij de CIE?'
'Morilles is achter de voornaam van Abdullah's rijke vriend gekomen,' viel Benny Goedkoop met de deur in huis. 'Hij heeft de CIE gebeld en uiteindelijk wist rechercheur Blijlevens wie deze rijke vriend is. Het is een onroerendgoedhandelaar die luistert naar de naam Jozef Stalman. Hij woont in een villa met de naam "Op Goed Geluk" in Wassenaar.'
'Regel een arrestatieteam en een huiszoekingsbevel.'
'We willen hen vanmiddag om twee uur verrassen met een bezoek.'
'Laat Morilles hiernaartoe komen, we kunnen hem goed gebruiken bij de verhoren en vanmiddag neem ik hem mee naar Wassenaar.'

Goedkoop versus Stalman

PRECIES OM 14.00 UUR verspreidde een Antiterreur Eenheid zich rondom de villa 'Op Goed Geluk' en zocht dekking achter bomen en struiken.
In overleg met korpschef Bierman had commissaris De Koning besloten een Antiterreur Eenheid in te zetten in plaats van een arrestatieteam.
Opvliegende en kwetterende vogels protesteerden luidkeels tegen de inbreuk op hun territorium.

Benny Goedkoop, met rechts naast zich Tikva Goldsmid en Alfonso Morilles, en links de leider van de eenheid, Sjors Klein, verschuilde zich achter een grote rododendronstruik.
Tien minuten lang observeerde iedereen de villa, die er rustig en stil bij lag. Niets wees erop dat zich hier hoogstwaarschijnlijk een terroristengroep schuilhield.
Goedkoop kwam uit zijn gebukte houding overeind, trok zijn kogelvrije vest recht en zei zacht tegen de anderen dat hij als eerste de acht meter naar de voordeur met een korte sprint wilde overbruggen.
Even later stond hij licht hijgend met de rug tegen de muur naast de voordeur. Vanuit de villa kwam geen reactie.
Tikva Goldsmid volgde Goedkoop op dezelfde manier, waarna ook Morilles en Klein de oversteek waagden.
Boven de deur prijkte een ovaal stuk hout, geheel in de blanke vernis, waarop met sierlijke letters 'Op Goed Geluk' geschreven stond.
Links van de deur was een zwarte marmeren plaat aan de muur bevestigd, waarop de volgende tekst in gouden letters zichtbaar was:

J. Stalman BV
Onroerend goed

De vier hadden zich twee aan twee naast de voordeur geposteerd en nadat Benny op de bel had gedrukt, hoorden zij binnen een elektrische belletje overgaan.
Even later werd de deur geopend en een knappe brunette keek verbaasd van de twee links van de deur naar de twee rechts van de deur.
Met haar zwoele stem vroeg ze: 'Wat kunnen wij voor u betekenen?'
Benny deed een stap naar voren en liet zijn politiepenning zien, waarna hij antwoordde: 'Wij zijn van de politie en wij zouden graag de heer Stalman spreken.'
'Mijn man heeft het druk, maar voor de politie, en zo te zien is het dringend, moet hij maar even tijd vrijmaken.'
'Komt u binnen,' vervolgde ze. 'Neem daar maar even plaats, dan zal ik u aankondigen.'
Voordat Sjors Klein als laatste de villa betrad, hief hij zijn arm omhoog en stak twee vingers op. Direct reageerden twee leden van de eenheid, die in gevechtstenue vanuit hun dekkingspositie aan kwamen rennen. Zonder iets te zeggen wees Klein naar links en rechts van de deur, waarna de beide mannen hun nieuwe posities innamen.
Als laatste naar binnen stappend liet Klein de voordeur open.
Na een paar minuten verscheen de mooie brunette opnieuw, gevolgd door een man met een normaal postuur en netjes gekleed in een pak.
Benny schatte zijn leeftijd op achter in de veertig.
Op zijn door de zon gebruind gezicht lag een flauwe glimlach, terwijl zijn kille grijze ogen de vier politiemensen waakzaam opnamen. Met een licht geaffecteerde stem nodigde hij de vier uit hem te volgen naar zijn kantoor.

Benny en Tikva volgden de heer Stalman in zijn kantoor, Morilles en Klein bleven in de hal.

Terwijl de onroerendgoedhandelaar plaatsnam achter zijn bureau, zei hij: 'Neemt u plaats, mevrouw, heren!'
Opkijkend zag hij dat alleen Benny en Tikva hem waren gevolgd en quasiverbaasd kijkend vroeg hij: 'Wat verschaft mij de eer?'
Tikva bleef staan, terwijl Benny naar voren stapte en het huiszoekingsbevel aan Stalman overhandigde.
Met opgetrokken wenkbrauwen las Stalman het formulier en een groeiende verbazing voltrok zich op zijn gezicht. De verbazing maakte plaats voor ergernis en met ingehouden woede zei hij: 'Jullie moeten wel een heel goede reden hebben, om ons hiermee te overvallen.'
Benny haalde zijn schouders op en vroeg nuchter of de heer Stalman iemand kende die luisterde naar de naam Mohammed Boukhari.
'Boukhari? Ja, die ken ik wel, we waren vroeger motormaatjes.'
'Wanneer hebt u hem voor het laatst gezien?'
'Pfff, dat zal een jaar of twee geleden zijn. Hij is toen zonder ons gedag te zeggen met de noorderzon vertrokken. Later hoorde ik, bij toeval, dat hij naar het Midden-Oosten gegaan was.'
Vanuit het achterhuis klonk het geluid van een huilend kind. De brunette excuseerde zich en verdween door een deur achter in de hal.
Benny Goedkoop draaide zich een halve slag om en keek Tikva aan, zijn schouders ophalend.
Tikva knikte bijna onmerkbaar. Beiden dachten hetzelfde: we zijn te laat, hier wordt een toneelstukje opgevoerd.
Zonder de onroerendgoedhandelaar nog een blik te gunnen liep Goedkoop het kantoortje uit, de hal in en zei tegen Klein: 'Breng zes van je mensen binnen en laten we twee aan twee de villa grondig ondersteboven keren, maar wees voorzichtig: schijn bedriegt.'
Twee agenten in de hal achterlatend begonnen vijf teams de villa grondig uit te kammen.
Na ruim anderhalf uur waren vier van de vijf teams terug in de hal, zonder resultaat.
Alleen Benny en Tikva bevonden zich nog in de bibliotheek.
Bij binnenkomst hadden beiden een penetrante geur opgesnoven en Tikva bracht het onder woorden. 'Het is een zwakke lichaamsgeur van minstens vijf mensen, die zich hier kortgeleden nog bevonden.'
Benny had geknikt en ze waren op zoek gegaan naar iets… iets tastbaars, maar naar wat?
Ze wisten het zelf niet precies.
Nadat ze de bibliotheek van plafond tot vloer en van links naar rechts hadden

doorzocht, concentreerden ze zich op de gigantische verzameling boeken.
Ze openden de glazen deuren, lazen de titels op de boekruggen, controleerden of er achter de boeken iets verborgen lag, door vier tot vijf boeken tegelijk van hun schappen te lichten, maar het leek erop dat ze hun energiebron tevergeefs aanspraken.
Halverwege liet Tikva zich in een van de Windsor stoelen vallen en zuchtte. 'Even uitblazen.'
Benny grinnikte, maar vervolgde zijn zoektocht.
Tikva liet haar blik over de nog niet doorzochte schappen gaan en merkte op dat het hier om non-fictie ging. Haar ogen dwaalden van de verzameling reisboeken op de bovenste twee planken naar de verzameling natuurboeken op de middelste planken, en verder naar onderen waar zich een grote verzameling geschiedenisboeken bevond.
Haar oog viel op een smal, hoog boek dat iets uitstak.
Ze stond op, opende de glazen deur en nam het boek van de schap. De titel luidde:

Scheveningen – Den Haag 1940-1945
Van dorp en stad tot Stutzpunktgruppe Scheveningen

Op tweederde van de bladzijden stak een stuk papier boven het boek uit. Tikva sloeg het boek daar open en staarde naar een overzichtskaartje met de naam 'Paviljoen Von Wied'.
Het uitstekende papiertje was een A4'tje waarop een afbeelding was getekend, dat op een plattegrond van de Scheveningse kust leek.
'Benny,' riep ze, 'ik geloof dat ik gevonden heb waar we naar zochten.'
Rechercheur Goedkoop staakte zijn zoektocht aan de andere kant van de bibliotheek en nam plaats in de Windsor stoel naast Tikva.
'Deze stippellijnen,' vervolgde Tikva, 'op het overzichtskaartje van Paviljoen Von Wied, worden verondersteld onderaardse gangen te zijn.'
Ze nam het A4'tje en legde het naast het boek op tafel, streek het glad met de palm van haar hand en zei: 'Opmerkelijk, hè?'
Benny Goedkoop knikte. Hij zag dat de stippellijnen vanaf het Paviljoen, langs de kust, doorliepen tot onder het Kurhaus.
'Mm... we moeten dit natuurlijk achterlaten zoals we het gevonden hebben, zodat onze vrienden geen argwaan krijgen. We weten nu zeker dat Stalman hierbij betrokken is en de terroristen onderdak verleent. We moeten dit zien te kopiëren.'
Tikva antwoordde: 'In het kantoor van Stalman staat een printer.'

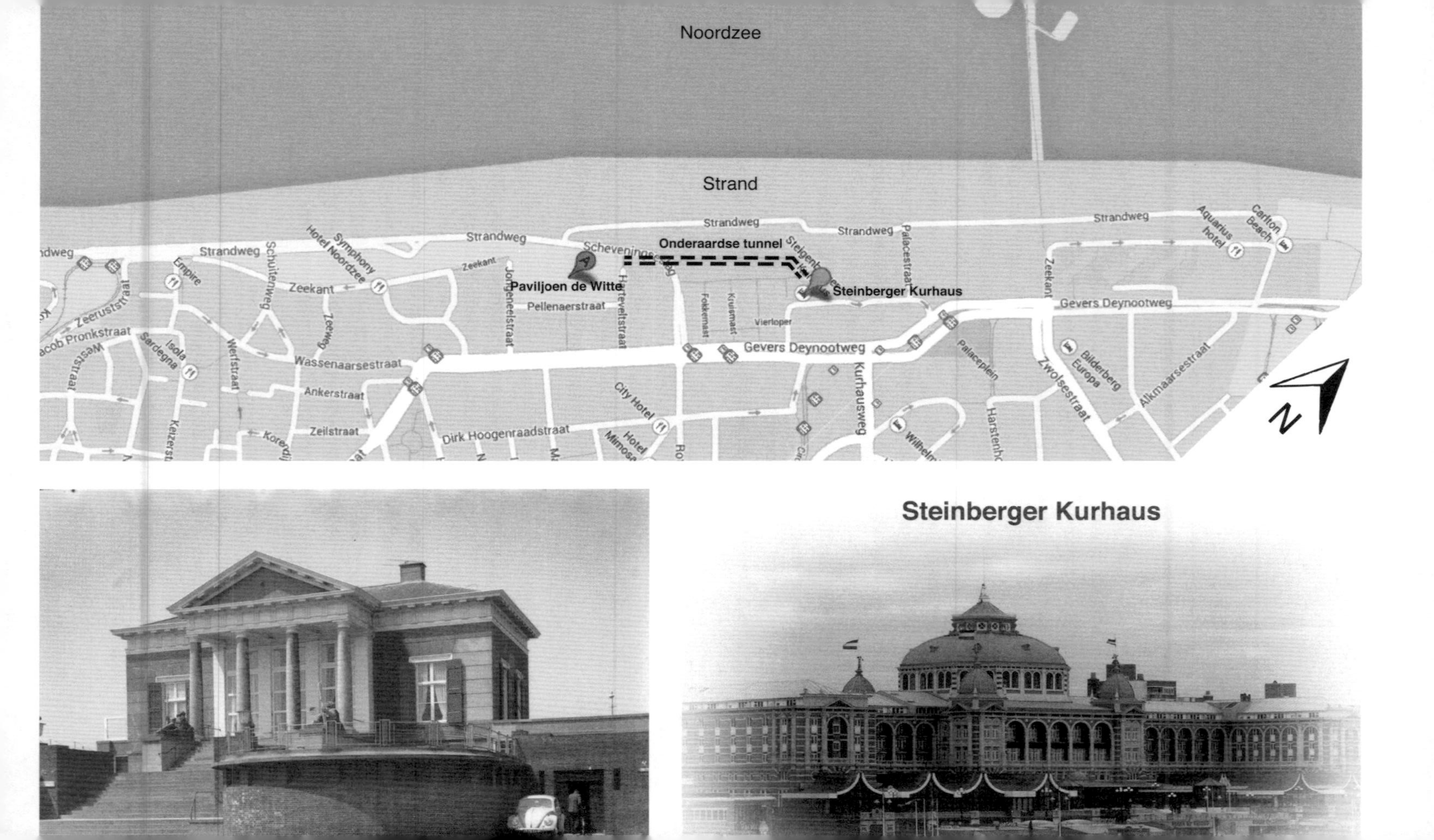

Steinberger Kurhaus

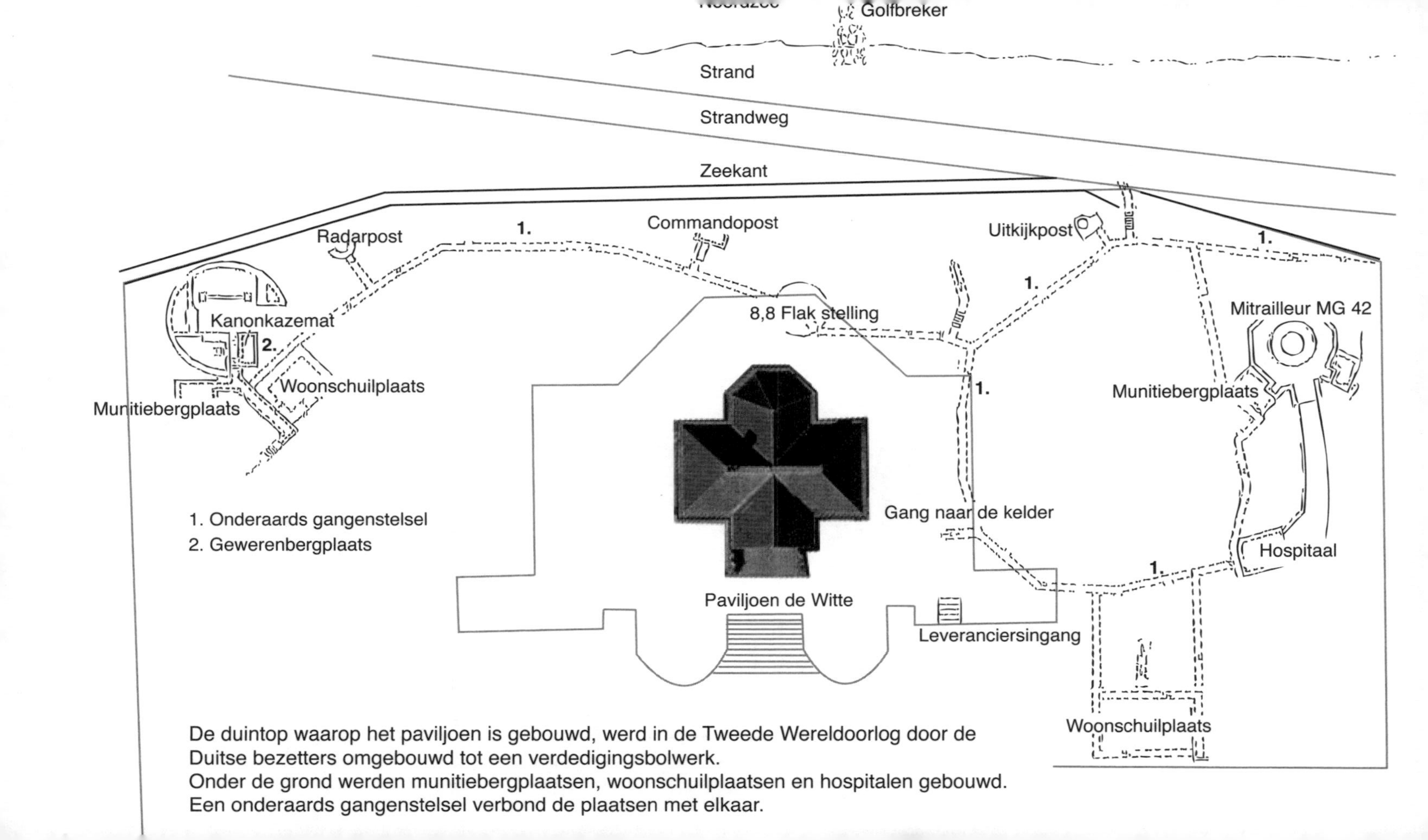

De duintop waarop het paviljoen is gebouwd, werd in de Tweede Wereldoorlog door de Duitse bezetters omgebouwd tot een verdedigingsbolwerk.
Onder de grond werden munitiebergplaatsen, woonschuilplaatsen en hospitalen gebouwd.
Een onderaards gangenstelsel verbond de plaatsen met elkaar.

'Goed, ik zal Stalman met een smoes meenemen naar de garage; in de tussentijd kopieer jij deze kaartjes en brengt ze terug naar hier.'
Goedkoop verliet de bibliotheek en begaf zich naar het kantoor van Stalman.
In de hal gaf hij aan Morilles en Klein opdracht het kantoor van Stalman te doorzoeken.
Zodra Goedkoop met Stalman uit het zicht van het kantoor en de hal was verdwenen, kwam Tikva met het boek onder haar arm tevoorschijn. Het apparaat had precies dertig seconden nodig om op te warmen en binnen een minuut had ze zowel het overzichtskaartje uit het boek als de schets van de kustlijn gekopieerd. Vijf minuten later stond het boek weer op de schap, zoals zij het eerder gevonden had.
Morilles en Klein doorzochten het kantoor maar konden niets vinden wat de onroerendgoedhandelaar in verband kon brengen met eventueel bij hem ondergedoken terroristen.
Goedkoop doorzocht vluchtig de dure Mercedes van de onroerendgoedhandelaar en keerde met Stalman terug naar het kantoor.
Na hun verontschuldigingen aangeboden te hebben aan een kwaad kijkende Stalman verlieten Tikva en de mannen de villa. De hele operatie had nog geen twee uur geduurd.
Uit het zicht van de villa wendde Goedkoop zich tot Klein en gaf hem opdracht de villa dag en nacht te observeren.
'Wij hebben zeer goede redenen,' voegde hij eraan toe, 'om aan te nemen dat de villa inderdaad door de terroristen gebruikt wordt als schuilplaats en uitvalsbasis. Laat je mannen zodanig in dekking gaan, dat zij zowel vanuit de villa als van buitenaf niet te zien zijn.'

Bureau Duinstraat, donderdagavond 17 mei

Na een korte telefonische briefing aan commissaris De Koning, waarbij Goedkoop bewust geen melding maakte van de gevonden plattegronden, had men besloten om dezelfde avond om 19.00 uur bij elkaar te komen op bureau Duinstraat.
Om vijf voor zeven, na een gezamenlijke maaltijd met Sjors Klein, Tikva en Morilles, beklommen zij de trappen van bureau Duinstraat en langs de balie komend snoven zij de lucht van vers gezette koffie op.
Een grijnzende Willem Brand, wachtcommandant achter de balie, knikte lachend en zei: 'Dame en heren, de koffie komt eraan.'
De deur stond al open en ze betraden het kantoor van De Koning.
De commissaris zelf zat al aan de vergadertafel en na elkaar begroet te hebben namen ook de anderen plaats.
Commissaris De Koning opende de bijeenkomst door in het bijzonder Sjors Klein welkom te heten en stelde hem voor elkaar te tutoyeren.
Sjors Klein bedankte de commissaris met een hoofdknik en gaf hiermee tegelijk aan het eens te zijn met het voorstel.

'Tikva, Benny, Alfons en mijn roepnaam is Roel. Nu dit geregeld is, zal ik voor jou Sjors, een korte samenvatting geven van de situatie.'
Het verslag werd onderbroken door een klop op de deur. Op het 'Binnen' van de commissaris verscheen een glimlachende Willem Brand, met in de rechterhand een grote thermoskan met koffie en in de linkerhand een dienblad met kop en schotels.
Beide plaatste hij in het midden van de tafel.
Terwijl hij zich omdraaide, zei hij: 'Dat het de dame en de heren mag smaken.'
Tikva stond op en nam de taak op zich om koffie in te schenken. Na een korte pauze vervolgde de commissaris zijn betoog.
'Door prima onderzoek van de drie hier aanwezigen zijn we erachter gekomen, dat de terroristen zeer waarschijnlijk zijn ondergedoken in de Wassenaarse villa van de onroerendgoedhandelaar Jozef Stalman, een vroegere vriend van onze Abdullah.'
Met zijn blik gericht op de papieren voor hem op tafel, ontging de commissaris de knipoog van Benny en weer opkijkend vervolgde hij. 'Laten we deze dag evalueren, te beginnen met de verhoren deze morgen op het CIE. Wie bijt het spits af? Benny, Alfons, jullie hebben je beziggehouden met Chique Ernie.'
'In het begin gaf hij geen krimp,' begon Alfons. 'Hij bleef volhouden dat hij de man in de beige regenjas niet kende, maar dat ze een fijn gesprek hadden over de mooie meiden aan de andere kant van de bar. Toen wij hem vroegen waarom hij die gast een tientje had gegeven, verklaarde hij dat de man geen geld meer had gehad om de portier een fooi te geven. Wat Isabelle betreft hield hij vol dat hij de kamer niet uit was geweest, behalve dan rond tien uur om een deal met Johnny de barkeeper te sluiten over een hele nacht met Isabelle. "Maar," vroegen we hem, "volgens de portier ben je ook naar buiten geweest. Wat of wie heb je daar ontmoet?"
"Niemand," zei hij. "Ik ging gewoon een luchtje scheppen."
Zowel Benny als ik voelden aan dat hij niet de hele waarheid sprak. De antwoorden op onze vragen kwamen te vlot. We hebben een sterk vermoeden dat hij het is geweest die om elf uur de achterdeur van het etablissement heeft opengedaan en de terroristen heeft binnengelaten, om na de liquidatie, die hooguit een minuut of vijf in beslag nam, de deur weer te sluiten. Zeker toen Isabelle aan Tikva verklaarde dat ze na een stevige vrijpartij met Ernie en een paar borrels in slaap was gevallen en pas weer wakker werd gemaakt door de politie rond middernacht. Dus het alibi dat zij in de eerste verhoren aan Ernie gaf door te beweren dat hij de kamer niet uit was geweest, is niet waterdicht.'
Alfons pauzeerde even en nam een paar teugen van zijn koffie.
'Zal ik verdergaan?' vroeg Benny en hij vervolgde: 'We houden deze Arnold Kempenaar een nachtje vast in een cel op het bureau van de CIE. Hij is het enige aanknopingspunt met Abdullah. Morgenochtend vervolgen Blijlevens en De Groot het verhoor en zullen ze hem flink onder druk zetten. De filmpjes van de mountainbikeagenten leverden in eerste instantie weinig op, totdat ze een koffieshop betraden. Zowel Jongeneel als Mahdoufi slaakten een kreet van herkenning. Jongeneel herkende de messentrekker en Mahdoufi herkende een knaap, ene

Youssef, de tweede man van de Binnenhofgroep. De mountainbikeagenten liepen het bewuste tafeltje voorbij en hielden een verkeerde Marokkaanse jongen aan.'
'Wat mij opviel,' onderbrak Tikva Benny's betoog, 'is dat twee van de drie aan dat tafeltje hun ogen gericht hielden op het tafelblad en dat van beiden hun rechterhand niet zichtbaar was. Ik denk dat de agenten aan de dood zijn ontsnapt. Youssef kijkt brutaal de agenten tegemoet, omdat hij de enige is die Nederlands spreekt en zo de aandacht op zich wil vestigen. Die andere twee horen bij de terreurgroep van Abdullah en zijn gewapend. Tegelijk kwam boven water wie verantwoordelijk is voor de geruchtmakende liquidatie van de Geertsemabende en tot besluit heeft de operatie van vanmiddag helaas niets opgeleverd. De vogels waren gevlogen.
We kunnen nu vrijwel zeker vaststellen dat de Abdullahgroep de Geertsemabende heeft geliquideerd. De beige regenjas is lid van de Binnenhofgroep en wij hebben dus te maken met een groep van minstens tien personen. Ervan uitgaande dat zij zwaar bewapend zijn en voor ons nog onzichtbaar, hebben we te maken met een uiterst gevaarlijke tegenstander.'
Na deze vaststelling van Tikva viel er een korte stilte, die werd verbroken door De Koning.
'Goed, maar de Geertsemazaak is verder een zaak voor Blijlevens. Laten we ons nu concentreren op Wassenaar. Wat is er vandaag precies gebeurd, Benny? Ik ken jou, je hield vanmiddag tijdens de telefonische briefing iets achter.'
Terwijl Benny begon te praten, stond Tikva op. Ze haalde de twee vellen papier uit haar tas en kopieerde bij de printer van De Koning elk blad vier keer om ze daarna te verspreiden onder haar collega's.
'Wat wij gevonden hebben,' begon Benny zijn verslag, 'was te link om via een ordinaire telefoon aan jou te melden, Roel. Maar hier komt het: in de villa bevindt zich een grote bibliotheek die Tikva en ik voor onze rekening namen. Na de ruimte doorzocht te hebben waagden we ons aan de boekenkasten. Tikva zag op een gegeven moment een boek iets uitsteken, alsof het exemplaar in de haast was weggezet. Ze nam het van de schap en sloeg het boek open op de plaats waar een velletje papier uitstak. Het resultaat ligt voor je neus. Een kopie van een overzichtskaartje uit het boek van het Paviljoen Von Wied en het losse velletje, een getekende plattegrond van de Scheveningse kust. Leg die twee naast elkaar en tot welke conclusie komen we dan?'
In de stilte die nu volgde, bestudeerden de commissaris, Alfons en Sjors de twee vellen papier. Toen De Koning zag dat de stippellijnen onderaardse gangen voorstelden, sloeg hij met de platte handpalm hard op het tafelblad. 'In mijn onderbewustzijn lag dit opgeslagen, het kwam alleen niet bovendrijven. Een berichtje in een plaatselijk krantje over een dichtgeslibde onderaardse gang, een erfenis van de Duitse bezetter uit de Tweede Wereldoorlog.'
'Geweldig, Roel, maar wat maak je hieruit op?'
'Op de een of andere manier zijn de terroristen erachter gekomen dat het gangenstelsel onder het Paviljoen nog intact is en dat zullen zij gecheckt hebben.'
'Hoe?'
'Waarschijnlijk door een nachtelijke inbraak.'

Sjors, de nieuweling in het team, stak zijn hand op, waarop de commissaris reageerde: 'Zeg het maar, Sjors.'
'Via het gangenstelsel onder het Paviljoen zijn de terroristen erachter gekomen dat de gang langs de kust doorliep tot onder het Kurhaus. Je plaatst zware explosieven in het gangenstelsel met een ontstekingsmechanisme en je kunt op afstand, op elk gewenst moment, met een druk op de knop de boel de lucht in laten vliegen.'
Na deze korte samenvatting drong de keiharde werkelijkheid tot het team door.
Zwijgend schonk Tikva nog eens koffie in.
Morilles, een prima rechercheur, wat betreft prestaties ver boven het gemiddelde, maar onervaren in de bestrijding van terrorisme, begon kreunend te spreken. 'Dit kan toch niet waar zijn, hier in Nederland? Vreselijk, wat zijn dat voor individuen, die zoiets plannen?' Zijn stem klonk steeds luider. 'Honderden, en met mooi weer misschien duizenden slachtoffers... We zullen ze tegenhouden, die schoften, en al is dit het laatste wat ik in mijn leven doe, ik schiet die sujetten met liefde als kleiduiven af.'
Zwijgend lieten de anderen Morilles begaan.
In wezen voelden zij hetzelfde.
Sjors Klein reageerde.
'Alfons,' zei hij, 'ik voel hetzelfde, maar gelukkig kunnen we in dit geval de terroristen een stapje voor zijn. We weten nu vrijwel zeker hoe ze de aanslag gaan plegen.'
De anderen aankijkend vervolgde hij: 'Ik ga ervan uit dat de explosieven al geplaatst zijn, wat betekent dat we het ontstekingsmechanisme onklaar moeten maken en wel zo, dat wanneer de terroristen zich geroepen voelen om nog een laatste controle uit te voeren, ze dat niet zullen opmerken.'
'Heel goed, Sjors,' kwam De Koning ertussen. 'Kun je dat vanavond nog regelen? En heb je explosievenexperts nodig?'
'Ja, dat regel ik vanavond nog en nee, ik heb zelf in mijn team een paar heel goede specialisten.'
'Alfons,' vervolgde De Koning, 'zoek jij de telefoonnummers op van het Paviljoen en van de directeur. Het is nu kwart voor acht en met een beetje geluk is de directeur of de manager nog aanwezig. De wachtcommandant kan je hierbij helpen.'
De volledige regie van deze bijeenkomst weer naar zich toetrekkend zei hij tegen Sjors: 'Ik stel voor dat Morilles met jouw twee experts het Paviljoen gaat betreden en dat jij je weer gaat bemoeien met de bewaking van de Wassenaarse villa.'
En zonder op een reactie van Sjors te wachten, vervolgde hij tegen Morilles: 'Voor het geval dat de terroristen het Paviljoen in de gaten houden, zorg je dat je met de twee experts zo onopvallend mogelijk het Paviljoen binnengaat. Is er toevallig nog een feestje of een muziekvoorstelling aan de gang, dan zijn jullie verlate feestgangers of muziekliefhebbers. Gedraag je niet als politiemensen, dat valt die lui beslist op. Neem de twee kopieën mee, speciaal dat overzichtskaartje van het Paviljoen kan je helpen. Ik verzoek jullie me op de hoogte te houden van de ge-

beurtenissen en de vorderingen via mijn mobiele telefoon. *Dag en nacht*, akkoord?'
De Koning gaf Benny en Tikva de instructie om weer met Sjors mee te gaan.
'Zeg, Roel,' liet Benny zich horen, 'gezien de terreurdreiging en de honderden mensenlevens die hiermee gemoeid zijn, lijkt het mij verantwoord de IMSI-catcher in te zetten.'
De commissaris keek Benny een ogenblik nadenkend aan en knikte toen.
'Ik zal korpschef Bierman bellen, dat hij bij de officier van justitie toestemming vraagt om de IMSI-catcher in te zetten.'
Morilles, die net op weg was naar de wachtcommandant, draaide zich om en met de deurknop in de hand vroeg hij: 'Wat is een IMSI-catcher?'
Voordat De Koning of Benny konden reageren, gaf Sjors Klein het antwoord.
'Dat is mijn terrein,' begon hij. 'Een IMSI-catcher is een apparaat dat zich voordoet als een gsm-zendmast voor mobiele telefoons. Hij verstoort het signaal van de originele zendmast en de gesprekken van alle mobieltjes in de nabije omtrek lopen ineens via de catcher. Wij kunnen hiermee honderden telefoontjes tegelijk afluisteren. Een groot voordeel is dat de positie van een gsm nauwkeurig te bepalen is. Het is een geheim wapen dat nog maar beperkt wordt ingezet. De reden is dat het apparaat iedereen afluistert, dus ook de onschuldige burger. Daarom moet voor gebruik eerst toestemming gevraagd worden aan de officier van justitie. Maar het is een perfect middel in de strijd tegen criminelen. Zware jongens hebben vaak meerdere telefoons bij zich en maken daar ook gebruik van, maar dat maakt voor het apparaat niets uit, want het vangt alle gesprekken op, met welke telefoon er ook gebeld wordt.
Interessant is,' vervolgde Sjors, zijn kennis verder uitdragend, 'dat het apparaat is ontwikkeld binnen de militaire wereld. Het werd door de militaire inlichtingendiensten gebruikt om de vijand te traceren.'
Er viel een korte stilte na de toelichting van Klein, waarvan De Koning direct gebruikmaakte. Opstaand van zijn stoel zei hij: 'Oké, waarde collega's, en nu aan de slag.'
Morilles riep nog: 'Bedankt, Sjors,' en verdween naar beneden, naar de balie van Brand.
Ook Tikva en Sjors stonden van hun stoelen op, terwijl Benny rustig bleef zitten. Drie verbaasde gezichten staarden hem aan.
'Nu Morilles weg is, heb ik nog een punt.'
De drie namen weer plaats op hun stoel en de commissaris zei: 'Zeg het maar, Benny.'
'Die onroerendgoedhandelaar moet van tevoren door een van de onzen gewaarschuwd zijn dat wij eraan kwamen, maar door wie?'

Islamabad, donderdagnacht

Met een ruk schoot Shahid overeind. Het zweet stroomde van zijn gezicht en droop langs zijn lichaam.

'Shahid, alles goed met je?' mompelde Fatima, half uit haar slaap gewekt door de wilde beweging van Shahid.
'Ja, ja, ik loop even naar de keuken om wat water te drinken, slaap maar zoet verder, mijn liefje.'
Zachtjes verliet Shahid het slaapvertrek en spoedde zich naar de keuken.
Met een handdoek droogde hij zich af, dronk in een keer een glas water leeg en voelde zich alweer wat beter.
Met een tweede glas water en de handdoek begaf hij zich naar zijn studeerkamer. Zuchtend nam hij plaats achter zijn bureau. Terwijl hij zijn gezicht opnieuw depte, staarde hij met lege ogen naar de telefoon.
Zijn geweten ging hem parten spelen.
De laatste tijd sliep hij 's nachts onrustig. De eerste keer ging het alleen om een akelige droom, daarna werd het elke keer heviger totdat het de laatste tijd alleen maar echte nachtmerries waren.
Maar vannacht...!
Opnieuw zag hij zichzelf als toeschouwer bij een door hem beraamde aanslag.
De ontzaglijke lichtflitsen en de knallen van de explosies gaven hem letterlijk en figuurlijk een machtig gevoel.
Rondslingerende brokstukken van het zojuist opgeblazen gebouw, stukken metaal, een stuurwiel van een auto, door de lucht vliegend en uit elkaar gereten kinderspeelgoed, en daar tussendoor allerlei ledematen.
Op dat moment verdween dat machtige gevoel als sneeuw voor de zon.
Hij zag een en al ellende om zich heen.
Een beklemmend gevoel rond zijn borst deed hem ineenkrimpen.
Toen gebeurde het. Een afgerukte kinderhand kwam op hem af zweven en probeerde hem in zijn gezicht te aaien.
Nog meer kinderhanden kwamen uit het niets op hem toe gezweefd en een zacht koor van kinderstemmen drong tot hem door.
Gedeeltes van kindergezichtjes kwamen in beeld; het leek wel een levend geworden schilderij van Picasso.
Eén gezichtje kwam hem echter bekend voor. Eerst verstond hij niet wat het mondje huilerig prevelde, maar het kwam steeds dichterbij en de woorden werden verstaanbaar.
Shahid hield zijn handen voor zijn gezicht en trachtte de opdringende handjes en de half verminkte gezichtjes van zich af te slaan, maar het hielp niet.
En toen hoorde hij duidelijk wat het ene mondje hartverscheurend riep: 'Papa, ik heb zo'n pijn, waarom doet u deze vreselijke dingen?'
Hij gilde het uit van angst en pijn, want hij herkende nu het mondje. Het was van zijn dochtertje Farah, toen ze nog een kleutertje was.
Op dat moment was hij wakker geworden en met een ruk overeind geschoten.
Een hevige rilling trok door zijn lichaam, een pijnscheut schoot door zijn maagstreek.
Met zijn voorhoofd op het bureaublad gedrukt, huilde hij geluidloos zijn emotie en onmacht uit zijn lijf.

Na tien minuten richtte hij zich op, sloeg zijn handen voor zijn gezicht en kreunde: 'O, Allah, waar ben ik mee bezig, waarom doe ik dit allemaal?
De reden waarom ik hiermee begon was de vermeende moord op mijn onschuldige broertje door de Amerikanen. Ik was op dat moment zwak en ik wilde wraak. Maar mijn broer Ali bleek niet onschuldig te zijn, maar zelfs een leidinggevende terrorist.
O, Allah, wat nu?'

De vorige avond was er op televisie een verklaring voorgelezen van zes bekende radicale Saoedische geestelijken. Het was bekend dat deze geestelijken nauwe banden onderhielden met islamitische extremisten.
Twee van de ondertekenaars waren Safar al-Hawali en Salman al-Odeh. Zij hadden al eerder in de gevangenis gezeten, onder meer vanwege kritiek op de koninklijke familie.
Ze veroordeelden aanslagen op westerlingen en omschreven de aanvallen als walgelijk en een ernstige zonde volgens de islam.

> *De bomaanslagen en moorden hebben de mensen verbijsterd, individuen en hun eigendommen geschaad. Niemand met slechts de geringste kennis van de islam kan eraan twijfelen dat dit een wrede misdaad en ernstige zonde is, aldus de verklaring van de zes.*

De verklaring volgde nadat er twee Amerikanen waren doodgeschoten door aanhangers van Al-Qaida. Daarnaast zouden volgelingen van Osama Bin Laden een Amerikaan hebben ontvoerd.
De Saoedische predikers stelden dat, wanneer moslims de in het land woonachtige niet-moslims doden, ze niet naar de hemel gaan. Verder werd er bij moslims op aangedrongen om medegelovigen niet te brandmerken als heidenen.

Onwillekeurig moest Shahid hieraan denken.
Naar voren kwam duidelijk dat aanslagen plegen volgens de islam een ernstige zonde is.
Hij geloofde niet in toeval: die vreselijke nachtmerrie, nog geen halfuur geleden, en de verklaring van deze radicale Saoedische geestelijken.
Hij besefte ineens dat zijn gang naar de moskee de laatste tijd sterk was afgenomen, de laatste weken was hij helemaal niet meer geweest. Was hij nu ook nog zijn geloof aan het kwijtraken?
'O, Allah,' kreunde hij, 'ook dat nog. Wees mijn ziel genadig en help me.'
Een siddering trok door zijn lijf, het was alsof de profeet hem op de schouder tikte en hem toesprak: 'Kom op, Shahid, het is nog niet te laat, je kunt het nog goedmaken, je weet wat je nu te doen staat.'

Als in een droom stond hij op vanachter zijn bureau. Hij nam zijn glas en begaf zich naar de keuken; zijn keel was net schuurpapier.
Hij schonk een glas koud water in en dronk het in een teug leeg.

Abu Bakr moskee

Het lichtgevende wijzerplaatje gaf 01.30 uur aan.
Dennis Neumann lag verscholen in een paar struiken op de islamitische begraafplaats van de Abu Bakr moskee.
Hij was ervan overtuigd dat de explosieven nog steeds verborgen waren in de moskee, met een heel grote kans dat ook zijn vriendin hier werd vastgehouden.
Overdag observeerden zijn mannen de moskee en hij deed dit 's nachts, samen met neef Ali Ghazi.
Ze zochten liever de bescherming van de aanwezige struiken en grafzerken op de begraafplaats, dan open en bloot te patrouilleren op de Richardstrasse.
Neef Ali had zo'n veertig meter verderop zijn schuilplaats ingericht.
Dennis hield de halve zijkant en de voorkant in de gaten en Ali de zij- en achterkant.
Wanneer de terroristen hun explosieven voor zaterdag ergens wilden plaatsen, werd het nu de hoogste tijd om ermee tevoorschijn te komen.
Na een hevige woordenwisseling tussen hem en zijn chef Thomas Schulz na de mislukte actie van een paar nachten geleden, waren ze tot de conclusie gekomen dat ze zich moesten concentreren op waar het om ging.
'Laten we eventuele doelen, die de terroristen op het oog zouden kunnen hebben, in de gaten houden,' had Schulz gezegd. Neumann zelf had hem aangevuld door op te merken dat zij de moskee dag en nacht moesten blijven observeren omdat de explosieven, waar die dan ook verborgen mochten zijn, nog steeds in de moskee aanwezig waren.
Schulz was op zoek gegaan naar mogelijke terroristische doelwitten en daarnaast zocht hij naar eventuele evenementen die in Berlijn op 19 mei de revue zouden passeren.
Nummer een op de lijst: de Reichstag. Nummer twee: de Brandenburger Tor en nummer drie: slot Charlottenburg. Daarnaast werd als evenement een prominente wielerwedstrijd genoemd, UCI Europe Tour, de zogenaamde Vredeskoers.
In 1948 werd deze wielerkoers voor het eerst gereden tussen Praag en Warschau. Het idee was van twee oud-wielrenners, beiden sportjournalisten, waarbij de een, Karel Tocl, voor het Praagse blad *Rude Pravo* werkte en de andere journalist, Vlodzimier Golembiowski, voor het sportblad *Glos Ludu* uit Warschau.
Het Oost-Duitse partijorgaan *Neues Deutschland* werd bij de organisatie betrokken en dat betekende, dat in 1952 Berlijn in de koers werd opgenomen.
Tijdens de Koude Oorlog was deze koers de Oostbloktegenhanger van de Ronde van Frankrijk.
Ieder seizoen werd de route Warschau-Berlijn-Praag in willekeurige volgorde

verreden. Dit jaar was Berlijn als finishplaats aangewezen.
Het laatste stuk van de koers werd over de Strasse des 17 Juni gereden, met de eindstreep precies onder de Brandenburger Tor.
Hoe meer Neumann hierover nadacht, hoe meer hij ervan overtuigd raakte dat de wielerkoers en de Brandenburger Tor samen het beoogde doelwit moesten zijn. Schulz was het grotendeels met hem eens, maar wilde de Reichstag en Charlottenburg niet over het hoofd zien. Een gedempt, ronkend geluid bereikte zijn oren en onderbrak zijn gedachtegang.
Het kwam van rechts, van onder de grond.
Verbaasd staarde hij naar een grafsteen, precies tussen hem en neef Ali in, die zich langzaam van de grond losmaakte en omhoogkwam. Een flauw, schemerig licht werd onder de grafsteen zichtbaar. De grafsteen bleef op circa twee meter boven de grond zweven en een donkere figuur stapte vanonder de zwevende grafsteen uit, de begraafplaats op.
Neef Ali moest dit ook hebben gezien, want zijn mobieltje begon te trillen.
Hij nam op en luisterde naar de fluisterende stem van Ali. 'Ik weet niet wat jij ziet, maar die platte grafsteen is het dak van een liftkooi. Deze graftombe is de geheime bergplaats van de moskee.'
De donkere figuur, die geheel in het zwart was gekleed, keek loerend om zich heen.
'Hou je gedekt, we wachten af wat er gaat gebeuren!'
Even later zakte de grafsteen weer naar zijn oorspronkelijke plaats.
De figuur bewoog zich in de richting van het grindpad, dat vanaf de Richardstrasse naar de hoofdingang van de moskee liep. Vanaf de Richardstrasse klonk het naderende geluid van een automotor.
De figuur passeerde Neumann op nog geen drie meter en hij herkende de man meteen als de oudste van de broers Hadji.
Hakim Hadji begaf zich naar de straatkant en opende het smeedijzeren hek, dat de moskee afsloot van de straat.
Het geronk van de automotor bleek afkomstig te zijn van een Mercedesbusje, dat nu met een slakkengangetje de oprit van de moskee opreed. Twee lichtbundels doorkliefden de duisternis. Dennis werd hier volkomen door verrast en half verblind liet hij zich plat op de grond zakken, zijn gezicht afgewend van het licht.
Zou Hakim hem opgemerkt hebben? Voetstappen kwamen naderbij en Dennis hield de adem in, gereed om tot actie over te gaan. Het busje passeerde hem en de duisternis slokte hem weer op.
Ook Hakim passeerde hem zonder hem op te merken.
Langzaam liet Dennis de ingehouden adem ontsnappen, en zich oprichtend zag hij Hakim van hem weglopen.
Het busje manoeuvreerde langs de moskee tot dicht bij de geheimzinnige graftombe. Opnieuw maakte de platte grafsteen zich los van de grond en kwam langzaam omhoog.
Neumann wachtte gespannen af wat er zou gebeuren. De adrenaline kolkte door zijn bloed, hij voelde dat het moment van ontmaskering nu heel dichtbij was.

Een tweede figuur stapte uit de gecamoufleerde liftkooi en zei iets tegen Hakim. De chauffeur van de Mercedesbus opende de laaddeuren aan de achterkant en even later zag Neumann een steekwagentje met drie dozen erop, die door de tweede figuur van onder de grafsteen vandaan werd gereden. Samen met Hakim begaf hij zich naar het busje. De dozen moesten behoorlijk zwaar zijn, want de twee mannen tilden moeizaam doos voor doos de laadruimte van de bus in.
Ondertussen was de grafsteen weer teruggezakt op de grond. Hakim en de tweede nog onbekende man keerden terug naar de graftombe en bleven daar afwachtend staan, zacht met elkaar pratend.
Dennis Neumann lag besluiteloos in zijn schuilplaats. Hij moest Schulz bellen en hem om versterking vragen, maar dat kon niet hier. De afstand was te klein, de terroristen zouden hem horen en ontdekken. Daarnaast moest hij zich bedwingen om niet in actie te komen.
De achterdeur van de moskee was vast niet op slot en met zijn .359 Magnum in de vuist zag hij zichzelf al naar binnen sluipen, de trap naar de kelderverdieping nemen en eindelijk de geheime deur ontdekken, waarmee hij tegelijk ook zijn vriendin kon bevrijden...
De platte grafsteen kwam opnieuw omhoog en Neumann bleef gefascineerd toekijken.
Terwijl een van de kerels een tweede steekwagen met dozen uit de liftkooi trok, plaatste de andere kerel de eerste, nu lege, steekwagen in de liftkooi.
Je moet je nu terugtrekken, Dennis, beval hij zichzelf. De volledige aandacht van de kerels is nu gespitst op het laden van de dozen in de Mercedesbus.
De kerels in het oog houdend trok hij zich voorzichtig terug uit zijn schuilplaats naar de verste hoek van de begraafplaats. Geheel uit het zicht, geholpen door struiken en grafzerken, belde hij het nummer van Schulz.

Islamabad, vrijdag 05.00 uur

Shahid begaf zich naar de slaapvertrekken. Zijn vrouw en beide dochters lagen rustig ademhalend te slapen.
Na zich hiervan overtuigd te hebben spoedde hij zich terug naar zijn studeerkamer.
Hij deed de geluiddichte deur op slot, zodat niemand hem onverwachts kon storen.
Hij sloeg zijn handen tegen zijn voorhoofd, en boog zich naar voren terwijl hij bad.
'O, Allah, wees mijn ziel genadig, ik zal en moet schoon schip maken. Geef mij moed en kracht om dit offer te brengen. Amen.'
Hij nam de hoorn van zijn beveiligde telefoon en draaide het nummer van Safdar, de leider van zijn groep in Islamabad.
Het duurde even voordat aan de andere kant van de lijn een slaperige vrouwenstem de telefoon opnam.

'Is Safdar daar?'
'Safdar,' reageerde het vrouwmens, 'wie is dat? De schoft is al dagen niet meer thuis geweest, hij zal wel bij dat hoertje in bed liggen.'
Knal, de telefoon werd erop gegooid.
Shahid zuchtte, schudde zijn hoofd en vroeg zich opnieuw af met wat voor soort lui hij zich had ingelaten.
Hij had een mobiel nummer. Voor noodgevallen, had Safdar gezegd.
Vrij snel werd er opgenomen en een hijgende stem riep: 'Hallo?'
'Safdar, ik wil dat je om zes uur met je team gereedstaat op de ontmoetingsplaats *Vrijstaande villa*. Spoedgeval.'
Shahid verbrak de verbinding zonder op antwoord te wachten.
Hij had geen zin in een discussie.
Safdar had de beschikking over vier specialisten. De eerste was een explosievenexpert, twee anderen waren meedogenloze scherpschutters en de vierde was gespecialiseerd in het ontwerpen van strategieën bij het plannen en opzetten van overvallen of aanslagen.
Shahid vond dat dit zijn eerste opdracht was, die hij zichzelf oplegde: het liquideren van de twee groepen, waaraan hij leiding gaf.
Hij bedacht dat hij minstens een kwartier voordat de leden van het team een voor een zouden binnendruppelen op de ontmoetingsplaats aanwezig moest zijn.
Voor zichzelf maakte hij een tijdschema.
Halfzes hier uit huis, met zijn bolide was het maar tien minuten naar de ontmoetingsplaats, tijd genoeg om zich te installeren.
Vijf over zes zou de klus geklaard zijn.
Daarna op weg naar Abbottabad, vijftig kilometer ten noorden van Islamabad, dat zou hem vijfenveertig minuten kosten voor het bereiken van ontmoetingsplaats *Garen en band*.
Het team van Aziz bestond uit drie mannen en een vrouw, die hij om zeven uur zou laten opdraven.
Hij wilde de leider van de Pakistaanse Al-Qaida vertakking, de *nummer een*, uitschakelen. Al was hij *nummer twee*, ook voor hem was het een probleem om zonder afspraak bij hem in de buurt te komen.
Hij zag op het wandklokje dat het precies kwart over vijf was, hij had dus twintig minuten om een verklaring op te stellen en een afscheidsbriefje voor zijn geliefden te schrijven.
Hij draaide zijn bureaustoel, zodat hij recht voor zijn pc kwam te zitten.
Gaf een dubbelklik op Microsoft Office Word en op het scherm verscheen een blanco veld. Hij begon een verklaring op te stellen.
Hij richtte hem aan Abdul Bhaffi, die hij kende van zijn bezoeken aan de moskee, maar ook in zijn advocatenpraktijk had hij een paar maal met hem te maken gehad.
Ze lagen elkaar wel en ze waren vrienden geworden.
Abdul Bhaffi maakte deel uit van de besturende top van de Pakistaanse Inlichtingendienst.

Beste Abdul,
In de naam van Allah, neem wat nu volgt serieus.
Zatermiddag om 16.00 uur, plaatselijke tijd, zal in Londen een islamitische terreurgroep gelieerd aan Al-Qaida tijdens de FA-cupfinale een aanslag plegen op het nieuwe Wembley stadion. Het stadion zal uitverkocht zijn, dat betekent 90.000 toeschouwers.
Neem contact op met de Britse inlichtingendienst MI5.
De leider van de groep staat bekend onder de naam Zahid Waheed, pseudoniem van William Smith, een huisarts uit Southend-on-Sea. Zijn team bestaat uit drie mannen en een vrouw.
De naam van de vrouw is Maryam Khan. Zij is zijn assistente in zijn dokterspraktijk en de strategieënexpert. De gevaarlijkste van de groep is de explosievenexpert en een ex-inlichtingenofficier uit jouw dienst. Zijn naam is Mukhtar Rahman, verblijfplaats onbekend. Waarschijnlijk Londen.
De andere twee zijn twee huisartsen uit Manchester, de broers Rabbani.
Ik heb de meest ervaren en meedogenloze Al-Qaida terrorist die hier in Islamabad beschikbaar was, de heer Farooq, toegevoegd aan de groep in Engeland.
Deze aanslag is vanuit het perspectief van Al-Qaida onderdeel van een meesterplan, bedacht door een Afghaanse krijgsheer met de naam Abu Al-Hassani, die zich waarschijnlijk schuilhoudt in de buurt van Kabul, gezien het hier volgende telefoonnummer...
In nog drie andere EU-landen, mij helaas niet bekend, zullen zaterdagmiddag op dezelfde plaatselijke tijd aanslagen gepleegd worden.
Zie ook een bericht van twaalf dagen geleden op een website van moslimextremisten, waarin Al-Qaida in Afghanistan dreigt met aanslagen op landen waarvan militairen actief zijn in Afghanistan, wanneer zij hun troepen niet binnen veertien dagen zullen terugtrekken.
Al-Qaida en de taliban zijn in Afghanistan een groot offensief aan het voorbereiden.
Zij verwachten na de aanslagen chaos bij de bezetters.
Vraag me niet hoe ik aan deze wetenschap ben gekomen, ik moet mijn familie beschermen.
Allah is groot.
Shahid

Snel las Shahid het bericht door, voerde het e-mailadres van de Pakistaanse binnenlandse veiligheidsdienst in en drukte op 'verzenden'.
Een blik op het wandklokje leerde hem dat hij nog precies tien minuten had voor een afscheidsbriefje aan Fatima en zijn dochters. Daarna moest hij buiten zien te komen, zonder zijn lieve familie te wekken.
Hij pakte een vel papier en een pen en met een brok in de keel begon hij te schrijven.

Lieve Fatima, Farah en Yasmina,
Ik hou zielsveel van jullie.
Jullie waren mijn leven en voor jullie heb ik geleefd.
Dat is ook de reden dat ik uit jullie leven ga verdwijnen, ik heb er heel goed over nagedacht, maar ik kan niet anders.
Schande zou over de familie uitgestort worden en jullie weten wat dat in islamitisch Pakistan betekent.

De wending die mijn leven nam, was het gevolg van de zelfmoord van mijn broer Ali.
Ik vervloekte de Amerikanen en wilde wraak.
Huil en treur niet over mij, mijn duifjes.
Herinner je mij, zoals ik was.
Allah hebbe mijn ziel. Allah is groot.
Jullie liefhebbende man en papa,
Shahid.

Abu Bakr moskee

'Schulz, neem die telefoon op, imbeciel van een chef. Waar zit je nou? Wat hebben we aan een chef die niet op zijn plek zit.' Dennis Neumann liet voor de derde keer de telefoon helemaal overgaan. Er werd niet opgenomen, hij kon zijn ergernis nauwelijks de baas.
Hij dwong zich kalm te blijven.
Schulz kennende was het heel vreemd dat hij de telefoon niet opnam.
Machteloos moest Dennis toezien hoe het Mercedesbusje vertrok. Hakim was opnieuw naar het hek gelopen en opende dat voor het busje.
Dennis probeerde het nummerbord te lezen toen de bus linksaf sloeg, de Richardstrasse op, en onder het zwakke licht van een lantaarn door reed. Slechts een gedeelte van het kenteken kon hij opnemen, toen verdween het busje de donkere nacht al in.
Hakim bleef bij het geopende hek staan en voerde een telefonisch gesprek.
Een paar minuten later hoorde Dennis opnieuw het geluid van een automotor naderen.
Dit keer was het een grote BMW.
Hakim liet hem passeren en sloot daarna het hek.
De BMW reed met een kalm gangetje de oprit op en de chauffeur parkeerde de auto zo dicht mogelijk bij de beweegbare grafsteen.
Dennis piepte Ali Ghazi op en vertelde hem fluisterend dat Schulz niet opnam en dat hij zich gereed moest houden voor actie.
Opnieuw probeerde Dennis Schulz telefonisch te bereiken.
Vijfmaal ging de telefoon over, toen hij eindelijk werd opgenomen.
'Schulz,' fluisterde Dennis.
Het bleef stil aan de andere kant van de lijn. Het enige wat Dennis waarnam was de zachte ademhaling van iemand.
'Wie bent u?' vroeg Dennis. 'Waar is Schulz?'
Een gesmoorde onherkenbare stem zei in gebroken Duits: 'Wij hebben Schulz, dus loop ons niet voor de voeten, anders is het einde verhaal voor jouw chef.'
'Wat, wie zijn jullie?' Dennis schreeuwde het bijna, maar de lijn viel dood.
Van afstand zag Dennis dat er drie dozen in de BMW werden geladen.
Hij zag dat Hakim met de lege steekwagen terugliep naar de beweegbare grafsteen en de chauffeur met de rug tegen de auto leunend hem na stond te kijken.

Opnieuw kwam de grafsteen omhoog.
Dennis belde neef Ali en zodra deze opnam, fluisterde Dennis zijn instructies.
'Nader de BMW van de andere kant, kruip ongezien op de achterbank en duik weg, zo laag mogelijk. Wanneer de BMW geladen is, loopt Hakim voor de auto uit om het hek open te doen. Je laat de BMW de Richardstrasse inrijden en zodra je uit het zicht van het hek bent, maak je de chauffeur onschadelijk. Je laat de BMW langs de stoep geparkeerd achter en je komt zo snel je kunt terug naar het hek. Ik neem Hakim voor mijn rekening, hij is dan alleen boven de grond. Daarna pakken we die andere kerel wanneer hij met de graftombelift weer boven komt en gaan dan samen naar beneden. Ik reken op je. Succes.'

Islamabad, 05.30 uur

Shahid stond wankelend op, tranen verduisterden zijn blik. Het briefje was geschreven, nu moest hij weg zien te komen.
Voorovergebogen, leunend op zijn bureau, stond hij daar nog even, als een gebroken man.
'O, Allah, geef me de kracht om door te gaan,' bad hij.
Hij richtte zich op en begaf zich naar de kluis, toetste de code in en opende de deur.
Een langwerpig pakket, in linnen verpakt, haalde hij naar zich toe.
Het wandklokje vertelde hem dat het de hoogste tijd was om zijn kruistocht te beginnen en stilletjes uit zijn woning te verdwijnen.
Zachtjes kleedde hij zich aan, de kleedkamer lag vlak naast zijn studeerkamer en het kleine beetje geluid dat veroorzaakt werd door het aankleden, werd gesmoord door de dichte deur.
De kans dat Fatima of een van zijn dochters wakker zouden worden was nihil, zeker gezien het vroege uur.
Hij had een makkelijk zittende, donkere broek uitgezocht, een donker shirt en donkere sokken. Een paar donkere Puma sportschoenen voltooiden zijn outfit.
Hij controleerde het pistool, schoof een magazijn van onder in de greep en duwde de magazijnpal dicht. De overgebleven magazijnen liet hij in zijn ruime broekzakken glijden, als ook een grote staaflantaarn.
Hij stak zijn befaamde stootdolk, een Fairbairn Sykes, in de daarvoor speciaal ontworpen kunststof schede. Een gift van zijn studievriend in Cambridge. De stootdolk stond beter bekend als commandodolk, vanwege zijn gebruik door de Engelse commando's. Stil sloop Shahid de hal door naar de voordeur, hij had het pistool op zijn rug tussen zijn broeksriem geschoven en zijn shirt eroverheen laten vallen.
Bij de voordeur gekomen schoof hij geluidloos de grendels weg.
Ook het openen van de deur gaf geen geluid, de scharnieren waren goed geolied.
Een keer in de maand kwam een onderhoudsman langs, voor het opknappen van

kleine karweitjes, zoals het oliën van de deurscharnieren.
Hij sloot de deur achter zich met het gevoel dat dit de laatste keer was.

Friedrichstrasse

Gekneveld en vastgebonden aan zijn eigen bureaustoel staarde Schulz met uitpuilende ogen naar de broers Al-Makaoui, die lui onderuit in de twee enige fauteuils lagen te suffen.
Marc van Someren, alias Mustapha, wilde geen risico nemen en het leek hem een goed plan om de chef van de Anti Terreur Eenheid Berlijn een tijdje te gijzelen in zijn eigen kantoor, zodat zijn directe ondergeschikten zich wel tweemaal zouden bedenken om in actie te komen.
Hij was geschrokken van de overval op de Abu Bakr moskee en had zelfs op het punt gestaan de hele actie af te blazen, maar dat kon hij niet maken tegenover zijn vriend in Kabul. Wanneer de explosieven geplaatst waren, dacht hij de rest over te kunnen laten aan Said, om zelf veilig terug te keren naar Antwerpen.
Maar de overval deed hem van gedachten veranderen.
Om het zwaar beveiligde kantoor van Schulz binnen te komen was niet eenvoudig, maar hij hield ervan zaken simpel te houden.
De broers Al-Makaoui hadden het beveiligde kantoor in de gaten gehouden en zo iemand naar binnen zien gaan, die erg veel op Mustapha leek. Ze hadden de man gefotografeerd en Said Boultami was erachter gekomen, dat de man een GSG9 commandant was en luisterde naar de naam Andreas Heller. Ook zijn stemgeluid kwam aardig overeen met dat van hemzelf.
Even oefenen en afgelopen avond had hij zich aangemeld, eerst per telefoon, met de mededeling dat hij Schulz dringend moest spreken en dat dat niet per telefoon kon.
'Kom maar langs,' had Schulz gezegd, 'ik ben hier toch.'
Hij had zich om elf uur gemeld. De deuren waren opengegaan en niet hij, maar de beide broers Al-Makaoui waren naar binnen gegaan. Schulz bleek alleen op kantoor te zijn, wat hun dus goed uitkwam.
Deze nacht hadden ze nodig om de zware explosieven te plaatsen en Schulz gaf hun hiermee een vrijkaartje. De broers zouden vroeg in de ochtend de knevel voor zijn mond verwijderen, om daarna te verdwijnen, de buitendeur openlatend.
Personeel van de aangrenzende kantoren zou 's morgens vroeg Schulz horen roepen en hem bevrijden.
Mustapha had zijn zaakjes goed geregeld.
Anwar Ismail, de Antwerpse wapenhandelaar en zijn twee handlangers, tevens explosievenexperts, moesten samen met Aziz Ahmed en de twee nazi's, Adolf Polanski en Anwar Peters, de explosieven plaatsen langs Unter den Linden en nabij de Brandenburger Tor, de finish van de wielerronde.

Abu Bakr moskee

DENNIS NEUMANN TROK ZIJN revolver, een Ruger Target Match kaliber .359 Magnum, uit zijn holster en begon Hakim Hadji te besluipen.
De BMW was zojuist door de poort vertrokken, met Ali Ghazi weggedoken tussen de achterbank en de voorstoelen. Hakim staarde een moment naar rechts de Richardstrasse in, nam zijn mobieltje en toetste een nummer in.
Elke struik of grafsteen gebruikend als dekking sloop Neumann diep gebukt op Hakim af die, afgeleid door het telefoongesprek dat hij voerde en tegelijk de straat inkijkend, met zijn rug naar de geluidloos naderende Dennis toe stond.
Hakim beëindigde het telefoongesprek juist op het moment dat Neumann hem tot op een meter genaderd was. De zwaar getrainde terrorist voelde de dreiging in zijn rug, draaide zich met een ruk om en keek Neumann recht in de ogen. De grote Ruger revolver in de linkerhand van Neumann geheel negerend trok de terrorist een klein model Turks kromzwaard, maar voordat hij toe kon steken, zwaaide Dennis zijn rechterbeen gestrekt omhoog en trof de terrorist met de voet, recht op het puntje van zijn kin.
Een *highkick* uit het boekje.
Verdwaasd, en met de armen slap omlaagvallend, wankelde de terrorist achteruit en vond met zijn rug steun tegen het ijzeren hek. Maar Dennis maakte het karwei af en gaf hem nog een rechtse directe, die Hakim Hadji een *knock down* bezorgde.
De Ruger terug in zijn holster stekend en het gevallen Turkse kromzwaard oprapend, dat hij aan zijn rechterzij tussen zijn riem stak, greep Dennis de terrorist van achteren onder de oksels en sleepte hem de graftuin in.
Opnieuw klonk het geronk van een naderende auto.
Dennis rukte het hoofddeksel van Hakims hoofd en zette het op zijn eigen hoofd; snel liep hij naar het ijzeren hek.
Geen seconde te vroeg.
Een Volkswagen reed vanaf de straat door het hek het terrein op.
Met zijn rechterhand op het handvat van het Turkse kromzwaard en zijn hoofd iets gebogen, gaf hij met zijn linkerhand aan dat de Volkswagen door kon rijden.
De nietsvermoedende chauffeur van de Volkswagen reed, net als zijn voorgangers, tot dicht bij de grafsteenlift.
Terwijl Dennis het rolhek langzaam dicht duwde, keek hij uit naar neef Ali Ghazi. Hij sloot het hek niet helemaal, maar liet een kleine opening open voor Ali en draaide zich om.
De schrik sloeg hem om het hart, toen hij zag dat de grafsteen weer langzaam omhoog zweefde. De afstand was te groot om die snel te overbruggen en ook deze terrorist uit te schakelen.
Dennis wachtte tot de lift zijn hoogste stand had bereikt en hij een kerel tevoorschijn zag komen met een steekwagentje, waarop drie dozen gestapeld waren.
Hij draaide zich om en frommelde aan het hek, terwijl hij deed alsof hij een probleem met het hek had.

Een grote wolk schoof voor de maan en het werd aardedonker, alleen het flauwe licht van een straatlantaarn bescheen Dennis en het hek.
Hijgend kwam neef Ali aangerend en Dennis siste hem toe: 'Op je buik, maak jezelf onzichtbaar.'
Als een slang op zijn buik, zich met de ellebogen voortbewegend, kroop Ali door de opening van het hek. 'Schakel de chauffeur van de Volkswagen uit, ik zorg voor die andere.'

Islamabad

Shahid Aslam draaide zijn bolide rechtsaf, een doodlopende straat in.
De flats aan beide zijden van de straat zagen er vervallen uit, de verf bladderde van de deuren en raamkozijnen af. Achter enkele ramen hingen in plaats van gordijnen juten zakken. Een van de vele armoedige straten in een achterstandswijk. De honderd meter diepe straat werd schaars verlicht door twee lantaarns.
Hij parkeerde de bolide tegenover de lantaarn links aan het eind van de straat en liet de motor stationair draaien.
Gedurende een minuut observeerde hij de straat. Op dit vroege uur was er geen levend wezen te bekennen, afgezien van de twee katten die halverwege de straat om een dood vogeltje vochten.
Voor hem stond een zes meter hoge muur, die de straat afsloot.
Boven op de muur had men rollen prikkeldraad aangebracht en glasscherven ingemetseld.
In het midden van de muur bevond zich een enorme, twintig centimeter dikke eikenhouten deur van vier meter breed en drie meter hoog. Direct naast de deur bevond zich een loopdeurtje, aan de buitenkant versterkt met een ijzeren hekwerk.
Shahid, ervan overtuigd dat niemand belangstelling voor hem toonde, klikte op een afstandsbediening en het enorme houten gevaarte schoof als een garagedeur schuin naar achteren en omhoog.
Langzaam trok hij op en reed door de vrijgekomen ruimte.
Achter de muur werd een twee verdiepingen hoog, witgeschilderd huis zichtbaar. De oprit tot aan het huis eindigde in een T-splitsing, daarna liep het rijpad naar beide zijden en omtrok het hele huis. Tuinverlichting langs het rijpad zorgde voor voldoende licht.
Een druk op de knop en de eikenhouten deur zakte weer op zijn plaats.
Langzaam reed hij op het huis toe.
Het huis lag midden op een open terrein van circa vijfduizend vierkante meter, met van het huis uit gezien aan de voorkant eenzelfde ingang als aan de achterkant en loopdeurtjes aan de zijkanten van het terrein.
Een onbehaaglijk gevoel maakte zich van hem meester. De buitenverlichting brandde, wat betekende dat het alarm was uitgeschakeld. Dus er hield zich iemand op.
Hij stuurde de bolide om het huis heen naar de voorkant. Met een schok herkende hij de auto van Safdar.

Safdar wist al dat hij eraan kwam.
Wanneer een van de grote garagedeuren of een van de loopdeurtjes werd geopend, klonk in het huis een geluidssignaal. Op een monitor kon men het gehele terrein overzien door de aangebrachte camera's aan de buitenkant van het huis. Vanuit een raam op de eerste verdieping scheen een zwak blauwachtig licht naar buiten.
Dat was vreemd. Op de bovenverdieping bevonden zich drie grote slaapkamers en een badkamer.
Het huis was geheel onderkelderd. Hier lagen explosieven, diverse soorten wapens en uitrustingen opgeslagen.
Aslam nam zijn pistool in zijn rechterhand en opende met de linker de voordeur.
Zodra hij de ruime hal betrad, keek hij snel om zich heen.
'Je bent vroeg, Shahid,' klonk een stem van bovenaf.
Omhoogkijkend zag hij Safdar op de galerij, spelend met een pistool.
Achter hem stond een half geklede jonge vrouw, die giechelend vroeg: 'Is hij het?'

Wassenaar, vrijdagochtend 01.45 uur

'We moeten hier weg, Jozef.'
Abdullah zat peinzend tegenover Stalman in het ondergrondse kantoor, met links en rechts van hem Yannou en de Professor.
'Het is mij een raadsel dat de juten ons zo snel op het spoor zijn gekomen.'
Na deze opmerking bleef het een poosje stil.
Stalman knikte. 'Waarschijnlijk,' zei hij, 'zijn ze achter onze relatie gekomen via de Black Eagles.'
Abdullah schudde heftig met zijn hoofd. 'Dat geloof ik niet, die jongens hebben een zwijgplicht ten aanzien van elkaar en zullen nooit en te nimmer inlichtingen verstrekken aan buitenstaanders, en zeker niet aan een juut.'
'Alles best,' liet Yannou zich horen, 'maar hoe komen we hier weg en waarnaartoe?'
'Dat is niet zo moeilijk,' mengde de Professor zich in het gesprek. 'We hebben handgranaten en munitie genoeg om een jaar lang stand te houden. Voor we uitbreken, gooien we vanuit de villa gezien handgranaten naar alle kanten. Wanneer deze ontploffen, zullen onze belagers een ogenblik in verwarring zijn en gebruikmakend van die verwarring, breken wij naar alle kanten uit. De auto's staan verspreid in de buurt en voor de politie het in de gaten heeft zijn wij al uit het zicht.'
Opnieuw bleef het even stil, voordat de Professor vervolgde: 'We zitten echter met twee problemen. Ten eerste: als wij zijn vertrokken, zit Stalman met de gebakken peren, en ten tweede: waar moeten we heen?'
Een licht zoemend geluid gaf aan dat de lift naar beneden kwam.
Alle vier de aanwezigen lieten vrijwel automatisch hun blikken op de liftdeur rusten, wat voortkwam uit onbewuste nieuwsgierigheid.

Een klein schokje en de liftdeurtjes openden zich.
Geheel aangekleed en opgemaakt, parmantig als ze kon zijn, betrad Goedele het kantoor.
Ze nam plaats naast haar echtgenoot, terwijl ze zei: 'Ik ben er klaar voor.'
Glimlachend keek Stalman de andere drie aanwezigen aan.
'Heren,' sprak hij, 'wij zullen geen sta-in-de-weg meer zijn, als jullie willen uitbreken. Na het bezoek van de politie gistermiddag begreep ik dat het de hoogste tijd voor ons is om te verdwijnen. Goedele heeft onze vliegreis om laten boeken van morgenmiddag naar straks. Om 08.00 uur vertrekt ons vliegtuig, een toestel van Delta Air Lines, met een tussenlanding op Paris de Gaulle, naar Boston.'
'Officieel heet het dat we een weekendje Parijs pakken.'
'Mohammed, mijn vriend, hier heb je de sleutel van deze villa en de sleutel van een herenhuis in de Vogelwijk. Het huis staat aan de Laan van Poot, tegenover de Bosjes van Poot. Niemand weet dat het huis van mij is, het staat namelijk op naam van ene Durant, een niet bestaande broer van Goedele. We nemen nu afscheid, want om 04.00 uur vertrekken we naar Schiphol. Doe ons een plezier en breek pas vanavond uit, men kan ons dan niet meer achterhalen. We zijn dan, als alles meezit, op weg van Boston naar de Kaaimaneilanden.'

Abu Bakr moskee

Amin Hadji, de jongere broer van Hakim, stond een moment verbaasd naar de rug van zijn veronderstelde broer te staren.
Toen de donkere figuur bij het hek met zijn hand zwaaide, begreep hij dat hij gewoon door moest gaan met het laden van de dozen explosieven.
Het steekwagentje vooruitduwend liep hij in de richting van de geparkeerde Volkswagen, niet meer omkijkend naar de figuur bij het hek, die zich nu snel naar de zwevende graftombe repte.
Ali Ghazi was ondertussen tot achter de Volkswagen geslopen en herkende de chauffeur. Het was een van de nazi's, Anwar Peters.
De chauffeur van de BMW, Aziz Ahmed, die hij buiten gevecht had gesteld, lag gekneveld in de bagageruimte.
Glurend door de ramen van de Volkswagen zag Ali de voor hem nog onbekende terrorist met het steekwagentje naderen.
De half verklede, maar door de duisternis onherkenbare Dennis Neumann had de als lift dienende grafsteen bereikt.
Twijfelend stond Dennis een ogenblik stil.
Hij keek naar de Volkswagen, waar Amin en de chauffeur de dozen in de kofferbak stapelden. Neef Ali is slim genoeg om ze niet alle twee tegelijk aan te vallen, dacht hij.
De lift stond nog steeds boven de grond en een vijftien watts peertje verlichtte zwak de liftruimte.

De verleiding om naar beneden te gaan werd te groot. Hij nam een besluit en stapte de lift in. Zijn ogen speurden snel de wanden af, op zoek naar een bedieningspaneeltje. Boven in de achterwand ontdekte hij twee drukknopjes. Een groene met een pijltje naar beneden en een rode met een pijltje naar boven. Dat betekende dat de lift maar twee stops kende, een boven de grond en een onder in de kelderruimte.
Als gehypnotiseerd staarde hij een ogenblik naar de groene drukknop en greep toen plotseling het lege steekwagentje dat nog buiten de lift stond, trok het naar zich toe en drukte op de groene knop.
Het zoemende geluid van een elektromotor klonk en met een klein schokje zette de lift zich in beweging.
Het steekwagentje stond rechts achter hem en zijn rechterhand omklemde een van de handvaten. In zijn linkerhand glom de revolver, met de veiligheidspal eraf en schietklaar.
Hoe verder het gevaarte zakte, hoe meer licht de liftkooi binnenstroomde. Terwijl de adrenaline door zijn aderen gutste, hield hij de adem in.
Om de kelderruimte eerder te kunnen overzien, zakte Dennis door de knieën en met verbazing constateerde hij dat er niemand aanwezig was.
De lift kwam met een schokje tot stilstand en Dennis stapte de kelderruimte in, het steekwagentje meenemend.
Van achter een wand, achter in de kelder, klonken voetstappen en een stem bromde: 'Dit duurt te lang, Amin, je moet sneller...'
De kerel kwam om de hoek de kelder binnenstappen en zijn stem stokte toen hij een steekwagentje razendsnel op zich af zag komen.
Het steekwagentje trof hem vol op de borst en wierp hem terug tot achter de wand.
Met een paar snelle stappen was Dennis bij het slachtoffer. Dat probeerde kreunend van de pijn het steekwagentje van zich af te duwen. Een brede streep bloed drong zichtbaar door zijn thobe naar buiten. De scherpe onderkant van het steekwagentje had hem boven in de borst getroffen.
Neumann nam het wagentje weg en terwijl hij de kerel aan zijn boord met één hand omhoogtrok, vroeg hij: 'Imam Youssef, neem ik aan?'
De man schreeuwde het uit van de pijn en sloeg wild met zijn armen.
'Nou, nou, rustig maar, neem daar maar even plaats.'
Achter de wand bevond zich een professioneel ingericht kantoortje, compleet met telefoon en computerapparatuur. De imam achteruitduwend drukte Dennis hem in een stoel voor het bureau. Het bovenlichaam van de imam zakte iets naar voren, zijn handen steunend op zijn knieën. Zijn borstkast was behoorlijk gekneusd, waardoor hij zwaar piepend ademhaalde. 'Vertel me, imam Youssef, waar bevindt Said Boultami zich?'
Als antwoord kwam er hoestend een bloederig mengsel uit de mond van de imam. Hoofdschuddend en emotieloos bekeek Neumann de hoogste Europese Al-Qaidaleider. Hij moest zich bedwingen om de terroristenleider geen kniestoot te geven, maar de man gleed langzaam, als in een in slow motion opgenomen film,

voorover van zijn stoel. Neumann ving hem op en liet het slappe lichaam op de grond zakken.
Overeind komend draaide hij zich om en richtte zijn aandacht op de kelderruimte.
Het was een ruimte van acht bij tien meter, met aan de linkerkant een vlakke muur en tegenover hem de graftombelift. Naast de lift stond nog een tiental dozen opgestapeld.
In de rechterwand bevonden zich in het midden twee deuren vlak naast elkaar. Maar zijn aandacht ging eerst uit naar de linkerwand, omdat deze grensde aan de kelderruimte onder de moskee.
Gebonk op de grafsteen, dat gedempt vanuit de lift tot hem doordrong, bracht hem op andere gedachten. De imam had de naam van Amin genoemd, dus de voor Neumann nog onbekende terrorist boven moest de jongere broer van Hakim zijn. Aan het gebonk te horen werd Amin Hadji ongeduldig en Neumann besloot met de lift omhoog te gaan en zijn verrassingsvoordeel uit te buiten om de terrorist onschadelijk te maken.

De nazi Anwar Peters hing nonchalant tegen de achterkant van de Volkswagen. Hij had zojuist samen met Amin Hadji de drie dozen explosieven achter in de bagageruimte geladen. Amin was teruggekeerd naar de grafsteenlift en de nazi-terrorist zag Amin bonken op de grafsteen.
Een harde klap op zijn schedel deed hem, voordat hij wegzakte in het niets, twee dingen voelen en zien: een verschrikkelijke misselijkmakende pijnscheut en een felle lichtstraal.
Ali Ghazi gniffelde zacht voor zich heen. 'Dat is nummer twee en met Hakim erbij zijn dat drie buiten gevecht gestelde terroristen.'

Vliegveld Tempelhof

ANWAR ISMAIL, DE ANTWERPSE wapenhandelaar, en zijn twee explosievenexperts hielden zich schuil in een verlaten loods vlak bij vliegveld Tempelhof.
De Mercedesbus was een halfuurtje geleden gearriveerd en Ismail begon zich ongerust te voelen bij het uitblijven van de BMW. De wagen had er tien minuten geleden al moeten zijn.
De chauffeur van de bus, Adolf Polanski, was al uitvoerig door hem ondervraagd, maar de nazi hield vol dat alles volgens plan verliep. Hij wist ook niet beter.
Ismail liep voor de vierde keer naar de loodsdeur, schoof hem op een kier en gluurde naar buiten, ondertussen erop bedacht dat er nu toch een begin gemaakt moest worden met het plaatsen van de explosieven. Nog steeds geen glimp van de BMW te zien.
Hij draaide zich om, staarde een moment naar de bus en nam een besluit.
'Hammed,' zei hij, 'vertrek met Adolf en begin met het plaatsen van de explosieven.'

Oman, de tweede explosievenexpert, schoof de loodsdeur helemaal open, zodat de bus kon vertrekken.
Ismail haalde zijn Nokia uit zijn borstzak en toetste het nummer van Boultami in, volkomen tegen de afspraak in om elkaar tijdens de operatie niet te bellen.

Abu Bakr moskee

De zwarte keffiyeh van Hakim stevig op zijn hoofd drukkend stapte Neumann de lift in, de lege steekwagen achterlatend.
Zijn hand ging naar de rode drukknop toen hij verstijfde; achter zich hoorde hij een deur opengaan.
Een stem snauwde: 'Blanke hoer, je wilt niet, hè, maar ik heb geduld en mijn tijd komt... Hakim, wat doe jij beneden?'
'Blanke hoer? Lisa?' hamerde het door Dennis' hoofd. Een felle woede maakte zich van hem meester, en achteruit stappend stond hij voor de tweede keer in de geheime kelderruimte.
Hij greep het steekwagentje en zwaaide het met ongelofelijke kracht rond zijn eigen as; hij liet het los, en vervolgens vloog het als een vernietigend projectiel in de richting van Said Boultami.
Razendsnel sprong de terroristenleider opzij. De steekwagen vloog vlak langs hem heen en knalde met donderend geweld tegen de zojuist door Boultami gesloten deur.
Krakend en versplinterend vloog de deur uit zijn voegen, met de scherpe onderkant van het steekwagentje dwars door de deur.
Dennis rukte de zwarte hoofddoek van zijn hoofd en begon sluipend om Boultami heen te draaien.
'Ah, Salim Khan, maar nu met een kaal hoofd.' Boultami's donkere ogen fonkelden. 'Ik lust je rauw, Pakistani!'
Met een schreeuw en een sprong nam hij de vechthouding van een karateka aan.
Dennis Neumann nam de houding van een bokser aan, zijn gezicht en borst beschermend met zijn armen, en gereed om karatetrappen af te weren. Hij was bovengemiddeld bedreven in kickboksen, een vechtsport met elementen uit het boksen, karate en judo.
Nadat Dennis een karatetrap met de rechterarm had afgeslagen, veranderde de terrorist razendsnel van houding en kwam in met een solide frontkick op de lever van Dennis. De volgende minuten wist Dennis niet hoe hij het had, de terrorist kwam met onnavolgbare harde lowkicks, knie- en stoottechnieken, die zijn klasse bewezen.
Said Boultami had een extra zware opleiding gehad in een van de Al-Qaidatrainingskampen in het grensgebied tussen Pakistan en Afghanistan. Elke dag, drie maanden lang, krachttraining, conditie- en looptraining. Tweemaal per dag 'sparren' en aan het eind van elke dag techniektraining. In het kamp had hij de reputatie van kampioen allround vechter.

De grote Dennis Neumann werd langzaam maar zeker gesloopt. Uiteindelijk zakte hij na een verwoestende kniestoot door de knieën.
Boultami boog zich grijnzend naar voren. 'Hou je gereed, Pakistani, ik zal je een zware knock down bezorgen en als je daaruit komt, wat ik betwijfel, zul je voor de rest van je leven kunnen genieten van niet aflatende zware hoofdpijnen. Maar de rest van je leven zal zeer kort zijn, ik zal je overgeven als sparringpartner aan mijn mannen en ik beloof dat ik je aan het eind van elke dag trakteer op een zware knock down. Hoelang denk je dat vol te houden?'
Leunend op zijn armen, de handen plat op de vloer, probeerde Dennis de dofheid uit zijn hoofd te schudden. Hij was geradbraakt. Nauwelijks drong tot hem door wat Boultami zei, en met een onmenselijke krachtsinspanning probeerde hij overeind te komen.
'Prima, Pakistani, ik wacht tot je weer op je benen staat, daarna is het voor jou einde verhaal.'

Islamabad

'Ja, mijn duifje, dat is hij. Onze hooggeleerde leider.'
Safdar begaf zich naar de trap en vervolgde: 'Shahid, vertel mij eens wat voor klus zo'n haast heeft dat jij het nodig acht om ons midden in de nacht op te laten draven?'
Bedachtzaam de trap afkomend en nog steeds spelend met zijn pistool zei hij over zijn schouder, zonder Aslam uit het oog te verliezen: 'Kleed je aan, mijn duifje, en kom daarna naar beneden.'
Shahid Aslam, inmiddels over zijn verrassing heen, keek Safdar koel in de ogen. Zijn linkerarm hield hij achter zijn lichaam met in zijn hand het pistool.
Ik moet wachten totdat de schurk beneden is.
'Je denkt toch niet dat Safdar achterloopt, hè, hooggeëerde advocaat? Ik heb je nooit vertrouwd, al vanaf het begin niet. De anderen van ons team komen eraan, om mee te genieten van de show die ik met jou ga opvoeren. Ik gebruik deze villa als liefdesnestje, vandaar dat ik hier al was.'
De trap verder afdalend laste Safdar een korte pauze in.
Toen hij de onderste tree had bereikt, sprak hij verder. 'Je zult ons gaan vertellen wat je werkelijk van plan was. Na jouw telefoontje ontving ik na dertig minuten nog een tweede telefoontje en je raadt nooit van wie.'
Shahid stond onbeweeglijk midden in de hal, zijn ogen strak gericht op die van Safdar.
Even sloeg hij de ogen naar boven, alsof er iets te zien was op de galerij en dat bracht Safdar een fractie van een seconde uit zijn concentratie. Op datzelfde moment vloog de linkerarm van Shahid met de snelheid van een aanvallende boa constrictor omhoog. De SIG Sauer kuchte en vanuit een rond gaatje midden tussen de ogen van Safdar, begon bloed te sijpelen.
Als een blok viel de kerel achterover tegen de traptreden aan. Hij was onmiddellijk dood.

Shahid stak zijn pistool terug, liep koelbloedig op de dode af en keek in de glazige ogen en de verbaasde uitdrukking op het gezicht van Safdar.
Hij pakte hem bij zijn benen en sleepte hem naar de kelderdeur.
Hij opende de kelderdeur, en duwde het lijk voorover de kelder in. Het lichaam duikelde de trap af en sloeg met een doffe klap tegen de vloer.

Abu Bakr moskee

LANGZAAM DRONG HET TOT Dennis door dat, wanneer hij weer recht op zijn benen zou staan, Boultami hem de genadestoot zou geven.
Elke seconde uitstel was nu pure winst voor hem.
Langzaam voelde hij de kracht terugvloeien in zijn gebeukte lichaam.
Hij liet zich slap op zijn knieën terugvallen. Bewust schudde hij opnieuw zijn hoofd, alsof hij zijn suf geslagen hersenen weer helder probeerde te krijgen.
Overmoedig boog Boultami zich voorover, pakte met zijn rechterhand Dennis bij de kin en tilde het slaphangende hoofd omhoog.
Met de snelheid van een poema die zijn prooi bespringt, sloeg Dennis zijn rechterarm om de nek van Boultami. De grote man strekte zijn rug als een plank, trok beide benen uit in een rechte lijn met zijn rug en viel met zijn volle vijfennegentig kilo, met Boultami onder zich, tegen de grond en zette tegelijktijdig een *rear naked choke* in. Boultami zat muurvast geklemd.
Hij strekte nog een paar keer zijn lichaam, in een poging onder Dennis vandaan te komen. Bonkte zwak met zijn elleboog op de buik van de grote man, maar wist dat Dennis de regie alsnog naar zich toe had getrokken.
Het lichaam verslapte al door zuurstofgebrek, maar Dennis volhardde en hield de terroristenleider nog een minuut lang in de wurggreep.
Daarna liet hij het slappe lichaam los en kwam moeizaam overeind.

Kopenhagen, 18 mei 02.00 uur

HET WAS STIL EN donker in Kopenhagens belangrijkste winkelstraat, de Stroget.
Op enkele late wandelaars na, waren alleen mannen van de gemeentelijke reinigingsdienst bezig de straat schoon te maken.
De straat werd verlicht door straatlantaarns en nog enkele brandende neonreclames.
Tussen deze mensen bevonden zich drie figuren, verkleed als reinigingsmedewerkers, die zich iets anders gedroegen dan de schoonmakers.
Farid liep, met bezem, voorop. Onder zijn jack hield hij in zijn rechterhand een klein tuinschepje verborgen. Op de rug, tussen zijn broekriem, zat een Glock 17 geklemd.
Hij scharrelde van de ene schaarse boom naar de andere en groef met het schepje kuiltjes van circa dertig centimeter diep.
Abu Hamza, die een ouderwets veegwagentje voortduwde, compleet met vuil-

nisbak, bezem en schop, liep achter Farid aan en deponeerde kleine vierkante, in plastic verpakte blokjes semtex, kneedbare explosieven, in de gegraven gaten. De pakketjes diepte hij op uit de vuilnisbak.
De derde man, Asif, volgde Hamza als een soort opzichter en haalde uit een jas met grote zakken kleine staafjes, detonators, tevoorschijn en stak deze in de kneedexplosieven.
Hij verborg het geheel door de aarde terug te schuiven.
Na een uur waren de werklui klaar met het schoonmaken van de Stroget.
De drie terroristen moesten stoppen met hun lugubere bezigheden, wilden ze niet opvallen. De gebruikte spullen werden in een Ford Transit geladen en met Farid aan het stuur verdwenen ook zij uit de winkelstraat.

Islamabad

NADAT SHAHID DE JONGE vrouw tot buiten het terrein had gebracht, ging hij met spoed terug de villa weer in.
Hij had nog maar een paar minuten om zijn plan ten uitvoer te brengen.
Hij haastte zich de kelder in, keek een moment om zich heen en zag bijna onmiddellijk waar hij naar zocht.
Hij nam een blok semtex en plaatste het tussen zware explosieven en dynamiet. Drukte een detonator, een ontvanger, in het stopverfachtige goedje en nam daarna een zendertje, dat eruitzag als een metalen doosje. Hij controleerde of de veiligheidspal erop zat, trok toen de telescoopantenne uit en een groen controlelampje flikkerde zwak op.
Hij knikte goedkeurend. *Het werkt.*
De telescoopantenne weer induwend kwam hij overeind uit zijn geknielde houding en haastte zich de keldertrap op.
Nadat hij de kelderdeur achter zich had dichtgedaan, overbrugde hij met een paar stappen de afstand tot de voordeur.
Hij liet de voordeur op een kier openstaan, stapte in zijn bolide en reed op de andere uitgang af. Met de afstandsbediening opende hij de zware poort en hij reed naar buiten. Deze doodlopende straat zag er luxer uit dan de straat aan de andere kant van het afgesloten terrein. Hij parkeerde zijn bolide achter een Skoda, sloot de zware poort achter zich en via het loopdeurtje keerde hij terug het terrein op. Hij verborg zich achter een paar struiken direct naast het loopdeurtje en wachtte af.
Al na een minuut kwamen de teamleden achter elkaar het terrein op rijden.
Ze parkeerden hun auto's aan de voorkant, om vervolgens de villa binnen te gaan.
Shahid had genoeg gezien. Het team was compleet en hield zich op in de villa.
Snel verliet hij het terrein via het loopdeurtje en nam weer plaats in zijn bolide.
Hij startte de motor, nam het zendertje op zijn schoot, trok de telescoopantenne uit en haalde de veiligheidspal eraf.
Het groene controlelampje lichtte op en na een paar ogenblikken gewacht te

hebben drukte hij op de knop. Een geweldige explosie volgde.
Het blokje semtex was inderdaad tussen de zware explosieven en het dynamiet geëxplodeerd.
Van de villa bleef niet veel over.
Shahid schakelde emotieloos de bolide in zijn vooruit en reed met gedoofde koplampen de straat uit.

Abu Bakr moskee

'ALI.' DE STEM VAN Dennis Neumann klonk schor van inspanning. 'Bel Pascal en laat hij de anderen oproepen en met spoed hiernaartoe komen.'
'Oké, wat moet ik met Amin Hadji? Zo van een afstand te zien wordt hij behoorlijk ongerust.'
'Schakel hem uit, gebruik desnoods je Beretta en knevel ook de hopelijk nog bewusteloze Hakim. Ik stuur de lift naar boven, dat zal Amin afleiden.'
Vermoeid stapte Dennis de lift in en drukte op de bovenste knop. Toen het gevaarte zich zoemend in beweging zette, stapte hij zo vlug hij kon uit de stijgende lift. Naar adem happend bleef hij een ogenblik voorover staan, zijn handen rustend op zijn knieën.
Water, ik moet iets drinken.
Om zich heen kijkend zocht hij de kelderruimte af, op zoek naar een toilet.
Er moet hierbeneden toch zeker een toilet aanwezig zijn.
Het geluid van een omvallend voorwerp trok zijn aandacht.
Hij probeerde het in zijn hoofd helder te krijgen.
Lisa, natuurlijk!
Met een paar stappen overbrugde hij de afstand. Het steekwagentje opzij en uit de deur trekkend, trapte hij de deur verder uit zijn hengsels.
Met zijn Ruger in de aanslag sprong hij roekeloos naar binnen.
Met handen en voeten gespreid lag Lisa vastgebonden op een bed. Haar mond was met een zakdoek gekneveld. Een omgevallen stoel lag naast het bed. Haar blonde haren golfden wild rond haar hoofd en over haar voorhoofd.
'Lisa,' kreunde Dennis. 'Wat hebben die schoften je aangedaan?'
Opkomende woede maakte hem sterker en met bevende vingers begon hij eerst de zakdoek voor haar mond los te knopen.

Nadat hij eerst Pascal had gebeld, sloop Ali Ghazi langzaam en voorzichtig op Amin af, zo veel mogelijk gebruikmakend van de grafzerken en de spaarzame struiken.
De lift was bijna helemaal boven en hij moest nog zeker tien meter overbruggen.
Dat haal ik nooit.
Hij liet zich snel op een knie zakken en nam de Beretta in beide handen. Hij legde aan op de benen van de terrorist. Op het moment dat deze de lift in wilde

stappen, klonk het zachte gekuch van een pistool met geluiddemper. Verrast en getroffen in zijn rechterdijbeen, tuimelde de terrorist de lift in.
Naar beneden, daar ben ik veilig, gonsde het door zijn hoofd.
Zich omhoogdrukkend met zijn linkerbeen en zijn rechterarm gestrekt, kon hij net bij de onderste knop. Een rennende Ali kon niet voorkomen dat de lift zich in beweging zette naar beneden. Achter de kleiner wordende opening zag Ali een gestrekte arm met in de hand een vuurwapen. Snel liet hij zich vallen en de kogel vloog op een haar na vlak langs zijn linkeroor.
Doof aan zijn linkeroor en overbluft bleef hij, met zijn hand op zijn oor een ogenblik stil zitten.
Ik moet Dennis waarschuwen.
Het geluid van knerpend grind deed hem omzien.

Kopenhagen, 18 mei 03.30 uur

Nick Polsen liep onvast, als een door drank aangeschoten late toerist, over de Stroget.
Hij zag de werklui van de gemeentelijke reinigingsdienst hun schoonmaakspullen opbergen en de winkelstraat verlaten.
Een van de laatsten stopte bij een boom en van afstand zag Nick hem aan de voet van de boom in de aarde woelen.
Nick had drie rechercheurs van het politiekorps Kopenhagen onder zijn hoede gekregen en zij patrouilleerden over de Stroget.

De door de barkeeper herkende Deense Marokkaan kon onmogelijk benaderd worden. Hij bleef, net als de andere lijfwachten, steeds dicht in de buurt van de sjeik. Na het inschakelen van enkele wijkagenten uit het district Norrebro, herkenden dezen nog twee zogenaamde Koeweitse lijfwachten, waardoor het plaatje helderder werd. De oorspronkelijke lijfwachten waren ondergedoken in de stad en hun plaatsvervangers waren Kopenhaagse inwoners van Marokkaanse afkomst.
Door het verbod van chef Lunde om de sjeik aan te pakken, verbleef een gefrustreerde Niels Jacobson op zijn kantoor, overdenkend hoe hij de zaak nu verder moest aanpakken.
Tweemaal per dag was de groep bij elkaar gekomen, de schaarse gegevens uitwisselend en niet precies wetend wat te doen.
Op onverklaarbare wijze waren opnieuw twee oorspronkelijke bodyguards uit het hotel verdwenen en vervangen door twee inwoners uit Norrebro.
Niels Jacobson had zijn chef Bert Lunde geadviseerd contact op te nemen met de korpschef van het Kopenhaagse politiekorps en te vragen het korps in de hoogste staat van paraatheid te brengen.
Zijn vraag om het team te versterken met een tiental rechercheurs werd ingewil-

ligd en samen met Sven Larsen en Nick Polsen werden alle doelen die in aanmerking kwamen voor een terroristische aanslag in kaart gebracht.
Jacobson had de mannen en vrouwen in een briefing het hoogst noodzakelijke verteld, teams samengesteld van twee, drie of vier agenten en hen op objecten gezet die zo onopvallend mogelijk bewaakt moesten worden.
Van de luchthaven Kastrup was bericht gekomen dat de sjeik aanstaande zaterdag om 19.00 uur terug wilde vliegen naar Koeweit.

Door een klein ontvangertje, dat in zijn oor was geplaatst, ontving de rechercheur een opdracht van Nick.
'Controleer de aarde onder de boom die zich nu recht voor jou bevindt en voel of er iets verborgen is.'
De rechercheur had net een sigaret opgestoken en wandelde rustig op de boom af.
Er vlak langs lopend bukte hij zich en duwde zijn sigaret uit terwijl hij met zijn vingers in de aarde woelde. Een schok ging door zijn lichaam, zijn hand betastte een vierkant pakketje. Voorzichtig haalde hij het pakketje naar boven en liet het op de aarde liggen.
Nick volgde de rechercheur op zo'n 150 meter en zag hem schichtig om zich heen kijken.
Vanuit een donkere overdekte galerij spoot een vuurflits in de richting van de rechercheur.
Zijn hand greep naar zijn borst, hij wankelde even en zakte toen door zijn knieën; hij viel zijdelings tegen de grond.
Direct daarop kwamen van onder de galerij twee kerels tevoorschijn, waarvan de een op de boom afrende en de ander met de benen gespreid en gestrekte armen de eerste dekking gaf, een pistool in de hand.
Voordat Nick zijn pose opgaf en het op een rennen zette, greep de eerste kerel een pakketje uit de aarde, keerde zich om en samen met zijn maat verdween hij in een zijstraat van de Stroget ter hoogte van de Nygade.
De neergeschoten rechercheur was voor Nick op dit moment het belangrijkste.
Terwijl hij op de man afliep meldde hij het schietincident aan de centrale politiepost, vroeg om een ambulance en vertelde erbij waarheen de kerels verdwenen waren.
Er was altijd een kans dat de extra surveillerende politieauto's de kerels konden onderscheppen.

Abu Bakr moskee

Een scherp iets drong in de rechterbovenarm van neef Ali.
Op een meter of zeven kwam een dreigende donkere gestalte op hem af.

Dat moet Hakim zijn.
Hij zag de arm van de donkere gestalte bliksemsnel naar achter in de nek grijpen en weer naar voren komen. Een straal maanlicht weerkaatste op een metalen voorwerp, dat op hem afkwam.
Ali wierp zich opzij en liet zijn Beretta driemaal knallen.
Het tweede stuk metaal vloog rakelings langs het lichaam van Ali.
De door drie kogels getroffen gestalte was tot op vijf meter genaderd en het ongelofelijke gebeurde, de arm ging opnieuw naar achter in de nek en een derde stuk metaal vloog op Ali af en trof hem in de rechterschouder.
Wazig en misselijk van de pijn zag Ali de arm opnieuw naar achteren gaan.
De dreigende gestalte zwaaide heen en weer, zette nog een stap naar voren en sloeg toen vlak voor Ali tegen de grond.
Een vierde stuk metaal viel uit de krachteloze hand van de terrorist.
Ali beefde over zijn hele lijf, het was alsof hij de dood in de ogen had gekeken.
Was het de angst of de ondraaglijke pijn die door zijn hele lichaam trok?
Met zijn linkerarm drukte hij zich omhoog in zittende houding.
Zijn rechterarm en -schouder brandden als vuur en hingen slap langs zijn lichaam.
Bloed druppelde op de grond.
De pijn verbijtend legde hij de SIG Sauer naast zich neer en trok met een ruk het stuk metaal uit zijn schouder. Met betraande ogen bekeek hij het met bloed besmeurde stuk metaal.
Het werpmesje was niet langer dan vijftien centimeter, maar had een vlijmscherp snijvlak van ongeveer tien centimeter lang.
Hij keek naar de voorovergevallen terrorist en schopte hem tegen zijn hoofd, maar de oudste Hadji was drie keer in de borst getroffen en de aarde onder hem kleurde rood van zijn bloed.
Met een schok realiseerde Ali zich dat de jongste broer Hadji zich inmiddels beneden in de geheime kelderruimte bevond en daar was ook Dennis.
Ik moet hem nu waarschuwen.

Kopenhagen

De Ford Transit, zo op het oog gewoon een wagen van de stadsreinigingsdienst, stond met draaiende motor op de hoek van de Skindergade en de Skoubogade.
Farid, die achter het stuur zat, staarde gespannen de Skoubogade in, uitkijkend naar de twee overgebleven terroristen. Hamza en Asif zaten naast hem op de brede passagiersbank.
Ze hadden de schoten gehoord en hielden zich klaar om, indien nodig, hun teamgenoten te hulp te schieten.
'Daar komen ze,' fluisterde Farid nerveus. 'Asif, snel! Houd de achterdeur open.'
Op dat moment passeerde een veegwagentje.
De employé van de stadsreinigingsdienst keek vreemd op naar de Transit en terwijl hij de veegwagen ter hoogte van de cabine liet stoppen, riep hij door het

geopende raampje: 'Van welk stadsdeel zijn jullie?'
'Hè, wat?' reageerde Farid verrast. 'O, wij moesten vannacht in het centrum bijspringen, er waren geloof ik ziekmeldingen of zoiets. Onze standplaats is in Emdrup.'
De sirene van een nog onzichtbare politieauto werd gehoord en Hamza siste tegen Farid: 'Laat die kerel verder rijden.'
Farid keek op zijn horloge en zei tegen de veegwagenbestuurder: 'Onze nachtdienst zit er bijna op, we wachten nog op een collega van ons, en daarna gaan we snel op huis aan. Een goede nacht nog.'
Zijn hand opstekend trok de bestuurder het veegwagentje op en vervolgde met een slakkengangetje zijn weg naar het Raadhuisplein.
Farid trok langzaam op, terwijl de twee nu gearriveerde en hijgende terroristen achter elkaar de laadbak van de Transit in sprongen.
Asif had nog maar net de deur in het slot, toen Farid vol gas gaf en de Transit met gillende banden vooruit schoot.
Opnieuw was het Hamza die Farid terechtwees. 'Idioot,' siste hij. 'Wil je opvallen of zo? Hou je aan de toegestane snelheid.'
Geschrokken paste Farid zich onmiddellijk aan.
Voor hen uit reed het veegwagentje.
Met gillende sirene kwam een politieauto vanaf het Raadhuisplein de Skindergade op stuiven.
Zowel het veegwagentje als de Transit parkeerden netjes rechts van de straat en lieten de politieauto links voorbijrijden.
Hun gecamoufleerde Transit en het veegwagentje vielen niet op bij de politiemensen en nadat zij gepasseerd waren, vervolgden het veegwagentje en de Ford Transit hun weg.

Wembley Stadion, Londen

Een twee jaar oude zwarte Buick Century reed langzaam rond het Wembley Stadion.
Vier kerels in zwarte pakken, met verschillende hoofddeksels op hun hoofd, namen nauwkeurig de omgeving op.
De kerel naast de chauffeur droeg een zwarte gleufhoed.
Onder zijn platgeslagen boksersneus groeide een weelderige hangsnor. Zijn donkerbruine, scheefstaande ogen, gaven hem een Mongools uiterlijk.
Aan de linkerkant ter hoogte van zijn oksel bolde zijn jas iets op.
In de daar aanwezige schouderholster stak een pistool met een magazijncapaciteit van vijftien patronen.
'Is het jullie ook opgevallen?' merkte de gleufhoed op. 'Rond het hele stadion staan verschillende auto's met een paar donkere gestalten erin. Geheid MI5.'
De man achter hem op de achterbank droeg een platte pet, die diep over zijn voorhoofd was getrokken. Blond krullend haar golfde achter in zijn nek vanonder de pet vandaan.

Blauwe ogen boven een rechte neus keken suffig de donkere nacht in. Een verwrongen constante grijns sierde zijn mondhoeken.
'Ik vraag me af,' reageerde de platte pet lijzig, 'of de politie op de hoogte is van onze plannen voor morgenmiddag.'
'Hoe zouden zij dat moeten weten?' repliceerde de kerel naast de platte pet.
Hij droeg een bruine, te grote alpinopet op zwart kroeshaar. Zijn donkere ogen, bolle neus en dikke lippen deden vermoeden dat zijn voorouders uit Midden-Afrika kwamen.
Bij beiden bolden ook de jassen aan de linkerkant iets op.
De chauffeur had een witte kapiteinspet, jolig scheef op zijn, met bruin golvend haar bedekte, hoofd.
'We zijn nu tweemaal rond het stadion gereden,' bracht hij naar voren. 'Een derde keer lopen we het risico dat MI5 nieuwsgierig wordt en ons gaat aanhouden.'
'We hebben genoeg gezien,' antwoordde de gleufhoed met zijn schorre stem.
Hij gedroeg zich als de leider van de vier. 'Terug naar de basis.'
De gangster was twee dagen geleden benaderd door Zahid Waheed, alias dokter William Smith. Het plan was dat hij contact zou opnemen met de Joegomaffia, om een man of tien in te huren die morgenmiddag voor wat afleiding rond het stadion moesten zorgen.
Tevens hadden ze ook nog toegangskaarten gekregen voor de FA Cupfinale.
De gleufhoed vertrouwde het niet helemaal omdat hem een ongeëvenaard hoog bedrag was toegezegd, alleen voor een beetje lol trappen. Daarom was hij met zijn gang vannacht op verkenning uitgegaan.
Het verbaasde hem dat er zo veel politiemensen op de been waren.
Hij had de Joego's al benaderd en ze hadden wel zin in een goedbetaald geintje.

DEEL 6

ABBOTTABAD PAKISTAN, 06.45 UUR

SHAHID ASLAM WAS ISLAMABAD via de N75 uit gereden, om even later rechtsaf te slaan, de N5 op, richting het Panja Sahib complex, nabij de afslag naar de N35.
Abbottabad lag ongeveer vijftig kilometer ten noorden van Islamabad.
Hij piekerde zich suf over wie die vrouw was die Safdar gewaarschuwd had.
Als zij ook Aziz had gebeld, moest hij zeer, zeer voorzichtig zijn, om niet in de val te lopen die hij zelf had opgezet.
Hij begreep er niks van, totdat ter hoogte van de Wah Gardens een lichtgrijze Maserati Gran Cabrio hem passeerde met een snelheid van minstens 250 km per uur.
Het was alsof hij stilstond, terwijl hij zelf toch ook 150 km per uur reed.
Met een schok drong het tot hem door dat hij een maand geleden zijn jongste dochter een lichtgrijze Maserati Gran Cabrio 4.7 V8 voor haar verjaardag had gegeven. Die wagen had een topsnelheid van 280 km per uur.
Zou zijn jongste dochter Yasmina die bellende vrouw zijn? Dat kon toch niet waar zijn. Oké, het was een wildebras, maar verder een keurige studente die hoge cijfers haalde. Trouwens, waarvan zou zij Safdar en Aziz moeten kennen?
Hij minderde vaart toen hij de afslag naar de N35 naderde. Na twintig minuten was hij bijna op zijn bestemming, maar hij moest eerst goed met zichzelf overleggen wat zijn volgende stappen zouden zijn, zeker wanneer het onmogelijke mogelijk bleek te zijn.
Yasmina, de onbekende waarschuwende vrouw.
Zoekend naar een vrije parkeerplaats liet hij de bolide langzaam verder rijden. Tien meter voor zich uit zag hij een vrouw in haar auto stappen en hij stopte de bolide. De vrouw voegde zich in het verkeer en Shahid parkeerde zijn wagen op de zojuist vrijgekomen parkeerplek. Hij schakelde de motor uit en bleef in gepeins achter het stuur zitten.
Hadden Yasmina en Safdar, die onbeschofte terrorist, en Aziz, die koelbloedige moordenaar, connecties met elkaar?
Hij kon het zich niet voorstellen.
Maar toch, hoe meer hij erover nadacht, hoe meer hij tot de conclusie kwam dat zijn dochter de enige was die misschien kon weten wat hij van plan was.
Zij moest wakker geworden zijn vlak nadat hij was vertrokken.
Zij had de afscheidsbrief gelezen en...
Maar dan nog!
In de afscheidsbrief stond geen letter over zijn voornemens.

En hoe was het mogelijk dat zij contact had met een viespeuk als Safdar en een onderwereldfiguur als Aziz? Had zij net als haar vader een dubbelleven?
Vooruit, Shahid, je hebt al te veel tijd verloren. Laat je bolide hier staan en ga te voet uitzoeken wat er allemaal gaande is. Zo kom je er vanzelf achter of jouw dochter wel of geen contacten heeft met de terroristische beweging Al-Qaida of de taliban.
De taliban. Zou ze soms bevriend zijn met een talibanstudent?
En wat ga je doen, wanneer blijkt dat de waarschuwende vrouw inderdaad jouw dochter is?
Hij controleerde z'n Sig Sauer en stak hem achter zijn rug, tussen zijn broekriem. Hij opende het portier en klom moeizaam de bolide uit.
Zou Yasmina de wagen herkend hebben, terwijl zij mij passeerde?
Een stratenblok verderop bevond zich het garen- en bandwinkeltje dat als dekmantel diende en waar de terroristen samenkwamen.
Langzaam zette Shahid Aslam zich in beweging. Het zou veiliger zijn het winkeltje van de achterkant te benaderen.

Kopenhagen

De politieauto parkeerde vlak naast de als eerste gearriveerde ambulance.
Een oudere politieman stapte uit en nam snel de situatie ter plekke in zich op. Een stevig gebouwde kerel in burger kwam op hem af.
'Nick Polsen,' stelde hij zich voor. 'Anti Terreur Eenheid.'
'Bent Larsen, hoofdagent.'
De verplegers hadden de gewonde rechercheur op een brancard gelegd, liepen om de beide politiemannen heen en schoven de brancard de ambulanceauto in. Een van de verplegers stapte achter de brancard aan naar binnen. De tweede sloot de deuren van de ambulance en klom in de cabine. Startte de motor, stak zijn hand op als groet en manoeuvreerde vakkundig de ambulance de Nygade af.
'Een kogel hoog in de linkerschouder,' lichtte Polsen zijn geüniformeerde collega in.
'Ik neem aan, dat jullie op weg hiernaartoe niets verdachts hebben gezien?'
Larsen schudde zijn hoofd. 'Enkele voertuigen van de gemeentelijke reinigingsdienst reden ons tegemoet.'
Ondertussen was ook de collega van Larsen uit de auto gekomen, een nog jonge agent.
'Die twee knapen moeten toch ergens gebleven zijn,' zei Polsen.
Vanuit de stad naderden de gillende sirenes van twee politieauto's. Vlak na elkaar arriveerden de twee wagens en parkeerden naast de eerder aangekomen politieauto. Even later werd Polsen omringd door vijf geüniformeerde politiemannen en een politievrouw. Ook de laatst aangekomen agenten hadden niets verdachts of ongewoons waargenomen. Erik, de jonge agentchauffeur uit de eerste politieauto, stootte zijn oudere collega aan en mompelde zacht, bang dat hij zou blunderen: 'De Transit, die ons tegemoetkwam, vind ik vreemd.'

'O ja?' reageerde Larsen ruw. 'Bemoei je alsjeblieft even niet met grote mannenzaken.'
De jonge agent kleurde rood tot aan zijn oren, mede ook omdat de enige vrouwelijke agent diepe indruk op hem maakte en vlak naast hem stond.
Birgit Linde, de vrouwelijke hoofdagent, wierp een boze blik op Larsen. Tegelijk vroeg ze aan Erik wat er zo vreemd was aan die Transit.
Polsen en de anderen hadden wel de reactie van Larsen gehoord, maar niet de opmerking van Erik. Na de hardop gestelde vraag van Birgit Linde was hun aandacht geheel op Erik gericht. Maar Erik zweeg en haalde zijn schouders op, daarbij keek hij zijn oudere collega Larsen hulpzoekend aan.
'Kom op, jongeman, we kunnen wel een opkikkertje gebruiken,' viel Polsen in. 'Wat was er vreemd aan die Transit?'
'Nou heb je je zin!' Larsen keek zijn jongere collega vernietigend aan. 'In het middelpunt van de belangstelling!'
'Bent Larsen, alsjeblieft,' repliceerde Birgit Linde. 'Je leert het ook nooit, hè.'
Larsen wilde een scherp antwoord geven, maar Polsen was hem voor.
'Nu... ophouden.' Tegen Erik vervolgde hij: 'Wat is je naam?'
'Erik, meneer, Erik Jespersen.'
'Oké, Erik, we zijn hier onder collega's, op zoek naar een groep terroristen van wie er twee onder onze ogen zijn ontsnapt, nadat een van hen een rechercheur uit mijn team heeft neergeschoten. Een zeer ernstige zaak. Elke opmerking is welkom, dus wat vond jij vreemd aan die Transit?'
'De Ford Transit op zich is niet vreemd...'
'Had ik het niet gedacht,' viel Larsen Erik opnieuw ruw in de rede. 'Die blaaskaak denkt meer te weten dan wij met z'n allen.'
'Stop,' viel Polsen uit. 'Is het nou afgelopen, hoofdagent Larsen? Moet ik je soms laten schorsen? Zeg het maar, jongen, wat is jou opgevallen?'
Met neergeslagen ogen verklaarde Erik het volgende: 'Bij mijn weten heeft de stadsreinigingsdienst helemaal geen Ford Transits in hun wagenpark.'
Nick Polsen voelde de schok bij de oudere collega's van de jonge agent, toen de simpele opmerking van Erik tot hen doordrong. Hij klopte de jongen op de schouders.
'Zeer goed, jongeman, uitstekend waargenomen. Ik zal je naam onthouden. Bij onze dienst kunnen we helder denkende jonge kerels goed gebruiken.'
Nick zocht contact met de centrale en gaf de wachtcommandant opdracht een oproep uit te laten gaan aan alle beschikbare units en aan elke beschikbare politieman of -vrouw, om uit te kijken naar een Ford Transit met de merktekens van de stadsreinigingsdienst.
Hieraan toevoegend zei hij: 'Ik zei: waarnemen, dus melden aan de centrale en zelf geen actie ondernemen. Het gaat om vuurgevaarlijke, minstens drie nietsontziende terroristen.'
Tegen de om hem heen staande politiemensen riep hij: 'Wat staan jullie hier nog te lummelen, rijden maar... en wees voorzichtig.'

DENNIS NEUMANN SNEED MET het Turkse kromzwaard van Hakim de touwen door die de handen van Lisa aan het bed gebonden hielden.
Het geluid van een schot deed hem opkijken. Hij kon horen dat de lift weer naar beneden kwam.
Hij streek liefdevol de haren van Lisa's voorhoofd achter haar oren en kuste haar zacht op de mond.
Zich oprichtend rekte hij zich uit en maakte met zijn schouders een paar rollende bewegingen.
Het werkte ontspannend.
Hij hoorde de lift stoppen en iemand kreunend uitstappen.
'Hakim,' schreeuwde die iemand, 'waar ben je, we worden aangevallen! Ik ben door een kogel in mijn been getroffen.'
Een glimlach trok rond de brede mond van Dennis. Hij knipoogde met zijn zwart-bruine ogen naar Lisa en tikte met zijn wijsvinger tegen zijn mond.
Lisa knikte dat ze hem begreep. Ze wees op het kromzwaard, wenkte met haar vinger en wees met haar andere wijsvinger naar haar voeten, die nog vastgebonden waren aan het bed.
Dennis overhandigde haar het kromzwaard, draaide zich om en begaf zich, de stoel ontwijkend, geruisloos naar de deur.
Hij hield zijn revolver in zijn rechterhand voor de borst.
De nog jonge terrorist Amin Hadji kreeg de schrik van zijn leven, toen de grote Dennis Neumann dreigend de kelderruimte binnenstapte.
Hij zat naast de lift met zijn rug tegen de muur en zijn beide handen omklemden zijn gewonde been. Naast hem op de grond lag zijn pistool.
Amin liet zijn been los en zijn rechterhand bewoog zich naar zijn wapen.
Dennis bracht zijn Ruger omhoog en op het moment dat de terrorist zijn wapen wilde pakken, schoot Dennis het pistool buiten bereik van Amin.
Krijsend van pijn trok de jongste broer Hadji zijn hand terug, de kogel had zijn halve pink weggeschoten.
In zijn ooghoeken nam Dennis een beweging waar.
Said Boultami kwam bij en trachtte zich op te richten.
Met een grote stap was Dennis bij de terroristenleider. Woede overheerste nog steeds en meedogenloos schopte hij Boultami tegen het hoofd.
Met een diepe zucht zakte de schoft opnieuw weg in een diep zwart gat en bleef bewegingloos liggen.
Amin Hadji lag zacht te huilen van de pijn, in elkaar gedoken tegen de muur naast de lift.
Zijn goede rechterhand omklemde de linkerpols, waarbij zijn half afgeschoten pink hevig bloedde.
Neumann liep langs de terrorist heen, pakte het wapen van de grond en stak het achter zijn rug tussen zijn riem.
In zijn borstzak begon zijn mobieltje te trillen. *Dat moest Ali zijn.*

Hij drukte het groene knopje in en meldde zich met: 'Dennis.'
'Ik moet je waarschuwen dat Amin beneden in de kelder is en, Dennis, ik ben gewond.' Neef Ali kreunde licht, maar zich vermannend vervolgde hij: 'Pascal is gebeld en hoe staat het bij jou?'
'Lisa is hier bij mij, de jonge Amin zit huilend van de pijn op de keldervloer. Hou jij het nog even uit, tot Pascal en de anderen zijn gearriveerd?'

Wassenaar

Het trillende geluid van haar mobieltje op het nachtkastje wekte Tikva direct uit haar slaap. Ze strekte haar hand uit en toetste het groene knopje in. 'Hallo.'
'Met Sjors, ik krijg net een melding binnen dat er beweging is waargenomen aan de achterkant van de villa.'
'Oké, we komen eraan.'
Nog geheel in zwarte kleding gestoken gleed Tikva het bed uit en liep naar de salon waar Benny voor het raam stond, zijn blik gericht op de slapende stad.
'Benny, ze proberen uit de villa weg te komen.'
Zwijgend knikte Benny. Plaatsnemend op de bank trok hij zijn zwarte sportschoenen aan.
Terwijl hij de veters strak aantrok, overdacht hij de reacties van Roel en Sjors de vorige avond, na zijn opmerking dat een van hen de onroerendgoedhandelaar had gewaarschuwd.
Ze hadden hem geschokt aangekeken.
'Meen je dat?' had de zo welbespraakte Sjors hakkelend gevraagd.
Tikva had uiteengezet waarom ze ervan overtuigd waren dat Stalman op de hoogte was van hun komst. Ze gaf aan dat, toen ze de bibliotheek betraden, ze allebei een penetrante geur hadden opgesnoven. Dit betekende, dat vlak voordat zij binnen waren gekomen er meerdere mensen in de ruimte aanwezig moesten zijn geweest. Maar waar waren deze mensen gebleven? Waarschijnlijk was er een geheime ruimte in de villa.
Roel had een notitie gemaakt en gemompeld dat hij hierover na moest denken.
Nadat ze afscheid hadden genomen van commissaris De Koning, had Benny Sjors te verstaan gegeven dat zodra er beweging in of rond de villa te bespeuren was, hij hen direct moest bellen.
Na hun schouderholster omgedaan te hebben controleerden beiden hun Glock-pistool.
In plaats van zijn dienstwapen, een Walther P5, gaf Benny nu de voorkeur aan een Glock 17. Tikva bezat naast haar Walther P5 een Glock 19. Deze was een slag kleiner dan de Glock 17 en ideaal voor dames.
Hierna sloegen beiden een speciaal ontworpen riem om hun heupen, die reeds voorzien was van munitie, een jachtmes, een zaklantaarn, een rolletje van tien meter dun nylontouw met aan het uiteinde een klein inklapbaar ankertje en een nachtkijker, met een geïntegreerde infrarood LED. Ook bij absolute duisternis gaf

deze nachtkijker een duidelijk beeld in een licht groenachtige kleur. Een zwart, ruim regenjack met capuchon voltooide hun outfit.
De lift kwam op dit vroege uur bijna direct en vijf minuten later stapten ze in de Ford Mustang van Benny. Benny zette het zwaailicht op het dak van de Mustang en bij het naderen van een kruispunt liet hij een kort moment de sirene loeien.
Na een rit die exact tien minuten duurde, parkeerde Benny de zwaar ronkende Mustang achter de Ford Fiesta van Sjors Klein.
Klein kwam uit zijn auto naar hen toe en rapporteerde dat de figuren aan de achterkant van het huis weer naar binnen waren gegaan. 'Maar,' vervolgde hij, 'aan de voorkant opende zich de garagedeur en een grote Mercedes kwam naar buiten gereden. We hebben hem op de straatweg tot stoppen gedwongen en de chauffeur gesommeerd uit te stappen. Het is die onroerendgoedhandelaar Stalman, met zijn vrouw en zoontje.'
Tikva en Benny stapten uit en overbrugden samen met Klein de twintig meter naar de Mercedes.
Benny floot licht tussen zijn tanden. 'Een S-63 AMG,' mompelde hij.
Stalman, leunend op het linkerportier en het dak van de Mercedes, stond met een van boosheid wit weggetrokken gezicht de politiemensen op te wachten.
Voordat iemand iets kon zeggen, viel hij uit: 'Wat is dit voor een manier van doen? Leef ik in een vrij land of is het nu al zover, dat we een politiestaat geworden zijn? Noem een reden waarom we worden vastgehouden en ik waarschuw jullie bij voorbaat dat ik in de hoogste regionen van het korps een heel goede kennis heb zitten. Laat ons nu gaan, want wij willen het vliegtuig van 08.00 uur halen om te genieten van een welverdiend lang weekend in Parijs.'
Totaal niet onder de indruk van de woordenvloed van Stalman keek Benny de onroerendgoedhandelaar doordringend aan en repliceerde: 'Op de verdenking dat u terroristen onderdak verschaft of hebt verschaft, kan ik u enkele dagen vasthouden of huisarrest geven. En dat laatste krijgt u ook. Ik verzoek u terug te keren naar uw villa, om daar voorlopig tot en met zondag te blijven.'
'Dat komt je duur te staan, rechercheur Goedkoop. Dat is toch jouw naam?'
Benny knikte. 'Dat is correct, mijn naam is Benjamin Goedkoop, rechercheur met speciale bevoegdheden.'
Vanuit de auto klonk de zwoele stem van mevrouw Stalman. 'Rustig toch, Jozef, denk aan je hart. Laten we teruggaan naar ons huis, wat maakt het uit? Dan gaan we zondag toch naar Parijs en maken we er een weekje vakantie van in plaats van een lang weekend.'
Bevend van woede, met speeksel op zijn lippen, nam Stalman weer plaats achter het stuur, gooide het portier met een klap dicht, ramde de pook in zijn achteruit en stoof met slippende wielen achteruit. Hij scheurde rakelings langs de auto's van Sjors en Benny, tot voorbij zijn oprit. Hij schakelde naar de vooruit en reed zijn oprit op, terwijl de garagedeur zich oprolde.
Even later was de Mercedes verdwenen en sloot zich de garagedeur.
'Sjors, waarschuw je mannen, het zou me niets verbazen wanneer de terroristen met grof geschut proberen weg te komen.'

Abbottabad

Shahid naderde het winkeltje langs de linkerzijde van de straat.
De auto's van de terroristen stonden achter elkaar, voor of vlak bij het winkeltje geparkeerd. De hele club was aanwezig. Tot zijn spijt zag Shahid ook de Maserati van zijn dochter tussen de auto's geparkeerd staan. Voor het winkeltje, weggedoken in het portaal, observeerde een van de scherpschutters de omgeving.
Shahid verdween in een smalle doorgang tussen twee woonblokken in naar de achterzijde van de flats.
Het schemerde nog en dat was in zijn voordeel.

Twee leden van de Aziz-groep hadden zijn sympathie gewonnen; ze waren anders dan de meeste felle moslimfanatiekelingen.
De eerste was het vrouwelijke lid, de planning- en strategiedeskundige, Daisy, een dochter van een Engelse sergeant en een Pakistaanse verpleegkundige. De tweede was Zulfikar, een van de scherpschutters.
Tijdens de voorbereiding van een aanslag, een maand geleden, had hij met Daisy een kort gesprek gehad.
Bij een voorbespreking was Aziz normaal gesproken altijd van de partij, maar deze keer was hij verhinderd.
Tijdens zo'n bespreking gaven Shahid en Aziz in grote lijnen aan waar en hoe de aanslag gepleegd zou worden, waarna Daisy dat tot in de details uitwerkte.
Nadat hij in grote lijnen had aangegeven waar het deze keer om ging, had hij haar onverhoeds gevraagd hoe zij ertoe gekomen was, zich in te laten met het terrorisme.
Ze had hem eerst vreemd aangekeken, want dat vroeg je niet aan elkaar. Eenieder had zo zijn eigen redenen.
'Jij bent anders, Daisy,' had hij gezegd. 'Jij bent niet een van die fanatieke moslimstrijders die je om je heen ziet. Mannen en soms ook vrouwen, die *high* worden van het doden, zoals drugsgebruikers *high* worden van een drug.'
Daisy had Shahid diep in de ogen gekeken en gezegd: 'Jij ook niet.'

Langzaam naderde Shahid de achterzijde van het winkeltje.
Er was nog steeds niemand te zien.
Toch moest er iemand zijn die de achterzijde bewaakte.
Maar waar bevond hij zich dan?
Shahid probeerde de achterzijde van het winkeltje in gedachten in beeld te brengen.
De achteruitgang lag verzonken in een kleine nis. Dat kon een plek zijn waar de bewaker zich schuilhield.
Dan was er nog het berghok, een klein schuurtje, met daaronder een kelder die van buitenaf via een stenen trap naar beneden te bereiken was. De stenen trap naar beneden was een unieke schuilplaats voor een bewaker.

Een goed overzicht en ook nog een goede dekking tijdens een eventueel vuurgevecht.
In de kelder lagen hun voorraden explosieven en wapens.
Of het berghok zelf.
In de deur had men een vierkant raam van tien bij twintig cm aangebracht, waardoor je de toegang tot de achterplaats goed kon bewaken.
Shahid zat gehurkt opzij achter het berghok en hield zich doodstil, terwijl hij luisterde of er beweging op de achterplaats te horen was.
Zwak drong het geluid van het steeds drukker wordende verkeer van vooraan de straat tot hem door.
Zeker vijf minuten lang bleef hij zo gehurkt zitten.
Een krampscheut schoot door zijn rechterkuitbeen.
Hij wilde zich net verplaatsen, toen een schuifelend geluid van vlakbij zijn oren bereikte.
De bewaker moest zich voor de deur van het berghok bevinden.
Langzaam kwam Shahid overeind.
Hij nam zijn Sig Sauer in de rechterhand en telde in gedachten tot vijf.
Bij de vierde tel werd het keukenlicht aangedaan en daardoor werd de schaduw van een persoon zichtbaar, vlak voor de voeten van Shahid.
De persoon moest dus direct om de hoek van het berghok staan.
Mopperend verwijderde de figuur zich naar de keuken en gebruikmakend van de korte woordenwisseling bij de keukendeur over het aangestoken licht, verdween Shahid in het berghok.
Het keukenlicht werd uitgedaan en de bewaker nam zijn positie voor de deur van het berghok weer in.
Shahid kon niet zien wie van de groep de achterkant bewaakte.
De kerel moest zich bedacht hebben, want plotseling draaide hij zich om, opende de deur en stapte het berghok binnen.
Zich omdraaiend sloot hij de deur en via het raampje bespiedde hij de achterplaats.
Shahid had zich tot achter in het berghok teruggetrokken, maar kwam nu naar voren en drukte zijn Sig Sauer in de nierstreek van de kerel, die abrupt zijn adem inhield.
'Zulfikar,' Shahid had de man herkend. 'Doe een stap achteruit en steek je handen omhoog.'
Snel fouilleerde Shahid de man en van achter zijn broekriem haalde hij een pistool vandaan.
Een Glock die Shahid voorin tussen zijn riem stak. Daarnaast was nog een stiletto verborgen in de rechtermouw van het jack van de man.
'Zulfikar, ik weet dat je een goed mens bent en dat je door omstandigheden in deze ellende terecht bent gekomen. Ik geef je de kans hier en nu eruit te stappen en terug te keren naar een normaal leven.'
Na een korte pauze, waarin Shahid verwachtte dat de man zou reageren, vervolgde hij: 'Wees sterk en pak de draad weer op. Maak je geen zorgen over Aziz,

die zal jou niet meer tegen kunnen houden, daar zorg ik voor. Ik heb één vraag: welke rol speelt Yasmina in dit hele gebeuren?'

Vliegveld Tempelhof

In een loods vlak bij het vliegveld, probeerde Anwar Ismail voor de vierde keer Boultami telefonisch te bereiken. Hij schudde zijn hoofd, dat zat helemaal fout. Hij had van de overval op de moskee gehoord en vroeg zich af of die lui van het anti-terreur team opnieuw de moskee waren binnengedrongen.
Dat moest het zijn, hij kon niets anders verzinnen.
Maar het plaatsen van de explosieven moest doorgaan. Er was echter een probleem. Hij beschikte alleen nog maar over zijn tweede explosievenexpert Oman. Meer mankracht erbij, en snel ook, was hoognodig.
Hij toetste het nummer van Marc van Someren, alias Mustapha, in.
Uiteindelijk had hij de leiding en hem kennende, had hij beslist een oplossing.
Nadat de tune twee keer over was gegaan, meldde Mustapha zich.
'Het zit niet goed bij de Abu Bakr moskee,' rapporteerde hij zonder eromheen te draaien. 'Drie kwartier geleden had de BMW hier moeten zijn en een kwartier geleden de Volkswagen. Ik heb tegen de orders in geprobeerd Boultami te bellen, maar die neemt niet op. Hammed en Adolf heb ik met de Mercedesbus op weg gestuurd om de explosieven onder de Siegessäule te plaatsen. Als ik de spijkerbommen op tijd op de Brandenburger Tor moet plaatsen, heb ik binnen een halfuur twee man extra nodig.'
Mustapha hoorde de rapportage van Ismail rustig aan en nadat deze uitgesproken was, antwoordde hij: 'Binnen drie kwartier beschik je over vier man extra. Het lijkt me een goed idee om een van de broers Al-Makaoui naar je toe te sturen, ter ondersteuning.'
Mustapha verbrak de verbinding en draaide hierna het nummer van Masood Al-Makaoui, die met zijn broer Ahmed nog steeds de wacht hield op het kantoor van Schulz.
Nadat hij Masood volledig had geïnformeerd, vervolgde hij: 'Verdwijn samen met je broer uit het kantoor van Schulz. Zorg dat de man niet kan stikken, want het duurt nog uren voor het dag is en hij bevrijd wordt. Zet Ahmed in de buurt van de Abu Bakr moskee af en laat hem daar voorzichtig een kijkje nemen. Rapportage rechtstreeks aan mij. Jijzelf sluit je aan bij Anwar Ismail, hij kan jouw hulp heel goed gebruiken. Je weet waar zijn basis is. Ik zorg voor nog vier man extra.'
Het bleef even stil, toen zei Mustapha: 'Masood, ik reken op jullie. Allahu akbar.'
Daarna zocht hij contact met de leider van de Moslimbroederschap, een kleine groep broeders, die zich schuilhielden in de Berlijnse achterstandswijk Dahlem.
Het nummer had hij doorgekregen van Imam Youssef, voor wanneer er eventuele moeilijkheden zouden ontstaan.

Kopenhagen

NICK POLSEN HAD ZIJN chef, Niels Jacobson, op de hoogte gebracht van de laatste ontwikkelingen. Jacobson bevond zich samen met Lilian Carlson en Sven Larsen op het hoofdkantoor en fungeerde als het zenuwcentrum. De schaarse meldingen die zij ontvingen, probeerden ze een plaats te geven binnen de gehele operatie.
Die Ford Transit was tastbaar, die kon niet zomaar verdwijnen. Een klein succesje, dat misschien een groot succes kon worden als men de vluchtende terroristen kon arresteren.
Polsen had de twee overgebleven rechercheurs uit zijn team opdracht gegeven de aarde rond de schaarse bomen op de Stroget om te woelen, op zoek naar explosieven.
Al snel was het raak, op vier plaatsen ontdekten de mannen pakketjes explosieven. Voor hun eigen veiligheid trokken ze direct de detonators uit de semtex.
De blokjes werden verzameld en in de auto van Polsen geladen.
'Ik denk niet dat de terroristen vannacht nog op de Stroget activiteiten ontplooien,' merkte Polsen op. 'Maar voor de zekerheid blijven jullie, tot je afgelost wordt, hier patrouilleren. Als jullie ook maar iets vreemds zien, meld het dan direct aan mij.En wees voorzichtig, denk aan wat onze collega is overkomen. Blijf steeds dicht bij elkaar in de buurt, zodat wanneer er iets mocht gebeuren, je elkaar snel kunt bijstaan. Met onze collega gaat het trouwens goed. Hij is buiten levensgevaar. De kogel is van de bovenkant van zijn kogelvrije vest afgeschampt en door de schouder heen gegaan, om er aan de achterkant weer uit te komen.'
De beide mannen knikten opgelucht en namen met een handdruk afscheid van Polsen.
Op weg naar het hoofdbureau kreeg Polsen de melding binnen dat de Ford Transit gesignaleerd was op de Aboulevard en richting Agade reed.
'Wanneer er genoeg auto's in de buurt zijn, rijd hem dan klem op de zes banen brede Agade,' gaf Polsen door aan de centrale. 'Maar alleen klem rijden en verder moet iedereen zich gedekt houden. Ik ben er binnen vijf minuten.'
Hij zette zijn zwaailicht op het dak van de auto, schakelde zijn sirene in en stoof met 160 km per uur de A.C. Andersenboulevard af.

Abu Bakr moskee

LISA RINK KWAM HAAR gevangenis uit, met in haar linkerhand het Turkse kromzwaard van Hakim.
Zodra Amin Hadji het zwaard in Lisa's hand zag, kwam hij half overeind, uit zijn liggende houding en schreeuwde: 'Waar is Hakim? Hoe komen jullie aan zijn zwaard?
Zijn stem brak tot een zwak, huilend gefluister toen hij vroeg: 'Is Hakim dood?'
Zwijgend hoorden Dennis en Lisa het huilende gejammer van de jonge Amin aan.

'Lisa, ik heb een eerstehulpkastje in het kantoor aan de muur zien hangen. Verzorg jij de jongen, dan ontferm ik me over Boultami en de imam.'
Lisa knikte en gaf het zwaard aan Dennis, die het aan zijn linkerzijde tussen zijn riem stak.
Dennis nam het touw waarmee Lisa vastgebonden had gelegen en draaide Boultami op zijn buik. Hij bond zijn polsen achter op de rug aan elkaar, haalde het touw rond zijn voeten en trok deze naar de geboeide polsen. Een laatste stevige platte knoop, en Dennis bekeek goedkeurend zijn werk terwijl hij grimmig zei: 'Tot hier toe, Said Boultami. Hier eindigt jouw smerige terroristenleventje.'
Dennis draaide zich om en begaf zich naar het kantoortje, waar de imam nog steeds buiten kennis op de grond lag.
De ademhaling van de imam ging onregelmatig zwaar en rochelend.
Hier moet snel professionele hulp bij komen, dacht Dennis.

Abbottabad

Zulfikar had nog steeds niets gezegd. Overdonderd als hij was door Shahid, had hij een volle minuut nodig om te beseffen wat Shahid hem in het oor had gefluisterd. Hij vertrouwde het niet. De gebeurtenissen van het laatste halfuur bevreemdden hem. Eerst de oproep van Aziz om zo snel mogelijk naar het winkeltje te komen. Daarna de komst van een zichtbaar zenuwachtige Yasmina.
Na wat heen en weer gefluister tussen Aziz en Yasmina kreeg hij de opdracht de achterkant te bewaken en Kasjmir, zijn scherpschuttersmaatje, werd naar voren gestuurd.
Wel had hij tussen het gefluister door opgevangen *dat hij eraan kwam*.
'Krijg ik nog antwoord?' vroeg Shahid zacht achter zijn rug.
Zulfikar begreep nu, dat die *hij* waar Aziz en Yasmina het over hadden, hun hoogste leider Shahid was.
Nu begreep hij de situatie helemaal niet meer tenzij, bedacht hij, zij hem wilden testen op zijn betrouwbaarheid.
Hij liet zijn armen zakken en zei, half achteromkijkend. 'Ik begrijp niet wat hier gaande is. Is dit een test? Vertrouwen jullie mij niet?'
Shahid dacht even na over wat hij Zulfikar moest vertellen.
Hij begon met een vraag. 'Heb jij gisteravond de televisie-uitzending gezien waarin zes Saoedische geestelijken optraden?'
Toen Zulfikar knikte, vervolgde Shahid: 'Dat gaf voor mij de doorslag om onmiddellijk te stoppen met het organiseren van die vreselijke bloedige aanslagen. Daar komt nog bij dat ik de laatste tijd geplaagd word door de gekste nachtmerries. Toen ik dat besluit eenmaal genomen had, begreep ik dat ik er niet zomaar uit kon stappen, dus besloot ik de twee onder mij vallende Al-Qaida cellen te liquideren. Islamabad bestaat niet meer,' voegde Shahid hier koelbloedig aan toe.
Zulfikar voelde de rillingen over zijn rug lopen, hij wist niet of het angst was of blijdschap.

Shahid had het goed gezien, hij was het zat om te doden. Bij elke aanslag vielen ook onschuldige burgers en kinderen. Maar uitstappen betekende de dood.
'Je moet nu besluiten, Zulfikar. Of je stapt eruit en blijft hier in het berghok wachten totdat ik binnen klaar ben met Aziz en de anderen, of ik schiet je nu overhoop.'
Zulfikar draaide zich nu helemaal om naar Shahid en keek hem recht in de ogen.
'Ik doe met jou mee, Shahid,' zei hij. 'Alleen moeten we Daisy de kans geven, die jij mij nu geeft.'
Shahid knikte goedkeurend. Het deed hem goed dat zijn mensenkennis hem niet in de steek liet. 'Maar nu wil ik antwoord op mijn vraag wat Yasmina met de groep te maken heeft?'
Zulfikar krabde zich achter de oren en zei: 'Ik weet het niet zeker, maar het ziet ernaar uit dat zij een soort koerierster is voor de nummer een van Al-Qaida Pakistan.'
Shahid keek Zulfikar ongelovig aan en schudde vertwijfeld met zijn hoofd.
'Wat weet je nog meer over Yasmina?'
'Waarom al die vragen over Yasmina?' was de wedervraag van Zulfikar.
'Het is voor mij belangrijk zo veel mogelijk te weten over Yasmina. Misschien kunnen we haar ook overtuigen om eruit te stappen.'
Zulfikar schudde vastberaden zijn hoofd.
'Vergeet het maar,' zei hij. 'Een poosje geleden kon Aziz tijdens een kort bezoekje van Yasmina zijn handen niet thuishouden. Hij kneep haar vol in de kont.'
Hij pauzeerde even om zijn woorden goed te laten doordringen.
'De reactie van Yasmina was weergaloos. Ze draaide op haar linkerbeen rond, terwijl haar rechterbeen omhoogschoot om Aziz tegen de zijkant van zijn hoofd te schoppen en vlak daarna schoot haar linkervuist uit, recht op zijn neus. Het bloed spoot eruit, terwijl Aziz door de slagkracht achteruit tuimelde en verbouwereerd, zittend op de grond, zijn neus betastte. Ze boog zich over hem heen en siste als een slang.
"Dat doe jij nooit meer, stuk stront dat je bent, ik maak je af. Als ik dit aan Ismael vertel, dan weet je wel wat er gebeurt," zei ze.
Ismael is de zoon van nummer een en Yasmina's aanstaande bruidegom.'
Voordat Shahid kon reageren, klonk buiten de stem van Daisy. 'Zulfi, alles goed hierachter?'
Zulfikar wilde de deur openen, maar Shahid hield hem tegen en fluisterde. 'Hier je pistool en je stiletto. Lok haar hiernaartoe.'
Nadat Zulfikar zijn pistool en stiletto opgeborgen had, deed hij de deur open en stapte naar buiten.
'Ja, alles in orde,' riep hij terug en zacht liet hij erop volgen: 'Daisy, kom hier, ik moet je wat vertellen.'
Daisy kwam nietsvermoedend op Zulfikar af en vroeg: 'Wat doe je geheimzinnig?'
De deur van het berghok voor haar openhoudend liet hij Daisy voor zich uit het berghok binnengaan.

Shahid had zich in de verste hoek teruggetrokken. Buiten kreeg het daglicht de overhand, maar binnen in het berghok was het nog vrij donker.
'Daisy, schrik niet, ik ben het, Shahid.' Tegelijk trad hij naar voren.
Daisy deed een stap achteruit en botste tegen Zulfikar aan.
'Rustig, Daisy, hij heeft het beste met ons voor. Shahid stopt ermee en stapt eruit. Hij wil dat wij tweeën dat ook doen. En willen we hier goed wegkomen, dan zit er niks anders op dan Shahid te helpen Aziz en de rest van de groep te liquideren.'
Daisy was een snelle denker en daardoor ook een snelle beslisser. Zonder iets te zeggen stak zij Shahid haar hand toe.
Na de handdruk zei Shahid. 'Voor we aan de slag gaan, wil ik jullie eerst vragen om te proberen Yasmina te sparen, zij is mijn jongste dochter.'
Verbaasd keken beiden Shahid aan. 'Dat meen je niet!' bracht Daisy uit.
'Ik sta zelf ook perplex, niet alleen omdat dat ze verwikkeld is in Al-Qaida, maar ook omdat ze blijkbaar trouwplannen heeft zonder dat haar familie op de hoogte is.'
Na een korte stilte vervolgde Shahid: 'Oké, we doen het als volgt: Daisy gaat als eerste naar binnen, dat wekt de minste argwaan. Ze loopt achteloos achter Yasmina om en neemt haar onder schot. Direct daarna ga jij naar binnen en schiet zonder pardon Dmitri, de Russische explosievenexpert, naar het hiernamaals. Vlak achter jou kom ik binnen en schiet Aziz overhoop. Daarna zal ik me bezighouden met mijn dochter. Daisy, roep jij dan Kasjmir van de voorkant naar binnen en zeg dat alles veilig is. Zulfikar, aan jou de eer om ook Kasjmir het zwijgen op te leggen. Heb geen wroeging over het doden van deze terroristen. We weten alle drie dat zij gezochte moordenaars zijn van het ergste soort. We gaan nu. Voordat ze binnen ongerust worden en komen kijken waar jij blijft, Daisy.'
Glimlachend keek ze Shahid aan. 'Ik denk het niet. Zulfikar en ik hebben een relatie en zijn verliefd en dat weten ze.'

Agade, Kopenhagen

Zes politieauto's hadden de Ford Transit klemgereden op de brede Agade.
Toen Nick Polsen met gillende sirene op de Agade arriveerde, bekeek hij goedkeurend de situatie. De politiewagens hadden de Ford Transit omsingeld, de agenten stonden met getrokken vuurwapens in dekking achter hun wagens.
Ook midden in de nacht waren er nog burgers op straat, die nieuwsgierig dichterbij wilden komen, maar zij werden door enkele agenten op flinke afstand gehouden.
Nick stapte uit, liep om de wagen heen, opende de bagageruimte en pakte een 25 watt megafoon uit de ruimte.
Ook hij bleef veilig achter zijn auto, toen hij de megafoon aan zijn mond zette.
Het apparaat had een reikwijdte van circa vijfhonderd meter. De kans dat de hele buurt wakker zou worden, was groot.
Zijn stem galmde in de richting van de Ford. 'Jullie daar in de Ford Transit, gooi

jullie wapens naar buiten en kom daarna met de handen omhoog uit de Ford.'
Geen beweging werd waargenomen.
Jacobson met Lilian en Sven doken op achter Nick Polsen.
'Je hebt de situatie goed onder controle, Nick,' merkte Sven op.
Na een minuut sommeerde Polsen de kerels in de Ford Transit opnieuw dat ze met hun handen omhoog naar buiten moesten komen.
De deur aan de chauffeurskant werd heel langzaam opengedaan.
Er verscheen een been op de treeplank, daarna nog een. Het eerste been zakte af naar de grond, toen Nick beval: 'Gooi eerst jullie wapens naar buiten.'
De benen verdwenen weer en de deur werd dichtgetrokken.
Na een halve minuut riep Polsen: 'Oké, allemaal uitstappen, maar vergeet niet, dat er van alle kanten vuurwapens op jullie gericht zijn.'
Nu werd de deur aan de chauffeurskant opengegooid en een jonge knaap van een jaar of zeventien sprong gillend naar buiten. 'Niet schieten, niet schieten, ik ben ongewapend.'
Tegelijk liet hij zich bevend van angst op de grond vallen.
'Wat zullen we nou weer krijgen?' bromde Jacobson.
'Oké,' galmde opnieuw de stem van Polsen door de megafoon. 'Sta op en kom met je handen omhoog hiernaartoe lopen.'
De knaap stond bevend op, stak zijn handen in de lucht en kwam schoorvoetend naderbij.
Lilian en Sven vingen de knaap op en fouilleerden hem vakkundig op wapenbezit.
De jongen bleek clean te zijn. Terwijl Polsen zijn aandacht voor de Transit niet liet verslappen, snauwde Jacobson tegen de jonge knaap: 'Je naam.'
'Per Olsen, meneer.'
'Zijn er nog meer mensen in de Transit?'
'Nee, meneer.'
'Is deze speciale Transit van jou of van je vader?'
'Nee, meneer.'
'Ben jij in het bezit van een rijbewijs?'
'Nee, meneer.'
'Hoe kom jij dan in vredesnaam aan die Transit?'
De jongen sloeg angstig zijn ogen neer en zweeg.
'Nou, hoe kom jij aan die Transit?'
'De Transit stopte recht voor mijn neus, meneer, net over de brug aan het begin van de Aboulevard. Vijf mannen stapten uit en de Ford achterlatend verdwenen zij de Ewaldsgade op. Ik rende ze na en zag hen honderd meter verderop in een zwarte Mercedes stappen en wegrijden.'
'Heb je het kenteken op kunnen nemen?'
'Nee, meneer.'
'En verder?'
'Ik was nieuwsgierig en liep terug naar de Ford Transit. De deur aan de chauffeurskant was open en de sleutels zaten in het contact. Ik dacht dat een stukje clandes-

tien rijden geen kwaad kon, dus ik startte de motor en reed de weg op, tot hier.'
Polsen had mee staan luisteren en riep nu in de megafoon. 'Collega's: relax, we hebben te maken met een joyrider. De terroristen zijn er eerder vandoor gegaan in een zwarte Mercedes. Maak de weg weer vrij, vervolg jullie patrouilles en kijk uit naar een zwarte Mercedes.' Vervolgens meldde hij ook aan de centale ditzelfde bericht.
'Hoe oud ben jij?' vervolgde Jacobson het verhoor.
'Zeventien, meneer... volgende maand word ik achttien.'
'Wat is de reden dat je nog zo laat op straat bent?'
Het gezicht van de jongen kleurde rood, toen hij zei: 'Ik ben bij mijn vriendinnetje geweest, haar ouders zijn een lang weekend met vrienden naar Madrid.'
De jongen stond met neergeslagen ogen en kon daardoor de flauwe glimlach op de gezichten van de terroristenbestrijders niet zien.
'Ahum,' bromde Jacobson. 'We moeten eigenlijk een proces-verbaal tegen jou opmaken. Waar woon je?
'Op de Mariendalsvej, meneer.'
'Goed, je kunt een stukje met ons meerijden. We zetten je dan op de Agade, ter hoogte van de Mariendalsvej, af. Nick, kom mee naar het bureau. Mag ik de sleutels van de Transit?' vroeg Jacobson aan de jongen.
'Die zitten nog in het contactslot, meneer.'
'Sven, rij jij de Ford naar het bureau.'
Sven was tien stappen op weg naar de Transit, toen deze met een geweldige explosie uit elkaar spatte.
Brokstukken ijzer, motoronderdelen en brandend rubber vlogen alle kanten op.
Iedereen dook verschrikt weg achter de auto's.
Sven liet zich plat op de grond vallen en sloeg zijn armen om zijn hoofd ter bescherming.
De Agade lag bezaaid met honderden stukjes ijzer, verbrande stukjes stof en leer.
Een zwart wolkje, ontstaan door verbrand rubber, werd door de zwakke ochtendwind uiteengedreven. Er was niets van de Transit overgebleven.
Jacobson en Polsen snelden op de stilliggende Sven Larsen af.
Kleine stukjes ijzer staken uit zijn rug en armen, die hij nog steeds beschermend over zijn hoofd hield.
Polsen schreeuwde in zijn mobiel tegen de centrale om een ambulance.
De jonge knaap stond sidderend tegen de auto van Nick geleund.
Lilian had haar arm om hem heen geslagen en streelde hem zacht door zijn haar.
Politieagenten stonden perplex en met stomheid geslagen te staren naar de plek waar een halve minuut geleden nog een complete Ford Transit had gestaan.
De stugge hoofdagent Bent Larsen en zijn vrouwelijke collega Birgit Linde verbraken de ban en riepen hun collega's op, op zoek te gaan naar de zwarte Mercedes.
Niels Jacobson hield vier agenten tegen en beval ze de plaats delict af te zetten, al te nieuwsgierigen op afstand te houden en het steeds drukker wordende verkeer om te leiden.

Hij belde de technische recherche en legde uit wat er gebeurd was.
De ambulance was er binnen zes minuten. Sven Larsen werd voorzichtig opgepakt en op zijn buik op een brancard gelegd.
Hij werd de ambulance in geschoven en een paar seconden later stoof de ambulance met gillende sirene weg.
'Nick,' vroeg Jacobson, 'heb jij gehoord naar welk ziekenhuis ze Sven brengen?'
'Ze brengen hem naar het Rontgenklinik Norrevold Ziekenhuis aan de Norregade.'
Jacobson keek naar Lilian, die de bevende knaap nog steeds in haar armen hield. Ze hadden even oogcontact en een glimlach gleed rond de mondhoeken van Jacobson. De jongen drong zich wel heel dicht tegen Lilian aan. Ook Lilian kreeg het idee dat Per Olsen over de ergste schrik heen was, want de jongen drukte zijn hoofd wel heel stevig tegen haar borsten aan. Rustig maakte ze zich van de jongen los en zei: 'Gaat het weer, knul?'
Met een hoogrood gezicht knikte hij naar Lilian en stamelde: 'Dank u wel.'
Hij voegde er nog aan toe: 'Voor een *stille* bent u heel lief.'

Abu Bakr moskee

Pascal en de rest van het Anti Terreur bestrijdingsteam waren gearriveerd en hadden zich ontfermd over Said Boultami en Anwar Peters.
Zij hadden de BMW opgehaald, Aziz Ahmed uit zijn benarde situatie gered en hem gelijk de handboeien omgelegd.
De verplegers van de twee opgeroepen ambulances hadden imam Youssef en Amin Hadji eerste hulp verleend en afgevoerd naar het Pflegezentrum Sonnenallee.
Carl ging mee als bewaker van imam Youssef en Gustav hield een oogje op Amin Hadji.
Neef Ali Ghazi werd verlost van het werpmesje in zijn arm en reed mee, voorin naast de chauffeur van een van de ambulances, voor verdere verzorging in het Pflegezentrum.
De op dit vroege uur gebelde begrafenisondernemer had het lichaam van Hakim Hadji opgehaald.
Dit alles werd waargenomen door Ahmed Al-Makaoui.
Ahmed informeerde Mustapha met de conclusie dat de moskee onbruikbaar voor hen was geworden. Meer dan de helft van de explosieven was daardoor verloren gegaan.
Volgens Mustapha had Anwar Ismail voldoende explosieven om de aanslag alsnog positief uit te kunnen voeren.

Nadat Pascal en Marcel de drie terroristen hadden afgeleverd aan de KGB-gevangenis aan de Leistikowstrasse in stadsdeel Potsdam, had Dennis Neumann hun

verzocht een kijkje te nemen in de Friedrichstrasse, aangezien het erop leek dat Schulz in gijzeling genomen was.
Toen zij de deur van het kantoor naderden, stond deze op een kier.
Een minuut lang stonden zij, een aan elke kant van de deur, doodstil te luisteren. Geen geluid drong tot hen door.
Pascal knikte naar Marcel en deze schopte de deur open en vlak achter elkaar vielen de mannen met hun vuurwapens in de vuisten het kantoor van Schulz binnen.
Ze zagen hun chef als een rollade vastgebonden in zijn bureaustoel hangen en het leek of er geen leven meer in hem was.
Snel verwijderden zij de monddoek en sneden de koorden door.
Hoestend opende Schulz zijn ogen en keek zijn mannen dankbaar aan.
Marcel had een glas water gehaald en gaf dat aan Schulz te drinken.
Gulzig dronk hij het glas leeg en vroeg om meer.
Hij probeerde op te staan en te gaan lopen, maar al zijn ledematen waren verstijfd van het urenlang vastgebonden zitten in een houding.
'Help me naar het toilet,' mompelde hij.
Een kwartier later zag hij er al een stuk beter uit.
Pascal wilde hem meenemen naar een eerstehulppost, maar dat vond Schulz overdreven.
Daarna bracht Pascal verslag uit van de gebeurtenissen in en rond de Abu Bakr moskee.

Brandenburger Tor

Een hoogwerker stond opgesteld vlak tegen de Brandenburger Tor aan.
Oman werd vergezeld door twee mannen van de Moslimbroederschap.
Een van hen zat samen met hem in het werkbakje en de andere fungeerde als chauffeur.
Hun dekmantel was, dat zij de godin in haar strijdwagen, boven op de Brandenburger Tor, een schoonmaakbeurt gingen geven omdat dat overdag met het vele wandelende publiek niet mogelijk was.
Vijf emmers gingen in het bakje mee naar boven.
Twee met sop en drie met elk een spijkerbom.
De eerste bom werd onder de strijdwagen gelegd. De andere twee aan de beide uiteinden.

Op de bovenste verdieping van Hotel Adlon, stond een man achter het raam van een van de hotelkamers dat uitzicht gaf op de Brandenburger Tor. Hij knikte goedkeurend. 'Prima, mannen, en nu wegwezen.'
Hij draaide zich om en liet zich op het hotelbed vallen. Jammer van de misère bij

de Abu Bakr moskee. Hij trok minachtend zijn mondhoeken omhoog. *Misluk-kelingen.*

Terwijl Oman het werkplateau liet zakken, naderde vanaf Tiergarten een politie-auto.
In zijn gebrekkig Duits zei hij tegen de andere man, die bij hem in de bak stond: 'Je weet wat je moet zeggen! Hier is het gemeentelijke werkopdrachtformulier voor het schoonmaken van de Brandenburger Tor.'

Siegessäule und Viktoria

Een Mercedesbus met gedoofde lichten reed over het gras tot aan de voet van de Victoriazuil. Twee donker geklede mannen sprongen uit de bus, openden de achterdeuren en haalden twee uitschuifbare aluminium ladders tevoorschijn. Ze plaatsten de ladders dicht naast elkaar tegen de voet en zeulden even later samen een zware kist naar boven.
Eenmaal boven verwijderden zij het deksel van de kist en begonnen de inhoud aan de binnenkant van de pilaren te bevestigen. Zodanig, dat het overdag niet direct door het wandelende publiek te zien was. De pakketjes werden voorzien van detonators.
Het plan om de zuil tegelijk met de Brandenburger Tor op te blazen kwam van Mustapha zelf. Hij vond het een leuke bijkomstigheid dat hij, wanneer de boel de lucht inging, victorie kon blazen op de Victory Column.
Tien minuten stug doorwerken en de klus was geklaard. De mannen namen de lege kist mee naar beneden, schoven de ladders weer in elkaar en borgen ze op in de laadruimte van de Mercedesbus. Ze stapten in en reden weg via de Hofjagerallee.

Abu Bakr moskee

Dennis Neumann en Lisa Rink stonden samen voor de muur in de geheime ruimte, die grensde aan de moskeekelder.
Bij het fouilleren van Boultami had Dennis een sleutelkaart uit zijn broekzak opgevist.
Een stukje plastic ter grootte van een pinpas, dat ze ook in veel hotels als kamer-sleutel gebruiken.
De muur met hun ogen aftastend op zoek naar een deur, een geheime toegang of wat er ook maar op leek, die de verbinding moest vormen met de kelder onder de moskee liepen ze door de ruimte.
Op ooghoogte hingen drie wandlampjes aan de muur, die een zwak blauwachtig licht uitstraalden.

'Lisa, zoek naar een gleuf waar deze sleutelkaart in past.'
Dennis bewoog zich naar links en Lisa naar rechts.
De wand was acht meter breed, dus ze hadden elk vier meter om te onderzoeken.
Na vijf minuten stonden ze allebei elk aan een uiteinde van de wand.
Dennis slaakte een zucht en zei: 'Nog een keer, maar nu werken we naar elkaar toe.'
Lisa merkte op dat het eerste wandlampje aan haar kant van de muur een klein beetje scheef hing. Ze pakte het lampje voorzichtig beet en probeerde de onderkant iets te verplaatsen, zodat het lampje recht kwam te hangen. Dat lukte niet, de onderkant zat vast, maar er zat wel beweging in en toen ze de bovenkant van het lampje recht duwde, lukte dat wel.
Wat raar, dacht ze en vervolgde haar zoektocht naar een minuscuul klein gleufje.
Ze naderde het tweede wandlampje en nieuwsgierig als ze was, probeerde ze ook hier de bovenkant te verschuiven. Maar tot haar verbazing bewoog hier wel de onderkant en niet de bovenkant. Zo hoort het ook, dacht ze. 'Hé, Dennis, ik heb iets geks ontdekt, kom eens. Dit middelste lampje is normaal aan een spijkertje opgehangen en je kunt de onderkant bewegen, maar van dat eerste lampje zit de onderkant vast en draait de bovenkant.'
Dennis begaf zich naar het eerste lampje en draaide de bovenkant naar links.
Toen hij het lampje in horizontale stand had gebracht, week een stuk muur iets naar hem toe.
Hij keek Lisa glimlachend aan, gebaarde met zijn hand naar het horizontaal hangende lampje en zei: 'Aan u de eer, dame, het is jouw ontdekking.'
Lisa trok aan het lampje en een stuk muur draaide de geheime ruimte in.
Het lampje fungeerde als deurknop aan deze zijde, dus moest het sleutelgleufje aan de andere kant te vinden zijn. Dennis bekeek de andere zijde van de deur ter hoogte van de lampjesdeurknop en vond het gleufje net boven het draaigedeelte.
'Heel vernuftig. Als je niet weet waar de gleuf moet zitten, vind je hem nooit van z'n leven.'
Nuchter reageerde Lisa: 'De geheime ruimte is geen geheime ruimte meer.'

Abbottabad

Daisy had de verraste Yasmina van achteren met haar arm omkneld, het hoofd achterover gerukt en hield haar nu in een ijzeren greep, terwijl ze haar pistool in Yasmina's rug drukte.
Zulfikar had twee schoten nodig om Dmitri uit te schakelen.
Shahid trof Aziz, die zijn pistool al in zijn handen had, midden tussen de ogen.
'Kasjmir!' gilde Yasmina.
Tegelijkertijd draaide ze zich snel als een panter uit Daisy's greep en in dezelfde draai raakte ze met haar linkervoet de zijkant van Daisy's hoofd.
Met twee stappen was Yasmina bij de deur, waar Kasjmir de kamer al binnen wilde komen.

Half verdoofd en wankelend maakte Daisy een beweging met haar rechterarm en vlak daarop flitste een Balisong naar Yasmina, die worstelde om langs Kasjmir te komen. Zulfikar drukte twee keer af en zijn vroegere maat zakte in elkaar.
'Yasmina, alsjeblieft!' schreeuwde Shahid.
De Balisong, ook wel vlindermes genoemd, doorboorde de linkerschouder van Yasmina.
Deze slaakte een kreet van pijn, maar liet zich hierdoor niet weerhouden en rende naar de voordeur. Voordat Shahid ook maar een woord tot zijn dochter had gesproken, verdween ze naar buiten en vloog op haar auto af.
Shahid was vlak na haar buiten en richtte zijn pistool op zijn vluchtende dochter, maar deze had de Maserati bereikt en opende het portier al.
Shahid vuurde een schot over haar hoofd af, terwijl hij riep: 'Yasmina, kom terug, ik moet met je praten.'
Yasmina verdween in haar Maserati en binnen vijf seconden reed ze roekeloos, met gierende banden de weg op, vlak voor remmende en toeterende auto's.
Shahid kon onmogelijk op zijn dochter schieten, hij liet zijn Sig Sauer zakken en staarde verdwaasd naar de verdwijnende Maserati.
Zulfikar dook achter Shahid op en zei: 'Kom, Shahid, we moeten de zaak hier afronden.'

Villa 'Op goed geluk', Wassenaar

Rond vijf uur in de ochtend brak de hel los.
Ramen en deuren werden op hetzelfde moment geopend en de terroristen gooiden naar alle kanten handgranaten.
Een waarschuwende kreet van Benny klonk vlak voordat de eerste handgranaten ontploften.
De manschappen wierpen zich voorover plat op de grond, hun armen beschermend over hun hoofden.
Vlak hierop kwamen de terroristen de villa uitgerend en strooiden opnieuw in alle richtingen met handgranaten.
De zware stem van ex-sergeantmajoor Sjors Klein galmde. 'Let op! Ze breken uit.'
Na de granaten lieten de doorlopende terroristen hun Desert Eagles hun werk doen. Een regen van kogels sproeide in het rond en vloog over de plat op de grond liggende manschappen.
In al dat geweld had niemand in de gaten dat de garagedeur zich opende en de Mercedes met slippende banden de oprit af stormde, om slingerend en gierend de straatweg op te draaien.
Ongehinderd verdween de Mercedes om de hoek van de eerste de beste zijstraat.
De terroristen renden alle kanten op, enkelen vlak langs de in dekking liggende mannen.
De uitbraak was goed getimed en zo gewelddadig en brutaal, dat de Anti Terreur Eenheid geheel overbluft was.

Benny en Tikva lagen nog ongedeerd naast elkaar, schietend op de vluchtende terroristen.
Zij hadden alleen kluiten aarde over zich heen gekregen.
In de dichterbij gelegen villa's floepten een voor een de lichten aan. Bewoners kwamen naar buiten en er klonken vragende en bezorgde stemmen in de nacht.
'Hou op met schieten, mannen,' dreunde de stem van Sjors Klein.
Benny en Tikva waren opgestaan, schudden de aarde van zich af en liepen op Sjors af, die bij zijn Ford stond. De voorruit was verbrijzeld door een granaatscherf.
'Ben jij in het bezit van een megafoon?' vroeg Benny hem.
Zwijgend liep Klein naar de achterkant van de auto en opende de achterklep. Hij maakte het riempje los waarmee de megafoon was vastgesjord en gaf de geluidsversterker aan Benny.
Benny schakelde de geluidsknop in, zette de megafoon aan zijn mond en riep: 'Bewoners, blijf in jullie huizen en sluit deuren en ramen. In uw omgeving zwerven vuurgevaarlijke terroristen rond.'
Benny herhaalde deze waarschuwing enkele malen, waarna de stilte van de nacht weerkeerde. Bij enkele villa's werden zelfs de lampen gedoofd.
'Sjors, zijn er gewonden? Wat is de schade?' vroeg Tikva aan Klein.
'Ruud den Dikke maakt nu een ronde om dat op te nemen,' antwoordde Klein.
'Staat de IMSI-catcher ingeschakeld?' kwam Benny ertussen.
Toen Klein knikte, liep Benny gevolgd door Tikva naar het busje, waarin de IMSI-zendmast stond opgesteld. Het was opmerkelijk dat de bus geen schade had opgelopen.
Ze namen plaats in het busje en Benny vroeg aan de technicus die de catcher bediende, of hij al iets opmerkelijks had gehoord.
De man schudde met zijn hoofd. 'Nee,' zei hij. 'Alleen enkele gesprekken tussen de bewoners onderling, die zich afvragen wat er precies aan de hand is.'
'Het leek wel oorlog,' klonk een wat oudere mannenstem. 'Het zal toch geen aanslag op de prins zijn?'
'Ik denk het niet,' reageerde een vrouwenstem. 'De prins woont een paar kilometer verderop.'
'Ja, maar wat is nou een paar kilometer,' sputterde de oudere man tegen.
Plotseling ving de technicus, die constant aan de volumeknop draaide, een mannenstem op, die een vreemde taal sprak.
'Dat is Arabisch,' zei Tikva. 'Zo te horen is dat de leider, hij roept de mensen op, hij noemt verschillende namen. Heb je pen en papier voor mij?' vroeg ze gehaast.
De technicus stond op en gaf haar het gevraagde.
Tikva begon haastig te noteren en Benny, die achter haar was gaan staan, kreeg het volgende te lezen:
Sharif, melden.
Sharif hier, ben lichtgewond, niets ernstigs, bij mij zijn Hazrat en de Professor.
Yasser, melden.
Present. Khalid, Ahmed en ik zitten in de auto en rijden nu weg.
Toen klonk de stem van de leider opnieuw, maar nu in het Nederlands en Benny

herkende de stem meteen: 'Dat is de stem van Mohammed Boukhari, alias Abdullah.'

Yannou, melden.

De mobiel ging over, maar werd niet opgenomen. Even later een nieuwe oproep.

Youssef, melden.

Met Youssef, alles goed met mij, ben echter alleen bij het busje aangekomen. Wat moet ik doen: wachten of wegrijden?

Wacht nog vijf minuten, rij daarna weg, je weet waarnaartoe.

Hierna bleef het stil.

'Mag ik?' vroeg Benny aan Tikva, terwijl hij het velletje papier van het schrijfblok scheurde en het aan de telefonist gaf.

De technicus nam het briefje door en knikte goedkeurend.

Toen vroeg Benny aan hem: 'Heb je hun mobieltjes kunnen peilen en weet je waar ze zich bevinden?'

De technicus wees op een beeldscherm.

Het beeldscherm gaf een plattegrond weer van Wassenaar en het aangrenzende noordelijke gedeelte van Den Haag.

'Die knipperende rode stip is onze positie. De eerste oproep peilde ik op de Van der Oudermeulenlaan, vlak bij de Rijksstraatweg. Het antwoord van – hij keek even op het velletje papier – 'Sharif gaf de volgende positie aan. Zien jullie het groene opflikkerende lichtje? Dat is op de kruising, Papegaaienlaan-Schouwweg. De tweede oproep peilde ik op de Rijksstraatweg, vlak bij de Landscheidingsweg, wat betekent dat de knaap die de oproepen doet, zich met een gigantische snelheid in de richting van Den Haag beweegt. De positie van Yasser, zie het groene lichtje 2, is de T-kruising Koekoekslaan-Groot Haesebroekseweg.

De derde oproep peilde ik op de Benoordenhoutseweg, ter hoogte van het Louwman Auto museum, de auto rijdt nog steeds met hoge snelheid Den Haag in.

De vierde oproep peilde ik op de Benoordenhoutseweg, ter hoogte van de Waaldorperlaan.

Deze positie geeft aan, dat hij zijn snelheid heeft aangepast aan de toegestane vijftig km per uur. De laatste peiling is interessant voor jullie, omdat de auto daar nu stilstaat, al drie minuten lang, om precies te zijn op de T-kruising Baekershagenlaan-Rust en Vreugdlaan.'

Het groene opflikkerende lichtje 3 gaf de positie van Youssef aan.

Benny bestudeerde op het beeldscherm de afstand van het rode lichtje tot aan het groene lichtje 3 en zag hoe hij moest rijden om daar te komen.

Benny draaide zich om en wenkte Tikva. Ze sprongen uit de bus en snelden naar de Mustang.

Abbottabad

Ze zaten met z'n drieën in de huiskamer, en voerden overleg over het vervolg. Na de zakken leeggehaald te hebben, hadden zij de dode terroristen in een hoek

van de kamer gelegd. Geen van de drie had een paspoort of een identiteitsbewijs bij zich. Aziz had een behoorlijk geldbedrag op zak, en de anderen elk ook een aardig bedrag.
Shahid had het geld aan Zulfikar gegeven en gezegd dat hij het geld met Daisy moest delen.
'We doen het als volgt,' opende Shahid. 'We plaatsen hier net genoeg explosieven, zodat alleen deze ruimte en de dode lichamen onherkenbaar verwoest zullen worden. We nemen uit de kelder net zo veel explosieven mee als ik denk nog nodig te hebben en bewapenen ons met de RPK-47, een Kalasjnikov licht machinegeweer, met voldoende patroonbanden. We plaatsen hier springladingen, die we van een afstand via de telefoon tot ontploffing kunnen brengen. Maar voor we dat doen, brengen we eerst hun auto's naar een tweedehands autodealer. Aan de rand van de stad ken ik een dealer die niet al te veel vragen stelt. Het geld dat we hiervoor vangen is jullie ticket en startkapitaal naar een nieuw leven.'

In de onopvallende Suzuki Swift van Zulfikar waren ze op weg naar het Red Onion restaurant aan de Jinnah Road.
Na de succesvolle verkoop van de drie terroristenauto's en ook de auto van Daisy, hadden ze de explosieven in de huiskamer van het winkeltje aangebracht, zo ook in de kelder onder het berghok, waarna ze op veilige afstand de explosieven tot ontploffing bracht.
De woning boven het winkeltje stond te schudden op haar fundamenten, maar bleef overeind. De bewoners, een man en een vrouw, waren gillend en half gekleed naar buiten komen rennen. Het was een komisch gezicht, de vrouw probeerde met haar handen haar blote borsten te verbergen, terwijl de man struikelend probeerde zijn broek aan te trekken.
Grijnzend had Zulfikar zijn Suzuki gestart en zij reden weg van de plaats delict.
Het restaurant was nog maar net open, dus genoeg lege tafeltjes om uit te zoeken.
Ze namen een tafel achter in het restaurant, waarbij Shahid met de rug naar de muur plaatsnam, zodat hij goed overzicht had op het restaurant en de entree.
Daisy en Zulfikar namen naast elkaar plaats.

Even later zaten Daisy en Zulfikar, met op hun gezicht een gelukzalige glimlach, te genieten van de geroosterde tandoorigerechten. Beiden voortgekomen uit een minder welvarende klasse, lieten ze zich verwennen door een glimlachende Shahid die, ondanks zijn uiteindelijke zelfmoordmissie, zich ook even ontspande.

CIS-1, Tel Aviv

LUITENANT NAOMI NAM DE e-mail uit Pakistan snel door. Hij kwam van majoor Abdul Bhaffi, een leidinggevende in de top van de ISI, de Pakistaanse inlichtingendienst. Het origineel kwam eerst, daarna de vertaling in het Engels. Hij was gericht aan kolonel Avraham Weinberger, met als afsluiting 'een stevige handdruk'. Naomi wist waar dat voor stond. *Direct actie ondernemen.*

Ze begaf zich naar de kamer van Avi Weinberger en na een korte klop op de deur stapte ze naar binnen.

'Een e-mail van majoor Abdul, ondertekend met een handdruk.'

Ze overhandigde het velletje papier en wilde weer terugkeren naar haar eigen kantoor, maar de kolonel vroeg haar even plaats te nemen op de bezoekersstoel voor zijn bureau.

Hij nam de e-mail twee keer door en knikte grimmig.

'We komen langzaam maar zeker dichter bij de terroristen, mijn beste Naomi! Neem contact op met Mordechai Speckmann van de NSA in Fort Meade, Maryland. Geef hem dat telefoonnummer in Kabul van die krijgsheer Abu Al-Hassani. Het moet voor de NSA een koud kunstje zijn om dat nummer in Kabul te traceren en die krijgsheer op te pakken. En graag vandaag nog, die Abu is de angel, die moeten we eruit trekken.

Daarnaast: stuur deze e-mail door naar majoor Brown van de MI5 in Londen en wens hem succes.'

Wassenaar, Den Haag

'WAAR GAAN DIE HEEN?' vroeg Ruud den Dikke, Benny en Tikva nakijkend.

'Een van de terroristen staat een paar blokken verderop nog te wachten op een paar maatjes. Goedkoop en Goldsmid gaan achter hem aan.'

Den Dikke klom in de bus en nam plaats tegenover Sjors Klein. Zijn gezicht stond ernstig, toen hij verslag uitbracht.

'Te beginnen met onze eenheid: er is een dode te betreuren, de ongelukkige is getroffen door een granaat en onherkenbaar verminkt. Twee van onze mannen zijn zwaargewond, de ene is getroffen door granaatscherven en de andere is neergemaaid door kogels. Beiden ontvangen op dit moment eerste hulp van de ambulancebroeders. Daarnaast zijn er vier lichtgewonden. Bij het uitkammen van de omgeving hebben we twee terroristen gevonden: een dode en een zwaargewonde. Degene die zwaargewond is, is door meerdere kogels in de rug getroffen. Beiden hadden geen legitimatiebewijs bij zich, maar wel voldoende munitie voor de Desert Eagles die ze bij zich hadden. Daarnaast had de dode terrorist een Beretta tussen zijn broekriem en de zwaargewonde knaap een Undercover. Vier manschappen doorzoeken op dit moment de geheel verlaten villa.'

Sjors Klein knikte even en dacht een ogenblik na voor hij reageerde.

'Ruud, jij neemt de leiding hier. Neem bezit van het kantoortje in de villa en laat, wanneer het voldoende licht is, ook de omgeving nog eens uitkammen. Neem de schade rond de villa op en stel dan een uitgebreid rapport samen. Stuur zo spoedig mogelijk twee man hiernaartoe, wij gaan met de bus de route volgen die Abdullah heeft genomen.'

Friedrichstrasse, Berlijn

DENNIS NEUMANN, COMMANDANT FLORIAN Steinhofer van het SEK-team en GSG9 commandant Andreas Heller zaten tegenover Thomas Schulz. Dit was zeker niet de gewoonte bij de GSG9, maar zonder het te willen was Lisa Rink door haar ontvoering bij deze zaak betrokken geraakt.
Dennis bracht mondeling rapport uit van de laatste gebeurtenissen.
Het meeste had Schulz al van Pascal gehoord en hij bekeek zijn aantekeningen.
Hij schraapte zijn keel en begon: 'Juffrouw Rink, commandanten, we zullen de laatste gebeurtenissen evalueren, daarna moeten we met nieuwe gezichtspunten komen. Voor het totaaloverzicht: we betreuren een dode terrorist, Hakim Hadji. Daarnaast zijn er twee gewonde terroristen, imam Youssef en Amin Hadji en drie gevangenen, onder wie de leider van de groep Said Boultami, Aziz Ahmed en Anwar Peters. Van de Berlijnse groep is er nog eentje op vrije voeten, Adolf Polanski. De Abu Bakr moskee is voor de terroristen onbruikbaar geworden. Omdat imam Youssef betrokken is bij de geplande terroristische aanslagen en nu zwaargewond in het ziekenhuis ligt, heb ik de wijkpolitie van Neukölln gevraagd contact op te nemen met de leiders van de soennitische moslimgeloofsgemeenschap en deze mensen opening van zaken te geven. De volgende zwaargewichten zijn nog op vrije voeten: de Antwerpse bouwondernemer Marc van Someren en zijn twee assistenten, de gebroeders Masood en Ahmed Al-Makaoui, de Pakistaanse Belg en wapenhandelaar Anwar Ismail en twee van zijn mannen. Voor mezelf heb ik wat vragen genoteerd, zoals: waar logeren de Antwerpse zakenlieden? Logeert de bouwondernemer met zijn twee mannen in hetzelfde hotel?
Oké, nog andere belangrijke objecten voor een aanslag dan de Reichstag en de Brandenburger Tor?'
'Als niet-Berlijner,' vulde Florian Steinhofer aan, 'weet ik nog wel een paar objecten op te noemen. Neem bijvoorbeeld Schloss Bellevue, dat nu de officiële residentie van de president van de Bondsrepubliek is. En wat te denken van Schloss Charlottenburg of de Marienkirche, een prachtige dertiende-eeuwse gotische kerk?'
Glimlachend liet ook Andreas Heller zich horen. 'En de Berliner Dom dan?'
'Sorry, collega-commandanten,' verstoorde Dennis Neumann het enthousiasme van zijn beide collega's. 'Schulz en ik hebben deze mogelijkheden ook bekeken, alleen zijn wij ervan uitgegaan, dat de terroristen internationaal bekende doelen willen treffen, voor het internationale effect hiervan. Vandaar ook onze keuze voor de Vredeskoers, waar internationale wielrenners op afkomen, omdat die zijn

bekendheid heeft te danken aan de Koude Oorlog en als tegenhanger van de Tour de France fungeert. Tevens is de koers van morgen opgenomen in het Europese continentale circuit.'
'Ahum,' schraapte Schulz opnieuw zijn keel, om de aandacht weer naar zich toe te trekken. 'Het doet me deugd, dat niet geboren Berlijners de bezienswaardigheden van mijn geliefde stad weten te waarderen, maar laten we verdergaan met de nog openstaande vragen. Waar houdt de wapenhandelaar zich schuil?
Hebben zij nog voldoende explosieven nu wij waarschijnlijk meer dan de helft van hun voorraden in beslag hebben genomen?
Hebben jullie nog ideeën, waar actie moet worden ondernomen?'
'Ik heb een gedeelte van een kenteken, behorende bij de Mercedesbus,' reageerde Dennis, 'die vannacht in alle vrijheid kon wegrijden.'
'We kunnen een opsporingsbericht uit laten gaan,' opperde Steinhofer.
Schulz knikte en vervolgde: 'Ik heb met de hoogste Berlijnse politiechef gesproken en hem verzocht zo veel mogelijk manschappen in te zetten. Ten eerste voor politiebewaking bij de opvallendste bezienswaardigheden van de stad. Ten tweede voor het uitzoeken in welke hotels de Antwerpse zakenlieden logeren. Ten derde heb ik aan mijn Belgische collega Laurent Defour, chef van de Observatie Eenheid, om foto's gevraagd van de betrokken Antwerpse terroristen.
Hij zou ze vanmiddag door een koerier laten bezorgen.'

Thames House in Millbank, Londen

HET PRACHTIGE GEBOUW DIENDE sinds december 1994 als hoofdkwartier van de Security Service, de Britse geheime dienst, beter bekend als MI5.
Een van de ruime kamers was ingericht als het kantoor van de commandant, en had uitzicht op de rivier de Theems en de Lambeth Bridge. Op dit moment bevonden zich hier majoor Mike Brown, commandant Alan Price en zijn adjudanten Maureen Beckett, Brian Stevens en Roger McCarthy.
Zij hadden zojuist het bericht van Avi Weinberger uit Tel Aviv doorgenomen en wisten nu definitief het doel van de aanslag en de namen van de terroristen.
De kring rondkijkend opende majoor Mike Brown met: 'Suggesties?'
De eerste reactie kwam van Maureen Beckett.
'Op grond van het voorbereiden van een terroristische aanslag kunnen we de bij ons bekende vier terroristen oppakken. Dat zijn er dan in elk geval vier minder en we sturen hoogstwaarschijnlijk hun taakverdeling in de war.'
De majoor keek opnieuw, maar nu vragend, de kring rond. 'Mee eens?'
Alan Price knikte en zei: 'Maureen heeft een punt en nu we definitief weten dat de aanslag op het Wembley Stadion gepleegd zal worden, zetten we zo veel mogelijk politie in en verdrievoudigen we het aantal suppoosten in het stadion.'
Opnieuw nam Maureen Beckett het woord.
'Vannacht herkenden Jack en ik vanuit onze observatiepost een Londense onderwereldfiguur, de uitgeweken Italiaanse maffiabaas Roberto Spirea. Ondanks zijn

slappe gleufhoed herkenden wij hem met onze nachtkijkers aan de platgeslagen boksersneus en de hangsnor. Hij reed met nog drie inzittenden in een zwarte Buick Century tweemaal, met een matige snelheid, rond het Wembley Stadion. Jack en ik dachten allebei hetzelfde: de maffiabaas kwam met zijn halve gang poolshoogte nemen voor iets wat de volgende dag staat te gebeuren.'
'Maar wat? Buiten dan de door de terroristen geplande aanslag.'
'Of,' viel Roger McCarthy in, 'de gangsters zijn ingehuurd om een rel te veroorzaken tussen de heetgebakerde voetbalfans.'
'Tijdens die chaos,' vulde Brian Stevens het betoog van Roger aan, 'kunnen de terroristen hun aanslag uitvoeren.'
Na de opmerking van Brian ontstond er een korte discussie onder de vijf aanwezigen.
Alan Price zocht oogcontact met de majoor en toen deze knikte, maakte Alan een einde aan de discussie door met zijn vuist op tafel te slaan.
In de stilte die nu viel, begon Alan te spreken.
'We zullen met deze mogelijkheid rekening houden; zodra Spirea zich weer laat zien, houden we hem buiten het terrein met zijn mannen aan.'
Alan nam enkele aantekeningen op zijn notitieblok door, schudde toen zijn hoofd en zei: 'We doen het anders. Roger, Pete Baltimore en ik gaan onze Italiaanse vriend vanavond in zijn privéclub, de Danny's Private Members Club, een bezoekje brengen. We nemen een paar wijkagenten mee als rugdekking.
Maureen en Brian, jullie rijden met jullie partners naar Southend en arresteren de dokter met zijn assistente. Neem een paar jongens van de technische recherche mee en keer de villa binnenstebuiten. De majoor zorgt voor een huiszoekingsbevel. Ik zal mijn collega in Manchester, commandant Daniel Isaacs, bellen en hem verzoeken de broers Rabbani op te pakken en ook daar huiszoeking te doen, misschien levert het iets op. Morgenochtend mobiliseren we zo veel mogelijk agenten en doen een buurtonderzoek rondom het stadion, ervan uitgaand dat de overgebleven terroristen niet ver van het stadion hun uitvalsbasis hebben. Die Mukhtar Rahman en Farooq moeten toch ergens een onderkomen hebben. Hadden we maar een paar foto's van die knapen, dat zou het een stuk makkelijker maken.'
Majoor Brown stak zijn wijsvinger op en zei: 'Daar kan ik misschien voor zorgen.'

Den Haag

De gehele rit had de IMSI-catcher aangestaan en het telefoonverkeer werd steeds drukker.
Nog geen minuut nadat zij hier op het Hubertusviaduct gearriveerd waren, klonk opnieuw in het Arabisch een oproep. Ze konden de oproep niet verstaan, maar wel peilen en die peiling gaf de nieuwe positie van Abdullah aan, hoek Sportlaan-Houtrustlaan.
Degene die antwoord gaf bevond zich op de Johan de Wittlaan, ter hoogte van het Bel Air hotel.

Even later klonk de stem van Abdullah in het Nederlands. 'Youssef, waar ben jij?'
Onmiddellijk klonk het antwoord van Youssef uit de speaker. 'Ik rij nu het Hubertusviaduct op, ben nog steeds alleen, maar pas op, ik word al vanaf Wassenaar gevolgd. Onze telefoons worden afgeluisterd.'
Klein wenkte een van zijn mannen. 'Start de motor, we gaan achter dat busje aan.'
Terwijl hij naar buiten keek, passeerde hem een busje. 'Probeer in te voegen,' riep hij naar de chauffeur. Maar dat was onmogelijk, wel vijf, zes auto's passeerden hen.
Ondertussen klonk het antwoord van Abdullah. 'Geen telefoonverkeer meer, schud ze van je af, je weet waar je naartoe moet.'
Het antwoord van Youssef was duidelijk. 'Ik rij Den Haag in en probeer ze in de drukte kwijt te raken. Pik mij op waar Ahmed ons een week geleden heeft opgehaald.'
De laatste positiepeiling van Abdullah kwam van de Houtrustlaan.
Klein stond zich te verbijten. 'Zet je richtingaanwijzer uit,' brulde hij met zijn zware stem naar de chauffeur. 'En rij zachtjes de weg op. We moeten achter dat busje aan.'
Op dat moment passeerde de Mustang van Benny.

De Mercedes Benz S63 AMG draaide vanaf de Houtrustlaan linksaf de Laan van Poot op.
'Na deze zijstraat stop je bij de eerste vrijstaande villa,' zei Jozef Stalman tegen Abdullah, die de Mercedes bestuurde.
Even later stapte Stalman snel uit de auto en opende het hek naar de oprijlaan, liep toen gehaast door. Hij opende de voordeur, liep binnendoor naar de garage, en trok de garagekanteldeur omhoog de garage in. Vlug nam hij plaats in een onopvallende blauwe Opel Kadett en reed de auto naar buiten. Hij parkeerde hem links op een parkeerstrook, zodat de Mercedes, die halverwege de oprijlaan was blijven staan, de garage in kon rijden.
Twee koffers werden uit de Mercedes overgeladen in de Opel Kadett.
Jozef Stalman en zijn vrouw Goedele namen ontroerd afscheid van Abdullah, met in het achterhoofd dat zij elkaar hoogstwaarschijnlijk nooit meer zouden zien.
Stalman wilde naar Frankfurt Airport rijden en vandaaruit naar een plaats in Amerika vliegen, het maakte hem niet uit welke stad, als hij eerst maar Europa uit was.
Met tranen in haar ogen omarmde Goedele Abdullah opnieuw.
'Pas goed op jezelf, Hammetje. Wanneer je nergens meer heen kunt, je weet het... de Kaaimaneilanden.'

Restaurant Red Onion, Abbottabad

Hoewel het restaurant nog niet voor de helft bezet was, spraken de drie achter in het restaurant op zachte toon met elkaar.

'Nee, Shahid,' was Zulfikar aan het woord. 'Wij maken met ons drieën af waar jij aan begonnen bent.'
'Beste Zulfikar en lieve Daisy, mijn leven is voorbij, ik heb het verprutst en ben niet bang om te sterven. Ik kan niet alleen vluchten uit Islamabad, ik kan mijn geliefden niet achterlaten en al zou ik mijn vrouw en mijn oudste dochter mee willen nemen, zij zouden het niet begrijpen. Trouwens, ik ben ervan overtuigd, dat mijn huis 24 uur per dag in de gaten wordt gehouden door de mannen van de nummer een.'
'Wanneer wij het goed aanpakken en tijdelijk de Al-Qaida cel hier in Islamabad uitschakelen, heb jij de kans om met je vrouw en je dochter met ons mee naar het zuiden te verdwijnen.'
'Daisy, ik waardeer het in hoge mate dat je je leven voor mijn geluk op het spel wilt zetten, maar jullie hebben zonder ons meer dan honderd procent kans om weg te komen. Luister, ik kan jullie aan een baan helpen. Ongeveer vijftig kilometer ten noordwesten van Karachi ligt de Gadani sloopwerf. Een volle neef van mij is daar een van de directeuren en een paar goede bewakers kunnen zij altijd wel gebruiken.'
'Een sloopwerf?' vroeg Zulfikar. 'Hoe moet ik dat zien?'
'Zeeschepen, rijp voor de sloop, maken hun laatste reis naar onder andere Gadani, om stukje bij beetje gesloopt te worden,' legde Shahid glimlachend uit. 'Het schip vaart met volle kracht een stukje het strand op en wordt geleidelijk gesloopt. Wanneer het gewicht van het schip minder wordt, sleept men het schip verder het strand op om volledig gesloopt te worden. Momenteel sloopt de werf zo'n tien zeeschepen per jaar, wat werkgelegenheid biedt aan ongeveer zesduizend werknemers.'
Daisy schudde zacht met haar hoofd en keek Zulfikar van opzij aan.
Hun ogen ontmoetten elkaar en Zulfikar knikte haar toe met een flauwe glimlach om zijn mond.
'Een prachtig voorstel, Shahid,' reageerde Daisy opnieuw. 'En ik vind het heel lief van jou dat je ons vooruit wilt helpen om weer als vrije mensen te kunnen leven. Maar wij zouden geen moment rust kennen bij de gedachte dat jij hiervoor je leven hebt gegeven. Het is zo simpel, ik ben een paar keer in de villa van nummer een geweest en weet precies hoe ik ongezien binnen kan komen en waar we de explosieven moeten plaatsen. Het is makkelijker een villa verscholen in de bossen op te blazen, dan een of ander politiebureau in een drukke stadswijk. Dus hoe je er ook over denkt, Shahid, wij maken samen deze klus af.'
Met gebogen hoofd hoorde Shahid het betoog van Daisy aan.
Een trieste glimlach verscheen op zijn gezicht, maar voor hij kon antwoorden werd de beslissing om alleen of samen verder te gaan, hem uit handen genomen. Boven het normale verkeersgeluid uit klonk het zware gedreun van een 4.7 V8 motor en zijn hoofd opheffend zag hij buiten de grijze Maserati Gran Cabrio van zijn jongste dochter langzaam voorbijrijden, en de speurende blikken van zijn dochter en twee mannelijke begeleiders.
Direct nam Shahid het initiatief en zei tegen Zulfikar dat hij snel af moest re-

kenen en moest vragen of ze de achteruitgang deze keer mochten gebruiken. Zulfikar had zijn auto op de privéparkeerplaats achter het restaurant geparkeerd.
Shahid en Daisy stonden achter Zulfikar, die zojuist naar de achteruitgang had gevraagd.
De eigenaar wees naar een deur links achter in het restaurant en nam dankbaar de ruime fooi in ontvangst. Ze renden alle drie naar de deur, toen het zware geluid van de Maserati motor opnieuw tot hen doordrong. Terwijl Daisy en Zulfikar door de achterdeur verdwenen, keek Shahid achterom en zag de twee kerels uit de Maserati springen en op de ingang van het restaurant afkomen. De Maserati schoot met brullende motor vooruit en verdween uit het gezichtsveld van Shahid. De kerels hadden de entree van het restaurant bereikt en met getrokken pistolen kwamen ze binnengestormd.
Shahid zakte koelbloedig door de knieën, nam de klassieke schiethouding aan, zoals hij het op de schietclub jaren geleden had geleerd, trok razendsnel zijn Sig Sauer, strekte zijn armen en haalde tweemaal achter elkaar de trekker over. Zonder op het resultaat van zijn schoten te letten keerde hij zich om en ook hij verdween door de achterdeur.
Alles had zich in zo'n snel tempo afgespeeld, dat de andere restaurantgasten, in plaats van dekking te zoeken, verbaasd en met open mond naar de neergeschoten kerels staarden.
Ondertussen rende Shahid door de keuken naar de openstaande deur achterin.
Het keukenpersoneel staarde verschrikt naar het pistool, dat Shahid nog in zijn hand had en maakte ruim baan voor hem.
Buiten gekomen kreeg hij een beeld voor ogen dat hem abrupt deed stilstaan.
Daisy en Zulfikar stonden stijf tegen de Suzuki Swift aan gedrukt, met hun handen plat op het dak.
Achter Daisy stond zijn jongste dochter, die met haar rechterhand een Beretta tegen het achterhoofd van Daisy gedrukt hield, terwijl ze haar getroffen linkerarm in een mitella droeg.
Een kerel, die Shahid herkende als een van de Egyptenaren van nummer een, hield een pistool tegen het hoofd van Zulfikar.
'Yasmina,' kwam het gekweld uit de keel van Shahid. 'Waarom?'
Zijn armen hingen slap langs zijn lichaam omlaag, zijn Sig Sauer had hij losjes in zijn rechterhand.
Yasmina keek haar vader spottend aan en reageerde snibbig: 'Dat zou ik eigenlijk aan jou moeten vragen.'

Vogelwijk, Den Haag

Sjors Klein had de bus met de IMSI-catcher verplaatst naar de Houtrustlaan, de laatst gepeilde positie van Abdullah.
Hij werd onderhand gek van al die door elkaar lopende telefoongesprekken.

Er werd zo veel onzin naar elkaar uitgekraamd, dat Sjors wanhopig uitriep: 'Mamma mia.'
De tweede technicus, die wel wat gewend was, reageerde lachend, draaide aan de regelknop en stelde het vermogen zo in, dat het volgende gesprek uit de speaker kwam.
'Schat,' klonk een mannenstem, 'ik heb nu nieuwe aardappelen, een bloemkooltje en diepvriesspinazie in het wagentje liggen, wat moet je nog meer hebben?'
Een krassende vrouwenstem antwoordde bits: 'Ben je nu alweer de andere boodschappen vergeten, ben je soms aan het dementeren?'
'Nee, lieveling, maar ik hoor jou zo graag praten.'
'Je moet je eigen soort belazeren, vlieg op, man.'
Kling.
De mobiel van Klein ging over en Ruud den Dikke meldde zich.
'Een korte briefing,' zei hij. 'De toestand van de twee zwaargewonden is stabiel, echter het levensgevaar is nog niet geweken. In een geheime ruimte onder de villa hebben we een heel arsenaal aan wapens gevonden. Die Stalman moet een verwoed verzamelaar geweest zijn, want je kunt het zo gek niet opnoemen of het ligt daar. Naast een diversiteit aan wapens vonden we een volle en een halve kist met handgranaten, twee kisten met explosieven, kneedbommen, detonators. Een ongelofelijke vangst. Rond de villa zijn verder geen bijzonderheden waargenomen. De ontplofte handgranaten hebben aan het groen, maar vooral op de straatweg aanzienlijke schade veroorzaakt. Graag zou ik toestemming krijgen om de manschappen rust te geven na deze turbulente nacht.'
'Oké, Ruud,' reageerde Klein. 'Sluit de villa af en verzegel de voordeur. Roep verse manschappen op en laat de villa voor alle zekerheid voor en achter bewaken. En zorg ook voor aflossing van de twee mannen bij mij in de bus.'

Benny en Tikva, die zes auto's achter de Fiat Ducato reden, wisten niet dat Youssef wist dat hij door hen werd achtervolgd.
Voor een kruispunt reed Youssef twee auto's voorbij die voor het rode stoplicht stilstonden, scheurde vlak voor een zojuist van zijn halte optrekkende tram langs en sloeg direct linksaf, de Scheveningseweg op. Remmende en toeterende auto's op het kruispunt ontwijkend reed hij met hoge snelheid richting Den Haag-Centrum.
Benny reageerde onmiddellijk. Hij zette een zwaailicht op het dak van de Mustang en liet zijn sirene loeien. Toch kon hij er niet door en moest wachten tot het stoplicht op groen sprong. Zodra de auto's in beweging kwamen, maakte men ruimte voor de Mustang, die slalommend om de auto's heen ook direct op het kruispunt linksaf de Scheveningseweg op stoof. Tegemoetkomend verkeer liet de loeiende Mustang voorgaan.

Met hoge snelheid naderde de bus van Youssef een kruising.
De stoplichten sprongen op groen en roekeloos haalde hij twee optrekkende auto's buitenom in. Hij ontweek, weer naar rechts zwenkend, tegemoetkomend verkeer en draaide luid toeterend de Javastraat op. Hij reed door de net op rood springende stoplichten rechtsaf de Alexanderstraat in, passeerde even later met een keurige ronding het standbeeld van Prins Willem van Oranje op het Plein 1813 en vervolgde zijn weg met opgevoerde snelheid. Rijdend op de trambaan passeerde hij rakelings een tegemoetkomende tram en in zijn achteruitspiegel kijkend zag hij dat de Mustang nauwelijks terrein op hem won. Hij kwam achter een auto te zitten die zich netjes aan de toegestane snelheid hield, waardoor hij flink moest afremmen. Hij probeerde luid toeterend de auto voor hem op te jagen, maar dat had hij beter niet kunnen doen, want de auto ging langzamer rijden. In zijn achteruitkijkspiegel zag hij de Mustang dichterbij komen. Hij was bijna ter hoogte van een zijstraat en besloot die in te rijden.
In een flits las hij op een naambordje Kazernestraat. Youssef had geen idee waar hij nu terecht zou komen.
Hij reed de Kazernestraat helemaal uit en constateerde dat de Mustang niet meer dichterbij kwam. Aan het eind draaide hij scherp naar rechts, de Vos en Tuinstraat in en zag rechts van hem een mooi gebouw met op de gevel de woorden *Hotel Des Indes.*
Hij parkeerde de bus vlak bij de entree van het hotel en voordat de Mustang de scherpe bocht naar rechts indraaide, was Youssef een zijstraatje ingerend.
Rustig, jongen, ze kennen jou toch helemaal niet.
Een uithangbord, wat staat erop? Casa Caroni, Ristorante & Enoteca.
Toevallig heb ik ook nog honger gekregen, komt goed uit.
Na een halfuurtje zoeken zullen die lui het wel voor gezien houden.
Daarna wandel ik naar de Lange Vijverberg en laat me oppikken door Ahmed.

Parkeerplaats Restaurant Red Onion

'PAPA,' KLONK HET KOEL en koud, heel anders dan Shahid gewend was. Thuis klonk het lief en respectvol. 'Jullie zijn verraders van Al-Qaida en daarmee ook van de islam. Hiervoor zullen jullie gestraft worden en die straf wil de nummer een jullie zelf opleggen.
Ik zal bij de nummer een pleiten dat ze je een snelle dood bezorgen, maar zij hier heeft ook nog iets van mij te goed. Als de nummer een met haar klaar is, mag ik het afmaken.'
Tegelijk met de laatste opmerking gaf ze de Egyptenaar een teken en beiden hieven hun pistolen, met de bedoeling Zulfikar en Daisy bewusteloos te slaan.
Met een ruk vloog de arm van Shahid omhoog, een schot knalde en de kogel drong even boven het oor van de Egyptenaar zijn hoofd binnen, om er aan de andere kant weer uit te komen.

De kogel vloog rakelings langs de opgeheven arm van Yasmina; zij werd met bloed besmeurd.
De man zakte in slow motion naar de grond.
De arm van Yasmina met het pistool bleef verrast boven het hoofd van Daisy hangen, om het pistool direct daarop te richten op haar vader en zij twijfelde niet om te schieten.
De kogel gierde rakelings langs het hoofd van Shahid, die er als versteend bij stond.
Hij kon onmogelijk op zijn dochter schieten.
Zulfikar en Daisy wisten niet wat er achter hun ruggen gebeurde. Zij hoorden de schoten, sloegen hun handen rond hun hoofd en drukten zich nog steviger tegen de Suzuki aan.
Shahid had zijn Sig Sauer laten vallen en spreidde zijn handen uit naar zijn Yasmina.
Met een raspende stem vroeg hij opnieuw: 'Yasmina, mijn dochter, nogmaals: waarom?'
Haar ogen spoten vuur en haar stem klonk als het sissen van een slang; onwillekeurig en ondanks zijn weerloze toestand moest Shahid denken aan het verhaal van Zulfikar over de afstraffing van Aziz. 'Ze siste als een slang,' had hij gezegd.
'Papa, ik ga tegen de orders van nummer een in en schiet jou hier neer als een hond. Waarom? Vraag jij je dat nog af?
Voor jou bestond er maar een dochter en dat was je oudste, mijn schijnheilige zuster Farah. Mij heb je nooit zien staan en daarom ben ik je gaan haten, met een haat die steeds sterker werd, zo sterk dat ik er haast in stikte. Ik dank Allah en zijn profeet, dat hij mij Ismael heeft laten ontmoeten, bij hem vond ik de liefde die ik mijn leven lang heb gemist. Daar komt je verraad nog bovenop.'
Plotseling gilde ze: 'Sterf, ellendeling.'
Terwijl Shahid zijn ogen sloot en zijn armen nog steeds liefdevol uitgestrekt hield naar zijn jongste dochter, richtte zij haar pistool op haar vader en mikte nauwkeurig op zijn hart.
Shahid hoorde een pistool afgaan en wachtte op de inslag.
Een verschrikte kreet deed hem opzien en hij zag zijn dochter verbaasd naar haar borst kijken, terwijl ze langzaam heen en weer begon te zwaaien en omdat haar knieën haar niet meer konden dragen, zakte ze uiteindelijk op de grond.
Een verstikte kreet slakend, overbrugde de vader met een paar stappen de afstand naar zijn gevallen dochter. Terwijl het leven uit haar borst wegvloeide, nam een huilende Shahid het hoofd van zijn dochter in zijn armen. 'Lieve, lieve Yasmina, hoe vergis jij je toch, ik hou zielsveel van jou, nog meer dan van Farah.'
De haat was uit de ogen van Yasmina verdwenen, verdriet kwam hiervoor in de plaats.
'Papa,' stamelde ze en haar stem klonk weer zoals thuis, lief en respectvol. 'Vergeef het me. Diep vanbinnen houd ik ook van jou.'
Daisy had schuin achterom gekeken en besefte dat ze niet meer werden bedreigd. Ze stootte Zulfikar aan, die zich nu ook losmaakte van de Suzuki en beiden staar-

den ze naar de droevige gebeurtenis die zich voor hun ogen afspeelde.
Een rillinkje trok door het lichaam van Yasmina en haar ooit zo stralende ogen keken Shahid dof en doods aan. Voorzichtig sloot hij haar ogen en drukte zijn dochter stevig tegen zich aan.

Toen een hand in de schouder van Shahid kneep, keek hij met betraande ogen omhoog.
Hij zag de ernstige ogen van Abdul Bhaffi. 'Ik had geen keus, mijn vriend. Kom, ik wil met jullie praten.'
Hij wenkte enkele mannen. 'Zorg voor dat meisje,' zei hij kort.
Voorzichtig tilden ze Yasmina op uit de schoot van Shahid, die zich als in een roes overeind liet helpen door Bhaffi en Zulfikar.
Bhaffi leidde hen naar een kleine overvalbus van de ISI, de Pakistaanse geheime dienst.
Twee met zacht leer beklede banken, achter in de bus, boden plaats aan zes personen. Men had een dwars schot halverwege de bus geplaatst, waaraan een opklaptafeltje was bevestigd. De ramen waren met gordijntjes geblinddoekt.
Abdul Bhaffi nam tegenover Shahid plaats en Zulfikar schoof naast Bhaffi de bus in, waarna Daisy naast Shahid ging zitten.
Toen de achterdeuren gesloten waren, nam Bhaffi het woord.
'Shahid, mijn vriend, waar ben je mee bezig? Toen ik jouw mailtje las, ben ik zo vrij geweest om je vrouw te bellen. Huilend vertelde ze me dat je weg was en een afscheidsbriefje had achtergelaten. Ook was haar jongste dochter Yasmina verdwenen.
Vriend, ik weet heel veel over de Al-Qaida cel hier in het noorden van Pakistan, alleen wisten wij tot nu toe niet wie de tweede man achter de nummer een was. In je e-mail geef je onbedoeld aan dat jij die tweede man bent en ik vraag dan ook om een eerlijk antwoord. Waar ben je mee bezig?'
Shahid slaakte een diepe zucht, hij kon best veel hebben, dat had hij bij Al-Qaida wel bewezen, maar nu werd het hem allemaal een beetje te veel. Uiteraard niet het minst door de schokkende gebeurtenissen met zijn jongste dochter.
Hij kon het nog steeds niet begrijpen. *Was hij door zijn bezorgdheid om haar zo afstandelijk gebleven?*
Zijn vrouw Fatima en zijn oudste dochter Farah hadden schijnbaar ook niets gemerkt!
En welke rol speelde Abdul in deze zaak; hoe wist hij bijvoorbeeld dat hij in Abbottabad was?
Maar ja, hij had niets te verliezen en uiteindelijk was Abdul zijn vriend.
Alhoewel, met de geheime dienst was je daar nooit helemaal zeker van.
'Shahid, ik heb het beste met je voor, ook met je twee metgezellen. Ik wil met jullie onder vier ogen spreken, omdat ik begrijp dat er meer aan de hand is dan alleen lid zijn van Al-Qaida. Als ik dit zoals gebruikelijk had aangepakt, had ik jullie simpelweg op laten pakken en in de cellen van de geheime dienst een paar weekjes laten broeien, tot jullie bereid zouden zijn geweest om te praten. En nog-

maals, Shahid, ik doe dit, omdat ik dacht dat we vrienden waren.'
Shahid knikte. 'Oké,' zei hij, terwijl hij met zijn hand over zijn gezicht wreef. 'Het begon met de gevangenneming van mijn broertje door de Amerikanen.'
Hij vertelde alles over deze aanleiding om zich bij Al-Qaida aan te sluiten, en hoe hij tot zijn plannen voor vandaag was gekomen.
'Na opnieuw een vreselijke nachtmerrie besloot ik vanmorgen vroeg met mijn Al-Qaida activiteiten te stoppen en ik besloot ook de twee teams waar ik leiding aan gaf te liquideren. Als sluitstuk wilde ik de nummer een meenemen in mijn graf. Omdat ik begreep dat dat een zelfmoordaanslag zou worden, schreef ik die afscheidsbrief aan mijn vrouw en twee dochters. In Islamabad liep het bijna mis, omdat de leider van de groep was gewaarschuwd door een voor mij, op dat moment, onbekende vrouw, die later mijn eigen dochter bleek te zijn. Daisy en Zulfikar zijn prima mensen, die door omstandigheden bij Al-Qaida terecht zijn gekomen en op mijn verzoek er ook zijn uitgestapt. Ondanks dat ik erop aandrong om te vluchten en zelfs een baan voor hen in gedachten had, wilden zij bij mij blijven, om mij te helpen de top van de noordelijke cellen van Al-Qaida uit te schakelen.'
Na Shahids verhaal viel er een diepe stilte.
Als ontwaakt uit een benauwde droom sloeg Shahid zijn ogen op en keek Abdul doordringend aan. 'En nu jij, Abdul Bhaffi, hoe wist jij dat wij hier in Abbottabad waren?'
'Voordat ik je vraag beantwoord eerst nog een vraag, want voor mij is je verhaal nog niet af. Weten jullie wie de nummer een is? En hoe denken jullie hem uit te schakelen?'
'De eerste vraag is simpel te beantwoorden. De nummer een is de schatrijke achterneef van de vrouw van Osama Bin Laden, sjeik Ghulam Al-Ahmadi. Je tweede vraag ligt een stuk moeilijker, omdat wij dit nog met elkaar moeten bespreken en voorbereiden en eerlijk gezegd, Abdul, denk ik dat je dat liever niet wilt weten.'
'Misschien heb je gelijk, Shahid,' repliceerde Bhaffi en voor het eerst verscheen er een flauwe glimlach op zijn gezicht. 'Ik dacht dat ik je misschien hierbij zou kunnen helpen.'
'Abdul, ik waardeer dat zeer, maar mijn carrière is vroegtijdig beëindigd en dat is genoeg. Waarom zou ook jij je topfunctie op het spel zetten, je weet toch dat Al-Qaida en de taliban overal in het land zeer machtige mensen hebben zitten. Zeker hier in het noorden.
Maar voor de tweede maal vraag ik het je: hoe wist jij dat wij in Abbottabad zaten?'
Bhaffi liet kort de gebeurtenissen van deze dag aan zich voorbijgaan, voordat hij aan zijn betoog begon.
'In je mail aan mij geef jij je een keer bloot door de volgende zin. *Ik heb de meest ervaren en meedogenloze Al-Qaida terrorist die hier in Islamabad beschikbaar was, de heer Farooq, toegevoegd aan de groep in Engeland.* Hierdoor wist ik meteen dat jij de nummer twee was. Aan de andere kant, wanneer jij deze mededeling anders had geformuleerd, had ik ook wel begrepen dat jij de voor ons nog onbekende nummer twee was. Ook begreep ik dat jij het op een of andere manier zat was en eruit wilde stappen.'

Een klop op de achterdeuren van de bus onderbrak het betoog van Bhaffi.
'Sorry, chef, dat ik stoor, maar Ismael Al-Ahmadi is op weg hiernaartoe, met enkelen van zijn mannen. Hij is woest over de dood van zijn bruid Yasmina en de drie mannen die bij haar waren. Overigens heb ik de lichamen door een begrafenisondernemer weg laten halen.'
'Goed, Jamai, we kunnen nu beter de confrontatie met Ismael uit de weg gaan. Blijf met de manschappen onopgemerkt in de buurt. Mocht Ismael het te gek maken, dan arresteer je hem. Laat Benazir de bus naar het park Ladi Garden rijden. Het is daar om deze tijd vrij rustig en Ismael zal ons daar zeker niet zoeken.'
'Een moment,' kwam Zulfikar ertussendoor. 'Mijn auto is bij de mannen van de nummer een bekend, dus die laten we hier staan, maar we hebben wel de explosieven en de Kalasjnikovs nodig en die liggen in de bagageruimte.'
Zulfikar en Daisy sprongen naar buiten en liepen naar de Suzuki.
Bhaffi gaf Jamai opdracht een handje te helpen en de handel over te brengen naar de bus.
Vijf minuten later startte Benazir de bus en waren zij op weg naar het park.
'Waar was ik gebleven,' nam Bhaffi de draad van zijn betoog weer op. 'Juist ja, ik raakte ervan overtuigd dat jij je los wilde maken van Al-Qaida. Daarom belde ik eerst naar jouw huis.
Na de mededelingen die ik van je vrouw ontving en het bericht dat een villa in een achterstandswijk was opgeblazen, waarbij tussen het puin ook menselijke lichaamsdelen werden gevonden, besloot ik na te trekken wie de eigenaar van de villa was. Het verbaasde mij helemaal niet dat de villa eigendom was van sjeik Al-Ahmadi. Alleen vroeg ik mij af hoe het mogelijk was dat je in je eentje een heel terroristenteam te grazen nam. Ik vroeg mij ook af, wat jouw volgende stap zou zijn. Maar al snel vielen de voor mij ontbrekende puzzelstukjes op hun plaats. Mijn mannen zijn overal in de stad en observeren onder andere ook de villa van sjeik Ghulam in Noord-Pakistan. Zij hebben Yasmina al vroeg weg zien rijden in haar grijze Maserati en na ongeveer anderhalf uur weer terug zien keren met een gewonde schouder. Toen ik een melding uit Abbottabad kreeg, dat daar een garen- en bandwinkeltje door lichte explosieven was opgeblazen en de bovenverdieping intact was gebleven, begreep ik dat dit niet het werk van een amateur was. Al snel achterhaalden wij dat sjeik Ghulam de eigenaar was van een hele rij panden, waaronder het betreffende winkeltje.
Toen Yasmina opnieuw in haar Maserati vertrok, maar nu geflankeerd door drie kerels, heb ik opdracht gegeven haar te achtervolgen. Ik hield contact met mijn mensen en besloot hen in deze bus achterna te rijden, ik begon me zorgen om jou te maken. Op de N35 raakten mijn mannen haar kwijt, zij konden haar snelheid niet bijhouden. Rij naar het garen- en bandwinkeltje, gaf ik mijn mannen de raad en zij hadden geluk. Ze pikten haar weer op bij het winkeltje en in de stad is het achtervolgen van een auto voor mijn mannen niet al te moeilijk. Trouwens, ze reden stapvoets en waren kennelijk naar jullie op zoek, want zij inspecteerden elk eethuisje, bar of restaurant. Daardoor kwam ik op tijd bij de Red Onion.'

Lange Voorhout, Den Haag

BENNY PARKEERDE ZIJN MUSTANG achter het Fiatbusje. Omzichtig kwamen Benny en Tikva uit de auto. Zo te zien zat er niemand meer in de bus, maar je wist maar nooit. Zeker met terroristen is voorzichtigheid geboden. Alles leek rustig. De motor van de bus stond nog te sputteren, de bus stond hier hooguit een minuut. Een veegwagentje van de Gemeentelijke Reinigingsdienst kwam langzaam hun kant op.

Toen het vlakbij was, wenkte Benny naar de bestuurder dat hij moest stoppen.

Het hoofd van een allochtoon kwam uit het raampje tevoorschijn, met de vraag: 'Wat wilt u van mij?'

Benny legitimeerde zich en vroeg of de jongeman iemand uit dat busje had zien komen en zo ja, waar de persoon naartoe gelopen of gerend was.

Ali, het vriendje van Yannou, keek Benny brutaal aan en schudde zijn hoofd.

'Ik ben met mijn werk bezig en dat eist mijn volle aandacht op, sorry, ik kan u niet helpen.'

Terwijl hij zijn veegwagentje weer liet optrekken, zei hij nog: 'Maar het lijkt me logisch dat die lui uit dat busje hier het hotel zijn binnengegaan.'

Lachend bedacht hij dat hij Youssef het zijstraatje in had zien rennen.

Benny schudde zijn hoofd en voelde dat hij belazerd werd.

Tikva kwam naast hem staan en samen overzagen ze alles nog eens.

Nuchter merkte Tikva op: 'Ze zijn ontsnapt.'

Ze liepen naar de bus en keken door de raampjes naar binnen, de bus was leeg.

Tikva liep om de bus heen en zag op de passagiersstoel een Desert Eagle liggen.

'Ik bel de technische recherche,' merkte Benny op. 'Misschien vinden zij nog wat sporen.'

Bureau Duinstraat, Scheveningen

SJORS KLEIN HAASTTE ZICH de trappen op van politiebureau Duinstraat.

Commissaris De Koning had hem verzocht om drie uur aanwezig te zijn en het was al tien over drie.

Toen hij op het punt stond de IMSI-catcherbus te verlaten, ving de technicus een eenzijdig gesprek op.

'Luister, Klein, dit klinkt interessant.'

De volumeknop iets omhoog draaiend klonk een mannenstem uit de speaker. 'Allochtonen in de leegstaande villa van de buren? Ach, vrouw, maak je niet druk. De eigenaar heeft eindelijk huurders voor zijn pand gevonden.'

Even later: 'Lieve, ik kan niet vroeg thuiskomen, je weet toch dat ik een belangrijke deal aan het afronden ben. Ik heb om halfzeven een afspraak in het restaurant van het Bel Air Hotel.'

Na een halve minuut: 'Nee, je hoeft niet bang te zijn, nogmaals: lieverd, die afspraak met Zandstra kan ik niet meer afzeggen. Onder het genot van een goed

glas wijn ronden we vanavond de zaak af, dus reken niet op mij met het avondeten.'
Na twintig seconden: 'Sorry, lieverd, ik probeer voor het donker worden thuis te zijn. Kus, tot vanavond.'
'Waar bevindt de mobiele beller zich?' vroeg Klein.
'Hij beweegt zich op de Segbroeklaan en aan de snelheid te zien in een auto naar Kijkduin.'

Hijgend kwam hij de kamer van De Koning binnen en zag de commissaris fronsend op zijn horloge kijken. De andere aanwezigen keken hem spottend aan en Sjors zocht hulp bij Benny, die zijn rechterooglid even dichtkneep.
'Je zult een goede smoes moeten verzinnen, Sjors, om ons hier tien minuten te laten wachten,' sneerde De Koning.
'Mijn oprechte excuses, Roel,' repliceerde Klein. 'Maar op het punt van vertrekken ving de catcher een merkwaardig gesprekje op.'
'Het is al goed,' reageerde De Koning. 'Ga zitten, zodat we kunnen beginnen, later horen we wel wat jou ophield.'
Terwijl Klein zijn plek innam naast Tikva, begon De Koning met zijn verhaal.
'Ik heb jullie bij elkaar geroepen om Operatie Abdullah te evalueren. Voor jullie ligt een plastic map, die enkele volgeschreven A4'tjes bevat, een samenvatting van genomen maatregelen en gegevens, die mij als centraal punt bereikten. Het zou fijn zijn als jullie de map openmaken en met mij, in gedachten dan, meelezen.
Ten eerste: de explosieven in het ondergrondse gangenstelsel. Na kort overleg met Alfons hebben we toch maar besloten de explosieven weg te halen uit het gangenstelsel. Wij vonden het te gewaagd dat spul daar te laten liggen. Met die terroristen weet je het maar nooit.
Ten tweede: de gewelddadige uitbraak van de terroristen in Wassenaar. De gevolgen zijn bedroevend, zo niet dramatisch. Aan onze zijde een dode en twee zwaargewonden, waarvan een nog steeds in levensgevaar verkeert, plus vier lichtgewonden. Rond de Wassenaarse villa zijn twee lichamen gevonden waarvan we met zekerheid kunnen zeggen, dat zij bij de groep terroristen horen. Een is dood en onbekend en de ander is zo zwaargewond dat hij in levensgevaar verkeert. Maar Alfons heeft zijn identiteit achterhaald. Het is ene Yannou uit de Schilderswijk. We hebben zijn ouders op de hoogte gesteld en toegestaan dat zij die Yannou een bezoekje mochten brengen en zij bevestigden dat hij hun zoon is. De onbekende terrorist is hoogstwaarschijnlijk een van de Palestijnen.
Conclusie is dat we te maken hebben met zwaarbewapende en nergens voor terugdeinzende kerels.
Ten derde: de twee CIE-rechercheurs, Blijlevens en De Groot, hebben Hassan Mahdoufi opnieuw in hun verhoorkamertje gehad. Het blijkt dat hij zijn broertje Nadir uit de wind wilde houden. Nadir Mahdoufi is lid van de Binnenhofgroep en hield op zijn computer een dagboek bij.
Broer Hassan kraakte de computer en kwam zo achter de plannen van Abdullah. Vervolgens gaf hij deze door aan zijn vriend Mustafa Abdaoui, die op zijn beurt

contact zocht met Benny Goedkoop. De verdachte in de zaak Geertsema, Arnold Kempenaar alias Chique Ernie, hebben ze wegens gebrek aan bewijs vrij moeten laten.
Ten vierde vernam ik van de Koninklijke Marechaussee op Schiphol dat Stalman niet is komen opdagen en dat het toestel van Delta Air zonder hen is vertrokken naar Parijs. Ook op de vliegvelden Eindhoven Airport, Rotterdam Airport, Maastricht Aachen Airport, Groningen Airport Eelde en Enschede Airport Twente kijkt men uit naar de familie Stalman. Vraag is: waar bevinden zij zich? De uitgaande hoofdwegen naar België en Duitsland worden door speciaal ingezette patrouilles geobserveerd. Zij kijken voornamelijk uit naar een Mercedes Benz S-Klasse, een S 63 AMG in een carneool rode lak, dat is een bloedrode kleur.
Ten vijfde: de nummers op de kisten met handgranaten zijn door het Openbaar Ministerie nagetrokken. Het blijken verdwenen kisten te zijn uit de Soesterberg Kazerne, nabij Zeist. De Koninklijke Marechaussee is een onderzoek begonnen.
Ten zesde: waar zijn de terroristen gebleven?
Een terroristische aanslag op Scheveningen konden we voorkomen, maar hebben de terroristen soms nog meer objecten waar zij al explosieven hebben geplaatst? Vanwege deze twee vragen heb ik de luchtvaartpolitie op Schiphol-Oost verzocht morgen luchtsteun te geven en vluchten boven Scheveningen en Den Haag uit te voeren. Korpschef Bierman heb ik verzocht zo veel mogelijk agenten van de andere korpsen op te trommelen, zodat het morgen echt blauw ziet in de straten van Den Haag.
Ten zevende: de technische recherche heeft de Fiat Ducato onderzocht en letterlijk gestript, maar niets gevonden. Op de Desert Eagle zijn vingerafdrukken gevonden op de trekker. Deze worden op dit moment door het systeem gehaald. We weten dat de bus bestuurd werd door ene Youssef, die ook lid blijkt te zijn van de Binnenhofgroep; deze Youssef is geen domme jongen. Hij waarschuwde Abdullah dat de telefoons werden afgeluisterd en ook ontsnapte hij aan zijn achtervolgers, Benny en Tikva. Sjors, nu jouw telaatkomersmoes.'
Sjors Klein haalde even zijn schouders op en reageerde niet op het flauwe grapje van De Koning. De commissaris negerend en de anderen aankijkend begon hij:
'De IMSI-catcher ving een gesprek op tussen een mobiele telefoon en een vaste telefoon. Volgens de antwoorden die de mobiele beller gaf, bleek dat in een leegstaande villa vanmorgen plotseling allochtonen zijn ingetrokken. De beller werd gelokaliseerd op de Segbroeklaan, rijdende richting Kijkduin.'
'Daar hebben we dus niet veel aan,' kwam De Koning ertussen.
Onverstoorbaar vervolgde Klein zijn relaas.
'We kunnen hem vanavond opsporen, want hij vertelde zijn vrouw dat hij om halfzeven een afspraak heeft in het Bel Air Hotel, met ene Zandstra. Als wij de heer Zandstra om laten roepen, hebben we ook de mobiele beller.'
'Uitstekend, Sjors,' probeerde De Koning zijn flauwe opmerkingen goed te maken. 'Dat wil natuurlijk nog niet zeggen, dat het onze allochtonen zijn, die de lege villa vanmorgen hebben betrokken.'

DEEL 7

GREEN SHAHDRA, ISLAMABAD

In een onopvallende, tien jaar oude zwarte Rover 200 SI, verlieten Shahid Aslam, Daisy en Zulfikar Islamabad, via de N75 richting Murree.
Na het gesprek die middag met majoor Abdul Bhaffi in de bus van de ISI, had Bhaffi hun een veilige lift aangeboden naar Islamabad.
Ze waren gestopt bij een tweedehands autodealer, waar Shahid binnen vijf minuten de zwarte Rover had gekocht.
Nadat de explosieven waren overgeladen in de Rover, nam Abdul Bhaffi afscheid door hen alle drie stevig te omhelzen en hij wenste hun succes.
'Ik moet dit eigenlijk niet toelaten,' mompelde hij.
Hij drukte Shahid nog een keer tegen zich aan en fluisterde: 'Ik zal ervoor zorgen dat je vrouw en je dochter gereedstaan om met jullie te verdwijnen. Wees voorzichtig, vriend. De villa wordt zwaar bewaakt.'
'Majoor,' had Daisy nog opgemerkt, 'laat uw mannen vannacht op een flinke afstand van de villa blijven.'
Bhaffi had begrijpend geknikt, zich met een ruk omgedraaid en zonder hun nog een blik te gunnen, was hij in de bus gestapt en met zijn mannen verder gereden.

Shahid had een huis aan de rand van het dorp Kot Hathyal gehuurd. Vandaaruit was het niet ver meer naar het Green Shahdra, een bergachtig, bosrijk gebied, waar de villa van sjeik Ghulam Al-Ahmadi zich bevond.
De villa lag op een hoogte, die uitzicht bood in de richting van Islamabad.
Om de villa te bereiken moest men honderd meter open terrein overbruggen.
Toen Shahid dat naar voren bracht als het moeilijkste deel van de operatie, begon Daisy geheimzinnig te glimlachen.
'Weet jij soms een andere manier om de villa binnen te komen?'
Daisy zweeg, zelfs toen ook Zulfikar aandrong op een antwoord van haar.
'Straks, in Kot Hathyal,' reageerde ze kort.

Centrum, Den Haag

Helemaal in de knoop met zichzelf, dwaalde Nadir Mahdoufi verdwaasd door het Haagse centrum.
'Verrader,' gonsde het door zijn hoofd. 'Smerige verrader.'

O, wat was hij trots geweest deel uit te mogen maken van de Binnenhofgroep.
Maar hij had het verknald, hij had zijn kameraden verraden.
Hij stond nu helemaal alleen.
Iedereen was tegen hem.
Zijn broer had hem aangegeven bij de politie. Hij had zelfs zijn computer gekraakt.
Toen hij vanmiddag thuiskwam uit school, ontving moeder hem met rode ogen van het huilen.
'Er is iemand die je wil spreken,' zei ze.
Ze liep voor hem uit naar de binnenkamer, ze had de deur opengehouden en liet hem voorgaan de kamer in.
Aan tafel zaten behalve Hassan en zijn zusje twee vreemde kerels.
Hij had hen nog nooit gezien.
Een van de kerels was opgestaan en had hem een hand gegeven.
'Blijlevens, recherche, en dat is mijn collega De Groot,' had hij gezegd.
En in het bijzijn van zijn moeder, Hassan en zijn zusje, bleef de juut maar vragen.
Hij hield zich van de domme, haalde een keer zijn schouders op, maar zei geen woord.
'We hebben een uitdraai van jouw dagboek gelezen, waarom blijf je zwijgen? Je maakt het alleen maar erger voor jezelf,' had Blijlevens gezegd.
Toen zijn moeder hem huilend smeekte om de waarheid te vertellen en zijn zusje, op wie hij zo gek was, hem met betraande ogen aan zat te staren, was hij gezwicht.
Hij had de rechercheur alles verteld wat hij wist, hij had hem zelfs het mobiele nummer van Abdullah gegeven.
Maar hij kon het nog goedmaken, pepte hij zichzelf op, hij moest Abdullah waarschuwen.
Hij zou hem vertellen dat hij gehoord had, dat de politie van alles op de hoogte was.
Misschien kon hij zo buiten schot blijven en hoefde hij zijn lidmaatschap van de Binnenhofgroep niet op te geven.
Hij keek in de grote winkelruiten van warenhuis De Bijenkorf en zag zichzelf als in een spiegel.
Hij richtte zich op, draaide zijn baseballpetje achterstevoren, en zocht in zijn broekzakken naar zijn mobieltje.
Waar was dat ding, hij werd er zenuwachtig van.
'Shit,' zei hij zacht, maar hard genoeg, zodat passerende mensen hem even vreemd aankeken.
'Probleem, jochie?' reageerde een jonge kerel, terwijl hij lachend zijn weg vervolgde.
Nadir kreeg een kleur en liep snel door, om even later over te steken en via de andere kant van de Grote Marktstraat terug te keren naar huis.
Zijn mobieltje lag op zijn bed en door de commotie met de juut was hij het glad vergeten.

Operatie 'Hassani', Kabul

ONDER LEIDING VAN DE twee-sterrengeneraal George Brown werd operatie 'Hassani' opgestart en nog diezelfde middag vertrokken vanaf het militaire gedeelte van luchthaven Kabul twee Chinooks met aan boord 32 Navy SEALs op weg naar de opgekregen locatie in een nieuwbouwwijk van Kabul.
12 Navy SEALs waren vooruitgeschoven en naderden de villa over de grond.

Nadat Mordechai Speckmann, hoofd Cryptologie bij de NSA, via het telefoonnummer de schuilplaats van krijgsheer Abu Al-Hassani had gelokaliseerd, schakelde hij de adviseur terrorisme van het Witte Huis, John Braines, in, die op zijn beurt George Brown in Kabul de opdracht gaf, de talibanleider op te pakken en het centrum te bemannen met Arabisch sprekende technici.

Commandant George Brown liet met enige trots zijn ogen over zijn SEALs gaan. De meesten zaten er onverschillig, onderuitgezakt, half slapend bij, terwijl enkelen op zachte toon een gesprek met elkaar voerden.
De 58-jarige generaal was een rasechte SEAL.
Gedecoreerd met het Navy Cross, de Zilveren Ster, Legioen van Verdienste en verschillende Medailles of Honor, was hij een van de meest gedecoreerde SEALs.
Hij had zich als zeventienjarige jongeman opgegeven voor het Navy SEALs trainingsprogramma, en kwam door de eerste screening heen, die nog voor de werkelijke trainingen begonnen al vrij pittig was.
Een onderdeel van de fysieke screening was bijvoorbeeld een kilometer zwemmen in ruwe zee binnen de twaalf minuten.
Elke deelnemer diende de Engelse taal vloeiend te beheersen, in woord en geschrift.
De vierde week van de zes maanden durende basisopleiding, ook wel de Hell Week genoemd, was bedoeld om de zwakken te scheiden van de sterken.
Na de basistraining volgde een drie weken durende parachutistentraining, gevolgd door een vijftien weken durende gevorderde training.
Na de circa tien maanden opleiding kregen de geslaagden de *Trident*, het insigne van de SEALs, opgespeld, waarbij het credo is, eens een SEAL, altijd een SEAL.
Ook bij pensionering gaat namelijk de titel SEAL niet verloren.
De opleiding en training tot Navy SEAL is een van de zwaarste ter wereld.
Hij werd in 1966 ingedeeld bij de SEALs *Team TWO*.
Samen met SEALs *Team ONE* werden zij ingezet in Vietnam.
Vooral president John F. Kennedy zette zich in om binnen het Amerikaanse leger eenheden te creëren op het gebied van onconventionele oorlogvoering.
SEAL is een afkorting voor SEa, Air en Land.

SEALs opereren in kleine groepen en worden wereldwijd in het diepste geheim ingezet.

De twaalf SEALs hadden inmiddels, onder leiding van een sergeant-majoor, de villa omsingeld en naderden, zo veel mogelijk dekking zoekend, hun vooruitbepaalde posities.
Tegen de tijd dat het geluid van de naderende Chinooks tot hen doordrong, stonden zij rondom de villa met hun ruggen tegen de blinde muren gedrukt.
Op het lawaai dat de twee Chinooks veroorzaakten, kwam Karim, de eenarmige oude strijdmakker van krijgsheer Abu Al-Hassani, naar buiten, waar hij gelijk door twee SEALs werd overmeesterd.
De overige SEALs, de sergeant-majoor voorop, drongen het huis binnen.
Uit de Chinooks werden touwen neergelaten, waarlangs in hoog tempo de SEALs zich naar beneden lieten glijden. De villa werd hermetisch afgesloten.
Toen George Brown de woning binnenkwam, zag hij dat twee SEALs een angstige jonge vrouw vasthielden.
'Laat haar los,' beval hij de beide SEALs en vervolgde in het Dari, het meest gesproken dialect in Afghanistan: 'Er zal je niets gebeuren, maar we willen weten waar krijgsheer Abu Al-Hassani zich schuilhoudt.'
De jonge vrouw schudde vertwijfeld haar hoofd en sloeg onbewust een blik op het grote wandkleed.
De commandant glimlachte en beval de twee SEALs, die nog steeds naast de jonge vrouw stonden, haar naar buiten te brengen.
Hij wachtte tot de vrouw buiten gebracht was, voordat hij zich tot de sergeant-majoor wendde. 'Sergeant-majoor, haal dat wandkleed van de muur. SEALs, neem jullie posities in.'
De SEALs stelden zich in een halve kring voor het wandkleed op, hun geweren in de aanslag.
De sergeant en drie SEALs rukten het handgeknoopte wandkleed los van het plafond en in een wolk van stof zakte het gigantische kleed als in slow motion gekreukeld tegen de vloer.
Een liftdeurtje werd zichtbaar.
Nadat de stofwolk enigszins was opgetrokken gaf de commandant een van de drie SEALs een wenk om de liftdeur te openen.
Over het kleed klimmend bereikten de SEALs het liftdeurtje, drukten op de knop naar de benedenverdieping en het liftdeurtje schoof naar rechts open.
In de lift was plaats voor hooguit twee SEALs.
'Sergeant-majoor, neem een van de SEALs met je mee de lift in, zet je gasmasker op, en gebruik jullie gasgranaten. Hopelijk zijn ze beneden te verrast om weerstand te bieden. Neem geen risico en indien nodig gebruik je je wapen. Stuur de lift zo snel mogelijk weer naar boven.'
Onder een zacht gegrinnik van hun kameraden schuifelden de beide SEALs,

buik tegen buik de lift in. Het deurtje sloot zich en de lift was op weg naar beneden.
'Als dat maar goed gaat,' gniffelde een SEAL en opnieuw klonk een zacht gegrinnik.
'SEALs, concentratie,' klonk de stem van de commandant en vervolgens beval hij: 'Trek dat kleed voor de liftdeur weg.'

Krijgsheer Abu Al-Hassani en zijn assistent, computerexpert Ramzi, werden totaal verrast door de twee SEALs.
Een bezorgde Al-Hassani probeerde al dagen contact te zoeken met sjeik Faisel in Kopenhagen en Shahid Aslam in Islamabad. Toen de SEALs de lift uit kwamen, zat hij gebogen achter zijn bureau met het hoofd in zijn handen geklemd.
Ramzi was uit verveling bezig met een computerspelletje. Hij had de lift wel gehoord, maar het gebeurde wel meer dat krijgsheer Abu zich even naar boven begaf om een praatje te maken met Karim.
Voor zij beseften dat zij werden overvallen, deden de gasgranaten reeds hun werk. Een bedwelmde Abu Al-Hassani werd als eerste naar boven getransporteerd, waar hij opgevangen werd door twee SEALs, en vervolgens geboeid naar buiten werd gebracht. Zijn assistent Ramzi wachtte hetzelfde lot.
Een SEAL-technicus nam de taken van Ramzi over en deed zich voor als Abu. Twee SEALs hielden hem gezelschap.
Ze ontvingen de melding van sjeik Mahmoud Al Sayyed Hashem dat de explosieven in Den Haag geplaatst waren, en vanuit Berlijn van ene Mustafa de boodschap dat ze daar gereed waren voor de grote boemdag.
De ontvangen berichten werden onverwijld doorgesluisd naar de NSA, waar Mordechai Speckmann op zijn beurt de berichten gecodeerd doorstuurde naar CIS-1 in Tel Aviv.
Krijgsheer Abu, Karim en Ramzi werden via enkele omwegen overgebracht naar Guantanamo Bay.
Na een kort verhoor liet men Karims dochter vrij.

Berlin, Friedrichstrasse, vrijdag 08.00 uur

'Ik zorg er persoonlijk voor, dat er een opsporingsbericht uitgaat wat betreft het Mercedesbusje, met het kenteken beginnende met 33 BN,' zei Schulz. 'Verder heb ik over een halfuur overleg met de burgemeester en de hoofdcommissaris. Zoeken jullie je bed op om achterstallige slaap in te halen. Vanmiddag om vijf uur verwacht ik jullie hier weer terug.'

Dennis Neumann besloot met zijn vriendin mee te gaan naar haar appartement, om haar te verlossen van de etalagepop die nog steeds op haar bed lag.

Zij ontdeden de pop van de zwarte lingerie en het sieraad en Dennis ontfermde zich over het survivalmes, dat hij tussen zijn broekriem stak. De pop bracht hij naar het schuurtje achter het huis.
Toen hij het huis weer binnenkwam, hoorde hij het douchewater stromen.
Geeuwend ontdeed hij zich snel van zijn kleren en begaf zich naar de badkamer.
Hij voelde zich moe en vies en verlangde naar een warme douche.

Kopenhagen, vrijdagmiddag, 16.00 uur

Niels Jacobson reed met een veel te hoge snelheid naar het hoofdbureau aan de Slotsherrensvej 113.
Samen met Lilian Carlson had hij Sven Larsen bezocht in het Norrevold Röntgen Klinic.
Opgelucht hadden zij bij binnenkomst Sven aangetroffen, zittend aan een leestafeltje.
Met een pijnlijke grimas op zijn gezicht had hij hun verteld dat de chirurg de scherven en stukjes ijzer uit zijn rug had verwijderd en dat er gelukkig geen vitale organen waren geraakt.
De wonden waren gedesinfecteerd en enkele gehecht.
Pijnlijk lachend had hij hun verteld dat zijn grootste zorg was, dat hij bij het naar bed gaan niet op zijn rug kon gaan liggen, rasechte rugligger als hij was.
Jacobson zocht een parkeerplaats zo dicht mogelijk bij de ingang van het politiebureau.
Nick Polsen, Olaf Magnusson en Soren Pedersen zaten al op hem te wachten in de grote vergaderkamer. Niels Jacobson had hen opgeroepen voor een spoedoverleg.
Na een korte begroeting en een verslag van hun bezoek aan Sven opende Niels Jacobson de bijeenkomst.
'Mensen, een aantal dingen in het kort over hoe we er voorstaan: Sven Larsen staat verder in het verloop van deze operatie buitenspel.
Er zijn drie terroristen uitgeschakeld.
Het terroristenteam is weer aangevuld, dit keer met de laatste twee echte bodyguards van de sjeik.
De groep nepbodyguards die de sjeik nu omringt, is aangevuld met twee allochtonen uit de stadswijk Norrebro.
De vraag is: waar houden de terroristen zich schuil, nadat zij hun eerste onderduikadres moesten verlaten?'
Jacobson bestudeerde een kort moment zijn aantekeningen voor hij verderging.
'De beoogde objecten worden zwaar bewaakt.
Alle beschikbare politiemensen van het korps Groot Kopenhagen worden morgen ingezet. Het lijkt bijna onmogelijk dat er morgen een aanslag zal plaatsvinden, maar toch!
Ik wil die schoften nu zo snel mogelijk opsporen en achter de tralies zetten.'

De laatste opmerking uitte Niels met stemverheffing en terwijl hij zijn mensen een voor een aankeek, vroeg hij: 'Maar hoe pakken we dat aan?'

Berlin, Friedrichstrasse, vrijdag 17.00 uur

Thomas Schulz legde juist de hoorn van zijn telefoon terug op het toestel, toen Dennis dit keer alleen arriveerde. Bij het verlaten van het appartement lag Lisa nog te slapen; hij had een paar lieve woordjes op een stukje papier achtergelaten op haar nachtkastje.
Hij nam plaats tegenover Schulz en zei: 'Waar heb jij dan geslapen, Thomas? Aan je kleren te zien hier op de bank.'
Schulz reageerde met een schaapachtig gegrinnik en antwoordde: 'Ik heb vannacht uren geslapen, de houding was niet zo comfortabel, maar toch! Ik ben trouwens zojuist gebeld door de hoofdcommissaris. De Belgische zakenlieden zijn getraceerd, zij verblijven in Hotel Adlon, bij de Brandenburger Tor. Echter, de naam van de leider, Van Someren, kwam niet in het hotelregister voor. Van de Mercedesbus nog geen spoor.
Ondertussen heb ik van mijn Belgische collega foto's ontvangen van alle zes uit België afkomstige terroristen.
De foto's heb ik laten vermenigvuldigen en uit laten delen aan de politieagenten die de hotels, motels, pensions en waar men ook maar kamers verhuurt, uitkammen en zich dus bezighouden met het opsporen van de verdachten.'
Schulz overhandigde een set foto's aan Dennis, die ze een voor een bestudeerde.
Een klop op de deur en de GSG9 commandant Andreas Heller en commandant Florian Steinhofer van het SEK stapten het kantoor van Schulz binnen.
'Goedemiddag, heren, neem plaats,' verwelkomde Schulz de beide commandanten, waarna hij ze kort bijpraatte zodat ze ook helemaal op de hoogte waren.
De twee commandanten bestudeerden zwijgend de foto's.
'Dennis,' vervolgde Schulz zijn betoog, 'begeef je naar Hotel Adlon en hoor die Belgen uit. Zij zouden toch moeten weten waar hun leider zich ophoudt? Geef je bevindingen aan mij door en ga daarna naar huis, slaap vannacht in je eigen bed. Het ziet ernaar uit dat het morgen D-day is. Ik verwacht je morgenochtend om 08.00 uur op mijn kantoor.'
Dennis stond op en groette de mannen.
In de hal zat neef Ali Ghazi op hem te wachten, met zijn arm in een mitella.
Toen Dennis verscheen stond hij op en keek Dennis nieuwsgierig aan.
'Moet jij niet in een ziekenhuisbed liggen?' vroeg Dennis.
'En dan het spannendste deel missen zeker,' repliceerde Ali. 'Pascal en de anderen verwachten jou op je kantoor.'
Met twee stappen stond Dennis voor zijn deur. Hij hoorde het geroezemoes van zijn mannen al.
Hij klopte, deed de deur open en stapte naar binnen, op de voet gevolgd door Ali.
Alle vier zagen ze er topfit uit.

Midden in zijn kantoor bleef Dennis staan en keek zijn mannen met een flauwe glimlach rond zijn brede mond een voor een aan.
'Oké, mannen, laatste nieuws: de politie heeft de groep Belgische zakenlieden getraceerd. Zij verblijven in Hotel Adlon, op nog geen 130 meter van de Brandenburger Tor. Voor wij daarheen gaan voor een vriendelijk praatje met de Belgen, moeten jullie eerst deze foto's bekijken. Zuig die gezichten in je op, en let op eventuele afwijkingen, hoge of lage haargrens, de ligging van de ogen, de stand van de neus, enzovoorts. De enige autochtoon is de leider van de Belgische zakendelegatie, maar ook de organisator van de geplande aanslagen en leider dus van de groep terroristen. De verblijfplaats van hem en de vijf anderen is onbekend.'

Na het vertrek van Dennis vroeg Andreas Heller aan Schulz waar hij met zijn Anti Terreur Eenheid ingezet kon worden.
'Dat geldt ook voor mijn arrestatieteam,' merkte Florian Steinhofer op.
Voor hij antwoord gaf, keek Schulz de beide commandanten een ogenblik peinzend aan.
'Zoals al door mij opgemerkt, morgen is het D-day. Morgenochtend vanaf acht uur patrouilleren jullie met je manschappen op en rond de volgende objecten: de Reichstag, Schloss Charlottenburg, de Brandenburger Tor en Unter den Linden. Laat jullie manschappen de foto's van de zes overgebleven terroristen bestuderen. Ik verwacht dat zij zich morgen onder het wandelende publiek zullen begeven, om de door hen geplaatste explosieven te ontsteken. Ook de politie is massaal aanwezig.'
Na een korte pauze vervolgde Schulz: 'Neem vanavond en vannacht rust, zodat iedereen morgen goed uitgerust en fit aan zijn taken kan beginnen. Het zou weleens een erg zware dag kunnen worden. Maar wat er ook gebeurt, de terroristen zitten nu al in de val. Blokkades zijn aangebracht op alle in- en uitgaande wegen, geen muis kan de stad in of uit zonder gecontroleerd te worden. Deze controleposten zijn bovendien extra bemand. Hier hebben jullie elk een pakket foto's van de zes uit België afkomstige terroristen, deel ze uit aan jullie mensen. Ik zie jullie morgenochtend om 08.00 uur voor een laatste briefing.'

Den Haag, vrijdag 18.30 uur, Bel Air Hotel

Zodra de slagboom omhoog zwiepte, stuurde Benny zijn Mustang naar links, waar nog enkele parkeerplaatsen van het Bel Air Hotel onbezet waren.
Vervolgens liep hij met Tikva en Alfons de grote entreehal van het hotel binnen. Benny koerste recht op de receptie af en liet aan de dame achter de balie zijn politiepenning zien.
'Wilt u de heer Zandstra laten omroepen en hem verzoeken zich te melden bij de receptie?' vroeg hij kortaf.

De receptiedame trok een pruillipje en reageerde: 'Nou, meneer, sorry hoor, maar u bent ook niet een van de vriendelijksten.'
'Juffrouw, we zijn niet in de stemming om vriendelijk te zijn,' merkte Tikva rustig op. 'Doe alstublieft wat de rechercheur u vroeg.'
'En wat vroeg de rechercheur aan de baliemedewerkster?' klonk het uit de mond van een geruisloos naderbij gekomen heer.
Op de linkerrevers van zijn kostuum was een badge gespeld waaruit bleek dat ze te maken hadden met hotelmanager De Mos.
Alfons Morilles deed een stap naar voren en zei: 'Op dit moment dineert in uw restaurant ene meneer Zandstra met een voor ons onbekende man. En deze onbekende man moeten wij dringend spreken. Onze vraag is simpel: roep de heer Zandstra op met het verzoek zich te melden bij de receptie. De rest kunt u aan ons overlaten.'
'U vraagt nogal wat! We kunnen onze gasten toch niet zomaar tijdens hun diner storen,' reageerde manager De Mos. 'Kunt u niet een halfuurtje of drie kwartier wachten tot de heren zijn uitgegeten? Ik zal u voorgaan naar de loungebar, waar ik u trakteer op een glaasje fris of wat u maar wilt drinken.'
Benny draaide de hotelmanager zijn rug toe, wenkte zijn collega's hem te volgen en liep met grote stappen naar het restaurant.
Een ogenblik stond de hotelmanager perplex, tot het tot hem doordrong wat ze van plan waren. Hij kwam in beweging en rende de drie achterna, zacht roepend. 'Nee, wacht, dat kunt u ons niet aandoen.'
Even voor het bereiken van de restaurantingang had hij de politiemensen ingehaald en bleef abrupt voor hen staan. 'Alstublieft,' stamelde hij. 'Dat kunt u onze goede naam niet aandoen, we vinden wel een oplossing.'
Benny keek meneer De Mos grimmig aan. 'Oplossing? Nee, meneer De Mos, we stappen nu het restaurant binnen, we stellen ons voor en verzoeken de heer Zandstra zich bekend te maken.'
'Nee, alstublieft,' draaide de manager bij, terwijl hij naar de juffrouw achter de receptiebalie wenkte, die precies begreep wat de hotelmanager bedoelde. Direct daarop klonk uit de luidsprekers het verzoek aan de heer Zandstra om zich zo snel mogelijk te melden bij de receptie.
Tikva liep om de manager heen en betrad het restaurant.
Aan een van de tafels bij het raam keek een kerel verbaasd om zich heen, zei iets tegen zijn overbuurman, stond op, trok zijn colbertje aan en begaf zich naar de uitgang.
De man had een keurig bijgehouden grijze baard en snor en Tikva keek hem verbaasd in zijn gezicht. Terwijl de man Tikva op nog geen halve meter passeerde, gaf hij haar een vette knipoog.
Die man ken ik, dacht ze. Maar waarvan?
Ze begaf zich naar het tafeltje dat de man met de baard zojuist verlaten had en nam plaats, de kerel tegenover haar vriendelijk aankijkend.
Hij staarde haar aan met gefronste wenkbrauwen en vroeg: 'Wat moet dit betekenen?'

'Voor ik daarop inga, heb ik een vraag. Wie is uw tafelgenoot?'
Een glimlach verscheen op het gezicht van de man en hij zei: 'Dit gaat je eigenlijk niets aan, schone dame, maar vooruit, wij waren bezig een zakelijke deal af te sluiten, toen de heer Zandstra werd omgeroepen. De heer Zandstra is een vip in de reclamewereld, hij wordt ook wel Captain Icecream genoemd.'
'Ach ja, natuurlijk,' mompelde Tikva.
De man nog steeds glimlachend aankijkend vervolgde ze: 'Mijn naam is Tikva Goldsmid, speciaal opsporingsambtenaar, tijdelijk ondergebracht bij het Haagse politiekorps. Mag ik weten wie u bent en waar u woont?'
De man knikte en zei: 'Ja, natuurlijk, waarom ook niet, ik heb niets te verbergen. Mijn naam is Gerard Janssen, en ik woon aan de Laan van Poot. Hier hebt u mijn paspoort.'

Berlijn, Hotel Adlon, 19.00 uur

Dennis en zijn mannen troffen de Belgische zakenlui aan in de bar, waar zij met hun Berlijnse collega's een glas dronken ter afsluiting van een succesvolle week zakendoen.
Men besprak juist een tegenbezoek aan Antwerpen, toen Dennis vroeg of hij en zijn mannen tien minuten van hun tijd mochten lenen, voor een kort gesprek met de Belgen.
Drie vragen werden er gesteld: of hun de afgelopen week iets vreemds was opgevallen, wanneer zij naar Antwerpen zouden terugkeren, en wanneer zij voor het laatst Van Someren hadden gezien en of zij wisten waar hij zich ophield?
De antwoorden konden als volgt kort samengevat worden: zij waren de afgelopen week volledig in beslag genomen door het zakendoen en waren zeer positief over hun Berlijnse tegenhangers. De volgende morgen zouden zij om tien uur met de bus vertrekken naar Antwerpen.
Van Someren was het laatst op donderdagochtend gezien, toen hij zich liet verontschuldigen en Hotel Adlon verliet.

In een hoek van de lobby, half verscholen achter een twee meter hoge ficus benjamina, zat een veertiger onderuitgezakt in een luie fauteuil zijn krant te lezen.
De man had lang donkerblond haar, dat golvend over zijn oren en zijn kraag viel. Hij droeg een bril met donkere glazen en onder zijn forse neus prijkte een borstelige snor, die overliep in een puntige baard.
Het vreemde was, dat hij zich verdiepte in een krant die hij ondersteboven in zijn handen hield.
Zijn werkelijke aandacht ging uit naar de gesprekken van Dennis en zijn mannen met de Belgische zakenlieden. Bij de vraag wanneer zij Van Someren voor het laatst hadden gezien en of zij wisten waar hij zich momenteel ophield, begon-

nen zijn ogen achter de donkere brillenglazen te schitteren en trok er een flauwe glimlach rond zijn mondhoeken.

Dennis liet de laatste gesprekken aan zijn mannen over en begaf zich naar de receptie.
Daar hoorde hij dat Van Someren zich donderdagochtend vroeg had laten uitschrijven en was vertrokken.
'Kan ik de kamer zien?' vroeg Dennis.
'Nee, dat kan niet, de kamer is opnieuw bezet door een heer die speciaal naar deze kamer heeft gevraagd.'

Bureau Duinstraat, 20.00 uur

Er heerste een gespannen sfeer in het kantoor van commissaris De Koning.
Sjors Klein was zojuist gearriveerd met de mededeling dat een telefoontje van Nadir onderschept was. De jonge Mahdoufi had contact gezocht met Abdullah, die het telefoontje wel aannam, maar zo kort reageerde dat de technicus niet de tijd kreeg om het mobieltje precies te lokaliseren.
'Hij bevindt zich vlak bij ons in de buurt,' had de technicus aan Klein meegedeeld, terwijl hij een denkbeeldige cirkel op het beeldscherm trok.
De Koning ijsbeerde nerveus door zijn kantoor.
Enkele minuten geleden was hij geïnformeerd over de vorderingen van het lopende onderzoek dat de Koninklijke Marechaussee was begonnen naar de oorsprong van de explosieven en wapens. Het onderzoek leidde naar twee militairen, die gelegerd waren in de Soesterbergkazerne. Een 25-jarige sergeant en een 26-jarige sergeant-majoor.
De hierop volgende huiszoeking op de kazerne en bij de militairen thuis leverde een vangst van gestolen wapens, munitie en explosieven op. De sergeant en een 28-jarige burger werden in de woning van de militair in Hoogvliet aangehouden. Volgens het OM was de aangehouden 28-jarige burger een rechts-extremist.
In de Utrechtse woning van de tweede militair, de 26-jarige sergeant-majoor, trof men rechts-extremistisch materiaal aan.
Uit het verhoor moest nog blijken of hij de contactman was tussen een kleine groep (oud-)militairen, verspreid over enkele kazernes in Nederland, en neonazi's.

Benny, Tikva en Alfons kwamen het kantoor binnen.
'Ha, eindelijk,' verwelkomde De Koning het drietal. 'Ga zitten, ik heb het gevoel dat we de laatste fase ingaan.'
Benny deed snel verslag van hun bevindingen in het Bel Air hotel. 'De heer Janssen zit beneden op ons te wachten,' vervolgde Benny. 'Wij willen met hem mee-

rijden en ons verbergen in zijn villa. Hij en zijn vrouw moeten zo snel mogelijk geëvacueerd worden. Om een bloedbad zoals in Wassenaar te voorkomen,' zei Benny tegen Klein, 'grendelen jij en je manschappen ongezien de terroristenvilla af. Het verschil met Wassenaar is dat de terroristen niet weten, dat we hen opnieuw in de tang hebben.'
'Morgen zullen er in elk geval een paar van hen naar buiten moeten komen om de explosieven te ontsteken,' merkte Tikva op.
'Is het bekend hoeveel terroristen zich nog in de villa bevinden?' vroeg De Koning.
'Abdullah en de Professor, dat zijn er twee,' begon Benny te tellen. 'Youssef en Ahmed van de Binnenhofgroep maakt vier, en volgens mij zijn er daarnaast nog vier Palestijnen.'
'We moeten dus rekening houden met acht man,' constateerde De Koning. 'Hoeveel auto's hebben zij tot hun beschikking?'
'De Mercedes van Stalman,' deed ook Alfons een duit in het zakje. 'Een Ford Escort en een zwarte Seat.'
'We zouden de terroristen vannacht kunnen verrassen,' merkte Sjors Klein op, die tot nu toe nog niets gezegd had. 'We zijn in het voordeel, omdat zij niet weten wat wij weten.'
Benny stond op en zei: 'Ik verzin wel wat, we rijden nu met meneer Janssen mee naar zijn huis en Roel: we houden je telefonisch op de hoogte van de gebeurtenissen.'
De Koning knikte en stak zijn hand op.
'Nog één ding,' zei hij. 'Sjors, evacueer de bewoners van de villa's in de directe omgeving van de villa waar de terroristen zich ophouden.'

De heer Janssen draaide vanaf de Houtrustlaan met zijn BMW de Laan van Poot op. Hij nam met zijn rechterhand een afstandsbediening uit het bekerhoudertje en drukte op een knopje.
Door de getinte ramen kon men van buitenaf niet goed zien wie er naast de heer Janssen op de passagiersstoel zat en wie achterin op de achterbank.
De BMW draaide de oprit op. De garagedeur was al tot de helft geopend. Rustig reed Janssen zijn auto verder.
De villa van de Janssens stond direct naast de villa waar mevrouw Janssen de allochtonen had zien binnengaan. Goedkoop, die naast Janssen op de passagiersstoel zat, tuurde door de voorruit naar de villa van de buren. De overgordijnen waren gesloten en er was totaal geen teken van leven.
Op de twee parkeerplaatsen naast de oprit van de villa stonden de Escort en de Seat.
Sjors Klein had een lift gekregen tot de Houtrustlaan en voegde zich bij zijn eenheid.
Na de uitval van de terroristen in Wassenaar was de eenheid op alles voorbereid.

Een benauwd kijkende mevrouw Janssen begroette haar man en de drie politiebeambten.
Janssen nodigde met een joviaal gebaar de drie bezoekers uit plaats te nemen in de zitkamer.
Benny ging op de bank zitten en merkte op dat de twee villa's uiterlijk wel heel veel op elkaar leken.
'Dat klopt,' reageerde Janssen. 'Ze zijn door dezelfde aannemer gebouwd. Ik weet het nog als de dag van gisteren, dat bespaarde ons toentertijd aan architectkosten zo'n kleine 10.000 gulden.'
'Hebt u de bouwtekeningen nog?' vroeg Tikva, die aanvoelde waar Benny naartoe wilde.
Janssen tuitte de lippen en er vormden zich denkrimpels op zijn voorhoofd.
Na enkele ogenblikken knikte hij en een glimlach brak door op zijn gezicht.
'Vrouw,' zei hij, 'heb je koffie? Onze gasten zullen vast wel een kopje koffie appreciëren. Dan kijk ik ondertussen even op zolder.'

Danny's Private Members Club in Soho, Londen

Commandant Alan Price liet zijn speciale MI5-batch zien, waarop de portier een fluitend geluid liet horen.
'Hoog bezoek,' zei hij. 'Hebt u een momentje?'
'Nee, dat heb ik niet,' repliceerde Alan. 'Nu direct opendoen.'
'Poeh, meneer heeft haast.'
'Luister, beste man, wanneer de kerel voor wie ik kom gewaarschuwd is en door de achterdeur verdwenen, ben jij nog niet van mij af.'
Roger McCarthy en Pete Baltimore, plus vier wijkagenten, stonden aan weerszijden van de ingang, uit het zicht van de portier, te wachten tot de deur werd opengemaakt.
Op een zeurderige toon reageerde de portier. 'Als u het zo zwaar opneemt! Wie ben ik dan nog?' En terwijl hij de deur ontgrendelde: 'Komt u maar binnen.'
De deur zwaaide open en voor hij wist wat er gebeurde, hielden twee agenten de man in bedwang en snelde Alan met zijn mannen en de andere twee agenten langs de lobby de clubruimte binnen.
De receptioniste slaakte een gilletje en staarde met grote ogen naar de voorbijrennende mannen.
Een ogenblik moesten hun ogen wennen aan de spaarzaam verlichte ruimte.
Midden in de ruimte voerde een buikdanseres op een klein dansvloertje haar show op, met wiegende heupen en een rollende buik.
De show was adembenemend, omdat verschillende en afwisselende kleuren licht over haar glimmende en schaars geklede lichaam zwiepten.
Rechts van het dansvloertje, in het duister, bevonden zich enkele loges.
Vijf op een rij, telde Alan.
Voor elke loge hingen twee halve nepgordijnen, vanaf het plafond tot op de grond.

Door de opnemers hield men voldoende zicht op het dansvloertje.
Een ober kwam handenwringend op hen af. Voordat de man iets kon zeggen, hield Alan hem zijn MI5-batch voor en vroeg: 'In welke box bevindt Roberto Spirea zich?'
De ober stak zijn handen wanhopig omhoog terwijl hij, harder dan nodig was, vroeg: 'Wie zoekt u, Roberto Spirea?'
Direct daarop ontstond er beweging in loge 3.
Een kerel met blond krullend haar kwam vanachter het gordijn tevoorschijn, een platte pet diep over zijn voorhoofd, en keek met zijn blauwe ogen in de richting van de MI5-agenten.
'Je wordt bedankt,' siste Alan de ober toe, ondertussen snel op de platte pet aflopend.
De kerel had zijn rechterhand onder de linkerrevers van zijn colbertje en hield zijn revolver stevig vast.
Achter hem verscheen een halfbloed, met op zijn kroeshaar een te grote alpinopet, een Heckler & Koch in zijn rechterhand, gericht op de snel naderbij komende Alan en zijn mannen. Zijn MI5-batch onder de neus van platte pet houdend zei Alan scherp: 'Rustig, doe geen rare dingen, we willen even praten met jullie boss.'
De batch ziende stopte de alpinopet zijn pistool terug in zijn schouderholster en zijn hoofd omdraaiend zei hij, de loge inkijkend: 'MI5-agenten, ze willen je spreken, boss.'
'Laat ze maar door, Kroeskop,' klonk een rauwe, schorre rookstem van achter uit de loge.
Platte pet en Kroeskop deden een stap opzij en lieten Alan en Roger de loge betreden.
Pete Baltimore bleef buiten de loge en hij en de twee gangsters namen elkaar de maat.
De twee geüniformeerde agenten hielden zich op bij de toegangsdeur, zodat ze goed overzicht hadden.
In de ruime loge bevonden zich behalve Spirea nog iemand met een kapiteinspet op en een paar animeermeiden.
De MI5-agenten namen plaats op de beide uiteinden van de ronde zitbank.
'Kan ik de heren iets aanbieden?' vroeg Spirea slijmend en liet er, met een grijns op zijn gezicht, sarcastisch op volgen: 'Of drinken de heren niet in diensttijd?'
Bliksemsnel kwam Alan overeind, greep de ex-bokser bij zijn stropdas en trok hem half over de tafel naar zich toe.
Glazen knalden van de tafel en sloegen aan scherven tegen de grond.
Bier en neplikeur spatten alle kanten op.
Kapiteinspet trok zijn Heckler & Koch, maar Roger hield hem reeds zijn pistool onder de neus.
De twee gangsters buiten de loge draaiden zich om, en trokken ook hun vuurwapens.
De waarschuwende stem van Pete hield hen halverwege het trekken tegen.
Na de waarschuwing vervolgde Pete: 'Neem de kolf van je pistool tussen duim

en wijsvinger, haal hem uiterst voorzichtig tevoorschijn en drop je wapen voor mij op de grond.'
De twee gangsters staarden elkaar twijfelend aan, terwijl achter hun rug Spirea een paar forse oorvijgen moest incasseren en weer ruw terug op de bank werd geduwd.
Dit alles speelde zich af in nog geen tien seconden.
Vastberaden klonk de stem van Pete nog een keer: 'Indien nodig zal ik niet aarzelen om te schieten, dus: leg nu je wapens neer.'
De buikdanseres was gestopt met haar optreden en staarde met haar hand voor haar mond naar het tafereel dat zich in en voor loge 3 afspeelde.
Protesterende kreten klonken op vanuit de andere loges.
De clubeigenaar, zijn barkeeper en een ober kwamen haastig op het rumoer af.
Een van de agenten bij de deur had zijn wapenstok in zijn rechterhand genomen en kwam dreigend naar loge 3 gelopen, om Pete bij te staan.
Bij het zien van de naderende politieagent kozen de twee gangsters eieren voor hun geld en lieten hun pistolen voor de voeten van Pete vallen.
'Wat heeft dit te betekenen?' vroeg de clubeigenaar hooghartig aan Pete.
Pete haalde zijn schouders op en gaf de agent een afgesproken sein.
De politieman knikte en stak zijn arm op naar zijn collega bij de deur, die vervolgens een van zijn achtergebleven collega's naar zich toe riep.
'Onze vrienden van de MI5 hebben assistentie nodig, John,' zei hij.
John was met zijn twee meter de grootste van de vier agenten en een grimmige uitdrukking verscheen op zijn gezicht. Met een paar grote stappen overbrugde hij de afstand tot loge 3.
Samen met zijn collega sommeerde hij de clubeigenaar en zijn mannen zich afzijdig te houden en terug te keren naar hun werkplek.
Ondertussen was de tronie van Spirea rood aangelopen van woede en puilden zijn rode varkensoogjes uit hun kassen.
Het leek of zijn keel zat dichtgesnoerd. Hij kon geen woord uitbrengen en hapte naar lucht.
Alan wachtte rustig af en gaf de gangsterboss de tijd om weer op adem te komen.
'Spirea,' begon hij na een halve minuut, 'we moeten even met je praten, maar niet hier in de loge. Ik geef je twee mogelijkheden. Een: we nemen je mee naar het Thames House of twee: we gebruiken het kantoortje van de clubeigenaar.'
De gekalmeerde gangsterboss knikte.
'Het kantoortje hier in de club,' zei hij. 'Ik regel dat met de manager.'

Alan had plaatsgenomen achter het bureau en Roger en Spirea lieten zich in twee ruime fauteuils zakken voor het bureau.
'Wat voerden jullie afgelopen nacht uit rond het Wembley Stadion?' opende Alan het verhoor.
Spirea keek Alan een ogenblik aan en zijn blik neerslaand ontkende hij. 'Ik weet niet wat je bedoelt.'
Alan haalde zijn schouders op en repliceerde: 'Oké, beste man, het is jouw keuze.

Roger, doe hem de handboeien aan, we nemen hem mee naar Thames House en geven hem in handen van onze verhoorspecialisten.'
'Ho, wacht eens even.' Spirea kwam vanuit zijn fauteuil omhoog. 'Op grond van wat willen jullie mij oppakken? Ik wil mijn advocaat hier bij hebben.'
'National interest.'
'Landsbelang?' Spirea staarde Alan een ogenblik verbijsterd aan en liet een bulderende lach horen. 'Landsbelang?' herhaalde de gangsterboss. 'Die paar rondjes die wij uit verveling rond het stadion hebben gereden bestempelen jullie als landsbelang?'
Roger McCarthy wenkte de agent die bij de deur post had gevat en samen sloten ze Spirea in.

Voordat de agent Spirea zijn handboeien om kon doen, stak Alan zijn hand op.
'Ik geef je nog een kans, Spirea,' zei hij, 'voordat we je afvoeren naar het Thames House. Je geeft toe dat je uit verveling een paar rondjes rond het Stadion hebt gereden. Was dat soms in plaats van uit verveling een verkenningsritje?'
Spirea, die met zijn rug naar Alan toe stond, gaf geen antwoord.
'Van wie heb je de opdracht aangenomen om morgenmiddag op het Wembley-terrein voor chaos te zorgen?' gokte Alan.
Spirea draaide zich om en keek Alan zwijgend aan.
Zijn bovenlip, met daarop zijn schitterende camouflerende hangsnor, trilde.
Alan voelde dat hij raak geschoten had en vervolgde: 'Hoeveel is jou geboden, Spirea, om een vechtpartij uit te lokken tussen de beide supportersgroepen?'
Spirea knipperde even met zijn varkensoogjes, maar gaf geen antwoord.
Alan zuchtte en zei: 'Roberto Spirea, jij denkt toch niet dat MI5 een spelletje met jou speelt! Dit is bittere ernst.'
En na een korte stilte: 'Hoogstwaarschijnlijk zijn jullie na de veroorzaakte vechtpartij ook slachtoffers van een aanslag.'
De commandant en de gangsterboss keken elkaar recht in de ogen.
'Dat meen je niet,' kwam er uiteindelijk uit Spirea's mond en zijn schorre rookstem verheffend zei hij: 'Een aanslag op Wembley en wij getypeerd als slachtoffers?'
Toen Alan niet reageerde, drong het tot de ex-bokser door, dat de commandant meende wat hij zei.
Verbouwereerd liet hij zich in de grote fauteuil zakken.
'Ik kreeg veel geld aangeboden,' begon hij op te biechten. 'Om alleen maar een beetje lol te trappen op het voorplein van Wembley.'
Na een korte stilte vervolgde hij lispelend: 'Mijn gang is te klein om flinke chaos te stichten, daarom heb ik als aanvulling tien bevriende Joego's ingehuurd.'
Alan vroeg: 'Wie, Roberto, wie heeft jou voor deze job benaderd?'
Alan gebruikte bewust de voornaam van de gangsterboss.
'Gaat het werkelijk om een terroristische aanslag?' vroeg Spirea.
Alan knikte, waarna Spirea de naam noemde.
'Zahid Waheed.'

Alan keek Roger even spijtig aan, hij had gehoopt dat Spirea zijn opdracht had ontvangen van Rahman of Farooq.
Terwijl hij opstond vanachter het bureau, zei hij: 'Laat je morgen niet zien op of om het Wembleycomplex, zeg die Joego's af en vergeet wat je van mij hebt gehoord. Die aanslag is een zaak voor MI5.
Heb je mij begrepen?'
Alan en zijn mannen verlieten het kantoortje, Spirea ontredderd achterlatend.

Kot Hathyal, Islamabad

'Voordat ik verplicht werd ingedeeld – ik had geen keus – in het team van Aziz, werkte ik voor sjeika Gisela Al-Ahmadi,' begon Daisy haar verhaal.
'Het was een lieve, onderdanige vrouw die ook thuis, gedwongen door de sjeik, een nikab droeg. Wanneer de sjeik en zijn zoon voor zaken op reis waren en wij ons alleen in het vrouwenverblijf bevonden, deed sjeika Gisela haar sluier af en begreep ik waarom de sjeik haar verplichtte de nikab ook in huis te dragen. Haar gezicht zag bont en blauw en de sjeika vertelde me dat, wanneer haar man seks met haar had, hij extra opgewonden raakte door haar te mishandelen. Eerst dacht ik dat de sjeik een sadist was, maar de sjeika liet mij een geheime, afgesloten kamer zien die vol stond met folterwerktuigen. Zij vertelde me dat haar man seksuele bevrediging vond in het ondergaan van vernedering en lichamelijke mishandeling. Hij is dus een sadomasochist. Zij vertelde mij dat wanneer het haar beurt was om de man te folteren, zij dat met volle overgave en al haar krachten deed, uit haatgevoelens. "Waarom ga je niet bij hem vandaan?" vroeg ik haar op een zeker moment. "Hij houdt mij gevangen," antwoordde de sjeika. "Ik mag de villa niet verlaten, behalve voor een wandeling in de tuin."
Ik bood haar aan, om haar te helpen.
Ze dacht dat dat niet zou lukken en berustend voegde ze hieraan toe, dat het binnen afzienbare tijd haar dood zou worden. De sjeik had haar verteld dat zij zijn vierde vrouw was en wanneer hij op haar uitgekeken was, zou hij haar laten verdwijnen, en een nieuwe vrouw nemen, die hij van tevoren had uitgezocht. Lachend had hij de sjeika verteld dat hij die nieuwe vrouw gewoon van de straat zou laten oppikken.'
Daisy nam een slok uit een flesje mineraalwater en keek de beide mannen aan.
De grimmige trek op het gezicht van Shahid deed haar goed en ze moest glimlachen om de ongelovige blik in de ogen van Zulfikar.
'Op een dag, nu zo'n vier maanden geleden,' vervolgde Daisy haar verhaal, 'zag ik de sjeik, zijn zoon en drie van zijn mannen de poort uit rijden en ik dacht: dit is onze kans. Ik waarschuwde sjeika Gisela en een halfuur later reden we in mijn Suzuki stapvoets op het gesloten hek af. De sjeika lag gebukt tussen de voorstoelen en de achterbank. Ik toeterde en een van de wachters kwam uit het portiershuis naar buiten. Ik gebaarde dat hij het hek open moest doen, zoals dat altijd gebeurde wanneer ik de villa verliet, maar in plaats van dat hij

zich omkeerde om het hek te openen, kwam hij recht op de Suzuki af. Met een sarcastische grijns om zijn mond opende hij het achterportier en trok de sjeika naar buiten. Ook de tweede wachter, de Egyptenaar, kwam naar buiten en terwijl de eerste wacht de sjeika een harde klap op haar billen gaf en haar terugstuurde naar het vrouwenverblijf, opende de Egyptenaar het portier aan mijn kant en trok mij ruw naar buiten. De eerste wacht, Hassan heet hij geloof ik, parkeerde mijn Suzuki weer naast de villa en de Egyptenaar sleurde mij mee het huis in. Samen met Hassan droeg hij mij naar beneden, de kelders in. De gehele villa was onderkelderd en de kelder was in verschillende ruimtes ingedeeld. In een van die ruimtes sloten zij mij op. Het was pikdonker in de voor mij onbekende ruimte en met mijn vingers tastte ik langs de deurstijl, op zoek naar een lichtknopje, in de veronderstelling dat lichtknopjes zich negen van de tien keer naast de toegangsdeur bevinden. Na vijf minuten tevergeefs tasten, liet ik me moedeloos en angstig op de grond naast de deur zakken. De keldervloer bestond uit koud beton. Ik moet in een lichte slaap weggedommeld zijn, want ik schrok wakker, doordat plotseling het licht aanging. In een ogenblik had ik de ruimte in me opgenomen. Aan weerskanten van een lage tafel waren ligbanken geplaatst. Boven de tafel hing een grote ronde lamp, die voor de verlichting zorgde. Terwijl ik naar rechts keek, waar ik een tweede deur ontwaarde, kwamen de twee schoften door de eerste deur naar binnen. Hassan sloot de deur af en de Egyptenaar trok mij aan mijn haren omhoog.'
Daisy slikte even voor ze verderging.
'Toen ging alles heel snel. Binnen een minuut lag ik naakt vastgebonden op de lage tafel, die aan de korte einden scharnierende delen bevatte, twee stuks voor de benen en twee stuks voor de armen.'
Opnieuw pauzeerde Daisy en haar hand trilde lichtelijk toen zij het flesje mineraalwater aan haar mond zette. Nadat ze een paar slokken had genomen, staarde ze tientallen seconden voor zich uit; tranen vulden haar ogen en druppelden over haar wangen. Ze beleefde de voor haar vreselijke momenten opnieuw.
De beide mannen staarden knarsetandend naar de grond en respecteerden haar stilzwijgen.
Zulfikar streek liefdevol een haarlok van voor haar gezicht tot achter haar oor, en reikte haar een tissue aan.
Met een diepe zucht schudde Daisy haar hoofd, trok haar schouders recht en depte de tranen van haar wangen. Toen ze weer begon te spreken, klonk haar stem schor van emotie, maar allengs ging het beter.
'Verdere details zal ik jullie en mij besparen, maar tijdens hun spelletjes met mij klonk er plotseling het zachte gerinkel van een belletje. Abrupt hielden die twee schoften op en keken elkaar aan. Het rinkelende belletje was voor mij als de verlossende gong voor een in de touwen gedreven bokser. Snel schoten zij hun kleren aan en de Egyptenaar rende als eerste de deur uit, naar boven.
Hassan gooide nog een deken over mij heen en snelde de Egyptenaar achterna. Hoelang ik daar zo gelegen heb, weet ik niet meer. Ze hadden het licht boven de tafel laten branden en dat deed gaandeweg pijn aan mijn ogen. Ik moet in een

lichte slaap zijn gevallen, want op een zeker moment schrok ik wakker en zag de Egyptenaar naar me staan kijken. Hij trok de deken van me af, maakte mijn boeien los en zei dat ik me moest aankleden. Daarna pakte hij me bij de arm en trok me mee naar de tweede deur in de hoek van de kelderruimte. Achter de deur, die niet afgesloten was, lag een donkere gang. De Egyptenaar ontstak een zaklantaarn en nam me mee de gang in, tegelijk de deur achter zich sluitend. De gang was koud en vochtig en er leek geen eind aan te komen. Ik was totaal verward en had geen benul van wat er met me gebeurde. De Egyptenaar liep met grote stappen stevig door, mij met zich meetrekkend. Uiteindelijk kwamen we aan het eind van de gang en de Egyptenaar liet me los. Hij beklom een verticale trap en ik leunde verdwaasd tegen de koude, vochtige betonnen muur. Boven mijn hoofd werd een luik opengeduwd en een straal licht scheen naar beneden. De kerel snauwde me toe, dat ik hem moest volgen en ook ik klom omhoog, kroop door de opening en kwam in een ruime, ronde kamer terecht van zeker zes meter doorsnee. De kamer was comfortabel ingericht en voordat de Egyptenaar mij een blinddoek omdeed, merkte ik nog op dat de kamer raamloos was. Ik werd weer meegetrokken, naar buiten toe. Na een poosje gelopen te hebben realiseerde ik me, dat de grond waar we op liepen aanvoelde als een zacht hoogpolig tapijt. De vochtige geur versterkte bij mij het idee dat we door een bos liepen. Ook aan deze wandeling kwam een eind en ik voelde een verharde weg onder mijn voeten. "We geven je over aan Aziz, de leider van een groep medestrijders in Abbottabad," verbrak de Egyptenaar het stilzwijgen. "Hij heeft een nieuwe planner nodig, de vorige is bij een aanslag zelf om het leven gekomen."
Hij verwijderde de blinddoek en even later stond ik oog in oog met Aziz.
Aziz knikte naar de Egyptenaar, pakte mij bij de schouder vast en duwde me naar mijn eigen Suzuki. Hassan stond grijnzend geleund tegen mijn auto met tussen zijn duim en wijsvinger de autosleutels. En terwijl hij de sleutels in mijn hand liet vallen, zei hij zacht: "Later, wijfie, later vervolgen we onze onderbroken *sex a trois*.'
Hij liep langs me heen en terwijl ik hem nakeek, verdween hij samen met de Egyptenaar het bos in.
Aziz stootte me aan en zei: "Rijd achter mij aan, dan stel ik je voor aan mijn team."
Snel stapte ik in en zocht in de auto naar iets, een voorwerp of zo, dat ik als herkenningspunt achter kon laten. Op de passagiersstoel lag een half gevuld colaflesje, dat ik met een forse zwaai door het geopende raampje naar de plek wierp, waar de twee schoften in het bos waren verdwenen. De zachte plof van het neerkomende colaflesje deed Aziz omkijken, maar ik had de Suzuki gestart en zwaaide naar hem. Daarna stelde ik de kilometerteller in op nul.' De weg waar we op reden was niet meer dan een verhard bospad, van nauwelijks drie meter breed. Na precies negenenhalve kilometer kruisten we de N75. Ik prentte de afslag in mijn hoofd en keek uit naar een herkenningspunt. Na tweehonderd meter op de N75 passeerden we een kilometerpaaltje met het opschrift N75/180.'

Kopenhagen, zaterdag 19 mei, 01.00 uur

KLOKSLAG 01.00 UUR BETRADEN Niels Jacobson en zijn Anti Terreur Eenheid via de personeelsingang het vijfsterrenhotel New Orleans.
Zonder zijn chef Bert Lunde, hoofd van de PET, in te lichten, hadden hij en zijn mensen gistermiddag laat besloten de nepbodyguards vannacht van hun bed te lichten, en afzonderlijk te verhoren, om zo achter de nieuwe schuilplaats van de terroristen te komen. Zij waren met z'n zessen en Jacobson had drie teams van elk twee agenten samengesteld.
De kamers van de bodyguards lagen tegenover de liften op de bovenste verdieping.
Zij namen de liften tot de achttiende verdieping, een verdieping lager dan de bovenste.
De laatste verdieping namen zij via het trappenhuis.
Boven aan het trappenhuis trokken zij eerst een gasmasker over hun hoofd, daarna betraden zij de langwerpige hal op de bovenste verdieping.
In het schemerlicht kwamen zij luguber over en Jan Mortensen – zoals altijd haantje-de-voorste – liet een zacht gegrinnik horen.
'Stil,' siste Jacobson, die samen met Lilian op de middelste deur afliep.
Nick Polsen en Soren Pedersen liepen op de deur rechts af en Jan Mortensen en de grote Olaf Magnusson namen de deur links voor hun rekening.
De eenheid ging ervan uit dat iedereen sliep.
Het was alweer anderhalf uur geleden dat op de laatste kamer van deze verdieping het licht werd gedoofd.
Alle drie de teams hadden een gasfles bij zich, gevuld met lachgas.
Aan het spuitstuk was een slangetje bevestigd, waarvan het tuitje precies onder de deur paste.
Tegelijk schoven zij de tuitjes onder de deur door.
Niels Jacobson keek eerst naar links en toen naar rechts en knikte met zijn hoofd, het sein dat ze de gasfles open moesten draaien.
Terwijl het gas de kamers binnenstroomde, liep Lilian naar de drie liftdeuren en drukte op de knoppen. De een na de andere lift kwam zoemend boven. Elke liftdeur werd vervolgens opengehouden door een plankje van een meter, klemgezet tussen de deur en het paneel.
Na vijf minuten hoorde Nick in de rechtse kamer gekuch en gestommel.
Met de reservekeycard opende Nick de kamerdeur en samen met Soren liep hij de kamer in. Op het eerste bed zat een kerel op de rand zacht giechelend over zijn hoofd te strijken. Soren pakte hem onder zijn arm en gewillig liet de kerel zich meetrekken, de kamer uit, de gang over en de lift in.
Vlak na hem begeleidde Nick op dezelfde manier de tweede kerel de kamer uit. Soren haalde het plankje weg en Nick drukte op de knop voor de kelder.
Ook Niels en Lilian ondervonden geen problemen en waren met de lift op weg naar de kelder.
Van achter de linkse deur kwam geen geluid, maar Jan Mortensen opende de

kamerdeur en liep naar binnen, op de voet gevolgd door Olaf.
Het gas had hier blijkbaar niet het gewenste resultaat geboekt, want beide allochtonen lagen rustig te slapen.
Jan Mortensen pakte de kerel op het eerste bed aan, die lachend overeind kwam en zich rustig de kamer uit liet leiden.
De tweede allochtoon, op het verste bed, werd door Olaf van zijn bed gelicht en op zijn voeten gezet.
Met een stem schor van de slaap, bromde hij: 'Hé, wat moet dat?'
Hij probeerde zich los te worstelen, maar Olaf maakte korte metten en sloeg hem hard tegen het hoofd. Hij slingerde het slappe lichaam over zijn schouder en haastte zich de kamer uit, de gang over en de lift in.

Niels Jacobson had de beste verhoorspecialisten die in Groot Kopenhagen te vinden waren, opgeroepen.
Alle verhoorkamers waren bezet en de allochtonen kregen het zwaar te verduren.
De ondervragers gebruikten diverse tactieken. Bijvoorbeeld als de vieze flik en de vriendelijke flik. De eerste ondervrager spreekt luid, komt bedreigend over en maakt zich kwaad. Zijn collega stelt zich juist zeer meelevend en rustig op, zodat de verdachte steun gaat zoeken bij de vriendelijke ondervrager.
Een andere methode is dat de ondervrager aan de verdachte toont dat hij overtuigd is van zijn schuld en dat ontkennen totaal geen zin heeft.
Een methode die vaak het meest succesvol bij een groep is, is dat men de zwakste ertussenuit haalt, hem in een imposante ruimte neerzet en het verhoor door meerdere personen tegelijkertijd laat afnemen.
Van de zes allochtonen werd de zo op het oog zwakste apart genomen en verhoord. De ondervragers wisselden elkaar voortdurend af om de druk op de ketel te houden.
Jacobson had vooraf de zes allochtonen laten fotograferen en Lilian op pad gestuurd naar het politiebureau van Norrebro, de vermoedelijke woonplaats van de zes. De wijkagenten kenden de namen en wisten van vier van de zes het huisadres. De foto's werden aan de achterkant voorzien van deze gegevens. Een wijkagent wist te vertellen dat een groep jongeren, waartoe ook deze zes behoorden, een eigen clubhuis had. Dat clubhuis bevond zich aan de Guldbergsgade, vlak bij Café Sankt Hans Torv.
Gewapend met deze informatie keerde Lilian terug op het hoofdbureau.
De foto met zijn huisadres werd doorgespeeld aan de ondervragers van de zwakste schakel van de zes. Na tien minuten was zijn verzet gebroken en noemde hij de schuilplaats van de terroristen.
Zij bleken zich schuil te houden in het souterrain van een discotheek aan de Guldbergsgade. In een klein gedeelte van het souterrain had men een geheime ruimte gefabriceerd. Hij noemde de gehuurde ruimte hun clubhuis. Alle zes werden zij in voorlopige hechtenis genomen.

Niels Jacobson bestudeerde een plattegrond van stadsdeel Norrebro.
Zijn aandacht ging speciaal uit naar de omgeving van het Sankt Hansplein.
Rond dit plein was een kleurrijk, multicultureel buurtje ontstaan, doordat zich de laatste jaren studenten, een groot aantal allochtonen en jongeren uit de binnenstad hier gevestigd hadden. De buurt stikte van de koffiehuizen, restaurants, cafés en winkeltjes. Voor ieder wat wils.
Niels' aandacht ging echter uit naar de verderop in de Guldbergsgade gelegen discotheek. Men had hem verteld dat het muziekcentrum, waarin tevens een nachtclub was ondergebracht, gevestigd was in een oud vervallen pand en zich uitstrekte over drie verdiepingen. Zijn interesse ging uit naar het souterrain.
Een gedeelte was verhuurd aan de Radicale Islamitische Jongerenclub, zoals ze zich noemden. De van hun bed gelichte nepbodyguards maakten deel uit van deze groep radicale allochtonen. Farid was genoemd als leider van de groep.

De leden van de Anti Terreur Eenheid zaten zwijgend en afwachtend met Niels aan de grote vergadertafel en waren benieuwd wat hun chef zou beslissen. Direct eropaf of later, tijdens de ochtendschemering.
Niels maakte een paar aantekeningen en overzag de situatie in en rond de discotheek. Aan de achterkant van de discotheek lag een grote binnentuin, voor de terroristen een prima ontsnappingsroute. Een eindje verderop lag links van de Guldbergsgade een oude joodse begraafplaats.
Niels wierp een blik op zijn horloge, het was halfvier. Waarschijnlijk was de discotheek, maar zeker de nachtclub nog open. Hij kon het risico niet lopen om burgers in gevaar te brengen.
Hij moest een paar van zijn mensen de zaak ter plekke laten verkennen. Maar wie?
Hij bekeek ze een voor een en kwam tot de volgende conclusie:
Lilian was bekend bij de terroristen.
Jan Mortensen moest zijn opgevallen, omdat hij hele dagen in en aan de bar van het New Orleans hotel had rondgehangen.
Lilian en Jan vielen dus af.
Zeker nog onbekend bij de terroristen waren Nick Polsen en Soren Pedersen, alleen vielen zij nogal op vanwege hun uitstraling.
'Lilian,' zei hij, 'informeer jij bij de wachtcommandant of er vrouwelijke agenten op het bureau aanwezig zijn en zo ja, laat ze hiernaartoe komen.'
Hij maakte nog wat aantekeningen, liet zich onderuitzakken in zijn stoel en dronk met gesloten ogen zijn koffie op.
Ik moet contact opnemen met de plaatsvervangende korpschef, mijn team moet uitgebreid worden met een arrestatieteam. Ik moet kunnen beschikken over patrouillewagens om de wegen af te sluiten.
'Hé, baas.' Jan Mortensen kon zich niet meer inhouden. 'Waarom stel je ons zo op de proef?'
Niels opende lachend zijn ogen, stak zijn hand op en zei: 'Geduld, Jan, geduld, we wachten op Lilian.'

Laan van Poot, zaterdag 19 mei, 02.00 uur

Benny Goedkoop kwam langzaam vanuit zijn liggende houding overeind. Zijn ingebouwde wekker had hem precies op zijn ingestelde tijd gewekt.
Hij had een paar uur op de driezitsbank liggen slapen en het werd tijd om in actie te komen.
Nadat hij de beide echtelieden gisteravond had weggestuurd na hen geadviseerd te hebben een kamer te boeken in het Bel Air Hotel, hadden Tikva en hij zich over de drie plattegronden van de villa gebogen. Er was er een van de begane grond, een van de eerste verdieping en een van de zolder.
Het zicht op de voorkant van de garage en de voordeur van de buren werd hun ontnomen door een prachtige Japanse roos. Vanaf de eerste verdieping keek men over de heester heen en had men goed zicht op de villa van de buren.
Benny had Alfons naar boven gestuurd om de villa te observeren.
Nadat zij de indeling van de villa in zich opgenomen hadden, nam Benny contact op met Sjors Klein en vroeg hem vier van zijn beste mensen te sturen.
Benny had de wacht ingedeeld en de rest geadviseerd een slaapplaats te creëren en een paar uur de ogen te sluiten.
Benny nam vanuit zijn ooghoeken een beweging waar op de tweezitsbank.
Tikva sliep heel licht en door het overeind komen van Benny was ook zij gewekt.
Ze keken elkaar glimlachend aan.
'Hoe voel je je?' vroeg Benny.
'Prima, eindelijk actie.'
Ze controleerden beiden hun outfit.
Terwijl Benny zijn zwarte regenjack aantrok, liep hij naar de trap die naar de eerste verdieping voerde en riep zacht naar de wacht boven. 'Maak je kameraden wakker, controleer je outfit en kom naar beneden.'
Teruglopend naar de zitkamer pakte hij uit zijn jaszak een taserpistool X26, een defensief elektrisch wapen. Met dit pistool kreeg het doelwit gedurende vijf seconden stroomstoten van 50.000 volt te verwerken. Alle spieren in het lichaam zouden samentrekken en het doelwit zou in foetushouding in elkaar zakken.
Zowel Benny als Tikva had een taserpistool van De Koning gekregen.
Benny controleerde of de veiligheidspal erop zat en stak het pistool terug in zijn jaszak.
De mannen van de Anti Terreur Eenheid stonden binnen vijf minuten beneden.
Benny keek ze een voor een aan en knikte goedkeurend. De mannen zagen er rustig maar vastberaden uit.
'Het is beter, wanneer wij jullie namen kennen,' merkte Benny op. 'Alleen de voornaam is voldoende.'
'Bastiaan.'
'Erwin.'
'Marco.'
'Sander.'

‘Wie is de hoogste in rang?’
Erwin stak zijn hand op.
‘Oké, Tikva en ik gaan een poging wagen om de villa aan de achterkant via de garage binnen te dringen. Erwin, jij verplaatst je met je mannen naar achter in de tuin om je tussen de struiken te verschuilen.
Alfons, jij blijft hier boven de villa observeren.’
Zonder verder nog iets te zeggen draaide Benny zich om en met Tikva vlak achter zich verliet hij de villa aan de achterkant.
Even later kwamen ook Erwin en zijn mannen naar buiten en slopen in de donkere tuin over het grasveld naar de achterkant, om vandaaruit de tuin van de buren binnen te dringen.
Benny en Tikva kropen op hun buik achter de villa langs, onder het hek door, de tuin van de buren binnen.
Ze bereikten de achterkant van de garage en bleven een ogenblik doodstil liggen, tegelijk de achtergevel bestuderend.
Geen enkel teken van leven.
Benny knikte met zijn hoofd omhoog en Tikva volgde zijn blik, het tuimelraampje stond op een kier.
Langzaam en geluidloos kwamen beiden langs het stuk blinde garagemuur omhoog.

Berlijn, Sonnenallee, zaterdag 02.10 uur

Met een schok werd Dennis wakker. Hij was in diepe slaap geweest, maar hij had gedroomd dat hij zich opnieuw op de begraafplaats van de Abu Bakr moskee bevond. Huiveringwekkend waren de eerste momenten, toen de graftombe langzaam omhoogkwam en een flauw lichtschijnsel uitstraalde.
Met knipperende oogleden zocht hij naar de lichtgevende wijzerplaat van zijn wekker. Langzaam drong het tot hem door dat hij op zijn linkerzij lag en dat de wekker zich op het nachtkastje achter hem bevond. Hij probeerde zich om te draaien en bemerkte dat zijn linkerarm klemzat, alleen begreep hij even niet waardoor. Traag kwamen zijn hersens op gang. Voorzichtig begon hij zijn linkerarm naar zich toe te trekken. Een zachte zucht deed hem zijn oogleden wijd opensperren en tegelijk besefte hij, dat zijn arm klemzat tussen het matras en het lieftallige hoofd van Lisa.
Half wakker geworden draaide Lisa zich op haar andere zij, trok een kussen onder haar hoofd en als vanzelf zakte ze weer weg.
De arm van Dennis was hierdoor vrijgekomen.
Zeker een minuut bleef Dennis doodstil liggen. Hij kwam pas in beweging, toen hij de regelmatige ademhaling van een slapende Lisa hoorde.
Tien over twee gaf de wekker aan.
Hij overdacht nogmaals waarom hij in zijn slaap terug was geweest op de begraafplaats van de Abu Bakr moskee.

Hij en Schulz waren ervan overtuigd dat de moskee voor de terroristen nutteloos geworden was. Maar was dat wel zo?
Als de terroristen diezelfde gedachte hadden, was er voor hen geen veiliger plek dan juist de Abu Bakr moskee.

Den Haag, Laan van Poot

TIKVA HING OP HAAR buik over het tuimelraamkozijn, half binnen, half buiten de garage.
Met haar handen steun zoekend voelde ze een soort werkbankje dat schuin onder het raampje stond.
In de donkere garage zag ze de contouren van de Mercedes.
Met haar handen steunend op het werkbankje werkte ze zichzelf verder naar binnen.
Een paar seconden later stond ze op haar benen en schuifelde voorzichtig naar de deur.
Maar hoe voorzichtig ze ook haar voeten verplaatste, ze kon niet voorkomen dat haar linkervoet tegen een steel van een of ander stuk tuingereedschap stootte, zodat dit met een klap tegen de grond sloeg.
Terwijl ze in elkaar dook, rukte ze de Glock 19 uit zijn holster en pakte met haar linkerhand het taserpistool.
Een autoportier werd geopend en iemand stapte uit. Een zaklamp flitste aan en binnen twee seconden zat ze gevangen in de lichtbundel. Half verblind bracht ze het taserpistool omhoog en richtte de laserstraal iets boven de kern van de lichtbundel.
Tegelijk schreeuwde een mannenstem: 'Wie voor de duivel ben jij...'
Het spreken ging over in een licht gekreun, de zaklantaarn viel op de grond. Even daarna voelde Tikva de vloer licht trillen, veroorzaakt door het vallende lichaam van de terrorist.
De zaklantaarn verlichtte nog steeds het gedeelte van de garage waar Tikva ineengedoken zat. Bliksemsnel kwam ze overeind en stond met één stap bij de deur.
Ze haalde opgelucht adem, toen ze zag dat de sleutel in het slot stak. Met een snelle beweging ontsloot ze de deur en duwde hem naar buiten open. Benny wenkte Erwin en zijn mannen en zij sprongen de garage binnen.
Brullend sloeg de motor van de Mercedes aan en met gillende banden stoof de grote wagen op de garagedeur af, die bezig was zich langzaam te openen.
Terwijl de Mercedes de garagedeur uit de geleiderails rukte, knielden Benny en Tikva naast elkaar op de vloer en schoten elk, snel achter elkaar, twee schoten op de achterkant van de Mercedes af.
De achterruit ging aan diggelen, terwijl de andere drie kogels alleen het metallic van de auto beschadigden.
Snel kwamen beiden omhoog, en met gespreide voeten, de armen strak naar voren, gaven beiden opnieuw een salvo van twee schoten af, maar nu gericht door

de versplinterde achterruit op de chauffeur.
De Mercedes, met de garagedeur half op zijn dak, stoof slingerend de oprit af, de straat over en kwam aan de overkant tegen een boom tot stilstand.
De mannen van Sjors Klein kwamen het bos uit en omsingelden de Mercedes.
Tikva raapte de zaklamp op en bescheen de in elkaar gerolde bewusteloze allochtoon.
'Sander,' blafte Benny, 'bewaak die kerel. De rest snel mee het huis in.'
Alfons, in de Janssen-villa, kon zijn ogen niet geloven en staarde naar het gat, waar vier seconden geleden nog een prachtige garagedeur in had gehangen.
Vervolgens ging zijn blik naar de overkant van de straat waar hij de mannen van de Anti Terreur Eenheid in actie zag komen.

Abu Bakr moskee, 03.00 uur

Dennis parkeerde zijn twaalf jaar oude BMW op honderd meter afstand van de moskee-ingang. Hij keerde zich half om en zei: 'We doen het als volgt: Ali en ik bellen aan en wanneer de beheerder van het gastenhuis opendoet, dringen we naar binnen en doorzoeken alle kamers. Pascal en Gustav blijven buiten het gastenhuis, om eventuele ontsnappingspogingen te verhinderen. Aan deze kant van de begraafplaats zit een mansgroot gat in het hek. Daardoor begeven we ons op het terrein van de moskee en sluipen geluidloos tussen de grafstenen door naar het gastenhuis. Denk eraan dat jullie de autodeuren zachtjes sluiten. Oké, mannen, we gaan nu.'
De mannen stapten snel uit en met Dennis voorop liepen ze achter elkaar op een draf naar de opening in het hek.
Een minuut later bonkte Dennis op de deur van het gastenverblijf.
Het duurde even voordat een mopperende huismeester vanachter de deur riep:
'Wie is daar?'
'Politie, maak open.'
'Politie, alweer? Kunnen jullie ons niet met rust laten?'
'Openmaken, en snel,' klonk scherp de stem van Dennis.
Gerammel van een sleutelbos en de deur zwaaide open.
Dennis duwde de huismeester opzij en hij en Ali begonnen de kamers van het gastenhuis te doorzoeken.
De eerste twee kamers waren leeg.
In de derde en de vierde logeerden voor Dennis onbekende mannen en in de vijfde kamer verbleef een vrouw op het bed, die snel de dekens over haar hoofd trok.
Er verbleven in totaal vijf mannen en de vrouw van de huismeester tot ze aan de laatste kamer kwamen. De deur van deze kamer zat op slot.
De huismeester stond achter Ali zenuwachtig met zijn sleutelbos te rammelen, toen Dennis hem beval de deur open te maken.
Luider dan normaal stamelde de man onverstaanbare Arabische woorden.

'Waarschuw je soms iemand die zich in de kamer bevindt?' vermaande Dennis de man.
Terwijl de huismeester wel heel langzaam de sleutel omdraaide, klonk buiten de roepende stem van Pascal.
'Halt, staan blijven.'
'Gustav, hij komt jouw kant op.'
'Staan blijven,' riep de zware stem van Gustav. 'Staan blijven of ik schiet je benen onder je lijf vandaan. Goed zo, jongen, draai je om en handen op je rug.'
Dennis wierp nog een blik in de kamer, waarvan het raam openstond, waardoor de jongen dacht te kunnen vluchten.
Daarna haastten zij zich naar buiten om hun vangst te bewonderen.
De jongen was gekleed in zwart leer, had oorbellen, een kaalgeschoren hoofd met daarbovenop een paarse hanenkam en een piercing in zijn neus.
'Onze tweede neonazi,' merkte Dennis op. 'We waren jou helemaal vergeten, jochie, wat was de naam ook alweer?'
'Adolf Polanski, meneer,' antwoordde een bibberend hoopje mens.
'Pascal, neem hem mee. Zet hem op de achterbank van de BMW en blijf bij hem. Wij moeten de moskee nog uitkammen, niet dat ik geloof dat daar Belgische terroristen zich schuilhouden, maar je weet maar nooit.'
Na tien minuten verschenen Dennis, Ali en Gustav zonder resultaat uit de moskee en stapten zwijgend in de auto.
'We sluiten dat nazijong op, daarna pakken we nog een paar uur slaap.'

Den Haag, Laan van Poot

In een oogopslag zag Benny dat de zitkamer leeg was. Hij stormde in één keer door, de trap op naar boven, de drie mannen en Tikva renden vlak achter hem aan. De eerste verdieping was verdeeld in een overloop, waarop drie slaapkamers en een badkamer uitkwamen. Midden op de overloop bleef hij een ogenblik staan.
'Erwin,' fluisterde hij, 'met Marco naar de slaapkamer rechtsachter. Tikva met Bastiaan naar de slaapkamer rechtsvoor.'
Terwijl zijn bevelen direct werden opgevolgd, vloog de deur van de slaapkamer links naast de badkamer open en verscheen een oudere Palestijn met een Desert Eagle in zijn handen in de deuropening. Verrast keek hij naar de mannen op de overloop en begon zijn Desert Eagle omhoog te brengen, maar Benny was hem voor. De elektroden van het taserpistool waren al onderweg en troffen de Palestijn in de borst.
De Desert Eagle ontglipte hem en hij zakte na enkele seconden voorover in elkaar.
Licht straalde vanuit de slaapkamer en iemand riep iets in het Arabisch. Benny sprong over de getroffen Palestijn heen de kamer in en richtte zijn Glock op een jonge Palestijn, die bezig was uit bed op te staan. De reactie van de jonge Palestijn

was verrassend snel, hij dook schuin naar achteren met zijn rechterhand graaiend onder zijn kussen, maar voordat hij greep had op zijn Beretta schoot Benny hem met de Glock in zijn benen.
In één klap was de strijdlust van de jonge terrorist over en hij lag kreunend van de pijn op zijn bed. Benny ontfermde zich over de Beretta.

Bastiaan duwde met kracht de deur van de slaapkamer rechtsvoor open en knalde met de deur tegen iemand aan. Het licht flikkerde aan en Tikva glipte door de smalle opening de slaapkamer binnen. Ze zag een jonge Palestijn versuft met een zwaar bloedende neus op de grond liggen, met zijn benen de deur half versperrend. Ze richtte haar Glock op de oudere Palestijn, die bezig was zich op te richten. Bastiaan liep langs Tikva heen en viste van onder het kussen van de Palestijn een Beretta tevoorschijn. Hij legde de Beretta naast de twee Desert Eagles op tafel.
'Hij had net het licht aangedaan,' merkte Tikva op, 'toen jij die deur opengooide.'
Grinnikend antwoordde Bastiaan: 'Hij heeft er een gebroken neus aan overgehouden.'

Erwin ramde met een trap de deur van de slaapkamer rechtsachter open.
Marco gleed als een aal zo snel de kamer binnen met in zijn linkerhand een zaklantaarn en in zijn rechter een Walther P5.
De zaklantaarn bescheen een jonge allochtoon die, uit zijn slaap gewekt, de handen voor zijn gezicht hield en angstig riep: 'Niet schieten, ik geef me over.'

Kopenhagen, Hotel New Orleans, zaterdagochtend 03.45 uur

Omar Al-Ismael, de jongste neef van sjeik Faisel, werd schor hoestend wakker. Hij wierp het laken van zich af en liet zijn benen over de rand van het bed hangen. Naar achteren buigend knipte hij het licht aan en hield beschermend zijn hand voor zijn ogen om te wennen aan het felle licht.
Rana, zijn maîtresse, maakte een zwak protesterend geluid.
'Ik wil wat drinken,' klonk de schorre stem van Omar. 'Jij soms ook?'
Hij liet zich op de grond zakken en liep half struikelend naar de telefoon.
'Vers sinaasappelsap en een koude fles champagne,' sprak hij in de telefoon.
Daarna trok hij een kamerjas aan en ging bibberend op het bankje zitten.
'Ik heb het koud, je moet mij warm maken, Rana!'
'Kom toch terug in bed, Omar.'
'Rana, ik wil dat je uit bed komt om samen met mij iets te drinken.'
Rana kwam overeind, sloeg het laken om zich heen en bekeek Omar met dikke ogen van de slaap. 'Dat kun je me niet aandoen, Omar, na gisteravond heb ik mijn slaap hard nodig.'
Omar liet zijn blik over het barbiepopachtige gezichtje van Rana gaan en zuchtte. 'Vrouwen,' beweerde hij, 'zijn allemaal hetzelfde, jullie zijn alleen maar uit op onze luxe.'

'Omar,' kirde ze, maar nu op haar hoede, 'ik hou echt van je, dat heb je de afgelopen dagen toch wel gemerkt?'
Omar pakte een tijdschrift van het salontafeltje en deed er verder het zwijgen toe.
Rana dacht: hij is zo wispelturig, dit gaat niet goed.
Zich vermannend kwam ook zij uit bed en trok een kamerjas aan.
Ze trok haar benen onder haar zitvlak en kroop op het bankje dicht tegen Omar aan. Ze wreef hem zacht over zijn rug en kuste hem op zijn wang, wat hem een tevreden gekreun ontlokte. Na enkele minuten werd er op de kamerdeur geklopt.
'Rana, opendoen.'
Een buigende kelner reed een laag serveerwagentje naar binnen.
Een fles Moët & Chandon Imperial champagne lag in een koeler, geheel gevuld met ijsblokjes. Naast de koeler stond uitdagend een karaf met puur sinaasappelsap. Glazen voor zowel de champagne als het sinaasappelsap voltooiden het decor op het serveerwagentje. De kelner reed het wagentje tot naast het salontafeltje.
De man richtte zich uit zijn gebukte houding op en vroeg aan Omar: 'Sir, hebt u een momentje?' Hij wenkte Omar mee naar buiten, de hal in.
Omar trok zijn kamerjas strak om zich heen en liep schouderophalend de kelner achterna. Midden in de hal bleef de kelner staan en wees naar de open deur van de kamer naast die van Omar. Het was een van de drie kamers waar de bodyguards logeerden.
Omar begaf zich naar de deuropening en deed het licht aan. Hij zag twee beslapen bedden, maar er was niemand aanwezig. De kelner was hem handenwrijvend gevolgd. Er hing een licht zoete geur in de kamer, die zowel Omar als de kelner niet thuis kon brengen. De mannen keken elkaar aan.
'Vreemd,' merkte Omar op, en de kelner knikte.
Omar begaf zich naar de kamer ernaast. De deur was niet afgesloten en nadat hij het licht had aangeknipt, zagen zij hetzelfde tafereel als in de eerste kamer. Ook hier hing een licht zoete geur.
'Zeer vreemd,' merkte Omar op, en opnieuw knikte de kelner.
'Laten we ook de derde kamer van de bodyguards controleren,' stelde de kelner voor.
Ook de deur van de derde kamer was niet op slot en de mannen troffen hier hetzelfde beeld aan.
Omar streek met zijn hand door zijn donkere lange haardos en vroeg zich af wat hier gaande kon zijn.
Voordat hij de vraag hardop kon stellen, merkte de kelner op: 'De mannen moeten het hotel verlaten hebben, maar wij beneden hebben niets gemerkt.'
'Ja, goed, maar waarom? Ik moet neef Faisel wakker maken, misschien dat hij iets weet.'
De kelner knikte en samen begaven ze zich op weg naar het eind van de hal.

Green Shahdra, de villa

SHAHID ASLAM BESTUURDE DE zwarte Rover.
Daisy zat naast hem op de passagiersstoel en Zulfikar had plaatsgenomen op de achterbank.
Zij waren om 01.30 uur vertrokken uit Kot Hathyal, op weg naar hun rendez-vous met sjeik Ghulam Al-Ahmadi en zijn mannen.
Alle drie droegen ze donkere kleren, zwarte sportschoenen en op hun hoofd zwarte petjes. Zulfikar had voorgesteld om ook hun gezichten zwart te maken. Naar buiten kijkend had Shahid nee geschud.
'Ik heb zwarte bivakmutsen gekocht en die doen we pas over onze hoofden wanneer we het bos in gaan.'
Het was een donkere nacht, de maan was nauwelijks te zien.
Zulfikar streelde zijn Kalasjnikov AK 47 van de Russische wapenontwerper Michail Kalasjnikov. De AK 47's hadden zij buitgemaakt op de terroristengroep van Aziz.
Met een rustige snelheid van tachtig kilometer per uur reden zij richting Murree. Er was weinig tot geen verkeer op de weg. Tot nu toe kwamen hun slechts twee tegenliggers tegemoet.
Daisy zat gespannen uit te kijken naar het merkteken, kilometerpaaltje 180.
Gezien de afstand die zij tot nu toe gereden hadden moesten zij het merkteken dicht genaderd zijn.
Shahid minderde vaart en bracht de snelheid van de auto terug tot vijftig km per uur.
Hij ontstak de grote lichten en direct daarop zei Daisy gespannen: 'Daar staat 'ie, nu nog circa tweehonderd meter voor de ingang van het bospad.'
Omdat er geen tegenliggers aankwamen, liet Shahid de grote lichten aan, en opnieuw minderde hij snelheid.
Na 25 seconden slaakte Daisy een zachte kreet.
'Daar,' zei ze. 'Daar is de ingang van het verharde rijpad.'
Shahid stak met tien km per uur schuin de weg over en reed het bospad op. Hij stopte aan het begin van het pad en schakelde de autolichten uit. Hij ontstak het cabinelichtje en draaide aan het knopje van de kilometerteller tot deze op nul stond.
'Negenenhalve kilometer, Daisy?' vroeg hij. 'Oké, daar gaan we dan.'
Met een beweging van zijn linkerhand schakelde hij de stadslichten in en in de pikdonkere nacht, tussen de hoge bomen, leken de stadslichten wel schijnwerpers. Langzaam kwam de Rover in beweging, de spanning in de auto was om te snijden. Zulfikar streek voortdurend met zijn hand over de Kalasjnikov. Daisy zat met haar neus praktisch tegen de voorruit aan en Shahid had zijn stuurmanskunst op dit verharde pad hard nodig. De Rover had nu een gemiddelde snelheid van dertig km per uur. Shahid zag dat zij na circa twintig minuten de afstand van negenenhalve kilometer naderden. Ineens was het daar, de autolichten weerkaatsten op een glimmend voorwerp.
'Dat moet het plastic colaflesje zijn.' Daisy's stem klonk schor van de spanning.

Alle drie voelden zij de adrenaline door hun lichaam gaan.
Shahid liet de Rover vlak naast het colaflesje stoppen, stapte uit en raapte het flesje op. Onderzoekend keek hij langs de bosrand en zag een meter verderop een opening in het dichte struikgewas.
Hij draaide zich om en zag in het licht van de autolampen aan de overkant van het bospad een begin van een uitgehakte ruimte. Hij nam zijn zaklantaarn, liep om de Rover heen en ontdekte dat de uitgehakte ruimte in het bos zo groot was dat er gemakkelijk twee auto's in geparkeerd konden worden.
'Ja, natuurlijk,' klonk Daisy's stem naast hem, zij was inmiddels ook uitgestapt. 'Dit is niet alleen een parkeerplek, maar hier keren ze ook de auto's.'
Shahid stapte weer in en manoeuvreerde de auto achteruit de parkeerplaats op.
Hij schakelde de motor en de lichten uit, liet de sleutel in het contact zitten en stapte opnieuw uit.
Samen met Daisy liep hij naar achter de auto, opende de kofferbak en ook zij bewapenden zich met een Kalasjnikov AK 47.
Zulfikar voegde zich bij hen en Shahid sprak zachtjes op hen in.
'Tot zover is alles goed gegaan. We hebben het bospad gevonden. Voor we verdergaan, hebben jullie je handwapen bij je?'
Shahid had zelf zijn Sig Sauer P210 op zijn rug, tussen zijn broeksriem.
Zulfikar slaakte een verwensing en dook de auto in om even later met zijn Glock 17 weer tevoorschijn te komen.
Daisy voelde de druk van de kleine Ruger LCR op haar dijbeen, ze had het pistooltje gewoon in haar broekzak gestopt.
Nadat ze hun bivakmutsen opgezet hadden, zei Shahid: 'Ik ga voorop, Daisy vlak achter mij en Zulfikar, jij vormt de achterhoede.'
Shahid had zijn zaklantaarn afgeschermd en scheen hooguit anderhalf tot twee meter voor zich uit op de grond. Het was zo aardedonker, dat Shahid hen adviseerde om elkaar bij een kledingstuk vast te houden.
Ze vorderden maar langzaam en Shahid probeerde de kleine stapjes die ze maakten, om te zetten in meters, om zo de afstand te berekenen die ze al afgelegd hadden. Drie stapjes was ruwweg omgerekend een meter. Na vijf minuten had hij dertig stapjes geteld, dus de afgelegde afstand was circa tien meter.
Hij hield op met tellen en concentreerde zich geheel en al op de grond voor hem, terwijl hij de loopsnelheid iets probeerde op te voeren.
Van tijd tot tijd keek hij op het verlichte wijzerplaatje van zijn horloge en na dertig minuten hadden zij minstens zestig meter afgelegd.
Hij maakte een stop, draaide zich om naar Daisy en vroeg: 'Heb je enig idee hoelang jullie erover gedaan hebben vanaf de ronde blokhut tot het verharde pad?'
Daisy probeerde zich de bewuste avond voor de geest te halen.
'Hooguit een minuut of vier, vijf misschien, maar de Egyptenaar nam grote stappen en ik moest wel op een drafje met hem meerennen.'
'Laten we uitgaan van vijf minuten, elke stap van de Egyptenaar is een kleine meter per seconde, wat ruwweg betekent dat de afstand vijf maal zestig meter is, dus een kleine driehonderd meter.'

Shahid dacht een ogenblik na voor hij zei: 'We nemen meer risico, in plaats van twee meter schijn ik vijf meter voor me uit, zodat we sneller vooruitkomen.'
Shahid telde opnieuw zijn stappen, maar nu nam hij stappen van minstens een halve meter. Na een minuut hadden ze ongeveer veertig meter afgelegd.
Het nadeel van sneller vooruitkomen was dat laaghangende takken van bomen en struiken hun tegen het lichaam sloegen, dus ook in het gezicht. De bivakmutsen gaven enige bescherming, maar een zwiepende tak kwam toch hard aan. Shahid hield in de ene hand de zaklantaarn en met de andere arm beschermde hij zijn gezicht. Daisy en Zulfikar hielden met de ene hand het kledingstuk van hun voorganger vast en ook zij beschermden met de andere arm hun gezicht.
Na vier minuten maakte Shahid opnieuw een stop.
'We hebben nu ongeveer tweehonderdzestig meter afgelegd, dus zijn we dicht in de buurt van de blokhut.'
Shahid had zijn zaklantaarn uitgedaan en tuurde vooruit in een aardedonker gat. Hij verwachtte dat de open ruimte waar de blokhut was gebouwd, voor een zwak nachtelijk schijnsel zou zorgen.
Met de lichtstraal van de zaklantaarn weer kort vooruit op de grond schijnend vervolgden de drie hun weg over het smalle bospad.
Na een minuut zag Shahid het schijnsel van de nachtelijke hemel voor zich, dat aangaf dat zij de open plek in het bos heel dicht genaderd waren. Onmiddellijk doofde hij de zaklantaarn.
De laatste tien meter legden zij af in een sluipende, gebukte houding, de Kalasjnikovs schietklaar in de handen.
Ze bereikten de rand van het bos en voor hen, op circa acht meter afstand, doemde de grote ronde blokhut op.

Kopenhagen

Twee jonge vrouwelijke agenten vergezelden Nick en Soren op weg naar de discotheek. Zij zouden de zaak daar verkennen en zich voordoen als verliefde stelletjes, waar vooral Nick en Soren bij voorbaat totaal geen moeite mee hadden.
Ze bleven een ogenblik voor het slecht onderhouden, drie verdiepingen tellende, hoge pand staan.
Graffiteurs hadden hun best gedaan en gaven aan het pand nog iets fleurigs mee.
Een grote, breedgeschouderde portier hield hen tegen.
'Sorry, maar met een halfuurtje sluiten we.'
Een tiental Deense kronen veranderde van eigenaar en met een gul gebaar liet de portier het viertal binnengaan.
'Soren,' fluisterde Nick, 'neem jij met Marek de drie verdiepingen onder de loep, dan ga ik met Karen de nachtclub een bezoekje brengen.'
Nick en Karen bleven bij de ingang een ogenblik verrast staan.
De ruimte had de vorm van een halve maan. Een schitterende mahoniehouten bar, met in het hout uitgesneden Vikingen en Vikingschepen, nam met een

lengte van zeker twintig meter het gehele middenstuk in beslag. Verschillende kleuren spotlights zorgden voor een intieme sfeer aan de bar. In de ronding, op een verhoogd podium, voerden twee paaldanseressen hun act op. De bar was op dit late uur nog druk bezet en de drie barkeepers hadden hun handen vol. De dichtstbijzijnde barkeeper, een jonge knaap van hooguit twintig, schonk uit de tap bierglazen vol met Carlsberg.

Nick boog zich iets voorover over de bar en vroeg of de manager aanwezig was. Handig het overtollige schuim van de glazen strijkend knikte de barkeeper met zijn hoofd naar rechts en zei: 'Aan het eind van de bar heeft hij zijn kantoor.'

'Dank je.'

Nick en Karen liepen voor de bar langs en zagen aan het eind, achter een kralengordijn, een massief houten deur.

Nick wilde op de deur kloppen, maar een brede kleerkast van een kerel hield hem tegen.

'Waar wil je heen, maatje?' vroeg hij arrogant.

Nick keek rustig om zich heen en toen hij zag dat niemand aandacht aan hen besteedde, liet hij zijn politiepenning zien en zei zacht: 'Anti Terreur Eenheid.'

De kleerkast bond iets in en zei: 'Ik kijk even of de baas tijd voor je heeft.'

Hij draaide zich om en drukte op een belknopje.

Uit een klein luidsprekertje klonk een barse stem.

'Ja.'

'Boss, hier staan twee lui van de politie, die je willen spreken.'

De klik van een openspringend slot drong zwak tot hen door.

De massieve deur zwaaide open en tegelijk klonk door het speakertje: 'Laat maar binnenkomen.'

De deur zwaaide achter Nick en Karen automatisch weer in het slot en Nick nam in één oogopslag de ruimte in zich op.

Het kantoor van de manager liep evenwijdig aan de bar, was tien meter lang en vier meter diep. Op twee plekken in de lange wand had men spiegelwanden geplaatst en de van kleur veranderende lichten in de nachtclub zwaaiden ook het kantoor in. Door de dichtstbijzijnde spiegelwand zag Nick dat een van de paaldanseressen haar act had beëindigd.

Aan het eind van de tien meter was een schuifwandje geplaatst, met rechts in de wand een loopdeurtje.

De barse stem klonk wat minder bars toen een kleine gezette man vanachter zijn bureau opstond en hun joviaal tegemoet kwam lopen. Hij stak zijn hand uit.

'Hans Johansson, aangenaam.'

Wijzend naar een paar comfortabele fauteuils vervolgde hij: 'Neem plaats. Kan ik u iets aanbieden? Een frisdrankje of iets sterkers?'

'Erg vriendelijk van u,' reageerde Nick. 'Maar we moeten nog even.'

'Ook goed, waarmee kan ik de politie van dienst zijn?'

'Wij hebben belangstelling voor het souterrain,' zei Nick. 'Hebt u daar een bouwtekening van?'

'Belangstelling voor het souterrain? Als de politie dat object wil huren, moet ik u

teleurstellen, het souterrain is voor vijf jaar verhuurd aan een jongerenvereniging.'
'Wilt u antwoord geven op mijn vraag?' repliceerde Nick. 'Ik vroeg om een bouwtekening.'
'Die heb ik wel,' antwoordde de manager koel. 'Maar ik wil de privacy van de jongerenvereniging niet op straat gooien.'

'Weet u wel aan wie u onderdak verschaft?' kwam Karen er tactisch tussen. Zij voelde dat de twee mannen op het punt stonden met elkaar in botsing te komen. Johansson verplaatste zijn aandacht van Nick naar Karen en keek haar een ogenblik zogenaamd verbaasd aan.
'Ja, natuurlijk weet ik dat. Het gaat om een respectabele jongerenvereniging, die het souterrain als hun clubhuis beschouwen.'
'En deze respectabele jongeren,' nam een honende Nick weer het woord, 'verlenen op dit moment onderdak aan een groep terroristen die van plan zijn half Kopenhagen op te blazen.'
Johansson staarde Nick met grote ogen aan.
'Je ijlt, je verkoopt flauwekul.'
Nick Polsen had zichtbaar moeite om zich te beheersen.
'Meneer Johansson,' klonk de rustige stem van Karen, 'dit heeft lang genoeg geduurd, wij eisen van u dat u ons een bouwtekening of een plattegrond overhandigt van het souterrain en de reservesleutels van de voordeur en eventuele andere in- of uitgangen.'

Green Shahdra

Daisy's stem trilde een beetje toen ze zachtjes fluisterde: 'Het lijkt wel een slapend monster.'
'Ik ga op verkenning uit,' zei Shahid. 'Ik loop langs de bosrand, rond de blokhut, om te zien of er ergens licht in de blokhut brandt. We moeten ook weten waar de deur zich bevindt, zo te zien niet aan deze kant.'
Shahid maakte een rondtrekkende beweging langs de bosrand en sloop langzaam voorwaarts, de blokhut bestuderend.
Daisy had gelijk, ramen ontbraken in het ronde gevaarte dat geheel in duisternis was gehuld, waardoor ook de deur voor hem onzichtbaar bleef.
Halverwege drong een zacht klaterend geruis tot hem door, het geluid van stromend water.
Hij probeerde door het struikgewas heen te breken, maar het geluid van brekende takken in de stilte van de nacht klonk als kanonschoten.
Zijn adem een tiental seconden inhoudend bleef hij doodstil staan.
Een zich verwijderend ritselend geluid gaf aan dat een of ander diertje, gestoord in zijn slaap, op de vlucht sloeg.
Langzaam liet hij zijn ingehouden adem ontsnappen en hij vervolgde zijn inspectietocht.

Een paar meter verder snoof hij een penetrant luchtje op.
Hetzelfde luchtje dat je reukorgaan waarneemt in een openbaar toilet in de stad.
Een paar meter verder zag hij een opening in het struikgewas en naderbij komend zag hij in een uitgekapte ruimte een gebouwtje staan van een meter breed, tweeenhalve meter hoog en anderhalve meter diep.
Ondanks de spanning verscheen er een glimlach op zijn gezicht.
Het zal toch niet waar zijn, midden in de rimboe een openbaar toilet!
Er was genoeg ruimte rondom het toilethokje en nieuwsgierig als hij was, schuifelde hij erlangs naar de achterkant.
Hij ontstak zijn zaklantaarn en zag een plastic pijp, met een doorsnee van twintig centimeter, onder uit het hokje komen en schuin naar beneden verdwijnen, door het struikgewas tot in een snel stromend beekje.
Aan de andere kant van het toilethokje had men meer bos en struiken weggekapt tot aan het beekje toe. Aan de oever van het beekje had men een trapje van drie treden aangebracht en de emmer die daarbij stond maakte het verhaal rond.
Shahid doofde zijn zaklantaarn en begaf zich weer naar de voorkant van het poephuisje.
Hij opende het deurtje en scheen met zijn zaklantaarn naar binnen.
De toiletpot had men achterin geplaatst, rechts aan de wand hing een houdertje, gevuld met drie rollen toiletpapier, en naast de pot stond een wc-borstel.
Het zag er niet zo proper uit en het stonk.
Opnieuw doofde hij zijn zaklamp en vervolgde omzichtig zijn weg langs de bosrand, de blokhut observerend.
De hoogte van het ronde gevaarte schatte Shahid op een meter of drie en terwijl hij opkeek naar het platte dak, meende hij een zwak lichtschijnsel te zien dat naar boven straalde.
Toen hij verderliep verdween het licht.
Na enkele minuten bereikte hij Daisy en Zulfikar, die hem in spanning zaten op te wachten.
Met zijn drieën trokken ze zich een paar meter terug het bospad in.
Zittend in een driehoek staken ze hun hoofden dicht naar elkaar toe en fluisterend vertelde Shahid van zijn bevindingen. Hij besloot met de opmerking: 'Je hebt gelijk, Daisy. Er zijn geen ramen, en door de duisternis rond de blokhut heb ik ook geen deur kunnen ontdekken. We zullen naar de blokhut toe moeten kruipen, Zulfikar, om te bezien wat dat lichtschijnsel op het dak te betekenen heeft. Daisy, jij blijft hier om ons rugdekking te geven.'
En terwijl Shahid en Zulfikar zich voorover plat op de grond lieten zakken, installeerde Daisy zich aan de rand van het bos met de Kalasjnikov over haar knieën.
De beide mannen hielden de Kalasjnikovs dwars in hun beide handen en kropen, zich met de ellebogen handig voortbewegend, naar de blokhut toe.
Ze bereikten de blokhut binnen een minuut.
Met hun rug tegen de blokhut bleven zij een tiental seconden doodstil liggen.
Shahid kwam als leidinggevende als eerste overeind.
Hij plaatste zijn Kalasjnikov tegen de blokhut en ging met zijn rug tegen de blok-

hut staan. Zulfikar richtte zich op en plaatste zijn geweer naast dat van Shahid, stapte met zijn linkervoet in de gevouwen handen van Shahid en zonder lawaai te maken zat Zulfikar binnen een paar seconden op de rand van het platte dak. Hij trok zijn benen op en keek om zich heen.
In het midden van het platte dak bevond zich een dakvenster, waardoor zwak licht naar buiten scheen.
Voorzichtig kroop Zulfikar naar het venster toe, waarvan het glas ondoorzichtig was geworden van het vuil dat erop geplakt zat.
Met zijn vinger maakte hij een klein gedeelte schoon en hij gluurde naar beneden.
Hij zag de benen van een man die op een bank lag.
Hij veegde nog wat vuil van het venster en kreeg toen de hele kerel te zien.
Hij herkende hem als Hassan en terwijl hij naar beneden staarde, stond Hassan op van de bank en liep slaapdronken naar de andere kant van de kamer.
Hij verdween uit het zicht en terwijl Zulfikar nog meer vuil verwijderde van het venster om zijn gezichtshoek groter te maken, hoorde hij dat er een deur werd geopend.
Een bundel licht straalde door de deuropening naar buiten en de drie hielden hun adem in.
Zich niet bewust van het dreigende gevaar liet Hassan de deur van de blokhut openstaan, en zich bijlichtend met een zaklamp begaf hij zich naar het toilethokje.
Daisy zat geschrokken naar Hassan te staren en van hem naar de zich naar de dakrand begevende, Zulfikar, die zich daarna over de dakrand liet zakken om even later met een zwakke plof naast Shahid op de grond te landen.
Shahid gluurde langs de ronding van de blokhut en keek op de rug van Hassan. Hij besefte dat dit de enige kans was om binnen te komen.
Terwijl Hassan in de toiletruimte verdween, kwam Zulfikar naast Shahid staan en fluisterde hem in zijn oor: 'Ik heb verder niemand in de blokhut gezien.'
'Goed, weet je wie hij is?'
'Dat is Hassan, een van de vier vaste bewakers van de sjeik.'
'Mooi, ik ga achter hem aan.'
'Shahid, laat mij met je meegaan. Hassan en zijn drie makkers zijn de best getrainde en opgeleide kerels uit de regio.'
Shahid trok zijn Fairbairn Sykes uit de kunststof schede en liet de stootdolk voor de ogen van Zulfikar heen en weer wiegen.
'Ik hou me schuil rechts van het toilet en wanneer hij water uit de beek put, dan...!'
'Shahid, die kerels hebben een sterk ontwikkelde intuïtie, hen kun je niet verrassen. Luister, ik heb een voorstel. Jij verbergt je achter het toilethokje en wanneer de kerel naar buiten komt, roep ik hem. Daardoor zal hij in de war raken en met mij beginnen te praten. Dan komt jouw moment.'
Shahid begreep dat hij snel moest beslissen.
Hij klopte Zulfikar op de schouder en verdween aan de andere kant van de blok-

hut. Hij sprintte geruisloos naar de bosrand en bewoog zich zo snel als de situatie toeliet langs de bosrand naar het toilethokje.
Vanuit zijn ooghoeken zag hij dat Daisy zich had teruggetrokken op het bospad.
Op twee meter van het toilethokje rook hij opnieuw de penetrante stank van poep en urine.
Hij hoorde de kerel kreunend persen en bedacht dat hij tijd overhield.
Hij matigde zijn snelheid en voorzichtig sloop hij verder, de grond voor zich afspeurend naar dode takjes die in de nachtelijke stilte een akelig hard geluid konden veroorzaken.
Hij had juist de zijkant van het toilethokje bereikt, toen hij de kerel een diepe zucht hoorde slaken. Geritsel van toiletpapier drong tot hem door en even later kwam Hassan naar buiten.
Op dat moment verscheen Zulfikar in het licht, dat door de open deur vanuit de blokhut naar buiten straalde.
'Hallo, Hassan, alles goed met je?'
Op een meter voor het toilethokje bleef Hassan staan, en loerde, zijn hoofd schuin, naar Zulfikar.
'Ben je verbaasd mij hier te zien?' zei Zulfikar zacht, om de aandacht van Hassan op hemzelf gericht te houden. 'Ik dacht: zo gemakkelijk komen jullie niet van mij af.'
Shahid sloop naderbij en op het moment dat hij de dolk in de rug van Hassan wilde stoten, wervelde de kerel op zijn rechterbeen rond en trof Shahid hard tegen zijn schouder met een linker hoge trap.
Shahid sloeg tegen de grond en bleef een ogenblik versuft liggen.
Een pijnscheut trok vanaf zijn schouder via zijn nek naar het zenuwstelsel in zijn hoofd, en licht kreunend wilde hij overeind komen.
Maar de grote Hassan dook boven op hem en Shahid had geen schijn van kans.
Zijn hoofd bonkte op de grond en de kerel greep hem bij de strot.
Hassans duim en wijsvinger drukten hard zijn keel dicht en een paniekerig gevoel maakte zich meester van de zo gelouterde advocaat uit Islamabad.
Shahid probeerde nog een kniestoot, maar de kerel lag als lood zo zwaar op hem.
'Dit was het dan,' ging het door hem heen, voordat hij zich in een zwart gat voelde wegzakken.

Kopenhagen, 04.30 uur

Niels Jacobson keek op van zijn aantekeningen en overzag de volgestroomde vergaderkamer.
De plaatsvervangend korpschef had woord gehouden, elke beschikbare diender was opgeroepen om zich te melden op het hoofdbureau.
De korpschef zelf was opgebeld door de verloskundige van zijn hoogzwangere vrouw en hij had zich geëxcuseerd bij Jacobson met de boodschap dat de baby elk moment geboren kon worden.

Op een groot scherm projecteerde Niels een schets van de zogenaamde driehoek, Norre Alle, Guldbergsgade en de Ahornsgade.
De Guldbergsgade had hij doorgetrokken tot het kruispunt met de Mollegade.
Verder had hij op de schets de volgende punten aangegeven: de discotheek met daarachter, binnen de bebouwde driehoek, twee grote grasvelden; de joodse begraafplaats; de Birkegade; het Sankt Hans plein.
De drie grote kruispunten had hij omcirkeld.
'Waarde collega's,' begon Jacobson zijn briefing, terwijl hij met een houten aanwijsstok op de tafel tikte. Het geroezemoes verstomde en elke aanwezige richtte zijn blik op Jacobson.
'Graag uw aandacht voor het volgende: de groep terroristen houdt zich schuil in een discotheek, gelegen aan de Guldbergsgade.'
Hij liet de punt van de aanwijsstok rusten op de plek waar de discotheek stond ingetekend.
'Zes politiewagens hebben we tot onze beschikking en ik verzoek de hoogsten in rang naar voren te komen.'
Terwijl de hoofdagenten naar voren kwamen, bewoog de aanwijsstok zich naar het kruispunt Guldbergsgade – Mollegade.
Niels wees de eerste twee agenten aan en zei: 'Jullie sluiten dit kruispunt af. Neem per auto twee extra dienders mee ter ondersteuning.'
Tegen de volgende twee agenten zei hij: 'Jullie sluiten het kruispunt Norre Alle – Ahornsgade af en nemen ook twee extra dienders mee.'
De overige twee agenten moesten met hun wagens het Sankt Hans plein afsluiten.
Paula, de jonge agente die steevast koffie verzorgde voor de eenheid, wrong zich tussen de collega's door naar Jacobson met in haar rechterhand een dubbelgevouwen briefje.
Toen ze Niels had bereikt, overhandigde ze het briefje en zei: 'Een berichtje van de luchthavenpolitie.'
Niels had haar door het opnieuw ontstane rumoer niet verstaan, maar nam met een knikje het briefje in ontvangst en stak het in zijn borstzak.
De overige dienders moesten zich verspreiden binnen de bebouwde driehoek, met als opdracht de achteruitgangen van het souterrain en de discotheek af te grendelen.
'Wij nemen de overvalwagen,' sprak hij verder tegen zijn eenheid, 'en vallen via de voordeur het souterrain binnen. Het is nu kwart voor vijf,' vervolgde Niels met stemverheffing. 'Bereid jullie mentaal voor, en wees voorzichtig. De operatie start om precies vijf uur.'

Op dit vroege uur was er nog weinig verkeer en de agenten hadden met het afsluiten van de door Jacobson genoemde kruispunten geen enkel probleem.
De overvalwagen reed met een matige snelheid de Guldbergsgade af en parkeerde recht voor de ingang van de discotheek.
De zes leden van de Anti Terreur Eenheid sprongen achter elkaar naar buiten, om tien seconden later het souterrain binnen te stormen.

Hun wapens langzaam heen en weer zwaaiend bleven ze midden in het souterain verbluft staan.
'Niemand,' bracht Niels uit.
Hij wees naar de achterwand en zei: 'Daarachter moet de geheime ruimte zijn. Rechts in de hoek daar moet zich een goed gecamoufleerde deur bevinden.'
De achterwand bestond uit tweekleurige schrootjes.
De bovenste rij schrootjes, een meter gerekend vanaf het plafond, was licht gekleurd.
De onderste rij schrootjes, twee meter vanaf de grond, had men donkerbruin gebeitst.
Nick en Lilian stonden als eersten voor de haast niet waarneembare deur.
Zij betastten de wand en schenen zichzelf bij met zaklantaarns, maar niets scheen erop te wijzen, dat zich hier een deur bevond.
'Weet je zeker dat hier een deur moet zijn?' vroeg Nick aan de naderbij komende Niels.
Deze knikte alleen maar en ook hij onderzocht de wand.
Na een minuut kwam hij zuchtend overeind en zich achter het oor krabbend draaide hij zich om en keek naar de grote Olaf Magnusson.
Toen zij elkaar in de ogen keken, verscheen er een glimlach op het gezicht van Olaf. Hij begreep direct wat Niels van hem wilde.
'Olaf trapt de deur in en wij duiken achter elkaar de geheime ruimte binnen, ik voorop.'
Olaf Magnusson nam een aanloop van een paar meter en terwijl zijn beide vuisten een vuurwapen omklemden, wierp hij zich gebukt, met zijn volle gewicht tegen de wand aan.
'Olaf niet zo,' schreeuwde Niels, maar het was te laat. Krakend begaf de gecamoufleerde deur het en klapte de geheime ruimte in met Olaf erachteraan.
Olaf loste een paar schoten de donkere ruimte in en toen er niets gebeurde, kwam hij langzaam overeind.
Niels en de anderen waren hem direct gevolgd en het licht van diverse zaklantaarns doorkliefde het duister in de geheime bergplaats.
Een paar ligbanken stonden langs de lange wanden.
Een tafel met een paar stoelen in het midden.
Een grote koelkast stond tegen de zijwand.
Naast de koelkast had men een klein keukenblokje geplaatst, met in de gootsteen een paar vuile kopjes en glazen.
'Alles voor niets,' reageerde Jacobson somber. 'De vogels zijn gevlogen.'

Green Shahdra

Omhoog klauterend uit een donker dal probeerde Shahid voorzichtig zijn oogleden te openen. Het eerste wat hij waarnam, was een zoetige smaak in zijn mond.

'Allah zij geprezen, hij komt weer tot de mensen.'
Daisy bette met een natte doek Shahids voorhoofd.
Ze doopte de doek telkens opnieuw in een emmer met koud water, wreef hiermee over de slapen van Shahid, over zijn nek en aan weerszijden van zijn strottenhoofd.
De koelte van het koude water deed Shahid sneller bij zijn positieven komen, maar ook de pijnen kwamen sneller opzetten.
Zijn keel gloeide, alsof hij in brand stond. Een lichte hoofdpijn kwam opzetten.
Hij wilde iets zeggen, maar een zware hoestbui was het gevolg.
'Rustig maar, Shahid,' zei Zulfikar. 'We waren je bijna kwijt.'
Hij trok Shahid overeind, duwde zijn hoofd tussen zijn knieën en sloeg hem met de andere hand stevig op de rug.
Eerst hoestte hij een mengsel van speeksel en bloed op, waarna hij ook zijn maaginhoud uitkotste.
'Prima, kerel,' zei Zulfikar. 'Dat moet opluchting geven.'
Zulfikar hielp hem overeind en Daisy veegde met de natte doek zijn mond en kin schoon.
Met betraande ogen keek Shahid zijn beide lotgenoten aan.
'Wat is er gebeurd?' vroeg hij en de brandende pijn in zijn keel verergerde, terwijl zijn stem raspend klonk en hij bijna niet te verstaan was.
Hij tastte met zijn linkerhand naar zijn keel, terwijl een doffe pijn zijn rechterschouder teisterde.
'Hier,' kwam Zulfikar opnieuw. 'Drink dit op, dat zuivert je keel en doet op den duur de pijn verminderen.'
Hij hield Shahid een half gevuld glas Jack Daniels voor en dwong hem te drinken.
De eerste slok schroeide zijn gehavende keel en de tweede proestte hij weer uit.
Hijgend en met uitpuilende ogen staarde hij Zulfikar aan.
'Komt goed,' knikte deze hem toe.
'Is dit nou wel goed?' vroeg Daisy, terwijl ze Shahid medelijdend aankeek.
'Deze whisky zuivert en verzacht, let maar op.'
Even later knikte Shahid en nam kreunend nog twee stevige slokken.
Licht hijgend leunde hij met zijn rug tegen de wand van de blokhut, het lege glas gaf hij terug aan Zulfikar.
Shahid sloot zijn ogen en normaliseerde zijn ademhaling.
De pijn in zijn keel werd minder en hij inventariseerde de pijnlijke plekken op zijn lichaam.
Hij had twee kleine bloeduitstortingen aan beide zijden van zijn strottenhoofd.
Hij bewoog voorzichtig zijn rechterarm, waarbij hij pijnscheuten voelde in zijn bovenarm. Ook daar werd een forse bloeduitstorting zichtbaar.
De veroorzaker van de lichte hoofdpijn bleek een buil op zijn achterhoofd te zijn.
Een zeurende pijn in zijn maagstreek maakte het pijnkwartet vol.
Shahid opende zijn ogen en keek in het bezorgde gezicht van Daisy.
Een flauwe glimlach krulde zich rond zijn mond en zijn ogen straalden dankbaarheid uit.

Daisy slaakte een diepe zucht en haalde opgelucht adem.
'Zie je wel,' merkte Zulfikar op. 'De kerel is zo sterk als een os.'
Shahid liet zijn blikken door de kamer gaan en besefte dat ze in de ronde blokhut zaten, zonder ramen.
De deur was gesloten en Zulfikar aankijkend vroeg hij: 'Hoe staan we ervoor?'
Zulfikar wierp een blik op zijn horloge en zei: 'Het is halfvier in de ochtend.'
Na de opmerking over de tijd, bracht hij verslag uit over de laatste tien minuten.
'Toen Hassan op jou sprong, is hij recht in de opstaande stootdolk gevallen. De punt van het lange lemmet moet zijn hart hebben doorboord. In een laatste reflex kon hij jouw keel dichtknijpen.
Daisy en ik waren snel bij jullie en voor de zekerheid heb ik de kerel met mijn Kalasjnikov het achterhoofd ingeslagen. We rolden hem van jou af en zagen de stootdolk onder zijn linkerborst tot aan de greep in zijn lichaam steken. Ik heb zijn wijsvinger moeten breken om die klauw los te maken van jouw strottenhoofd.
Je was buiten bewustzijn, maar je ademde nog. We hebben je de hut ingedragen en op de slaapbank langs de muur gelegd. Je shirt, doorweekt met Hassans bloed, hebben we uitgetrokken en schoongespoeld in de beek. Daisy schepte een emmer fris en koud water uit de beek en depte voortdurend je gezicht, je hoofd en je keel en ze maakte je lichaam schoon. Daarna hebben we jou een schoon shirt aangetrokken, dat daar in de kast lag. Je bent maar vijf minuten buiten bewustzijn geweest, dus de rest weet je.'
Met een pijnlijk gezicht schraapte Shahid zijn keel en vroeg om meer whisky.
Zulfikar reikte hem de fles aan en na een flinke slok probeerde Shahid van de bank op te staan.
Onvast liep hij naar de tafel die in het midden van de kamer stond, met spanning gevolgd door Daisy en Zulfikar.
De Kalasjnikovs, zijn Sig Sauer en zijn schoongemaakte stootdolk lagen op tafel.
Hij pakte zijn Sig van de tafel en stopte hem op zijn rug tussen zijn broekriem, daarna liet hij zijn commandodolk in de kunststof schede glijden, draaide zich om naar zijn twee partners en zei: 'Oké, lui, we gaan verder, geen tijd meer te verliezen. Nog een vraag, waar hebben jullie het lichaam van Hassan gelaten?'
Daisy trok een vies gezicht, maar Zulfikar zei glimlachend: 'Soort bij soort, we hebben hem op de toiletpot gezet in het gezelschap van grote strontvliegen en het deurtje dichtgedaan.'
'Hm.'
Shahid keek de kamer rond op zoek naar het luik.
'Hebben jullie het luik naar de geheime gang al ontdekt?'

Kopenhagen

Niels Jacobson had de operatie afgeblazen en de agenten hadden zich weer over de stad verspreid. Hun nachtdienst zat er bijna op.
Teleurgesteld en zichtbaar vermoeid zaten ze bij elkaar in de vergaderkamer.

Niels blikte op zijn R.W. polshorloge en stelde voor een paar uur te gaan slapen.
'Het is nu bijna zes uur,' zei hij. 'Laten we om tien uur weer hier bij elkaar komen.'
Jan, Olaf en Soren stonden direct op en met een mompelende groet vertrokken zij.
'Gaan jullie ook maar,' vervolgde Niels tegen Lilian en Nick.
'Hoe kon dit gebeuren?' negeerde Nick de opmerking van Niels. 'Door wie zijn zij gewaarschuwd en waar zijn ze nu? Die nachtclubuitbater, Johansson, zal hen toch niet gewaarschuwd hebben?'
'Het briefje,' kwam Lilian ertussen, 'dat Paula jou tijdens je briefing aanreikte, wat stond daarin?'
Niels kwam met een schok uit zijn half liggende houding overeind en slaakte een verwensing.
Hij viste het briefje uit zijn borstzakje en vouwde het open.
Zijn ogen vlogen over de regels en opnieuw slaakte hij een verwensing.
Lilian en Nick keken elkaar aan, dit waren ze van Niels niet gewend.
Niels overhandigde het briefje aan Lilian.
'Lees jij het hardop voor, zodat ik zeker weet dat mijn ogen nog steeds in een goede conditie verkeren.'
Lilian nam het briefje aan en streek het papiertje op de tafel glad.

Negentien mei tweeduizendzeven, vier uur vijfendertig.
Telefoontje aangenomen van inspecteur Arne Nielsen, luchthavenpolitie Kastrup.
Sjeik Faisel heeft opdracht gegeven zijn Gulfstream V vol te tanken.
Aan de verkeerstoren doorgegeven dat hij om zeven uur wil vertrekken.
Gelieve dit bericht onmiddellijk door te geven aan Niels Jacobson.

Niels trok de telefoon naar zich toe en terwijl hij een nummer intoetste, zei hij: 'Lilian, bel jij hotel New Orleans en vraag of Faisel al vertrokken is. Nick, bel Arne Nielsen en zeg hem dat, koste wat het kost, hij het vertrek van de Gulfstream moet vertragen. Chef,' sprak hij in de telefoon, 'ik moet dringend met je praten, ik kom met twee van mijn mensen nu naar je toe.'
Voordat Bert Lunde kon reageren, knalde Niels de hoorn op de haak.
Lilian was snel klaar en rapporteerde dat het hele gezelschap om vijf uur vertrokken was. Niels knikte even en beiden keken verbaasd naar Nick, die met stemverheffing sprak.
'Nielsen, het kan me geen moer schelen hoe je het doet, maar stagneer het vertrek van dat vliegtuig.'
Na een korte stilte vervolgde Nick: 'Is de verkeerstoren een optie? Zij kunnen het vliegtuig tegenhouden, de boel vertragen door geen toestemming te geven om te vertrekken. Nielsen, maak je geen zorgen, de verantwoording ligt bij ons, over drie kwartier zijn we op de luchthaven.'
Met een zucht verbrak Nick de verbinding.
'De sjeik met zijn gevolg is al aan boord, de tankwagen staat nog bij het vliegtuig en Nielsen doet moeilijk.'
Jacobson haalde zijn schouders op en zei: 'Kom, opschieten, de chef wacht op ons.'

Green Shahdra, de villa

De deur vanuit de geheime gang naar de kelder onder de villa was niet op slot en Shahid, die weer voorop liep, liet zijn zaklantaarn door de ruimte dwalen.
In zijn andere hand hield hij de Sig Sauer met de veiligheidspal eraf.
Het geluid van krakende veren van een ligbank deed Shahid razendsnel met de zaklamp in die richting schijnen.
Een kerel kwam juist overeind van de ligbank.
Met één arm schermde hij zijn ogen af tegen het felle licht van de zaklantaarn, terwijl de andere omhoogkwam met een pistool in zijn hand.
De Sig Sauer kuchte twee keer en de kerel, getroffen door twee kogels in de borst, tuimelde achterover, terug op de ligbank.
Hij lag met zijn schouder en hoofd tegen de muur aan, terwijl zijn benen over de rand van de bank bengelden. Zulfikar deed een stap naar voren, trok het lichaam van de kerel ruw overeind en legde hem languit op de ligbank. Hij spreidde het laken over hem heen en het leek of de kerel sliep.
Shahid liet de zaklantaarn snel door de ruimte gaan, maar er was verder niemand.
In een hoek stonden dozen met explosieven.
Toen hij erop af liep, legde Daisy haar hand op zijn arm. Samen stonden ze een ogenblik stil en keken elkaar aan.
'Wat is er, Daisy?'
'Bestaat er een mogelijkheid om sjeika Gisela hier levend uit te halen?'
Shahid keek haar met een warme gloed in zijn ogen aan. 'Ik had zoiets verwacht.'
'Weet je wel wat je vraagt, Daisy?' kwam Zulfikar ertussen. 'Wij zijn met z'n drieën en boven zijn zeker nog vier kerels. De sjeik, zijn zoon en nog minstens twee lijfwachten.'
Daisy knikte zwijgend.
'Maar goed, aan zijn gezicht te zien is Shahid het met je eens,' vervolgde Zulfikar. 'Laten we dan de voor- en nadelen onder ogen zien. Nadeel: zij zijn in de meerderheid. Voordeel een: het is vijf over vier in de ochtend, iedereen slaapt nog en twee: de verrassing is aan onze kant, dus 2 - 1 in ons voordeel.'
'Goed,' nam Shahid het over van Zulfikar. 'Daisy, jij gaat op zoek naar jouw sjeika en wij schakelen die kerels uit.'
Nadat ze eerst nog de andere drie kelderruimtes hadden doorzocht om zeker te zijn dat iedereen zich boven in de villa bevond, slopen ze de trap op naar boven.
Bovenaan opende Shahid de kelderdeur, die geluidloos de gang indraaide.
Hij glipte als eerste de flauw verlichte gang op, direct gevolgd door Daisy en Zulfikar.
Daisy wees naar links en begaf zich op weg naar het vrouwenverblijf.
De gang doorkruiste driekwart van de villa, met aan weerszijden slaapkamers en gastenverblijven.
De grote salon lag aan de achterkant van de villa met uitzicht over de vallei.
Shahid en Zulfikar hadden afgesproken, dat om de beurt de een de deur zou

openen, terwijl de ander naar binnen glipte.
Beiden hadden hun Kalasjnikov over de schouder gehangen en vertrouwden nu meer dan ooit op hun pistool.
De kamer tegenover de kelderdeur was het eerst aan de beurt.
Zulfikar opende de deur en Shahid stapte naar binnen, met in de ene hand een zaklantaarn en in de andere zijn Sig Sauer.
Zulfikar kwam achter Shahid de kamer binnen en zocht naar de lichtknop naast de deurpost.
De krachtige lichtbundel van de zaklantaarn flitste heen en weer en bleef rusten op een onbeslapen bed.
Zulfikar had de lichtknop gevonden en knipte het licht aan.
In één oogopslag zagen zij dat de kamer leeg was.
Links stond de deur van de badkamer open en het zekere voor het onzekere nemend controleerde Shahid de badkamer.

Daisy kwam het vrouwenverblijf binnen, doorkruiste de kleine salon, stak het licht aan en liep daarna direct door naar de slaapkamer.
Een ogenblik twijfelend bleef ze voor de deur staan, niet wetend wat te doen, eerst kloppen of gewoon naar binnen gaan.
Zij besloot tot het laatste en opende de deur.
In de slaapkamer brandde het licht en zij stapte naar binnen.
Met een ruk bleef ze staan, het bloed stolde in haar aderen. Ze rilde plotseling van de kou, sloot een moment haar ogen en dacht: dit kan niet waar zijn.
Ze vermande zich en opende haar ogen, maar de tranen kwamen als vanzelf.
Zacht kreunend, met haar handen om haar hoofd geslagen, lag de sjeika half voorover, naakt op het bed.
Haar onderlichaam en de lakens zaten onder het bloed.
'Sjeika Gisela,' zei Daisy met schorre stem. Met een paar stappen overbrugde zij de afstand van de deur naar het bed.
Het zachte gekreun ging over in een hartstochtelijk huilen.
'Neen, alsjeblieft, niet nog een keer. Alsjeblieft, laat me met rust.'
'Sjeika Gisela, ik ben het, Daisy.'
Het lichaam van de sjeika verkrampte.
'O Allah, als u werkelijk bestaat, help me.'
Daisy stond voor het bed.
'Gisela, ik ben het, Daisy,' zei ze nogmaals, terwijl ze zacht over de armen van de sjeika streek.
Bij die aanraking trok er een rilling door het lichaam van de sjeika en ze rolde zich als een bal ineen.
Daisy draaide zich om en liep naar de badkamer.
Ze nam een handdoek en hield hem onder de koude kraan.
Met de druipende handdoek liep ze terug naar het bed en legde de handdoek over de armen en de schouders van de sjeika.
Opnieuw zei ze: 'Gisela, ik ben het, Daisy.'

Het trillen hield op. De sjeika trok de handdoek over haar hoofd en gezicht en bleef zo een halve minuut liggen.
Daisy nam een tweede handdoek, doordrenkte hem met koud water en begon het bloed van het onderlichaam te wassen.
'Daisy, ben jij het echt?'
'Ja, Gisela, en ik kom je halen.'
Langzaam tilde de sjeika de handdoek iets omhoog en gluurde onder haar arm door naar Daisy.
'Je kunt Daisy niet zijn, het is onmogelijk om hier binnen te komen.'
Na een korte pauze vervolgde ze: 'Je bent een engel Gods, dezelfde die moeder Hagar toesprak, nadat zij door aartsvader Abraham was weggestuurd en zonder water dacht te zullen sterven. Die, toen ze haar ogen opende, een waterput zag, om haar jongen Ismaël te drinken te geven. Je komt me halen om dienst te doen in de tuinen van de profeet.'
'Nee, sjeika Gisela, ik ben Daisy en ik ben niet alleen gekomen.'
Langzaam kwam de sjeika overeind en ging op de rand van het bed zitten. Ze richtte haar angstige donkere ogen op Daisy.
Een onbedwingbare woede welde op toen Daisy het bont en blauw geslagen gezicht van de sjeika zag. Ook haar lichaam vertoonde gemene blauwe plekken. Ze nam de Kalasjnikov van haar schouder, zette hem naast het bed tegen de muur en hielp de sjeika naar de badkamer.

Shahid en Zulfikar stonden voor de vierde deur. In de vorige drie hadden zij niemand aangetroffen. Het was de beurt aan Zulfikar om de kamer als eerste binnen te gaan.
Shahid reikte naar de deurknop, toen deze al omlaag werd gedrukt.
De deur zwaaide naar binnen open en zij stonden oog in oog met de halfnaakte Egyptenaar.
Nog voordat de beide mannen konden reageren, gooide de Egyptenaar in een reflex de deur met een harde knal dicht.
'Zulfikar, nu, voordat de kerel zijn wapen kan pakken.'
Shahid opende opnieuw de deur en riep zachtjes naar Zulfikar: 'Laag bij de grond.'
Zulfikar dook naar links de verlichte kamer binnen en liet zijn Glock knallen.
De Egyptenaar had juist zijn bed bereikt, toen de eerste kogels zijn grote lijf binnendrongen. Hij graaide onder zijn kussen naar zijn vuurwapen, wist zich nog om te draaien en zijn vuurwapen op Zulfikar te richten.
Shahid was de kamer naar rechts ingedoken en schoot één keer met zijn Sig Sauer op het hoofd van de Egyptenaar. De kogel drong aan de zijkant het hoofd binnen en de kerel moest op slag dood zijn, maar met onbegrijpelijke kracht wist hij toch nog de trekker over te halen.
De kogel schampte de bovenarm van Zulfikar. Met een pijnlijke grijns op zijn gezicht kwam hij overeind.

'Gaat het?' vroeg Shahid, terwijl hij de deur afsloot.
De knal van het afgeschoten vuurwapen dreunde nog na in zijn oren en hij wilde zich niet laten verrassen.
Daarna liep hij op het bed af, stapte over de Egyptenaar heen en raapte de zware Tracker .22 LR revolver op van de grond, controleerde de zevenschotscilinder en constateerde een lege cilinder.
Hij stak de Tracker achter zijn rug, tussen zijn broeksriem.
Vervolgens trok hij een laken van het bed en scheurde een strook van het laken af.
Hij begaf zich naar Zulfikar en legde een noodverband om zijn bovenarm aan.

Kopenhagen

'Ja, maar chef, we kunnen die terroristen toch niet zomaar laten vertrekken!'
'Niels, gebruik je verstand. Tegen de sjeik kunnen we sowieso niets bewijzen en hij en zijn gevolg bevinden zich nu in het vliegtuig, dus op Koeweits grondgebied.'
Met een machteloos gevoel stond Niels Jacobson op van zijn stoel en keek wanhopig eerst Lilian aan, daarna Nick en toen weer naar zijn chef Bert Lunde.
'Het spijt me, Niels, maar we kunnen niets doen. We mogen nog blij zijn dat de sjeik geen aanklacht in heeft gediend, betreffende de drie vermoorde terroristen op het kerkhof.'
'Ja, nou nog mooier, we hadden Lilian en onszelf moeten laten vermoorden.
Lilian, Nick, we gaan, ik krijg geen lucht meer in deze kamer.'

Green Shahdra, de villa

Sjeik Ghulam Al-Ahmadi schoot met een ruk overeind.
'Ismael, wat was dat?' riep hij naar zijn zoon, die in de aangrenzende kamer lag te slapen.
Hij kreeg geen antwoord en de nummer een van de Pakistaanse tak van Al-Qaida begon zich onrustig te voelen.
'Ismael,' riep hij nogmaals, maar nu iets harder.
Tegelijkertijd liet hij zijn benen over de rand van het hemelbed glijden, zocht met zijn voeten naar zijn pantoffels en stond even later wankelend naast het bed.
Dat klonk als een pistoolschot, dacht hij.
Hij trok zijn kamerjas aan en nam uit het nachtkastje een splinternieuw Walther P99 pistool en begaf zich naar de tussendeur van het aangrenzende vertrek, waar zijn zoon nog met lange uithalen lag te snurken.
'Ismael, word eens wakker, joh.' De sjeik schudde aan de schouders van zijn zoon.
'Ja, vader, wat is er?'
'Heb jij niets gehoord? Nee, natuurlijk niet, je sliep als een blok. Ik schrok wakker van iets wat leek op een pistoolschot. Ik hoop niet dat dat afgedankte stuk vuil

zelfmoord heeft gepleegd. Slaap jij maar verder, jongen, ik ga even bij haar kijken.'
De sjeik liep via de salon de centrale gang in, op weg naar het vrouwenverblijf.

Shahid was net klaar met het aanleggen van het noodverband, toen zij slepende voetstappen op de gang hoorden.
Beiden hielden automatisch hun adem in, tot het geluid van de voetstappen vervaagde.
Shahid ontsloot de deur, drukte de deurkruk omlaag en opende de deur op een kier.
Voorzichtig stak hij zijn hoofd naar buiten en zag een mannenfiguur de kleine salon van het vrouwenverblijf binnengaan.

Daisy had de sjeika in de badkamer gewassen en afgedroogd en was juist begonnen met het smeren van verzachtende zalf op de beurse plekken, toen zij een geluid hoorde.
Slepende voetstappen kwamen naderbij en de sjeika begon over haar hele lichaam te trillen.
'De sjeik,' fluisterde ze angstig.
Een krassende stem riep: 'Waar ben je, slons, leef je nog?'
Daisy veegde snel haar handen schoon en haalde haar kleine Ruger LCR uit haar broekzak. Ze legde aan op de deuropening.
Het fatterige lichaam van de sjeik vulde de deuropening, waar hij verrast bleef staan.
'Daisy, wat doe jij hier?' Sjeik Ghulam schudde even met zijn hoofd. 'Hoe ben jij hier binnengekomen?'
Hij bracht zijn Walther omhoog, zonder acht te slaan op de Ruger in Daisy's hand en zei: 'Jullie laten mij geen keus, ik kan jullie niet zomaar laten weggaan, dus het enige wat ik kan doen, is jullie liquideren.'
De kleine Ruger in Daisy's hand ging twee keer af.
De eerste kogel trof de sjeik in het voorhoofd en de tweede in zijn hartstreek.
Een verbaasde blik verscheen op zijn gezicht.
Zijn knieën konden het gewicht niet meer dragen en knikten door. Langzaam zakte hij langs de deurpost tegen de grond. De Walther viel kletterend uit zijn krachteloze handen op de badkamervloer.
Vlugge voetstappen kwamen de slaapkamer binnen.
Daisy bukte zich snel en raapte de Walther op.
'Daisy,' riep zacht de bezorgde stem van Zulfikar, 'ben je oké?'

Terwijl Zulfikar de kerel achternaging die in het vrouwenverblijf was verdwenen, controleerde Shahid de overige twee kamers, die op de gang uitkwamen.
In beide kamers bevond zich niemand.
Hij begaf zich naar de laatste deur in de gang, de deur van de grote salon, die halfopenstond. Een ogenblik bleef hij achter de deur staan, luisterend naar enig geluid.
Voorzichtig stapte hij de salon binnen en zag in één oogopslag, dat er niemand was.

Behalve de openslaande deuren recht tegenover hem, aan de achterkant van de villa, bevond zich rechts van hem een deur die openstond en waardoor hij de helft van een kookeiland zag.
Dat is de keuken.
Links stond ook een deur open.
Deze deur leidt waarschijnlijk naar de slaapvertrekken van de sjeik.
Ik moet eerst de keuken controleren op eventuele aanwezigen, zodat ik, wanneer ik de slaapvertrekken van de sjeik binnenga, niet van achteren verrast kan worden.
Geruisloos naderde hij de keukendeur, om even later te constateren dat ook in de keuken niemand aanwezig was.
Hij doorkruiste de salon en gluurde om de deurpost heen de slaapkamer in.
Het bed dat hij te zien kreeg, was beslapen geweest, het dekbed lag slordig opengeslagen.
Op zijn qui-vive stapte hij de slaapkamer verder binnen.
Niemand, maar wel opnieuw een openstaande deur.
Het zwakke gesnurk van een slapende man drong tot hem door.
Met een paar stappen overbrugde hij de afstand tot de deur van het nevenvertrek.
Hij herkende de snurkende man meteen. Het was Ismael, de zoon van de sjeik en blijkbaar bijna zijn schoonzoon.
Een staalharde blik verscheen in zijn ogen. Zijn mond verstrakte tot een smalle streep.
Daar ligt indirect de schuldige aan de dood van mijn jongste dochter.
Plotseling hield het snurken op. Ismael opende zijn ogen en zag Shahid in de deuropening staan.
Met een ruk kwam hij omhoog, terwijl zijn rechterhand onder zijn kussen greep.
Hij was snel, maar Shahid was sneller. Met zijn Sig Sauer gaf hij de kerel een geweldige dreun tegen zijn hoofd, zodat hij half van de wereld terugviel in het kussen.
De Walther gleed uit zijn slappe rechterhand.
Shahid trok hem aan zijn hoofdhaar overeind en ramde de Sig Sauer in zijn mond.
'Ik ga jou een paar vragen stellen, waar ik antwoorden op wil hebben, oké?'
Ismaels onderlip begon te bloeden en werd langzaam tweemaal zo dik.
De loop van de Sig stak tot achter in zijn keel.
Hij ademde zwaar door zijn neus.
De rechterkant van zijn hoofd begon op te zwellen, terwijl er bloed vloeide uit een scheurtje in zijn oor.
'Vraag een: hoeveel manschappen zijn er momenteel in de villa?'
Ogen vol haat staarden Shahid aan, die de Sig nog dieper in de strot van Ismael duwde.
De kerel begon te kokhalzen en tegelijkertijd verdween de haat uit zijn ogen om plaats te maken voor angst.
Shahid trok de Sig een centimeter terug en herhaalde zijn vraag.
De zoon van de sjeik wilde iets zeggen, maar was onverstaanbaar.
'Geef antwoord door het aantal met je vingers op te steken,' gromde Shahid.
Een hand kwam omhoog, met vijf vingers gespreid.

'Vijf man?' vroeg Shahid. Een voorzichtig knikje was de bevestiging.
'Ik haal mijn pistool uit je mond en dan ga je mij vertellen waar die manschappen zich bevinden.'
Shahid duwde de jongeman tegen de muur en vervolgde. 'Trek je benen op en sla je armen eromheen. Waar bevinden die vijf zich?' herhaalde Shahid zijn tweede vraag.
Hij hield zijn Sig Sauer gericht op het hoofd van Ismael, die zijn ogen had neergeslagen. Hij kon de meedogenloze blik van Shahid niet meer verdragen.
'Dit is de laatste keer dat ik een vraag herhaal,' siste Shahid.
Ismael schokte dapper met zijn schouders en hield zijn mond stijf dicht.
Razendsnel haalde Shahid uit en sloeg de terroristenzoon opnieuw tegen de gezwollen zijkant van zijn hoofd.
Gillend van pijn kromp Ismael in elkaar, sloeg zijn armen om zijn hoofd en rolde zich op als een gevaar ruikende egel. Als een verwend klein kind dat zijn zin niet krijgt, lag daar jammerend de 25-jarige troonopvolger van sjeik Ghulam Al-Ahmadi.
Maar zijn weerstand was nog niet helemaal gebroken.
Shahid deed snel een stap achteruit, toen de jongeman begon te schreeuwen als een mager varken.
Shahid richtte de Sig nauwkeurig op de trappelende benen van de sjeik in spe en schoot op het juiste moment een kogel door de rechtervoet.
Het schreeuwen en trappelen hield abrupt op en in plaats daarvan klonk een van pijn gesmoord gekreun.
'De volgende kogel gaat door je knieschijf,' klonk de stem van Shahid.
Een uitgestrekte hand en een huilend: 'Nee, niet meer, ik zal alles vertellen wat u vraagt.'
Hortend en stotend vertelde Ismael waar de vijf mannen zich moesten bevinden.
'De Egyptenaar heeft zijn verblijf in kamer vier, maar hij kan zich ook vermaken met sjeika Gisela, die door mijn vader is afgedankt. 'Sameer bevindt zich in de kelder en Hassan bewaakt het buitenpaviljoen. Imran en Akmal zijn vannacht de bewakers aan de poort. De rest van onze manschappen verblijft in de stad.'
Shahid knikte en stelde de volgende vraag: 'Waar zijn de sleutels van de Maserati?'
De vraag verbaasde Ismael en hij keek Shahid vragend aan, terwijl hij naar zijn nachtkastje wees.
'Daar in het laatje,' zei hij.
'Op haar 21ste verjaardag heb ik mijn dochter Yasmina de Maserati gegeven,' zei Shahid met een schorre stem. 'En jij bent indirect schuldig aan haar dood. Je had haar met rust moeten laten, zij was veel te goed voor tuig als jullie.'
Shahid eigende zich de sleutels toe en vroeg verder.
'Waar is de safe van jouw vader?'
'Bent u de vader van Yasmina?'
Met gemengde gevoelens keek Ismael Shahid met zijn donkerbruine ogen aan.
'Ik vroeg naar de kluis van je vader,' kapte Shahid het korte gesprek over zijn dochter af.

'Ja, maar wat gaat er met…' stamelde Ismael, maar halverwege de zin zag hij de arm van Shahid dreigend omhooggaan, met de Sig Sauer in zijn hand.
'Genoeg, alstublieft, niet meer,' reageerde een gebroken Ismael, met de arm beschermend voor zijn hoofd. 'De kluis vindt u links onder in de bar.'
Op dat moment hoorde Shahid dat er iemand de slaapkamer van de sjeik binnensloop.
Zijn Sig Sauer op het hoofd van Ismael gericht, deed Shahid twee stappen achteruit, tot hij achter de deur stond.
Ismael kreunde zacht van de pijn, daar tussendoor hoorde Shahid de sluipende voetstappen dichterbij komen.
Om de figuur het gevoel te geven dat hij nog niet opgemerkt was, vroeg Shahid: 'Wat is het voor kluis? Is het er een met een cijferslot of is het een sleutelkluis?'
'Het is een sleutelkluis,' antwoordde Ismael en met een licht spottende ondertoon vervolgde hij: 'En mijn vader draagt de sleutel altijd bij zich.'
De naderbij sluipende figuur was voor de open deur blijven staan.
'Dat komt goed uit,' klonk de stem van Zulfikar.
En terwijl hij de kamer binnenstapte, zei hij: 'Ik heb hier de sleutelbos van de sjeik.'
Opgelucht dat de naderende figuur Zulfikar was, beval Shahid: 'De kluis vind je links onder in de bar, neem alleen cash geld mee en laat de rest maar liggen. Laat de kluisdeur maar openstaan.'
'Waar zijn Daisy en de sjeika?' vroeg Shahid verder.
'Zij staan boven aan de keldertrap te wachten,' antwoordde Zulfikar.
'Breng ze hier naar de salon en geef Daisy het geld. Daarna ga je naar de kelder en plaats je de explosieven. Neem een blokje semtex, een detonator, een ontvanger en een zendertje mee naar boven.'
Zulfikar bracht Daisy en sjeika Gisela in de salon en opende daarna de kluis.
Een ogenblik staarde hij naar de stapels roepies, links in de kluis. Dat moesten miljoenen roepies zijn. Rechts lagen stapels honderd dollarbiljetten, netjes gerangschikt en per honderd biljetten gebundeld. Hij krabde zich op het hoofd en telde algauw meer dan honderd bundels. Dat was meer dan een miljoen dollar.
Achter in de kluis lagen mappen met papieren en erbovenop een lege linnen geldzak.
Snel schoof hij de bundels roepies en dollars in de geldzak, liet de kluisdeur openstaan en gaf Daisy de geldzak.
'Pas er goed op, lieverd, we zijn rijk.'
Daarna begaf Zulfikar zich naar de kelder.
De Maserati stond in de grote garage van de villa. Shahid beval Ismael achter het stuur plaats te nemen.
'Luister, jongeman, achter in de bagageruimte ligt een brok semtex, met een detonator en een ontvanger. Het zendertje heb ik. Ik wil dat je de twee kerels bij de poort uit het wachthuisje naar buiten roept. Wanneer je ook maar even de schijn tegen hebt dat je ze wilt waarschuwen, is een druk op de knop voldoende om de Maserati met jou erin de lucht in te blazen. Heb je me begrepen?'

Ismael knikte zwijgend, berustend in zijn lot.'Ik begrijp wat u bedoelt, maar wat gebeurt er daarna met mij?'
'Daar heb ik nog niet over nagedacht, zorg jij er nou maar voor dat die twee schoften uit hun hokje naar buiten komen.'
'Ja, maar kunt u me niet iets...'
Shahid onderbrak hem ruw en zei:'Misschien laat ik je wel vrij, maar nu rijden.'
Shahid en Zulfikar, met hun Kalasjnikovs in de aanslag, slopen van struik tot struik, de Maserati bijhoudend in de richting van de hoofdingang. Het begon al te schemeren, dat werkte in hun nadeel.
De koplampen van de Maserati priemden vooruit en belichtten het wachthuisje en de slagbomen. Een van de twee bewakers kwam uit het wachthuisje en liep op de Maserati af.
Shahid en Zulfikar hadden zich verdekt opgesteld en de schuttershouding aangenomen. Zij hoorden Ismael roepen dat ook Akmal naar buiten moest komen.
De eerste bewaker was dus Imran. Hij keerde zich om en liep terug naar het wachthuisje en riep door de deur de naam van zijn maatje. Waarschijnlijk lag Akmal te slapen en moest Imran hem wakker roepen.
Daarna draaide hij zich om en liep opnieuw op de Maserati af. De Maserati was gestopt voor de slagbomen. Imran had de Maserati bereikt en boog zich voorover naar het portierraampje, om te horen wat Ismael hem te vertellen had.
Akmal kwam naar buiten gestommeld en Shahid legde aan. Hij schoot met één schot een kogel door de hartstreek van Akmal, die door de kracht daarvan achterover, terug in het wachthuisje, werd geworpen.
Een seconde later schoot Zulfikar op Imran, die door het geluid van het eerste schot omhoogkwam en daardoor in de arm werd geraakt.
De doorgewinterde terrorist begreep direct wat er aan de hand was. Hij greep zijn pistool en riep luid, terwijl hij Ismael door het hoofd schoot: 'Smerige verrader, vuile hond, sterf.'
Het tweede schot van Zulfikar maakte ook aan het schurkenbestaan van Imran een einde.
Shahid en Zulfikar sleepten de lichamen van de drie terroristen in het wachthuisje. En terwijl Zulfikar de brok semtex en bijbehoren liet verhuizen vanuit de bagageruimte het wachthuisje in, seinde Shahid met zijn zaklantaarn naar de villa drie lange lichtflitsen. Het afgesproken sein dat alles veilig was en dat Daisy en Gisela – zij wilde niet meer sjeika genoemd worden – naar hen toe moesten komen.
Shahid opende de slagbomen en Zulfikar nam plaats achter het stuur van de Maserati. Daisy en Gisela gingen op de achterbank zitten en Shahid stapte in aan de passagierskant voorin.
Op veilige afstand drukte Shahid op de knop van het eerste zendertje, waarna even later het wachthuisje explodeerde en met de grond gelijk werd gemaakt.
De druk op het knopje van het tweede zendertje veroorzaakte een enorme explosie.
De villa werd opgetild en barstte in brokstukken uiteen. Op zo'n dertig meter

afstand van de Maserati kwam vanuit de grond een brullend geluid.
De explosie bulderde met grote kracht door de vluchtgang en liet aan het eind van de gang het ronde houten paviljoen uit elkaar spatten.
Vanuit de resten van de villa schoot een hoge steekvlam als een enorme likkende tong de lucht in.
'Dat moet de gastank zijn,' merkte Gisela beverig op.
Het donker van de nacht maakte langzaam plaats voor het licht van de dag.
'Kom, vrienden, onze taak is volbracht. We moeten gaan.'

Berlijn, zaterdagochtend vanaf 08.00 uur

NA EEN KORTE BRIEFING, waarbij niets nieuws te melden viel behalve dan de arrestatie van Adolf Polanski, togen de beide commandanten naar buiten en verdeelden hun manschappen over de bedreigde objecten.
Na overleg met Schulz besloot Dennis om Polanski te verhoren. Samen met Pascal haalde hij hem op uit de cel en bracht hem naar een verhoorkamer. Dennis besloot zich meelevend en rustig op te stellen, omdat hij het idee had dat Adolf Polanski de zwakke schakel binnen de terreurgroep was.
Nadat ze plaats hadden genomen, met Dennis en Pascal aan de ene kant van de tafel en Polanski aan de andere kant, vroeg Dennis: 'Heb je trek in koffie of thee?'
Argwanend zag Polanski op naar Dennis en het duurde even voor hij antwoord gaf. 'Koffie,' zei hij uiteindelijk.
Een wenk naar Pascal en deze verliet het verhoorkamertje.
'Nu we met z'n tweeën zijn,' begon Dennis, 'moet ik je meedelen, dat je jezelf behoorlijk in de nesten hebt gewerkt. Dit gaat je algauw een jaartje of vijf kosten. Als de aanslagen vandaag werkelijk plaatsvinden – God verhoede dat – en er vallen doden en gewonden, reken dan maar op minstens tien jaar. Als je meewerkt, Adolf, en we kunnen mede door jou de aanslagen voorkomen, kan ik misschien voor strafvermindering zorgen.'
Hij noemde bewust zijn voornaam, met de bedoeling een vertrouwelijke sfeer te creëren tussen de ondervrager en de ondervraagde.
Pascal had de hint van Dennis begrepen en stond buiten met de andere teamleden voor het spiegelraam toe te kijken.
'Adolf, jij was de chauffeur van de Mercedesbus, die als eerste een lading explosieven op kwam halen. Dat moet wel, want alle anderen zijn dood of gearresteerd. Vertel me dus waar je met de bus naartoe bent gereden.'
Adolf Polanski staarde voor zich uit, geconcentreerd op een nerf in het tafelblad. Zijn hersens werkten op volle toeren en dat was voor hem heel wat. Hij had altijd zwaar geleund op de schouders en kwaliteiten van zijn vriend Anwar Peters.
Anwar besliste altijd alles voor hem, maar Anwar was hier nu niet.
Zijn hoofd kwam omhoog en hij keek Dennis recht in de ogen toen hij vroeg: 'Meneer, is Anwar dood?'
De vraag verraste Dennis, hij had er niet direct een antwoord op. Als hij vertelde

dat Anwar in de cel zat, sloeg Adolf waarschijnlijk dicht, *maar als hij vertelde dat Anwar dood was, een leugentje om bestwil, sloeg hij misschien door.*
'Jongen,' zei hij, 'het is niet best met Anwar. Of hij haalt het niet, of hij krijgt levenslang.'
Vertwijfeld bleef Polanski Dennis aankijken.
'Dus ik zie hem misschien nooit meer?'
'Daar kun je gif op innemen.'
'Ik wil eerst koffie,' reageerde Polanski bruut.
Dennis wenkte licht met zijn hoofd naar het spiegelraam, maar Pascal had gehoord wat Polanski vroeg en was al onderweg om koffie te halen.
'Rook je?' vroeg Dennis, om de tijd te doden.
Polanski schudde met zijn hoofd.
'Rook je weleens een stickie?'
Opnieuw schudde Polanski met zijn hoofd.
Na een korte stilte vroeg Dennis: 'Weten je ouders dat je omgaat met neonazi's en terroristen?'
Fel reageerde Polanski: 'Laat mijn familie erbuiten.'
'Goed, jongen, het is al goed, rustig maar, ik heb het beste met je voor.'
Met een ongelovig gezicht keek Polanski Dennis aan.
Dennis toverde een glimlach op zijn gezicht en knikte Polanski vriendelijk toe.

Verhoor Polanski

'Wat gebeurt er wanneer ik uit de school klap?'
Opnieuw was Dennis verrast door de rechtstreekse vraag van Polanski, maar voor hij kon reageren kwam Pascal de verhoorkamer binnen met een dienblad.
Zwijgend keken Dennis en Polanski toe hoe Pascal de koffie inschonk.
Met zijn armen leunend op de tafel en zijn handen gevouwen om de beker, zei Dennis daarna: 'Wat vroeg je ook alweer?'
'Dat weet u best, meneer, dat hoef ik niet te herhalen en zeker niet waar hij bij zit.'
'Het spijt me, Adolf, maar mijn collega Pascal blijft bij het verhoor aanwezig.'
'Mij best, maar krijg ik nog antwoord op mijn vraag?' antwoordde Polanski schouderophalend.
'Adolf Polanski,' begon Dennis, terwijl zij elkaar in de ogen keken, 'wanneer jij op al onze vragen een bevredigend antwoord geeft, laat ik je vrij op de volgende voorwaarde.'
Even was het stil. Daarna vervolgde Dennis: 'Je sluit je weer aan bij de neonazi's en laat ons direct weten wanneer ze uit de pas gaan lopen. Ik bedoel: zodra ze plannen bedenken om ergens een aanslag te plegen, licht je ons in.'
'U bedoelt dat ik een verklikker moet worden.'
'Zo zou je het kunnen noemen, maar wij zien dat anders. Je gaat undercover bij de neonazi's en je werkt voor ons. Hiermee sta je dus ook aan de goede kant van de wet.'

'U bedoelt dat ik bij de politie in dienst kom?'
'Laten we zeggen dat je voor de politie werkt en daar krijg je natuurlijk voor betaald.'
Polanski begon te lachen, nee, te schateren. 'Wat een bak, ik, Adolf Polanski, ga werken voor de politie.'
Toen de jongen uitgelachen was, keek Dennis hem ernstig aan.
'Adolf, geheel zonder gevaar is het niet, je zult heel voorzichtig te werk moeten gaan, dat begrijp je zelf toch ook wel?'
Polanski knikte serieus.
'Sorry, meneer, maar ik vind de situatie heel grappig. Maar maakt u zich over mij geen zorgen, ik red me wel. Bij de neonazi's denken ze dat ik ze niet alle vijf op een rij hebt, u begrijpt me wel.'
'Ik begrijp je, maar wat is jouw antwoord?'
'Ik ga akkoord, vraagt u maar.'
Dennis keek Pascal aan en begon zijn vragen op hem af te vuren.
'Waar ben je met de bus naartoe gereden?'
'Naar een kleine loods, gelegen aan de noordwesthoek van vliegveld Tempelhof.'
'Kun je dat nader omschrijven?' vroeg Pascal.
'Je kunt hem niet missen, meneer, die loods staat daar moederziel alleen.'
'Ik weet welke loods hij bedoelt,' merkte Dennis op. 'Vroeger werd hij in kleine units verhuurd aan particulieren, voor opslag van allerlei spullen.'
'Wie waren daar in die loods aanwezig?'
'De mannen uit België, Anwar Ismail en zijn twee explosievenexperts, Oman en Hammed.'
'*Dus jullie waren daar maar met vier man?*'
'Ja, meneer.'
'Waren dat genoeg mensen om de explosieven te plaatsen?'
'Dat weet ik niet, maar Ismail stuurde mij met Hammed in de Mercedesbus op weg om explosieven te plaatsen onder de Siegessäule.'
'Bedoel je de Victory Column?' reageerde Dennis verbaasd.
'Ja, meneer.'
'Er is toch niets opzienbarends aan om die Column neer te halen?'
'Jawel, meneer, onze leider...' Glimlachend herstelde Adolf zich. 'De leider van de terroristen vond het heel toepasselijk om tegelijk met de andere aanslagen ook de Victory Column op te blazen.'
'Oké, wat gebeurde er hierna?'
'We zijn teruggereden naar de loods.'
'En toen?'
'Toen? Niet veel, meneer.'
'Wat bedoel je met: niet veel?'
'Oman was met twee Arabisch uitziende mannen op weg gestuurd om explosieven te plaatsen.'
'Weet je ook waar?'
'Nee, meneer.'

'Waar kwamen die twee Arabische mannen vandaan?'
'Dat weet ik niet, maar er waren nog twee mannen in de loods en ook een van de lijfwachten van de leider. Zij zijn gekomen toen ik met Hammed weg was.'
'Is er verder nog iets gebeurd, of is jou nog iets bijzonders opgevallen?'
'Nee, meneer, ik trok me terug in een hoek van de loods en probeerde wat te slapen, maar Ismail schopte me wakker en zei dat ik op kon rotten. Toen ik buiten kwam, begon het al licht te worden.'
'Mag ik raden waar je toen naartoe bent gegaan?'
'Dat is niet zo moeilijk, meneer, u hebt me daar van mijn bed gelicht.'

Nadat Adolf Polanski vertrokken was, bracht Dennis verslag uit aan Schulz.
'Schakel jij de Explosieven Opruimingsdienst in,' vroeg Dennis, 'voor het verwijderen van de explosieven onder de Victory Column. En laten ze dat doen onder bescherming van het GSG9 team van Andreas Heller. Het zou kunnen dat enkele terroristen daar al rondhangen.'
Nadenkend achter zijn oor krabbend mompelde Dennis: 'Om tien uur vertrekken die Antwerpse zakenlui vanuit Hotel Adlon. Thomas, kun je daar een paar mensen naartoe sturen om te controleren of de heer Van Someren en zijn twee kornuiten ook vertrekken?'
Schulz knikte goedkeurend en maakte enkele aantekeningen op een notitieblok.
Terwijl Schulz de telefoon naar zich toe trok, zei Dennis: 'Ik ga met mijn eenheid een kijkje nemen in de loods bij Tempelhof.'
'Goed, maar wees voorzichtig,' reageerde Schulz, terwijl hij het nummer van de EOD draaide.

Bureau Duinstraat, zaterdagochtend 08.00 uur

Er heerste een mineurstemming. Terwijl de mannen zwijgend toekeken, schonk Tikva heerlijk ruikende verse koffie in. In eerste instantie was iedereen verheugd over het inrekenen van de terroristen, maar toen bleek dat de leider Abdullah door drie kogels was geraakt en op slag overleden moest zijn en dat de man die men de Professor noemde, die naast hem had gezeten in de passagiersstoel, met het hoofd door de voorruit was geslagen en nu zonder veel hoop op de intensive care lag, waar de doktoren voor zijn leven vochten, verging hun het lachen.
'Wat deden die drie in vredesnaam 's nachts in die Mercedes?' merkte Benny somber op.
'Intuïtie,' reageerde Tikva, terwijl zij de thermoskan in het midden van de tafel zette. 'De man die zij Professor noemen is een grootmeester in het schaken, hij denkt stappen vooruit. Abdullah en hij vormden een geweldig team.'
'Tikva heeft gelijk,' viel Sjors haar bij. 'De waarschuwing van die Youssef, over dat ze afgeluisterd werden, heeft de heren aan het denken gezet. Het is dat we het gesprek tussen de heer en mevrouw Janssen wisten te onderscheppen, anders hadden we inderdaad niet precies geweten in welke villa de terroristen zich

schuilhielden. Maar Abdullah en de Professor en Youssef namen het zekere voor het onzekere en kozen ervoor om te overnachten in de Mercedes. Trouwens, er waren toch geen bedden genoeg, dus of je nu op de bank moet slapen of je klapt de comfortabele stoelen in de Mercedes achterover.'

'Kom op, mensen,' onderbrak De Koning de woordenstroom van Sjors. 'Lusten jullie een scheutje cognac in de koffie? Uiteindelijk hebben jullie een geweldige prestatie geleverd en dat moet gevierd worden.'

'Nakaarten?'

'Prima, door te evalueren leer je van de dingen die fout zijn gegaan, maar ook die goed zijn gegaan.'

De Koning begaf zich naar zijn bureau en haalde een fles Carlos Primera tevoorschijn. Hij nam vijf kleine jeneverglaasjes en zette die op de tafel.

'Wie kan ik bedienen?'

Even later vervolgde De Koning: 'Nog twee mededelingen. Alfons, bemoei jij je met de twee kerels die door de taserpistolen zijn neergeschoten. Laat de behandelend arts die twee extra aandacht geven. De politietop wil weten wat de lichamelijke gevolgen zijn voor getroffen slachtoffers. Tenslotte hebben we deze wapens op proef.

En de tweede mededeling.' Hij zweeg even en keek de kring rond. 'Benny en Tikva hadden gelijk met hun bewering dat Stalman van tevoren was gewaarschuwd.'

Voor hij verderging keek hij verontschuldigend naar Alfons Morilles en Sjors Klein.

'Ik heb de telefoongesprekken van donderdag vanaf negen uur tot twee uur in de middag van jullie tweeën en van het hoofdbureau na laten trekken.'

Vermoeid streek hij met zijn hand over zijn gezicht voor hij verderging.

'Het bewuste telefoontje kwam vanuit het hoofdbureau.'

Londen, zaterdagochtend 19 mei 2007

Commander Alan Price sloeg met zijn Porsche linksaf de Fleetstreet in en parkeerde even later recht voor het krantenkraampje van Old Nathan.

Nathan herkende Alan en kwam direct naar de Porsche toe lopen met *The Daily Telegraph* in zijn hand.

'Hallo, commandant, lang niet gezien. Hoe staat het leven?'

'Dank je, Nat, ik voel me gezond en dat is al heel wat, toch?'

Grinnikend gaf Old Nathan de krant aan Alan.

'Het is droog, met af en toe de zon, wat willen we nog meer?'

'Plus de FA cupfinale in het vernieuwde Wembley,' vulde Alan aan.

Old Nat boog zich iets naar voren, leunend op het portier.

'Nu je over de FA cup begint: een van de jongens van Spirea was hier gisteren. Hij stond te pochen dat hij met de Spireagang en een stuk of tien Joego's lol ging trappen op het terrein van het Wembley Stadion, met de bedoeling de twee

...el.

... een stuk gebak

...gedrukte kop.

...n aanslagen

...pecteerde huisarts William Smith en zijn inwonende assistente ... de MI5 van hun bed gelicht en gearresteerd op beschuldiging van het ...aanslag op het Wembley Stadion.

...orende tot dezelfde terreurgroep, zijn tegelijkertijd in Manchester twee in ...ng gerespecteerde huisartsen, de Pakistaanse broers Hassan en Ehsan Rabbani, ...en overgebracht naar Londen.

...I5 wil verder nog geen commentaar geven.

...e jury zal zich binnenkort beraden over de schuld van deze vier verdachten.

Alan bromde tevreden, goed werk van zijn mensen en niet te veel ophef over de zaak.

Daartegenover was het sportnieuws in de krant breed uitgemeten, twee pagina's vol.

De eerste was gewijd aan het Londense Chelsea en de tweede aan Manchester United.

De wedstrijd van het jaar in het vernieuwde Wembley, die vandaag om 15.00 uur zou moeten beginnen.

Loods bij vliegveld Tempelhof, 09.30 uur

Marcel parkeerde het overvalbusje op een vrije parkeerplek, op de rand van een rijtje huizen en een klein stukje weiland. Honderd meter verder stond de bewuste loods.

'Zo ver ik me kan herinneren,' begon Dennis uit te leggen, 'heeft de loods aan

drukte hij v...
naar binnen. Tot zij...
Glimlachend hield hij de s...
Hij gaf zijn mannen een wenk...
twee, een…
'Nu,' riep Dennis zacht, terwijl hij de deu...
naar binnen glipten. Direct waaierden zij uiteen, ...
rechts en Gustav naar links.
Met hun wapens schietklaar in de handen bleven ze een ogenbl...
gebogen doodstil staan. Hun ogen flitsten in de halfdonkere hal hee...
zoek naar iets wat bewoog.
Precies op tijd vielen ook Pascal en zijn mannen de loods binnen en even...
nis en zijn mannen waaierden ook zij uiteen.
'Ali,' siste Dennis, 'controleer het kantoor.'
Langzaam liepen de mannen naar elkaar toe.
De hal was leeg.
Geen Mercedesbus en ook geen terroristen.
Tegen de wanden lagen wat goederen opgestapeld.
Een lege oude bakfiets, waarvan het frame totaal verroest was, stond achter in de hal. Vanuit de bak sprong een miauwende poes tevoorschijn, die op Karl afliep en tegen zijn benen aan begon te schuren.
De mannen stonden een ogenblik verdwaasd om zich heen te staren. De opgevoerde spanning bij het naderen en binnenvallen van de loods viel van hen af.
Ali kwam schuddend met zijn hoofd het kantoor uit.
'Niets, helemaal niets, het ziet ernaar uit dat de terroristen hier niet zullen terugkeren.'
'Ze zijn nog maar net vertrokken,' merkte Gustav op. 'Je ruikt de uitlaatgassen nog.'
'Tien over tien,' mompelde Dennis.
Hij had dit gegeven nodig voor zijn rapportage.

supportersgroepen tegen elkaar op te hitsen. En hij zei dat hij er nog dik voor betaald werd ook.'
'Thanks, Nat,' zei Alan, terwijl hij het portier opende en uitstapte. 'Hou jij een oogje op mijn Porsche, ik neem aan de overkant een kop koffie met een stuk appeltaart.'
'Koffie?' Old Nat vertrok zijn gezicht. 'Neem een heerlijke pint van mij!'
'Onder diensttijd? Je kent me toch.'
Terwijl Alan de straat overstak, mompelde Old Nathan: 'Toffe vent, die Alan.'
Alan liep de Kings & Keys binnen en zijn ogen moesten even wennen aan het schemerdonker in de lounge. Hij zocht een rustig hoekje uit.
Met de rug tegen de muur had hij goed zicht op de lounge en een gedeelte van de bar dat daaraan grensde.
Hij bestelde koffie met appelgebak en vouwde de krant open voor zich op taf
De paar vroege bezoekers hadden net als hij een kop koffie met
en een krant voor zich op tafel.
Op de voorpagina viel het stukje direct op. Een vet

Londen
Viertal opgepakt voor het beramen va
In Southend zijn de geresp
Maryam Khan door
beramen van een
Evenzo en beh
hun omgevi
opgepakt
De M
D

deze kant een blinde muur, kijk maar, geen ramen. Er is een achteruitgang en linksvoor bevindt zich het kantoor, met aan de zij- en voorkant ramen.
We doen het als volgt: we benaderen de loods aan deze blinde muurzijde. Pascal met Marcel en Karl proberen over precies vijf minuten via de achterdeur binnen te komen en wij via de voordeur.'
De Terreur Eenheid verliet de overvalbus en naderde snel en geluidloos de blinde muurzijde. Vlak bij de muur weken Pascal en zijn maten naar links uit en Dennis met Ali en Gustav gingen naar de voorzijde van de loods. Voorzichtig schuifelden zij langs de voorkant in de richting van de voordeur. Halverwege passeerden zij een roldeur, met op driekwart hoogte kleine venstertjes. Gebukt, onder de venstertjes door, slopen de drie verder.
Links van de voordeur hield Dennis halt en wierp een blik op zijn horloge. Nog een minuut. Gespannen volgde hij de secondewijzer. Precies na zestig seconden [illegible] voorzichtig met zijn linkerhand de deurkruk omlaag en duwde de deur [illegible] verbazing was de deur niet op slot.
[illegible] econdewijzer van zijn horloge in de gaten.
[illegible] en telde in gedachten de seconden af. Vier, drie,

[illegible] opengooide en zij snel achter elkaar
[illegible] Dennis [illegible] het midden, Ali naar

[illegible] k half voorover-
[illegible] n en weer, op

[illegible] als Den-

Hofjagerallee

Langs de Hofjagerallee, met de voorkant gericht op de Victory Column, stond een Mercedesbus geparkeerd.
Een wakkere wijkagent had het nummer, 33BN…, herkend en het aan zijn chef doorgegeven. Deze op zijn beurt had Schulz, die als centraal meldpunt diende, geïnformeerd en Schulz had direct contact gezocht met Florian Steinhofer en hem opgedragen de Mercedesbus in observatie te nemen.
Vanuit het struikgewas aan beide zijden van de Hofjagerallee werd de bus nu in de gaten gehouden door de mannen van het arrestatieteam.
Voor en achter de bus waren, op afstand, onopvallende personenauto's geparkeerd, zodat de bus geen kant op kon.

Anwar Ismail observeerde zwijgend de Column en wat eromheen gebeurde. Hij had de eerste wacht genomen, terwijl Oman en Hammed probeerden te slapen.
Het was een zware nacht geweest, maar goed besteed, vonden ze.
Anwar dacht aan de patrouillewagen van de politie, die rond acht uur vanmorgen voor de loods vaart minderde en stapvoets voorbij kwam rijden, terwijl de agenten hun blik op de loods gericht hielden.
Hij vertrouwde het niet en besloot de loods voorgoed te verlaten en in de buurt van de Victory Column te wachten tot zij de opdracht kregen de explosieven tot ontploffing te brengen.
Alle drie hadden zij een keffiyeh op hun hoofd en een thobe, een mannelijk Arabisch kleed, aan. De kleding zat ruim om het lichaam en was voorzien van grote zakken, waarin zij hun wapens en handgranaten verborgen hielden.

Londen, Thames House, 10.00 uur

Alan besteeg de trappen van het Thames House voor een laatste bespreking met majoor Mike Brown en zijn adjudanten. Maureen Beckett, Brian Stevens en Roger McCarthy zaten al in de hal op hem te wachten.
'Goedemorgen,' begroette Alan de adjudanten.
'Goedemorgen,' klonk het terug uit drie monden.
'Ik heb het stukje in de *Telegraph* gelezen. Goed werk, Maureen en Brian.'
'Dank je,' reageerde Brian. 'Maar het stelde niet veel voor. Ze waren volkomen verrast toen wij de villa binnenvielen. En volgens mij is die Maryam meer dan alleen zijn assistente.'
'Ja, ho maar, Brian,' kwam Maureen ertussen, terwijl haar wangen lichtrood kleurden.
Lachend vervolgde Brian: 'Ze lagen poedelnaakt in bed en schrokken zich rot. Die dokter William Smith heeft trouwens een verrekt goede smaak. Die meid zou

zo aan de miss Engeland verkiezingen mee kunnen doen en die nog winnen ook.'
Glimlachend antwoordde Alan: 'Geweldig, Brian, jouw nacht kon niet meer stuk.'
'Zo kan die wel weer,' kwam opnieuw Maureen ertussen.
'Kom op, Maureen,' viel Roger bij. 'Jij mag er ook wezen en zo bleu ben je nu ook weer niet.'
'Zo, dame en heren, kan het wat minder luid?'
De majoor stond in de deuropening van zijn kantoor en met een uitnodigend gebaar verzocht hij zijn ondergeschikten het kantoor binnen te gaan.
Toen zij plaatsgenomen hadden aan de langwerpige eikenhouten vergadertafel, vroeg de majoor aan Maureen of zij de koffie wilde inschenken.
Maureen knikte en schonk vijf kopjes koffie in uit een grote thermoskan.
'Een mooie vangst vannacht,' opende de majoor de bijeenkomst. 'Zowel in Southend als in Manchester. Ik verwacht elk moment een rapportage van de technische recherche.
Hoe is het jou vergaan, Alan, met maffiabaas Spirea?'
'Zahid Waheed had hem benaderd en gevraagd om wat lol te trappen op het voorplein van Wembley, voordat de FA-cupfinale zou beginnen. De bedoeling was dat de Blues opgezet werden tegen de Reds.
Voor dat pleziertje, zoals hij het noemde, zou hij dik betaald worden. Omdat hij vond dat zijn bende te klein is voor zo'n grote klus, had hij ter aanvulling tien Joego's extra ingehuurd. We hebben hem gisteravond ervan overtuigd dat hij beter thuis kan blijven, maar of dat ook doordringt bij de Joegoslaviërs kon hij ons niet garanderen. Die Joego's waren wildenthousiast en zijn waarschijnlijk niet te stoppen, beweerde Spirea. We lossen dat vanmiddag wel op, als ze toch komen. We hebben genoeg mensen op de been en vangen ze buiten het Wembleyterrein op. Dan kunnen ze een paar nachten in een cel afkoelen.'
'Het buurtonderzoek heeft helaas niets opgeleverd,' vervolgde de majoor. 'Maar ik heb hier de opgevraagde foto's van Rahman en Farooq.'
Hij gaf hun elk een setje.
'Bestudeer de foto's goed. Alan, wat zijn je plannen verder voor deze dag?'
Alan nam zijn aantekeningen door en dronk zijn koffie op, voor hij reageerde.
'Zoals ik al opmerkte, hebben we voldoende mensen ingezet. Op het Wembleyterrein wemelt het van de agenten. Zowel geüniformeerden als ook agenten in burgerkleding. Explosievenopsporingsteams zijn de hele nacht en ook nu nog, in het stadion en daarbuiten op zoek naar explosieven. Tot nu toe nog geen resultaat. Ons team geeft leiding en bij onvoorziene omstandigheden nemen we ook de beslissingen. Roger, jij en je partner Pete Baltimore bestrijken het begin van de straatweg, die eindigt bij de hoofdingangen van het stadion.
Brian, jij neemt met je partner Barry Shaker de rechterzijde van het Wembleyterrein, gerekend vanaf de hoofdingang, voor je rekening, en Maureen, jij met je partner Jack Strawberry de linkerzijde van het Wembleyterrein. Via de oordopjes met zendertjes staan we continu met elkaar in verbinding. Het zal gigantisch druk zijn: negentigduizend supporters vullen in circa twee uur tijd het stadion. Het lijkt op de bekende naald in een hooiberg, maar met circa driehonderd paar

ogen moeten wij toch in staat zijn om die twee terroristen tot staan te brengen. Ik ben ervan overtuigd dat de explosieven nog niet geplaatst zijn, dus die lui moeten dan toch opvallen vanwege de pakketten die ze bij zich dragen! Bij het minste of geringste wat verdacht lijkt: overleg met elkaar en ga eropaf. Om niet op te vallen heb ik een aantal blauwe Chelsea shirts en een aantal rode Manchester United shirts van de clubs geleend, trek die aan.'
Alan stond op, pakte de thermoskan en schonk voor zichzelf nog een kop koffie in, en daarna ook voor de andere liefhebbers. Daarna keek hij zijn baas aan en zei: 'Veel meer kunnen we niet doen.'
'Ik weet het,' reageerde die met een zucht. 'Ik heb zelfs nog overwogen de wedstrijd niet door te laten gaan, maar dat is ook geen optie. De belangen zijn te groot. Trouwens, wanneer we de wedstrijd verzetten naar een latere datum, doen zij dat ook.'
De majoor stond op en zwijgend gaf hij iedereen een hand.

Hotel Adlon, 10.00 uur

Twee rechercheurs van de Berlijnse politie hielden zich onopvallend op in de lobby van Hotel Adlon.
Zij hadden foto's van de heer Van Someren en van zijn twee werknemers bekeken, en hun opdracht was te controleren of zij tegelijk met de Belgische zakenlui zouden vertrekken.
De Antwerpse zakenlieden werden uitgeleide gedaan door de Berlijnse magistraat van Handel, Christoph Schneider, en enkele Berlijnse zakenlieden.
Het wachten was op de leider van de Belgische zakendelegatie, de heer Van Someren en zijn twee begeleiders.
Men had al rondvraag gedaan of iemand wist waar de heer Van Someren zich ophield en of hij nog op zou komen dagen om met de bus naar Antwerpen terug te gaan. Hij wist dat de bus om tien uur zou vertrekken.
Men besloot het vertrek met een halfuurtje uit te stellen en op hem te wachten. De Belgen verkortten het wachten door in de bar nog snel een paar pilsjes door de dorstige kelen te laten glijden.
Na drie kwartier werd men het wachten beu en besloot men zonder de heer Van Someren af te reizen. Er werd hartelijk afscheid genomen van de magistraat en de Berlijnse zakenlieden; het *Auf Wiedersehen* galmde door de lobby van het hotel.

In een hoek van de lobby zat een man de krant te lezen, nu niet ondersteboven, maar zijn aandacht was volledig gericht op de wachtende Belgen.
Toen die uiteindelijk besloten zonder ene heer Van Someren te vertrekken, begonnen zijn ogen achter de donkere brillenglazen te glimmen van de pret.
Kort na het vertrek van de Belgische zakenlieden stond ook hij op en verliet met

rustige tred de lobby van het hotel en wandelde naar buiten, even glimlachend zijn blik gericht op de Brandenburger Tor.

Schulz had aan de commandant van de EOD gevraagd om enkelen van zijn mannen de bermen langs de Strasse des 17. juni door te laten spitten, op zoek naar verborgen explosieven.
De Strasse des 17. juni was immers het laatste rechte stuk voor de Brandenburger Tor, de finish van de Vredeskoers.
De kans was zeer groot dat zij langs de wielerroute explosieven geplaatst hadden.

Victory Column, 11.20 uur

Een legerauto, met een zeildoekse overkapte laadbak, verliet de rotonde, de Grosse Stern, en reed voorzichtig over het gras in de richting van de Column. De chauffeur parkeerde de legerauto vlak langs de voet van de Column.
Vier militairen sprongen uit de laadbak en namen, aangereikt vanuit de laadbak, twee uitschuifbare ladders aan.
De ladders werden uitgeschoven en tegen de voet van de Column geplaatst.
Twee militairen snelden de ladders op en verdwenen boven op de voet uit het zicht.
Anwar Ismail kon zijn ogen niet geloven.
Wat gebeurde daar? Die militairen gingen de zo zorgvuldig geplaatste explosieven verwijderen!
'Oman, Hammed, wakker worden, actie en snel ook!' brulde hij tegen zijn mannen.
Kreunend kwamen de mannen uit hun ongemakkelijke slaaphouding overeind.
Anwar duwde beiden een zendertje in de handen, terwijl hij ze op harde toon toesprak.
'Hammed, jij rechts het struikgewas in en Oman, jij links, probeer zo dicht mogelijk bij de zuil te komen en blaas hem op.'
Beide mannen volgden de bevelen van Anwar op en verdwenen in het struikgewas aan beide zijden van de Hofjagerstrasse.
Anwar hield gespannen de Column in het oog, wachtend op de explosie, die de goudkleurige gevleugelde strijder omlaag zou doen storten. Anwar keek op zijn horloge.
Drie minuten, het moest nu elk moment gebeuren.
Vier minuten, waar bleef de klap nou?
Zweetdruppels parelden op zijn voorhoofd.
Vijf minuten, en de militairen gingen rustig door met het verwijderen van de explosieven.
Uit het dashboardkastje nam hij een zendertje en legde dat naast zich op de passagiersstoel.
Hij startte de motor van de Mercedesbus, keek in het rechterspiegeltje en zag tot

zijn verbazing dat het verkeer achter hem werd tegengehouden.
Grommend trapte hij het gaspedaal volledig in en de bus schoot jankend naar voren.
We zijn verraden.
Als vanuit het niets was daar opeens een wegversperring.
Twee personenauto's reden de weg op en bleven dwars op de weg staan.
De twee chauffeurs sprongen uit de auto's en brachten zich in veiligheid in verband met de op volle snelheid aanstormende Mercedesbus.
Vol afgrijzen zagen de mannen van het arrestatieteam de bus vol op de personenwagens in rijden.
De bus sleepte de beide auto's meters mee en toen gebeurde wat niet uit kon blijven.
Benzine lekte en vloog in brand. Even later ontplofte de eerste benzinetank, vlak daarop de tweede. Een zee van vuur schoot omhoog.
Door de harde botsing was de bestuurdersstoel naar voren geschoten en Anwar zat klem tussen de stoel en het dashboard.
Het laatste wat Anwar Ismail waarnam, was het vlammeninferno om hem heen.
Er volgden nog enkele ontploffingen, die de bus en de personenauto's volledig uit elkaar deed spatten, waarbij ook het lichaam van Anwar uiteen werd gerukt.
Oman en Hammed, beiden overmeesterd, zagen het drama voor hun ogen gebeuren.

ClubRestaurant FELIX

In ClubRestaurant FELIX aan de Behrenstrasse, gelegen achter Hotel Adlon, zat aan een hoektafeltje een man. Hij had zojuist koffie met een punt appelgebak besteld.
Op de tafel lagen drie Duitse kranten, de *Berliner Zeitung*, de *Bild* en *Der Spiegel*.
Een blik op zijn horloge vertelde hem dat het elf uur was.
Hij had zich voorgenomen om in dit ClubRestaurant zijn tijd tot drie uur in de middag door te brengen. Omdat hij niet wilde opvallen, had hij drie kranten om door te nemen, en zou hij een lunch gebruiken als onderbreking.
Een tafel verderop zaten twee bebaarde, in Arabische kleren gestoken mannen zacht met elkaar te praten.
Zij dronken Turkse koffie met daarnaast een glaasje arak met ijsklontjes.
Zo op het eerste gezicht hadden de veertiger en de twee Arabische mannen niets met elkaar te maken. Maar toen een geüniformeerde politieman het restaurant binnenstapte en aan de ober foto's liet zien, had een van de Arabische mannen opvallend veel belangstelling voor dat gebeuren. Zijn mobieltje ging over en nog steeds kijkend naar de politieman en de ober, nam hij op.
'Ben je gek geworden,' snauwde iemand hem toe. 'Praat met je broer en kijk niet zo opvallend om je heen.'
De man aan het hoektafeltje klapte nijdig zijn mobiel dicht.
Het incident was niemand opgevallen.

Londen, Wembley Stadion, 14.00 uur

HUN CLUBLIEDEREN ZINGEND BEGAVEN steeds meer supporters van beide clubs zich in de richting van het stadion.
Onder hen was een groepje opvallende skinheads. Hun kale koppen vielen op tussen de andere supporters, van wie de meesten hoedjes in de clubkleuren droegen.
Roger en Pete stonden aan weerszijden van de straatweg en lieten de supportersstromen tussen hen door gaan.
De helmen van de tientallen aanwezige agenten staken boven alles uit.
'Roger,' sprak Pete in zijn microfoontje, 'ik zie een groepje kerels naderen zonder versierselen en clubkleuren, waarvan ik denk dat het onze langverwachte Joego's zijn.'
'Zie jij ze ook, Phil?'
Phil Douglash, de hoofdinspecteur die de leiding had over de groep agenten hier vooraan de straatweg, reageerde alert. Ook hij was aangesloten op het communicatiesysteem.
'Ik heb ze in beeld, genieten jullie maar van het komende schouwspel.'
Roger zag hem iets zeggen tegen de agent links van hem, die vervolgens in beweging kwam en zich begaf naar de twee meter verderop staande agent.
Als uit het niets kwamen de agenten als waaiers van twee kanten in beweging in de richting van de nietsvermoedende Joegoslaviërs.
Douglash was met zijn mannen meegelopen en kwam als eerste tegenover de man te staan, die aan de kop van de groep Joego's liep, waarschijnlijk de leider.
Douglash stak zijn hand omhoog en riep de leider toe: 'Stop, tot hiertoe en niet verder.'
De agenten waren de Joegogangsters tot op een paar meter genaderd en bleven in een gesloten ring om hen heen staan, de wapenstok in de hand.
De supporters van beide clubs weken uiteen en liepen aan de zijkanten van de straatweg, langs de ring van agenten, verder naar het stadion.
Er waren er ook die nieuwsgierig bleven staan en dat veroorzaakte opstoppingen.
Even leek het erop dat de Joego's zouden omkeren en zich zonder slag of stoot zouden overgeven, maar dat was een schijnbeweging.
De leider schreeuwde iets in het Slavisch en de mannen wierpen zich op de agenten.
De agenten, met jarenlange ervaring in het gebruik van hun wapenstok, sloegen met enkele professionele klappen de gangsters terug naar het midden van de ring.
De gevangenenbusjes, opgeroepen door Douglash, stonden al gereed en even later werden de Joego's de busjes ingedreven.
De gehele operatie had nog geen vijf minuten geduurd.
De nieuwsgierigen werd gesommeerd door te lopen en even later sloten de rijen supporters zich weer. Het leek of er niets was gebeurd.
'Geweldig, Phil, zeer gedisciplineerd,' klonk de stem van Roger en Pete voegde hieraan toe: 'Deze manoeuvre hebben jullie van tevoren afgesproken en geoefend. Maar ik geef toe: perfect uitgevoerd.'

'Vind je jezelf niet een beetje arrogant klinken, Pete?' kwam Alan ertussen. 'Prima werk, Phil, eindelijk een succesje. Door jou staan we, in voetbaltermen gesproken, met 1-0 voor. Blijf scherp, mensen, het komende halfuur is cruciaal.'

Brandenburger Tor

Aan niets was te merken dat met het verstrijken van elk uur de spanning onder de mannen toenam.
Zoals op elke zaterdag was het druk op Unter den Linden en rond de Brandenburger Tor. Het wandelende en winkelende publiek was zich nergens van bewust.
Dennis Neumann was op de hoogte gesteld van het drama dat zich had afgespeeld op de Hofjagerstrasse en bevond zich met zijn mannen op en rond de Brandenburger Tor.
Zijn intuïtie vertelde hem dat de Brandenburger Tor het doelwit van de terroristen moest zijn en hij had zijn mannen geïnstrueerd met het publiek mee te wandelen en vooral de tegemoetkomende mensen goed te observeren, om na een paar honderd meter van de Tor om te keren en hetzelfde te doen in tegengestelde richting.
Hij hoopte op deze manier de gezichten van de drie nu nog overgebleven terroristen te ontdekken.
Hijzelf observeerde de gebouwen achter de Brandenburger Tor.

Schulz had zojuist het bericht ontvangen dat er explosieven waren ontdekt langs de Strasse des 17. juni.
Hij maakte op zijn schrijfblok een ruwe plattegrond en gaf de Brandenburger Tor een centrale plaats. Vanaf de stadsplattegrond aan de wand tekende hij de gebouwen die het dichtst bij de Tor stonden, in op de schets.
Daarna trok hij een lijn via de Strasse des 17. juni naar de Siegessäule.
Een ogenblik keek hij peinzend naar de ruwe schets, toen schreef hij eronder:
1. Aanslag op de Siegessäule verhinderd.
2. Explosieven ontdekt langs de Strasse des 17. juni.
3. De Brandenburger Tor als een van de bedreigde objecten.
Alsof hij zichzelf ervan wilde overtuigen dat de grote klap zou plaatsvinden bij de Brandenburger Tor, tekende hij met een stift een pijl vanaf de Column naar de Tor.
Hoe het in zijn werk zou gaan, was een groot raadsel. Maar hoe dan ook moesten ze de aanslag zien te voorkomen.
Een van de gebouwen die het dichtst bij de Tor stonden, was Hotel Adlon.
Schulz besloot zich daar schuil te houden.
Hij belde de drie onder zijn leiding vallende commandanten op en verzocht hun om 13.30 uur in de lobby van het hotel te komen.

Wembley Stadion, 14.30 uur

Het stadion was bijna tot de nok toe gevuld en buiten begon de drukte af te nemen.

'Alan.'

'Ja, Maureen.'

'Al een poosje hou ik een ijsventer in de gaten, die als hij even geen klanten hoeft te bedienen, zijn ijscokar verplaatst en, daar ben ik nu zeker van, dat doet in de richting van de voet van de gigantische boogkolom.'

'Ik heb Jack erop afgestuurd en die is hem nu op circa tien meter genaderd.'

'Alan, Maureen,' kwam de haastige stem van Brian ertussen, 'het was mij niet opgevallen, maar Barry maakte me erop attent. De ijsverkoper aan onze kant heeft zijn ijswagentje al onder de kolom gezet.'

'Jack, draai je om,' klonk paniekerig de stem van Maureen. 'Je valt te veel op, maak een praatje met de rechercheur rechts van je, in het rode shirt. Doe of je elkaar kent, wens elkaar een fijne wedstrijd toe.'

'Hij heeft zijn ijskar onder de kolom geparkeerd en trekt nu, om zich heen kijkend, zijn witte jasje uit, waaronder een blauw Chelsea shirt tevoorschijn komt en hij vervangt zijn witte pet door een blauwe cap.'

'Maureen,' liet Brian zich weer horen, 'de ijsverkoper aan deze kant doet precies hetzelfde, alleen komt er vanonder zijn witte jasje een shirt tevoorschijn, zoals de suppoosten in het stadion die aanhebben, compleet met batch.'

'Alan,' schreeuwde Maureen bijna, 'het zijn de ijscowagentjes. Als daar zware explosieven in verborgen zitten en zij die opblazen onder de kolommen van de boog waaronder het bovenste dak hangt… O, mijn God, de capaciteit van het stadion is verdeeld over drie niveaus. Wanneer het dak loskomt van de boog, en naar beneden komt, krijgt je hetzelfde effect als wat in New York is gebeurd met de Twin Towers.'

'Moeder Maria,' stamelde Roger. 'Negentigduizend mensen in het stadion.'

'Rustig, mensen,' klonk de vaste stem van Alan. 'Wat er ook gebeurt: we moeten die twee te pakken nemen.'

Berlijn, Hotel Adlon

Na zich bekendgemaakt te hebben bij de manager van het hotel, had Thomas Schulz zich geïnstalleerd in een hoek van de lobby.

Florian Steinhofer meldde zich als eerste en werd door Schulz direct gecomplimenteerd met de arrestatie van de twee terroristen op de Hofjagerallee.

Andreas Heller kwam als tweede binnen, en liet zich net als de andere twee in een luie fauteuil zakken.

Dennis Neumann kwam twee minuten later, maar precies om 13.30 uur, de lobby binnenlopen. Om zich heen kijkend zag hij niet direct waar zijn collega's zich bevonden. Zijn blik viel op de man achter de balie, die met zijn wijsvinger naar

een hoek in de lobby wees. Glimlachend stak hij zijn hand op als dank en begaf zich naar de bewuste hoek.
Een piccolo kwam achter Dennis aan, met een stoel in zijn handen, omdat er verder in de hoek geen zitmeubel meer aanwezig was. De man achter de balie had dat goed gezien.
'Iets drinken, heren?' vroeg Schulz en wenkte de piccolo naderbij.
Nadat er besteld was, kwam Schulz direct to the point.
'Omdat men de Siegessäule wilde opblazen en er explosieven langs de Strasse des 17. juni zijn ontdekt, ben ik er voor negentig procent van overtuigd dat de Brandenburger Tor het hoofddoelwit is. Maar op welke wijze ze denken de Tor op te blazen, is mij een raadsel. Ik heb onderzocht hoe de meeste vorige aanslagen gepleegd zijn en een paar geijkte mogelijkheden op een rijtje gezet.
Zelfmoordaanslagen zijn favoriet. Daarnaast: bomaanslagen, geplaatste explosieven, die men van afstand kan laten exploderen, zenuwgas, een aanslag via een klein vliegtuigje in een kamikaze-duikvlucht, of gekaapte passagiersvliegtuigen. Denk aan *nine eleven*, de aanslagen op de Twin Towers. Of een granaatwerper vanuit een van de hier rondom liggende gebouwen. Ik ben geschrokken van de gigantische lijst van aanslagen, die tot nu toe gepleegd zijn. In de tweede helft van de twintigste eeuw komt het merendeel van de gepleegde aanslagen op naam van de Palestijnen tegen Israël.
De bekendste voor ons, Duitsers, is de aanslag in het Olympisch Dorp in München op 5 september 1972, ik was daar zelf nog bij betrokken.'
Na de opsomming van Schulz bleven de vier mannen een tiental seconden bedrukt voor zich uit staren, elk met zijn eigen gedachten.
Met een zucht verbrak Dennis de stilte. 'Zelfmoordaanslagen zullen de Brandenburger Tor geen kwaad doen, ook zie ik de drie overgebleven Belgische terroristen er niet voor aan, dat zij hun eigen leven op het spel zullen zetten. Een bomaanslag zou kunnen, maar de pijlers waarop de kolom met daarop de strijdwagen rust, zijn door specialisten onderzocht, met als resultaat: geen explosieven. Een auto afgeladen met explosieven, de zogenaamde autobom, stuit opnieuw op het feit dat geen van de overgebleven drie terroristen zelfmoord zal plegen. Zenuwgas heeft in de open lucht geen…'
'Dennis,' brak Andreas Heller in, 'dat de drie zichzelf niet opofferen, oké, maar zij kunnen lieden erbij halen, die hier wel toe bereid zijn.'
Het bleef even stil voordat Dennis antwoordde.
'Ik geloof er niet in, het zijn drie uit België afkomstige terroristen, en hun enige contact hier, Said Boultami, zit achter slot en grendel.'
'Je vergeet dat imam Youssef ook uit België komt,' kwam Florian ertussen. 'En zoals je weet, wordt deze imam genoemd als leider van de Europese Al-Qaida tak. Met zijn contacten in Europa moet het voor hem een koud kunstje zijn om enkele lieden te vinden die zich al jaren hebben voorbereid op een zelfmoordaanslag.'
'Ja, maar deze imam ligt op de intensive care, hij is nu vrij machteloos.'
'Dat is een momentopname,' bracht Andreas naar voren. 'Wanneer terroristen

aanslagen voorbereiden, zijn zij daar waarschijnlijk maanden van tevoren mee bezig. De conclusie is dus dat je een zelfmoordaanslag niet kunt en mag uitsluiten.'
'Ja, dat ben ik met je eens, maar ik denk dat zij op zoveel tegenslag niet hadden gerekend en geen zelfmoordaanslagen op het oog hebben.'
'Ik denk dat Dennis gelijk heeft,' mengde nu ook Schulz zich in het debat. 'Alleen de vraag blijft: hoe gaan ze die aanslag op de Tor uitvoeren?'
'Laten we het rijtje mogelijkheden verder afwerken,' stelde Dennis voor. 'Zenuwgas? Vergeet het maar in de open lucht. Een aanslag met een gekaapt passagiersvliegtuig? Met die strenge controles op de luchthavens geloof ik daar niet in. Een kamikaze-duikvlucht? Dat zou mogelijk zijn, maar ik betwijfel dat. Wat we naar mijn gevoel echt serieus moeten nemen is de laatst genoteerde mogelijkheid. Een granaatwerper vanuit een van de gebouwen.'
'Ben ik met Dennis eens,' knikte Schulz.
Andreas en Florian gaven toe dat het op dit moment de meest logische mogelijkheid was.
Schulz gaf zijn orders en besloot met te zeggen: 'Ik ben het wel met Dennis eens, maar ik wil ook rekening houden met een autobom. Plaats enkele mannen op ruime afstand van de Tor en laat ze scherp letten op het gedrag van de automobilisten.'
De commandanten lieten Schulz alleen en terwijl Dennis zich in de richting van de receptie begaf, verdwenen Andreas en Florian naar buiten.

'Wat kan ik voor u betekenen, meneer?' vroeg de receptiemedewerker aan Dennis, toen deze voor de balie verscheen.
'Ik zou graag het kamermeisje willen spreken dat dienstdoet op de bovenste etages.'
Een opmerking die gemaakt werd door een van de receptiemedewerkers tijdens de verhoren gisteravond, galmde de hele dag al door zijn hoofd.
'De kamer is opnieuw bezet door een heer die speciaal naar die kamer had gevraagd.'
'Dat is geen probleem, een van de vergaderruimtes is momenteel vrij en daar kunt u rustig met Nina praten. Ik zal haar oproepen. De vergaderruimte nummer 2 is in de gang rechts van u, de tweede deur rechts.'
'Dank u.'
'Mag ik u nog iets aanbieden?'
'Espresso, graag.'
'Gaat u maar vast, de espresso komt eraan.'
De espresso was er eerder dan het kamermeisje. Genietend van de sterke koffie liet Dennis in gedachten de hectische laatste dagen de revue passeren.
Het begon met de ontdekking dat Lisa Rink, zijn vriendin, was ontvoerd.
Daarna de mislukte overval op de Abu Bakr moskee, uitlopend op een fikse ruzie met Schulz.
De omhoogkomende grafsteen en de daaropvolgende arrestatie van een groot deel van de terroristen, inclusief twee leiders, van wie imam Youssef de grootste vis is die zij gevangen hadden. En voor hem persoonlijk natuurlijk de bevrijding van zijn vriendin.

Zijn gedachten werden onderbroken door een klop op de deur. Er verscheen vervolgens een stevige tante van zeker een meter vijfenzeventig in de deuropening. Met een glimlach op zijn gezicht dacht Dennis: *dat is geen kamermeisje, maar een kamerolifant.*
'Is het juffrouw Nina of mevrouw Nina?'
Terwijl zij de kamer binnenliep, zei ze: 'Zeg maar gewoon Nina.'
Op haar blozende wangen afgaand dacht Dennis dat ze achter in de twintig moest zijn. En voor hij iets kon zeggen had Nina al plaatsgenomen tegenover Dennis.
'Waarvoor hebt u mij laten roepen?' opende Nina, en niet Dennis, de ondervraging. Zijn wenkbrauwen kwamen omhoog, maar direct daarop toonde hij zijn charmantste glimlach en vroeg of zij iets wilde drinken.
'Wat drinken?' reageerde ze spontaan. 'Wat dacht je van een whisky-cola met ijs?' Direct liet ze erop volgen: 'Jeetje, dacht ik, wat moet de Bulle van mij?'
Dennis schoot in de lach na de opmerking van Nina en ook op het gezicht van Nina verscheen een glimlach. Het ijs was gebroken en Dennis bestelde een whisky-cola en een pilsje voor hemzelf.
'Werk je hier al lang?' vroeg Dennis om de tijd te overbruggen voordat de drankjes geserveerd werden.
'Al ruim vijf jaar, het hotel is een goede werkgever, dat kom je in de horeca niet of nauwelijks tegen. Bij de meesten krijg je een bodemsalarisje en moet je het hebben van de fooien.'
'Heb je een vriend of ben je getrouwd?'
'Eigenlijk gaat je dat geen moer aan, maar ik vind je wel sympathiek. Kerels, ik heb mijn buik vol van ze, het enige wat ze van je willen is met je naar bed gaan.'
Dennis keek haar verongelijkt aan en zei: 'Dat meen je niet.'
'En of ik het meen, ik heb nu een hele gezellige vriendin, die...'
Ze werd onderbroken door een klop op de deur en een serveerster kwam binnen met de bestelde drankjes.
'Nina,' fluisterde de serveerster Nina toe, 'je moet nog werken, hè!'
'Dat weet ik, Elena, maar vind je hem geen schatje, om op te vreten toch?'
Giechelend nam Elena de lege kop-en-schotel bij Dennis vandaan en maakte dat ze de kamer uitkwam. Elena wist dat Nina een reputatie had met mannen, die er niet om loog.
Dennis was geen groentje en voelde de situatie perfect aan.
Nina, schoonheid, wil je op deze toer?
'Wat is je naam, Bulle?'
'Dennis.'
'Proost, Dennis, op onze kennismaking.'
Dennis schonk zijn pilsje in een glas, eerst schuin en daarna rechtophoudend, totdat het schuim, twee vingers dik, de bovenkant van het glas had bereikt. Glimlachend bekeek hij het resultaat, hij hield van perfectie.
'Proost, Nina, ik hoop dat je me waardevolle inlichtingen kunt verschaffen. Nina, het gaat om een van de gasten die op de bovenste verdieping een kamer had gehuurd en die sinds donderdag is verdwenen. Wij weten zeker dat hij een terrorist is.'

Nina keek Dennis ongelovig aan, maar ze las de ernst in zijn ogen waardoor haar gezichtsuitdrukking veranderde van verbazing naar afschuw.
'Hier?' stamelde ze. 'De Brandenburger Tor?'
Dennis knikte alleen maar.
Ze staarde even voor zich uit, schudde met haar hoofd en dronk toen in één keer haar glas whisky-cola leeg.
Ze keek Dennis weer aan en zei: 'Vraag maar.'
'Weet je om wie het gaat?'
Nina knikte. 'Er is afgelopen donderdagochtend maar één gast op de bovenste verdieping vertrokken.'
'*Hoeveel en wat voor soort bagage had hij bij zich*?'
Ze dacht even na en zei toen zeer beslist: 'Een normale koffer, een reistas en een langwerpige draagbare kist of koffer.'
'*Kun je bij benadering de formaten opgeven van die draagkoffer*?'
Ze knikte. 'Ik denk het wel, ik heb hem zelfs even bij de handgreep opgetild. De lengte moet ongeveer 1,35 meter zijn, de hoogte circa 45 centimeter en de breedte pakweg 25 centimeter; het gewicht schat ik ergens tussen de zes en acht kilo.'
'*Wist je dat hij de leider was van een delegatie Antwerpse zakenlieden*?'
'Nee, dat wist ik niet. Ik vond het wel vreemd dat hij regelmatig bezoek kreeg van een allochtoon.'
Dennis haalde de drie foto's tevoorschijn en liet ze haar bekijken.
'Ja, dat is de heer Van Someren en die daar de allochtoon.'
Dennis herkende hem als de oudste van de twee broers Al-Makaoui, Masood.
'*De allochtoon heet Masood Al-Makaoui, heeft of had hij een eigen kamer*?'
'Niet dat ik weet, zeker niet op mijn afdelingen, de twee bovenste verdiepingen.'
'*Heb je, nadat Van Someren vertrokken was, Masood nog in het hotel gezien*?'
'Nee. Dat kun je beter navragen bij de receptie beneden.'
'*Heb je die nieuwe gast die speciaal naar de kamer van Van Someren had gevraagd, al ontmoet?'*
'Jawel, maar ik vind het een griezel, zeker met die donkere brillenglazen. Je weet niet of hij je nou aankijkt of niet, ik krijg de kriebels van hem.'
'*Hoe ziet hij eruit*?'
'Hij heeft donkerblond golvend haar, tot over zijn oren en zijn kraag, hij draagt een donkere bril die rust op een flinke neus, en een borstelige snor die overgaat in een puntige baard.'
'*Heeft hij bezoek ontvangen*?'
'Gisteren zag ik uit zijn kamer een statige Arabier komen met zo'n soepjurk aan en een doek om zijn hoofd; hij had een lange grijze baard.'
'Dat is interessant. Waaruit bestaat de bagage van de nieuwe gast?'
'Een koffer, een reistas en een...'
Nina haperde en keek Dennis met grote ogen aan.
'En een langwerpige kist of koffer, met een handgreep bovenop,' zei ze zacht.
Dennis knikte een paar maal en streek met zijn vingers als een kam door zijn korte, weer snel aangroeiende haar.

'Is hij nu op zijn kamer dat je weet?'
Nina negeerde de vraag en zei vol afschuw: 'Een terrorist op mijn afdeling, mijn hemel, wat moet ik doen?'
'Inderdaad, het ziet ernaar uit dat Van Someren zich heeft vermomd en zijn twee handlangers ook. Hé, Nina, kom op, meid, wij zijn er toch voor om die knaap onschadelijk te maken!
Weet je of hij nu op zijn kamer is?'
Nina schudde haar hoofd.
'Welke kamer is het precies?'
'Als je de lift uitkomt, rechts de gang in en de derde deur links, gerekend vanaf het einde van de gang.'
'Mag ik de loper van jou lenen?'
Nina pakte de loper uit de zak van haar schort en gaf hem aan Dennis.
'Zijn er nog collega's van jou op de bovenste verdieping aan het werk, een onderhoudsmonteur misschien?'
'Zover ik weet niet.'
'Hoeveel kamers zijn er op de bovenste verdieping bezet?'
Ze moest even nadenken.
'Vanmorgen zeven kamers, inclusief de kamer van de terrorist,' zei ze aarzelend. 'Maar het kan zijn dat er vanmiddag meer kamers zijn verhuurd. Er is een weekendaanbieding, dus dat moet je aan de receptie vragen.'
'Oké, Nina, ik wil dat je niet meer naar boven gaat, doe je schort af en neem een whisky-cola in de bar op mijn kosten. En: praat er met niemand over, de terrorist zou weleens gewaarschuwd kunnen worden.'
Samen verlieten zij de vergaderkamer en Dennis vervoegde zich bij de receptie, terwijl Nina in de bar verdween. 'Ik wil met spoed, dus direct, de manager spreken.'
De receptionist draaide een intern nummer en gaf het verzoek van Dennis door. 'Laat de manager naar vergaderkamer 2 komen,' kwam Dennis er nog tussendoor. Snel overbrugde Dennis de afstand tussen de receptiebalie en de hoek waar Schulz zich bevond.
Hij bracht Schulz op de hoogte van de laatste ontwikkelingen.
'Ik haal mijn team het hotel binnen en in overleg met de manager ontruimen we de bovenste verdieping. Daarna dringen we de kamer binnen en bij afwezigheid van de terroristen wachten we ze geduldig op.'
'Heel goed, Dennis, ik breng Andreas en Florian op de hoogte en zodra Van Someren het hotel binnenkomt, laat ik het hermetisch afsluiten.'
'Niet te snel afsluiten, Thomas, laat eerst ook die statige Arabier binnenkomen. Ik moet nu gaan, de manager wacht op me.'
'Dennis.'
'Ja.'
'Neem geen risico's, jongen, onderschat ze niet, ik heb begrepen dat deze lui in Afghanistan tegen de Russen hebben gevochten. Keiharde, gewetenloze kerels, die schieten om te doden.'

'Maak je geen zorgen, Thomas, het komt goed.'
Schulz stond op en gaf Dennis een stevige handdruk. 'Succes, jongen.'

Wembley Stadion, de afrekening

'Maureen, welke kant loopt die kerel op?'
'Hij loopt in de richting van de hoofdingang, met Jack en de rechercheur luid pratend vlak achter hem.'
'Jack, hoor je mij?'
'Ja, Alan,' fluisterde Jack in zijn microfoontje.
'Pak de kerel op, samen met je Manchester United maatje. Grijp hem bij zijn armen en klik deze achter zijn rug in de boeien. Daarna kijk je wie het is. Rahman of Farooq.'
Jack tikte de rechercheur aan en knikte met zijn hoofd naar de kerel die voor hen liep, terwijl hij zei: 'Ik hoop dat na de wedstrijd de hooligans zich rustig houden, de vorige keer...'
Ze grepen de kerel voor hen bij de armen, sleurden hem tegen de grond en trokken in één beweging zijn armen op zijn rug om hem vervolgens snel in de boeien te slaan.
Maureen was ondertussen vlakbij gekomen en riep naar Jack: 'Haal z'n zakken leeg.'
'Alan, we hebben hem en zo te zien is het Farooq.'
'2-0, heel goed, Maureen, Jack,' reageerde Alan.
'Brian, Barry, voorzichtig met die Rahman, hij is een ex-inlichtingenofficier van de Pakistaanse geheime dienst, de ISI. Hoe is jullie positie ten aanzien van Rahman?'
'Barry is een meter of tien van hem verwijderd en ook hij begeeft zich naar de ingang.'
'Geef hem de ruimte en zorg dat jullie niet opvallen. Roger en Pete, laat je meevoeren met de supporters, ik denk dat hij zo meteen, tegen de stroom in, het Wembleyterrein wil verlaten.
Brian en Barry, ga zo onopvallend mogelijk achter hem aan en sluit hem in.'

Barry zag dat Rahman zich naar de zijkant van de steeds dunner wordende supportersstroom begaf en zich als een echte suppoost gedroeg.
'Opschieten, mensen, de wedstrijd begint zo,' hoorde Barry hem roepen.
Even later keerde de kerel zich om en liep aan de buitenkant naar de uitgang.
Roger en Pete probeerden vanuit het midden naar de buitenkant te lopen, maar kregen algauw ruzie met enkele hooligans; er werden harde klappen uitgedeeld.
Rahman maakte gebruik van het opstootje en op een paar meter afstand passeerde hij Roger en Pete; hij versnelde zijn pas.

Vechtend braken ze uit naar de zijkant en ontmoetten daar Brian en Barry.
Met zijn vieren achtervolgden ze de terrorist. Ze lieten hun supportersdekmantel vallen en spurtten achter Rahman aan.
Achteromkijkend zag Rahman vier achtervolgers op zo'n twintig meter achter hem en lachend begon hij te rennen. Even buiten het stadionterrein stond immers zijn groene Honda Civic als vluchtauto te wachten. Met voldoende voorsprong moest dat lukken.
Een halfuurtje zich schuilhouden bij zijn hospita Barbara Graham, terugkomen en de explosieven tot ontploffing brengen.
Hij keek nog eens om en zag dat de afstand tot zijn achtervolgers groter werd.
'Stik, Alan,' klonk de hijgende stem van Roger. 'Die kerel gaat ontsnappen.'

'Phil.' Alans stem was nog steeds rustig. 'Doe iets, stop de terrorist.'
Rahman had de agenten reeds achter zich gelaten, keek opnieuw om en ziende dat de afstand weer groter werd, zette hij lachend nog eens extra aan.
Het volgende moment duikelde hij voorover en klapte met zijn gezicht keihard op het beton.
Verdoofd door de klap probeerde hij overeind te komen. Bloed gutste uit zijn gebroken neus en vanuit zijn opengescheurde wenkbrauwen, zo in zijn ogen.
Wankelend stond hij op en probeerde het bloed uit zijn ogen te wrijven, terwijl hij wanhopig schreeuwde: 'Allah, ik moet...' Maar Phil was al bij hem en sloeg hem in de boeien.
'Een schitterende worp, Andy Graig, dit zal jouw carrière geen kwaad doen.'
Glimlachend raapte Bobby Andy's wapenstok op en hing hem aan zijn broeksriem.
Alan, die van afstand had gezien wat er gebeurde, brulde het uit van opluchting.
'Drie tegen nul!'
De laatste Chelseasupporters die hem passeerden, keken hem vreemd aan. De wedstrijd moest toch nog beginnen. Een van de Chelsea-aanhangers merkte op: 'Weer zo'n Manchester United supporter, die ze niet allemaal op een rijtje heeft.'
En tegen Alan: 'Laat je nakijken, man.'
Alan glimlachte hem vriendelijk toe, terwijl hij de Bomb Squad opriep, een militair bommenopruimingsteam.

Adlon Hotel, zaterdag 19 mei, 15.00 uur

De bovenste verdieping van Hotel Adlon was ontruimd.
De hotelgasten waren met een smoes, onderhoud aan de airco, geëvacueerd en ondergebracht in lager gelegen hotelkamers.
Tijdens de evacuatie was de vermomde Van Someren het hotel binnengekomen, precies acht minuten over drie. Onverstoorbaar was hij naar de receptie gelopen

om te vragen of er nog post voor hem gekomen was.
Op de hoogste verdieping ontving Dennis het bericht dat Van Someren gearriveerd was en binnen een minuut was de hotelgang leeg. De komst van de terrorist had Dennis verrast en het was nu te laat om de bewuste kamer nog te bezetten.
Uit voorzichtigheid en voor de veiligheid van de hotelgasten bleven zij wat langer op hun kamers dan nodig was en dat was maar goed ook, want een paar minuten later kwam het bericht van Schulz, dat de statige Arabier was gearriveerd.
Scherp om zich heen loerend was hij recht op de liften af gelopen en even later naar boven verdwenen.
Schulz had eerst nog overwogen de terrorist in de lobby te overmeesteren, maar bij nader inzien was het voor de veiligheid van de hotelgasten beter om de terrorist op zijn kamer te arresteren.
Een ontruimde lobby had de terrorist argwanend gemaakt en dat had verkeerd uit kunnen pakken.

Voorzichtig nam Mark van Someren de Snajperskaja Vintovka Dragoenova uit de langwerpige houten kist. Hij streelde de 610 mm lange loop van het semiautomatische sluipschuttersgeweer, een door Jevgeni Dragoenov ontwikkeld scherpschuttersgeweer uit Rusland. Hij drukte een magazijn met tien patronen onder in het geweer, klikte een telescoopvizier op zijn plaats en liep naar het raam, dat uitzicht bood op de Brandenburger Tor.
Masood zette een stoel voor het raam. Van Someren zette er zijn rechtervoet op en schoof de loop van het geweer op het kozijn.
Zijn rechterelleboog steunde op zijn rechterknie en zijn rechtervinger boog zich rond de trekker. Daarna tuurde hij door het vizier en zocht de explosieven die boven op het plateau van de Tor geplaatst waren.
De adrenaline gierde door zijn lijf en hij had moeite zijn ademhaling te beheersen. Met zijn vinger hield hij een constante druk op de trekker en na een halve minuut had hij zijn adem onder controle.
Het geweer had een maximaal bereik van 1300 meter en een mondingssnelheid van 830 meter per seconde. De afstand van het raam op de bovenste verdieping van het hotel tot de Tor bedroeg exact 306 meter.
'Hoe laat is het, Masood?'
'Twee minuten voor vier.'
'Waarschuw Anwar dat het feest om precies vier uur moet beginnen.'
Masood haalde zijn mobiel tevoorschijn.
'Dit nummer is niet in gebruik, probeer het later nog eens,' klonk er gelijk.
Masood keek bedenkelijk.
'Dit moet een vergissing zijn,' mompelde hij.
'Wat zeg je?' reageerde Van Someren gelijk.
'Een momentje.'
Masood deed nog een poging. 'Zijn er problemen?'

'Hij heeft zijn mobiel uitstaan.'
'Dat meen je niet,' reageerde Van Someren, die zijn concentratie verloor.
'Hij reageert niet, maar schiet jij nou maar de boel beneden aan flarden.'
Zijn vinger om de trekker was verslapt en ook zijn ademhaling ging te gejaagd.
Het moet nu gebeuren, spookte het door zijn hoofd.
Maar zijn koelbloedigheid, zo vaak getoond in de strijd tegen de Russen, liet hem nu in de steek.
Onzeker keek hij om naar Masood. 'Hoezo, hij reageert niet?'
'Mark,' klonk het zacht, maar scherp, 'breng die explosieven tot ontploffing. Het is nu exact 16.00 uur.'
Mark van Someren stak de loop van de Dragoenova iets verder naar buiten en concentreerde zich op de pakketten onder de strijdwagen op de Tor. Hij spande zijn vinger om de trekker, hield zijn adem in, zocht met de telescoop het linker pakketje en hield het een ogenblik in het vizier. Hij moest snel drie pakketjes achter elkaar raken, die de godin in haar strijdwagen zouden doen kantelen en naar beneden storten, en die vervolgens beneden een gigantisch bloedbad zouden veroorzaken.
Met een krachtige knijpbeweging van zijn vinger aan de trekker ging het eerste schot af, maar tegelijk werd door een onbekende oorzaak het geweer half uit zijn handen gerukt.
Terwijl hij verbaasd naar de loop van zijn geweer keek en een flitsende blik wierp op de Brandenburger Tor, begreep hij dat hij had misgeschoten.
Op ditzelfde moment werd achter hem met geweld de deur opengegooid en kwam als een lawine de ene na de andere kerel binnenstormen.
Twee van hen sleurden Masood tegen de grond en de andere twee wierpen zich op Van Someren.
Volledig verrast werden de twee terroristen overmeesterd.
Pascal en Karl klikten de handboeien om de polsen van Masood, Dennis en Ali presteerden hetzelfde met Van Someren, die hoofdschuddend en niet begrijpend naar de verbogen loop van zijn geweer staarde.

Hoofdbureau politie Haaglanden, Den Haag

COMMISSARIS DE KONING KNIKTE Benny en Tikva toe en zei: 'Gaan jullie mee?'
Zonder aankondiging betraden zij het hoofdbureau, begroetten de dienstdoende wachtcommandant, die beleefd tegen de rand van zijn pet tikte, en vervolgden hun weg naar het kantoor van de korpschef.
Zonder te kloppen opende Benny de deur van het kantoor van korpschef Bierman.
Verrast keek deze van achter zijn bureau op, toen hij de drie onaangekondigd zijn kantoor zag binnenkomen. Tikva kwam als laatste binnen en sloot de deur.
De Koning, geflankeerd door links Benny en rechts Tikva, keek de korpschef zwijgend aan.

Secondenlang keken zij elkaar recht in de ogen, toen sloeg Bierman de ogen neer en staarde naar zijn bureaublad.
'Ik wist het, Roel, je bent te perfectionistisch om dit over zijn kant te laten gaan.'
'Waarom, Kees?' repliceerde De Koning met enige droefheid in zijn stem. 'We hadden ze bij verrassing kunnen overrompelen, nu zijn er onschuldigen gedood en zwaargewond geraakt.'
Als een door de wind geknakte bloem liet de altijd zo zelfverzekerde korpschef het hoofd naar voren knikken. Met zijn rechterhand streek hij met een vermoeid gebaar over zijn voorhoofd.
Zonder zijn hoofd op te heffen sprak hij zacht, maar duidelijk te verstaan, een bekentenis uit.
'Jozef Stalman en ik zijn beiden in dezelfde straat opgegroeid, we waren zoals dat genoemd wordt boezemvrienden. Thijs Gilbert was de derde van ons groepje. We haalden kwajongensstreken uit en hielden ook van gevaarlijke spelletjes.'
Bierman hield van korte, maar duidelijke verslagen, maar zocht nu naar de juiste woorden. Een tiental seconden staarde hij nadenkend voor zich uit.
'Jozef en Thijs hebben mijn leven gered.'
Stilte.
'Een van die spelletjes was, dat we vlak voor een aanstormende trein overstaken.'
Stilte.
'Omdat ik sneller was dan mijn twee vrienden liep ik voorop.'
Stilte.
'Terwijl ik de rails overstak struikelde ik en met gevaar voor eigen leven grepen de jongens mij bij de schouders en rukten me van de rails af.
Na onze HBS-tijd zijn we elkaar uit het oog verloren. Thijs verdween naar Rotterdam en vervolgde zijn studie aan de Zeevaartschool. Jozef nam een baan aan als vertegenwoordiger, een juiste keuze dacht ik toen, omdat die knaap kon praten als Brugman.'
Stilte.
'Jaren later kwam ik Jozef weer tegen, toen ik hoofdagent was. Een toevallige ontmoeting, dacht ik toen.'
Stilte.
'Hij vroeg mij om inlichtingen over een zware crimineel.'
Bierman schudde met zijn hoofd.
'Achteraf onbegrijpelijk dat ik daar ingetrapt ben, maar ik had toen het gevoel iets terug te moeten doen en vlotte prater als hij was, overtuigde hij mij dat het toch vrij onschuldige inlichtingen waren.'
Een dag later gaf ik hem die inlichtingen. Hij bedankte me en zei: '*For the good old times.*'
Stilte.
'Toen ik die avond thuiskwam en mijn uniformjas uittrok, hoorde ik geritsel van papier. Ik voelde in mijn zak en er bleek een envelop in te zitten.'
Stilte.

'Uiteindelijk maakte ik hem open en ik kon mijn ogen niet geloven.'
Stilte.
'Tien briefjes van honderd gulden, toentertijd een heel maandsalaris.'
Bierman hief zijn hoofd op en keek de drie voor zijn bureau een voor een aan.
'Ik, Cornelis Bierman, had me schuldig gemaakt aan het aannemen van smeergeld.'
Bierman stond op vanachter zijn bureau en vervolgde: 'Die onschuldig lijkende inlichtingen die ik had gekopieerd uit het archief, een rechercherapport, bevatte verzamelde gegevens over die zware crimineel. Zijn huisadres, zijn stamkroeg, de naam van zijn vriendin, zijn strafblad en enkele nog niet bewezen beschuldigingen over inbraak en afpersing. Een week later werd er een lijk opgevist uit het zogenaamde Verversingskanaal langs de Houtrustweg in Scheveningen.'
Stilte.
'Eén keer raden,' viel Benny in. 'De zware crimineel.'
Bierman knikte met het hoofd en nam weer plaats achter zijn bureau.
'Toen jullie met zijn naam op de proppen kwamen, wilde ik voorkomen dat jullie daar voor niets naartoe zouden gaan en heb ik hem gebeld en ronduit gevraagd of hij onderdak verleende aan Palestijnen. Achteraf een vreselijke vergissing. Ik wist dat hij zich met duistere zaakjes bezighield, die het daglicht niet konden verdragen, maar onderdak verlenen aan terroristen... nee, dat had ik absoluut niet van hem verwacht.'
De Koning keek eerst Benny aan en daarna Tikva, voordat hij naar voren stapte.
'Kees, de beslissing ligt geheel bij jou,' zei hij, terwijl hij Bierman de hand schudde. 'Ik wens je sterkte.'
Zwijgend gaven ook Benny en Tikva Bierman een hand.
Daarna verlieten de drie het kantoor van de korpschef.

Berlijn, Hotel Adlon, 19 mei 18.00 uur

Aan de gezellige bar in het legendarische vijfsterrenhotel Adlon zaten Dennis Neumann en zijn Anti Terreur Eenheid bij te komen van een opwindende en van spanning doordrenkte dag. Geen van de mannen zou deze dag snel vergeten.
Gezeten in een van de comfortabele kuipstoeltjes bracht Neumann een toost uit op een van zijn teamleden.
'Gustav,' sprak hij, 'we weten dat jij een eersteklas scherpschutter bent, maar het meesterschot van vanmiddag spant de kroon. Met het besef dat er honderden levens op het spel stonden, bracht jij de koelbloedigheid op om op het juiste moment te schieten.'
Hij hief zijn glas Krombacher pilsener op en zei: 'Proost, op jouw schutterstalent.' Ook zijn teamgenoten brachten hun glas omhoog.
Gustav haalde in een korte beweging zijn schouders op en repliceerde: 'Ach, chef, de afstand was zeer kort. Uit het raam hangend vanuit de naastgelegen hotelkamer heb ik me alleen maar geconcentreerd op de loop van het Dragoenova geweer

en ik dacht helemaal niet aan de explosieven op de Tor. Instinctief voelde ik aan wanneer ik moest schieten. Trouwens, jouw timing was ook perfect.'
Gustav blies in zijn handpalm een onzichtbaar pluimpje naar Dennis.
Grinnikend sloeg Dennis het laatste slokje bier achterover.

Luchthaven Kastrup, Kopenhagen

MACHTELOOS MOESTEN NIELS JACOBSON en zijn twee kompanen, Lilian Carlson en Niels Polsen, vanuit de verkeerstoren op luchthaven Kastrup toezien hoe de Gulfstream V in beweging kwam en langzaam naar de startbaan taxiede.
Jacobson had zich gewonnen moeten geven na een fikse ruzie met de luchthavenpolitiechef Nielsen en de verkeersleider.
Hij wilde het vertrek van het toestel nog langer uitstellen, in de hoop dat zijn chef Bert Lunde zich zou bedenken en hem op het laatste moment alsnog toestemming zou geven om de sjeik met zijn gevolg te arresteren. Men had het toestel al uren opgehouden door geen toestemming te geven om te vertrekken.
Een telefoontje van een boze burgemeester aan de verkeersleider gaf de doorslag. De nu gekalmeerde verkeersleider gaf rustig zijn aanwijzingen aan de piloten van de Gulfstream V.
Met lede ogen zagen de drie terreurbestrijders het prachtige vliegtuig, met aan boord hun prooi, gas geven en met een steeds groter wordende snelheid de startbaan af jakkeren, om even later de neus omhoog te heffen. Het vliegtuig was binnen vijf minuten in het wolkendek verdwenen.
Met een ruk draaide Jacobson zich om en snauwde: 'Kom, we gaan.'
Tegen de verkeersleider en de politiechef zei hij sarcastisch: 'Namens de Deense veiligheidsdienst worden jullie bedankt.'

Islamabad

MAJOOR ABDUL BHAFFI HAD woord gehouden.
Toen Shahid zijn zwarte Rover 200 SI de oprit van zijn huis op reed, kwamen zijn vrouw Fatima en zijn dochter Farah hem tegemoet, geheel reisvaardig.
Shahid stapte uit en Fatima en Farah vlogen hem om de hals.
'Rustig, meisjes,' kalmeerde hij de beide vrouwen met een schorre stem. 'Laten we naar binnen gaan en geen ophef maken voor de buren.'
Eenmaal binnen in de hal hielden ze elkaar minutenlang omstrengeld.
Abdul Bhaffi, Daisy en Zulfikar stonden glimlachend zwijgend toe te kijken.
'Oké, en nu opschieten,' onderbrak de majoor de omhelzing. 'Shahid, neem een snelle douche, er liggen kleren voor je klaar. Ik verwacht jullie allemaal over een kwartier in de salon.'

Toen ze bij elkaar in de salon zaten, stak de majoor gelijk van wal.
'Ik heb nieuwe paspoorten voor jullie, dus ook een nieuwe identiteit. Over drie kwartier vertrekt vanaf Benazir Bhutto International Airport een vliegtuig met bestemming Manchester, Engeland. Voor deze vlucht heb ik vijf vliegtickets enkele reis geboekt. Het vluchtnummer is PIA 701. In Manchester worden jullie opgevangen door majoor Mike Brown van de MI5.
Het laatste wat ik voor jullie ga doen, is jullie zo langs de douane loodsen.'

Thames House Londen

COMMANDER ALAN PRICE HAD zijn bevindingen en slotconclusie op papier gezet en las zijn rapportage nog even snel door.
Opnieuw hield hij zijn adem in bij het lezen van de rapportage van de Explosieven Opruimingsdienst I.E.D.D. (Improvised Explosive Device Disposal), een tegenhanger van de in Nederland opererende Explosieven Opruimings Dienst.
Onder in de ijscowagentjes hadden tientallen kilo's krachtige explosieven RDX (Rapid Detonation Explosive) en HMX (High Meltingpoint Explosive) gelegen.
De onschadelijk gemaakte explosieven waren afkomstig uit de verdwenen partij zware explosieven in Irak, kort na de invasie in maart 2003 verdwenen van het Al-Kakaa Complex, 350 ton zware explosieven. Met deze zware explosieven zouden terroristen grote gebouwen kunnen opblazen, zo ook bijna het Wembley Stadion.
Het was een raadsel hoe een gedeelte van deze gestolen partij explosieven in Engeland terecht was gekomen.
De I.E.D.D. benadrukte, dat dit weleens niet de enige partij zou kunnen zijn, die Engeland was binnen gesmokkeld.
De commander sloot zijn rapport af met twee positieve opmerkingen: *Hoogstwaarschijnlijk veroordeelt de Britse rechter de terroristen tot een gevangenisstraf van ten minste vijftien jaar.*
Voor de Londense Chelseafans sloot deze macabere dag af met een 1 – 0 overwinning op Manchester United.

Berlijn ontsnapt aan zware aanslag

Berlijn

DUITSE ANTI TERREUR EENHEDEN hebben aanslagen op de Brandenburger Tor, de Victoria Column en langs de Strasse des 17. juni, op het laatste moment kunnen voorkomen.
'Er was sprake van een acute dreiging,' verklaarde kolonel Schulz, de hoogste chef van de A.T.E. in Berlijn.
De hoogste openbaar aanklager, de Bundesabwaltschaft, zei vanmorgen dat het een samenzweringscomplot betrof tussen terroristen uit Berlijn en Antwerpen.

Tijdens schermutselingen zijn een islamitische terrorist uit Neukölln, Hakim H., en de uit Antwerpen afkomstige wapenhandelaar Anwar I. om het leven gekomen.
De vermoedelijke leider van de Europese tak van Al-Qaida, imam Youssef, is in de soennitische moskee Abu Bakr in Neukölln gearresteerd.
De moskee werd door de terroristen misbruikt als uitvalsbasis.
De leider van de Berlijnse tak van de Unie van de Islamitische Jihad, Said B., en drie groepsleden, te weten Aziz A., Anwar P. en Amin H. zijn gearresteerd.
Evenzo de vier terroristen uit België, Antwerpen, hun leider Marc van S., Masood al-M., Oman en Hammed.
Imam Youssef en Said B. zijn tijdens hun arrestatie zwaargewond geraakt en liggen op de intensive care.
De andere zeven terroristen zijn vanmiddag voorgeleid aan de rechter-commissaris.
Er hangen hun straffen boven het hoofd van vijftien tot twintig jaar volledige opsluiting.
In België reageerde men geschokt toen bekend werd dat de schatrijke bouwgigant Marc van Someren contacten onderhield met Al-Qaida en betrokken was bij de beraamde aanslagen in Berlijn.

Kopenhagen

De opgepakte Kopenhaagse allochtonen zijn, nadat ze voorgeleid waren aan de rechter-commissaris, vrijgepleit door hun advocaat. Spottend gaf hij aan dat de zes mannen waren ingehuurd door sjeik Faisel als extra bodyguards en dat is beslist niet strafbaar.
Zaterdagmiddag rond vier uur kwamen enkele explosieven tot ontploffing in het parkje midden op de Kongens Nytorv.
Enkele mensen raakten lichtgewond en van het standbeeld werden de voorbenen van het paard van koning Christian V beschadigd.
De Deense veiligheidsdienst PET heeft enkele agenten ingezet om de persoon op te sporen die verantwoordelijk is voor het ontsteken van de explosieven.

Lilian Carlson was ervan overtuigd dat Lichtpuntje de explosieven had laten ontploffen.
Zij en Nick Polsen startten een eigen onderzoek en met hulp van de wijkagent van Norrebro spoorden zij Farid op. Na een lang verhoor moesten zij hem uiteindelijk weer laten gaan wegens gebrek aan deugdelijk bewijsmateriaal.

Den Haag

Korpschef Cornelis Bierman nam eervol ontslag, met als reden dat hij toe was aan een andere uitdaging.

Minister van BZ, Aagje Wemeldam, bood haar oude studievriend een baan aan bij de Algemene Inlichtingen- en Veiligheidsdienst, te beginnen als hoofd van de eenheid Binnenlandse Veiligheid.
Deze eenheid is verantwoordelijk voor de bescherming van de democratische rechtsorde, voor de staatsveiligheid en voor veiligheidsbevordering.
Bierman stelde de minister voor om De Koning de dagelijkse leiding te geven van de nieuw op te zetten geheime Anti Terreur Eenheid.
Benny Goedkoop vertrok samen met Tikva Goldsmid naar Israël voor een drieweekse vakantie in Eilat.
De Nederlandse terroristen werden veroordeeld tot gevangenisstraffen van acht tot vijftien jaar.
Herman de Jong, alias de Professor, overleefde de botsing, maar zijn hersens waren zodanig beschadigd dat hij nauwelijks meer praten kon en de rest van zijn leven moest doorbrengen in een rolstoel.
De Palestijnen werden uitgeleverd aan Israël, dat daartoe een verzoek had ingediend.

CIS-1 Tel Aviv

Met een meer dan tevreden gevoel sloot Avi Weinberger zijn computer af.
Hij staarde een twintigtal seconden naar het verdwijnende beeld, tot het scherm in zijn geheel zwart werd.
De laatste rapportage had hij uit Berlijn ontvangen.
Al-Qaida was in Europa een geweldige dreun verkocht.
Ook van majoor Bhaffi in Pakistan ontving hij een positieve rapportage.
Hij had zojuist zijn complimenten aan zijn contacten in Europa gemaild.
Als laatste had hij zijn hoogste superieur bij de Mossad geïnformeerd over de tragische dood van Abdullah en de arrestatie van imam Youssef en de Palestijnen.
Israël zou een verzoek om uitlevering van de Palestijnen indienen bij de Nederlandse regering.
Met een zucht van opluchting stond hij op en begaf zich naar het kantoor aan de voorkant.
'Naomi, Yaacov, ik trakteer, ik weet een geweldig restaurant hier vlakbij, waar ze de lekkerste vis bereiden met als specialiteit: de zalm.'